トニー・ファデル
土方奈美訳

BUILD

［ビルド］

真に価値あるものをつくる型破りなガイドブック

An Unorthodox Guide
to Making Things Worth Making

TONY FADELL

早川書房

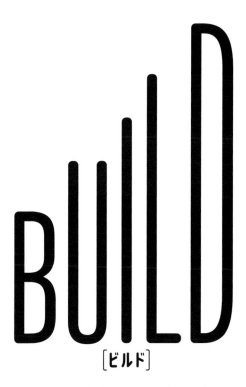

BUILD

――真に価値あるものをつくる型破りなガイドブック

BUILD

An Unorthodox Guide to Making Things Worth Making

by

Tony Fadell

Translated by
Nami Hijikata
First published 2023 in Japan by
Hayakawa Publishing, Inc.
This book is published in Japan by
direct arrangement with
Not Shakespeare LLC
c/o Brockman, Inc.

装幀／早川書房デザイン室

僕の最初のメンターだったナナ、おじいちゃん、母さん、父さんへ

目次

はじめに　9
第一部「自分」をつくる　23
第一章　社会に出る　28
第二章　就職する　40
第三章　自分のヒーローを見つける　48
第四章　下（ばかり）を見ない　55
第二部　キャリアをつくる　65
第五章　マネージャーになる　75
第六章　データか主観か　92
第七章　ク　ズ　102
第八章「辞めます」　115
第三部　プロダクトをつくる　129
第九章「見えないもの」を「見えるもの」に　138
第一〇章　なぜストーリーテリングが必要なのか　153

第一一章　進化か破壊か実行か　162
第一二章　最初の冒険……そして二度目の冒険　175
第一三章　リズムとリミット　189
第一四章　三世代　203
第四部　会社をつくる　217
第一五章　最高のアイデアをどう見つけるか　226
第一六章　準備はいいか　237
第一七章　カネ目当ての結婚　248
第一八章　唯一無二の顧客は誰か　262
第一九章　死ぬほど働く　268
第二〇章　危　機　283
第五部　チームをつくる　293
第二一章　採　用　297
第二二章　ブレークポイント　312
第二三章　万人のためのデザイン　334
第二四章　マーケティングの方法を確立する　344

第二五章　ＰＭの存在意義　358
第二六章　セールス文化の終焉　371
第二七章　社内弁護士を雇う　380

第六部　ＣＥＯの心得　391
第二八章　ＣＥＯになる　407
第二九章　取締役会　422
第三〇章　企業買収　する側とされる側　435
第三一章　マッサージなんてクソくらえ　448
第三二章　ＣＥＯを辞める　458

おわりに　自分を超える　469
謝　辞　474
参考文献　480
解説／楠木建　483

※訳者による註は小さめの（　）で示した。

Image credits: p. 24: Marc Porat/Spellbound Productions II; pp. 37, 69, 71, 135, 136, 150, 179, 181, 182, 192, 213, 222, 225, 388: Dwight Eschliman; pp. 57, 59, 141, 190, 205, 314, 316, 317, 347, 350, 354: Matteo Vianello; p. 132: Tony Fadell; p. 146 : Manual Creative; p. 147 : Erik Charlton; p. 194: Will Miller.

はじめに

僕が頼りにしていた経験豊かなメンターの多くはすでにこの世を去った。

数年前、ふとまわりを見渡してみたら、数えきれないほどの質問を受け止めてくれた人、深夜の電話を取ってくれた人、僕が会社を立ち上げ、プロダクト（製品）をつくり、取締役会を仕切るのを助けてくれた人、あるいは純粋に僕がもっと良い人間になれるよう手を貸してくれた忍耐強い（例外もいたが）賢人たちはもういなかった。あまりに早く亡くなってしまった人もいる。

今では僕が数えきれないほどの質問を受ける側になった。僕自身が何度も繰り返し尋ねたのと同じ質問だ。もちろんスタートアップ経営に関する問いもあるが、もっとシンプルなものもある。仕事を辞めるべきか、続けるべきか。キャリアアップのために何をしたらいいか。自分のアイデアに何らかの価値があるのか、どうすればわかるのか。デザインをどう考えたらいいのか。失敗にどう対処したらいいのか。いつ、どうやって起業したらいいのか。

そして驚いたことに、僕は答えを持ち合わせていた。アドバイスも。これまで三〇年以上にわたってすばらしいメンターや一緒に仕事をした最高の仲間たちから学んだことだ。数億人が毎日のように使うプロダクトをつくろうと、ちっぽけなスタートアップや巨大企業で働きながら日々身につけてきたことだ。

だから今、あなたが深夜にパニックになり、どうすれば創業時の文化を守りつつ会社を成長させられるのか、どうすればマーケティングで大コケしないですむかと電話をかけてきたら、僕はいくらかの知恵なり、裏技、コツ、あるいは守るべき原則のようなものまで教えてあげられるだろう。

でも、そうするつもりはない。深夜に電話をよこすのはぜひやめてもらいたい。夜ぐっすり眠ることがどれほど大切か、今の僕にはわかるからだ。

代わりにこの本を読んでほしい。

ここには僕が日々、大学を出たばかりの若者、企業の経営者や幹部、インターンなど、ビジネスの世界で必死に前に進み、キャリアを築いていこうとする人たちに話すアドバイスの多くが詰まっている。

本書のアドバイスは一風変わっている。昔かたぎとでも言おうか。シリコンバレーでは再発明、破壊こそがすべてとされる。古くさい考え方をぶっ壊し、新しいものをつくれ、と。だが、ぶっ壊してはいけないものもある。あなたが何をつくっているか、どこに住んでいるか、何歳であるか、どれくらいカネを持っているかいないかにかかわらず、人間の本質は変わらない。そして僕は三〇年以上にわたり、人間が自らのポテンシャルを最大限引き出すには何が必要か、そして破壊すべきものを破壊し、自分らしい異端の道を切り拓いていくために何が必要かを見てきた。

だからこの本では、ひとつのリーダーシップのスタイルについて書こうと思う。それが成功をもたらすのを、僕は何度も目の当たりにしてきた。僕のメンターやスティーブ・ジョブズがそれをどのように実践してきたのか。僕がどう実践してきたのか。わざわざ厄介事を引き起こすトラブルメーカーであるとはどういうことか。

これが「つくる価値のある何かをつくる」唯一の方法だと言うつもりはない。あくまでも僕の方法だ。万人向きではない。進歩的で今風の組織論など説くつもりはない。週二日だけ働いて、さっさとリタイアする方法を教えるつもりもない。

世界には凡庸でつまらないモノをつくる凡庸な会社があふれている。だが僕は人生を通じて、エクセレンス（究極）を追求するプロダクト、エクセレンスを追求する人たちを求めてきた。最高のロールモデル、勇気と情熱をもって世界に凹みをつくった人たちから学ぶことができて本当に幸運だった。あらゆる人にそんな機会があればと思う。

だから僕はこの本を書いた。意義のある仕事を成し遂げようとする人には、メンターやコーチが必要だ。同じような苦境を経験し、僕らが仕事で本当に厳しい状況に置かれたときに助けてくれるような人物だ。優れたメンターは答えを与えるのではない。目の前の問題を新たな視点で見られるように手助けしてくれる。自分が苦労して身につけた知恵を差し出し、自分なりの解決策を見つけられるようにしてくれる。

メンターやコーチの支えが必要なのは、シリコンバレーのテック起業家だけではない。本書は新しいものを生み出そうとする人、エクセレンスを追い求める人、この大切な地球上に自分が存在する限られた時間を無駄にしたくないという人のためにある。

最高のプロダクトについてじっくり語っていくつもりだが、ここでいうプロダクトとは技術的なものに限らない。サービス、店、あるいは新しいタイプのリサイクル工場など、あなたがつくるものすべてがプロダクトだ。今はまだ何かをつくる気がない人にも、本書のアドバイスは役に立つはずだ。ときには自分が何をしたいか理解することがその初めの一歩になる。ワクワクするような仕事に就くこと。なりたい自分になること、あるいは「コイツらとなら何でもつくれる」と思えるようなチームをつくること。

本書は僕の伝記ではない（幸いまだ生きているので）。本の姿をしたメンター、アドバイスの百科事典だ。

ウィキペディア登場以前の世界を知っている年代の読者なら、自宅の本棚、あるいは祖父母の書斎や図書館の奥の棚に百科事典がずらりと並んでいるのを目にしたときの興奮を覚えているだろう。何か具体的に調べたいことがあって手に取るときもあれば、何気なく手に取って読み始めることもある。「A」のページを開くとまず「Aardvark（ツチブタ）」という言葉が目に飛び込んでくる。最初から読み始めてどこまでいけるか試してもいいし、ところどころ拾い読みしてもいい。世界の一部を切り取ったスナップ写真を集めていくかのように。本書もそんなものだと考えてほしい。

・最初から最後まで通して読むのもいい。
・ページをパラパラめくって、一番興味をひかれるアドバイス、あるいは今あなたが直面しているピンチに役立ちそうなアドバイスを探すという手もある。個人として、組織で、あるいはライバルとの競争で、人生にピンチはつきものだから。
・本文中には「参照」として関連する情報のある場所を示している。ウィキペディアを見るときと同じように、それをたどって自分の興味のあるテーマを掘り下げてほしい。その先には何が待っているだろう。

ビジネス書の多くは、一つの基本テーマを三〇〇ページかけて掘り下げていく。幅広いトピックについて良いアドバイスを得たいと思ったら、四〇冊ほど手に取り、たまに有益な情報のかけらを見つけるのを期待しながら、あてもなく読み進めなければならない。だからこの本では有益な情報のかけらだけを集めた。各章には僕が仕事を通じて、あるいはメンター、コーチ、上司、同僚から学んだアドバイスやエピソード、そして僕がやらかした数えきれないほどの失敗が詰まっている。

僕自身の経験に基づくアドバイスなので、本書は大学を卒業して初めて就いた仕事から今の立場になるまで、おおよそ僕のキャリアに沿った流れになっている。一つひとつのステップ、一つひとつの失敗から、僕は何かを学んできた。僕の人生はｉＰｏｄの成功から始まったわけじゃない。

ただ本書は僕についての本ではない。というのも「僕が」何かをつくったわけではないからだ。ｉＰｏｄ、ｉＰｈｏｎｅ、ネスト・ラーニング・サーモスタット、ネスト・プロテクトといったプロダクトをつくったチームの一員であったに過ぎない。その場に居合わせたが、決して一人ではなかった。本書は僕が学んできたこと（たいていはひどく苦労しながら）についての本だ。

何を学んだか理解するために、まずは僕のことを少し知ってもらったほうがいいだろう。なので、まずは自己紹介を。

一九六九年
月並みなスタート　誕生

幼稚園に上がる頃には引っ越しが始まった。父はリーバイスのセールスマンで、デニム製品の新たな鉱脈を求めて移動を繰り返した。一五年間で通った学校の数は一二校にのぼる。

一九七八〜七九年
スタートアップその一　卵ビジネス

小学校三年生のとき、近所を一軒一軒まわって卵を売った。あれが僕の出発点だ。実直な商売で、毎朝農家から卵を安く買い、弟と一緒に青い台車に積んで近所をまわった。卵で稼いだ小遣いの使い道に両親は口出ししないことになっていたので、僕は初めて本物の自由というものを味わった。

あの卵ビジネスを続けていたら、どんな未来が待っていたのだろう。

一九八〇年

天職と出会う　小学五年生の夏。この時期に天職と巡り会えてよかった。僕が初めてプログラミングの授業を受けたこの時代、「プログラミング」とはＨＢの鉛筆でカードの丸印を塗りつぶしていく作業で、結果は紙にプリントアウトされて出てきた。モニター画面すらなかった。
あんなすてきなものを見たのは生まれて初めてだった。

一九八一年

初恋　お相手は「Apple II Plus（アップルⅡプラス）」。柔らかな光を放つ一二インチの緑色のモニター、美しい茶色のキーボードを備えた最高にゴージャスな八ビット・コンピュータだ。

このめちゃくちゃすばらしい、そしてめちゃくちゃお高いマシンが、僕はどうしても欲しかった。そこで祖父がこんな条件を出してくれた。僕がゴルフキャディのアルバイトで稼いだら、同じ金額を援助してくれるというのだ。お金が貯まるまで死に物狂いで働いた。

僕はこのコンピュータに夢中になった。アップルⅡプラスは僕の情熱のすべてであり、生命維持装置だった。一二歳になる頃には、当たり前の友情を育むのは諦めた。どちらにせよ一年経てばまた引っ越しなのだから。友達とつながり続ける唯一の手段がアップルⅡだった。当時はまだインターネットも電子メールもなかったが、通信速度三〇〇ボーのモデムとデジタル掲示板（当時は「ＢＢＳ」と呼ばれていた）はあった。僕は転校するたびにギーク（コンピュータオタク）仲間を見つけ、再び転校してもアップルⅡで連絡をとり続けるようになった。みな独学でプログラミングを学び、電話会社のシステムをハッキングしては毎分一～二ドルの料金を払わずに長距離電話をタダで使っていた。

一九八六年

スタートアップその二　クオリティ・コンピューターズ　高校最後の年、ＢＢＳで知り合った友人がクオリティ・コンピューターズという会社を立ち上げたので、すぐに僕も仲間に加わった。友人宅の地下室で、サードパーティから仕入れたアップルⅡのハードウェア、ＤＲＡＭチップ、そしてソフトウェアを郵送で再販売していた。それに加えて独自のソフトウェアも書いた。販売していたアップグレードや拡張ボードはインストールが煩雑で、使うのも難しかったので、ふつうの人でも簡単に使えるようにするソフトウェアを書いたのだ。

クオリティ・コンピューターズは本格的な会社に成長した。顧客のためのフリーダイヤルや倉庫を構え、雑誌に広告を出し、従業員を抱えた。一〇年後、友人はこの会社を二〇〇万ドルほどで売却した。だがその頃には僕はとっくに辞めていた。モノを売るのは楽しかったが、つくるのはもっと楽しかった。

一九八九年

スタートアップその三　ＡＳＩＣエンタープライズ　ＡＳＩＣとは特定用途向け集積回路の略称だ。二〇歳頃の僕にはまだブランディングの経験がなかった。だが愛情はあった。一九八〇年代末、僕のこよなく愛するアップルⅡは苦境にあった。速度が足りなかったのだ。そこで友人と一緒にアップルを救おうと決め、新たにもっと高速なプロセッサ「６５８１６」を開発した。プロセッサのつくりかたを知っていたわけではない。初めて大学でプロセッサデザインの授業をとったのは会社を立ち上げた後だ。それでも僕らはこのチップを完成させた。速度は三三メガヘルツと、市販されていた製品の八倍だった。アップルもアップルⅡの新バージョンをつくるのをやめるまで、いくらか買ってくれたほどだ。

一九九〇年

スタートアップその四　コンストラクティブ・インスツルメンツ　ミシガン大学でお世話になった教授と組んで、子供のためのマルチメディア・エディタを開発した。僕はこの仕事に全身全霊で打ち込み、働いていないときでも常にスタンバイ状態だった。まだ医者かドラッグの売人しかポケベルを持っていなかった時代に、僕は持っていたほどだ。まわりの学生は、ファデルはいったい何をしているんだと噂していた。なぜパーティにも顔を出さず酒も飲まず、一人で地下室にこもってコンピュータとにらめっこしているのか、と。

大学を卒業する頃には、コンストラクティブ・インスツルメンツは数人の従業員を抱えるようになっていた。事務所もあり、プロダクトもあり、販売店と契約もしていた。二一歳でCEOだった僕は、死ぬ気で羽をバタバタさせているのになぜ会社がテークオフ（離陸）しないのか、不思議でならなかった。

一九九一年

ゼネラルマジックで診断ソフトウェア技術者になる　本物のスタートアップを経営する方法を学ぶ必要があると考えた僕は、偉大な先達に弟子入りすることにした。就職したゼネラルマジックは、シリコンバレーで最もミステリアスで魅力的な会社の一つだった。どこを見ても天才ばかりで、一生に一度あるかどうかのチャンスだと思った。

ゼネラルマジックは史上最高のパーソナル・コミュニケーション&エンターテインメント・デバイスをつくろうとしていた。僕は会社に惚れ込み、人生のすべてを捧げた。僕らは世界を変えるんだ。負けるはずがない。

一九九四年

ゼネラルマジックで主席ソフトウェアおよびハードウェア技術者になる　ゼネラルマジックは負けた。

一九九五年

フィリップスのCTOになる　僕は提携先企業の一つだったフィリップスと、ゼネラルマジックが失敗した原因について議論した。その席で自分のアイデアを売り込んだ。ゼネラルマジックのプロダクトの想定顧客層を変更し、すでに世にあるソフトウェアとハードウェアを活用し、あとはとにかく徹底的にシンプルにしたらいい、と。

フィリップスはビジネスパーソンが外出先で使えるポケットPCの開発担当として僕を採用した。こうして僕は二五歳で最高技術責任者（CTO）になった。大学を卒業して二つめの仕事だ。

一九九七～九八年

フィリップスで『ヴェロ』と『ニノ』を発売　最高のプロダクトができた！

一九九七〜九八年
どちらもさっぱり売れなかった

一九九八年
フィリップス・ストラテジー・アンド・ベンチャーズグループ　僕はフィリップスのベンチャーキャピタル（ＶＣ）部門に異動した。世の中についてさまざまなことを学びはじめた。だがポケットＰＣの失敗が頭から離れなかった。想定顧客層の設定が誤っていたのだろうか。ビジネスパーソン向けのＰＣなど要らなかったのかもしれない。それより万人向けの音楽プレーヤーをつくるべきだったのではないか。

一九九九年
リアルネットワークス　正しいチーム（仲間）、正しい技術、正しいビジョンとともに、僕はデジタル音楽プレーヤーをつくろうと考えた。

一九九九年、六週間後
退社　入社してすぐ、自分がとんでもない間違いを犯したことに気づいた。自業自得だ。

一九九九年
スタートアップその五　フューズ・システムズ　もう、いい。自分でやる。

二〇〇〇年
ドットコム・バブルが弾ける　一夜にして投資市場は干上がった。ベンチャーキャピタル八〇社にプレゼンをしたが、出資はことごとく断られた。なんとか会社を存続させようと必死だった。

二〇〇一年
アップルから連絡が来る　最初はフューズ・システムズを存続させるだけのコンサルティング料が入ればいい、と思っていた。その後、フューズの仲間を引き連れてアップルに入社した。

二〇〇一年、一〇カ月後
初代iPodを発売　最高のプロダクトができた！

二〇〇一〜〇六年
iPod部門バイスプレジデント　iPodは第一八世代にして、ようやくすべての問題をクリアした。

二〇〇七〜一〇年
iPod部門シニアバイスプレジデント、そしてiPhone登場　続いて僕らはiPhoneを生み出した。僕のチームはハードウェアとiPhoneを動かす基本的ソフトウェア、さらに製造システムを開発した。それからさらに二つのバージョンを世に送り出した後、僕はアップルを退社した。

二〇一〇年
しばし休む　家族中心の生活を送り、海外旅行をした。仕事やシリコンバレーからできるだけ離れた。

二〇一〇年
スタートアップその六　ネスト　マット・ロジャースと一緒に、パロアルトのとあるガレージでネストを立ち上げた。人類史上、最も地味なプロダクトであるサーモスタットに革命を起こすのだ。僕らの謎めいたスタートアップが何をつくろうとしているか打ち明けたときのみんなの顔といったら！

二〇一一年
『ネスト・ラーニング・サーモスタット』を発売　最高のプロダクトができた！　しかも意外なことに、よく売れた。

二〇一三年
煙と一酸化炭素報知器『ネスト・プロテクト』を発売　ネストは家とそこで暮らす家族を守るスマートホームのエコシステム構築に乗り出した。

二〇一四年
グーグルが三二億ドルでネストを買収　ネストのハードウェア、グーグルのソフトウェアとインフラ。ベストカップル誕生だ！

二〇一五～一六年

グーグルがアルファベットを設立。僕はネストを退社　ネストはグーグルから追い出され、アルファベットの傘下に入った。アルファベットはネストに大幅な計画変更を求め、さらにネストを売却すると言ってきた。話が違うじゃないか！　僕は激怒して退社した。

現在

フューチャー・シェイプ　グーグル・ネストを退社した後、僕は二〇一〇年から細々と続けていた助言と投資の仕事に集中した。今ではフューチャー・シェイプでフルタイムで働き、およそ二〇〇社のスタートアップにコンサルティングとサポートを行っている。

僕の人生は成功と失敗のあいだで大きく揺れ動いてきた。仕事で信じられないような喜びを味わった直後に、苦汁をなめたこともある。失敗するたびにゼロからやり直す道を選んだ。学んだすべてを注ぎ込んでまったく新しいことを始め、まったく新しい自分になろうとした。

今の僕はメンターであり、コーチであり、投資家であり、そして不思議なことに物書きにもなった。ただ物書きになれたのは、一〇年来一緒に仕事をしてきた（そしてケンカもしてきた）ディーナ・ラビンスキーが執筆を手伝い、お粗末な原稿に意見してくれるという幸運に恵まれたからだ。若く鼻っ柱が強くて大胆なディーナは創業初期のネストに入社し、苦楽を共にし、僕の文章のスタイル（そんなものがあればの話だが）を理解してくれた。

すでにお気づきかもしれないが、僕は書くことが苦手だ。ソフトウェアは書けるが、本を書くなんて思ってもみなかった。人生で学んできた教訓を思いつくままに書き出したスプレッドシートがあっただけで、どこから手をつけたらいいか見当もつかなかった。とはいえ、思えばコンピュータ・プロセッサのつくり方も、音楽プレーヤーのつくり方も、スマートフォンやサーモスタットのつくり方も最初から知っていたわけではない。それでもなんとかうまくいった。

この本のアドバイスはおよそ完全版ではなく、むしろ出発点だ。誰もがそうであるように、僕も今でも学び続け、日々自分の考えをバージョンアップしている。この本には僕がこれまで学んできたことが詰まっている。

第一部　「自分」をつくる

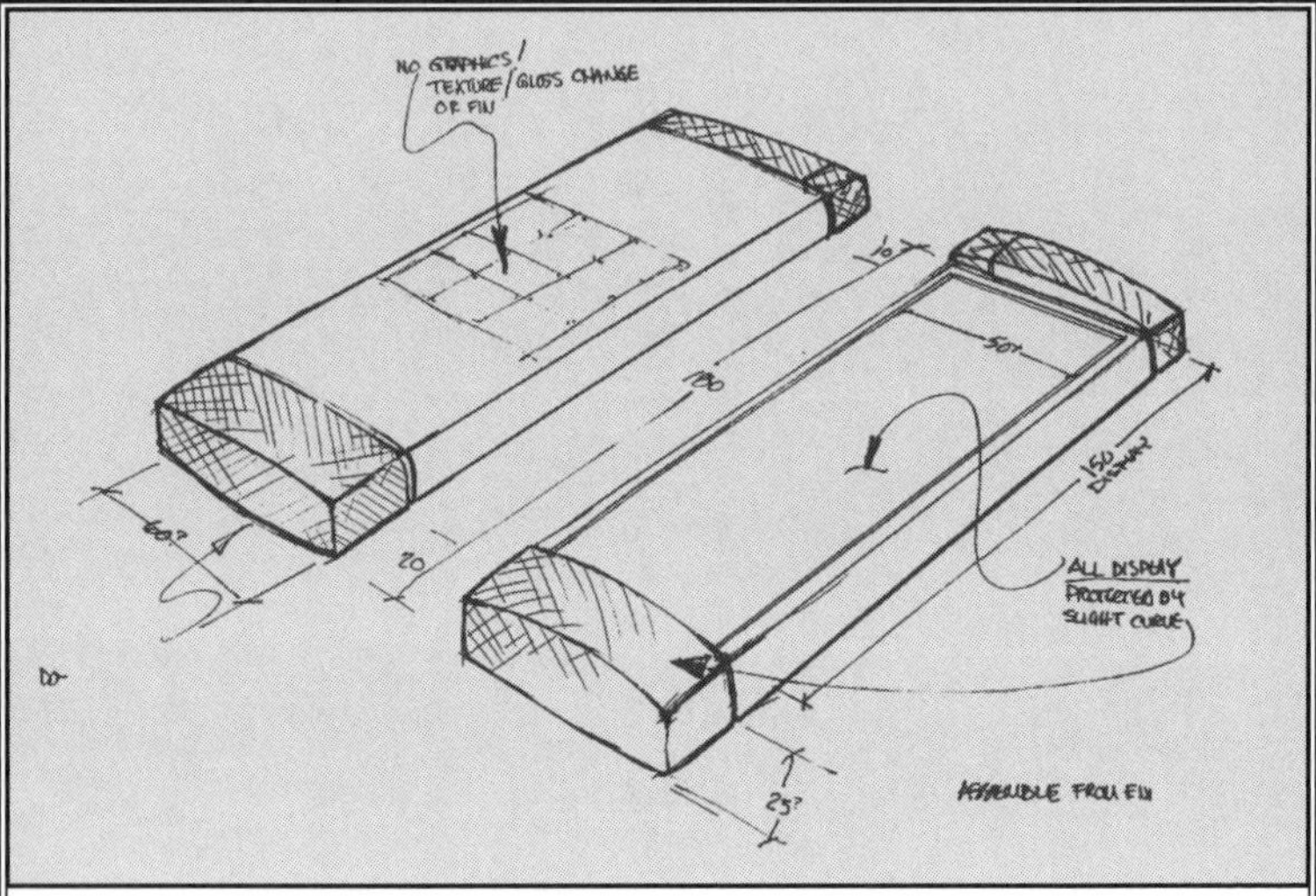

図1　マークが1989年に自分の大きな赤いノートに描いた『ポケット・クリスタル』のスケッチ。次のページにはこう書き込んだ。「個人用の端末。美しい。所有者に高級ジュエリーのような満足感をもたらす。使っていないときでも価値があると感じられる。タッチストーンのような安心感、貝殻のような手にしたときの満足感、クリスタルのようなワクワク感がある」

僕はiPhoneの開発に二度チャレンジした。

みなさんが知っているのは二度目の挑戦、つまり成功したほうだ。一度目を知っている人はほとんどいない。

一九八九年、アップルの社員で、すばらしく聡明なビジョナリーであったマーク・ポラットが上のような図を描いた（図1）。『ポケット・クリスタル』は携帯電話とファックスの機能を組み合わせた、美しいタッチスクリーン式モバイルコンピュータだ。どこにでも持ち歩き、ゲームをしたり映画を観たり、飛行機の切符を買うこともできる。

この予言的ビジョンのすばらしさは、（くどいようだが）一九八九年につくられたことだ。まだウェブもなく、好きな場所でゲームができるというのは友達の家に任天堂のゲーム機を持っていくことであり、携帯電話を持っている人もほとんどいなかった（その必要性すら理解されていなかった）。そこら中に公衆電話があり、誰もがポケベルを持っていた。プラスチック製レンガのようなバカでかい携帯電話を持ち歩こうとする人などいなかった。

それでもマークは、自分に引けを取らない天才のビル・アトキンソン、アンディ・ハーツフェルドという二人のアップル出身者とともに、未来をつくるために新たな会社を立ち上げた。会社の名はゼネラルマジック。* 僕は（休刊して久しい）《マック・ウィーク・マガジン》の「マック・ザ・ナイフ」という業界の話題を取り上げるコーナーでこの会社のことを知った。ちょうど自分はスタートアップの経営というものがまるでわかっていないと気づいた頃だ。

僕は高校と大学時代にいくつかコンピュータ関連の会社を立ち上げ、ミシガン大学の三年生になってからはコンストラクティブ・インスツルメンツの経営に没頭した。指導教官の一人だった、丸顔で親しみやすいエリオット・ソロウェイ教授とともに立ち上げた会社だ。教授は教育テクノロジーの専門家で、僕らは子供のためのマルチメディア・エディタを開発した。かなり本格的な会社で、プロダクトがあり、従業員を抱え、事務所も構えた。それでも僕はSコーポレーション（小規模株式会社）とCコーポレーション（普通株式会社）の違いもわからず、図書館に調べにいくような有様だった。本当にひよっこだったのだ。しかも相談相手もいなかった。Yコンビネーターのような起業家のため

＊ ゼネラルマジックに興味がある、その失敗の真相、そして失敗しても世界が終わるわけじゃないということを知りたい読者には「ゼネラルマジック・ムービー（www.generalmagicthemovie.com）」をお勧めする。僕も映っているのに気づくかもしれないが、髪については触れないでほしい。

の集まりなど当時はまだなかった。グーグルが誕生する七年も前の話だ。

ゼネラルマジックに行けば、僕が知りたいことをすべて学べるに違いない。僕にとってのヒーロー、『アップルⅡ』『リサ』『マッキントッシュ』をつくった天才たちと働くことができる。生まれて初めての本格的な仕事であり、アンディやビルのように世界を変える本格的なチャンスだった。

大学を出たて、あるいは社会に出たばかりの若者と話すと、それこそが彼らの求めているものだとわかる。世界にインパクトを与えるチャンス、そして何かすばらしいものを生み出す道を歩み始めることだ。

だが大学を卒業したとたんに、大学では学ばないこと、学べないことに次々と対処しなければならなくなる（職場でうまくやっていくコツ、すばらしいものを生み出す秘訣、管理職への接し方、いずれ自分が誰かを管理する方法など）。どれほど学業に打ち込んだ人でも、社会の荒波を乗り越え、意味あるものを生み出すための博士号（のようなもの）を改めて手に入れる必要がある。挑戦し、失敗し、それを通じて学ばなければならない。

僕が若手の社会人、起業家、大きな夢を持つ人たちから聞かれるのは、だいたい同じような質問だ。

「どんな仕事に就いたらいいか」

「どんな会社で働くべきか」

「人脈はどうやってつくるのか」

若い頃に正しい仕事に就けば、ある程度の成功は約束される。大学を出て最初に就いた仕事がそのまま二つめ、三つめの仕事につながり、そんな具合に仕事を通じて成功を積み重ねていくべきだ。そんな思い込みを持っている人は多い。

僕もそう思っていた。ゼネラルマジックが生み出すデバイスは、世界に史上最大のインパクトをもたらすはずだ。だから持てるすべてを仕事に注ぎ込んだ。他の社員もみんなそうだ。社員全員が何年も、寝食を忘れて仕事に励んだ。連続して会社に泊まり込むと表彰されたほどだ。

だが結局ゼネラルマジックは崩壊した。数年分の努力、数千万ドルの投資、「ゼネラルマジックはマイクロソフトに必ず勝利する」という新聞の観測記事の末に、売れた端末はせいぜい三〇〇〇〜四〇〇〇台だった。五〇〇〇台かもしれないが、購入者の多くは親族や知人だった。

会社は失敗した。僕もだ。

それからの一〇年、多くの人が心から欲しいと思うようなプロダクトを世に送り出すまで、僕はシリコンバレーでさんざん痛い目に遭った。

その過程でたくさんの教訓を学んだ。厳しく、つらく、愚かなものもあれば、かけがえのない、有益なものもあった。それをもとに、これから社会に出ようとしている人、あるいは新しいキャリアへ踏み出そうとしている人が知っておくべきことをまとめた。

第一章　社会に出る

社会に出るというのは、勉強から解放され、人生を謳歌できるようになることだと思っている人が多い。やった、卒業したぞ！　もう勉強とはおさらばだ！　と。だが学ぶことに終わりはない。学校の勉強で、その後一生うまくやっていく備えができるわけではない。社会に出るとは、いつの日か多少うまくやれるようになるまで、ひたすら失敗を重ねていくチャンスを手にすることだ。

伝統的な学校教育は失敗について、子供たちに誤った認識を植えつけている。ある科目を教えられ、テストを受けて、不合格になったらそれでおしまい、終了だ。だが学校教育を終えたら教科書もない、テストもない、成績もつかない。失敗したら、そこから学ぶ。実は失敗は学習の唯一の手段であることが多い。世界にまだ存在しない何かを生み出そうとしているなら、なおさらだ。

だから目の前にさまざまなキャリアの選択肢があるとき、最初に考えるべき問いはこれだ。「私は何を学びたいのか」

「いくら稼ぎたいのか」ではない。

「どんな肩書が欲しいのか」でもない。

「母親同士が子供を自慢しあうとき、うちの母さんが圧倒的にマウントをとれるような有名企業はどこか」も違う。

あなたが本気で好きになれる仕事、最終的に成功者となれるようなキャリアを見つける一番の方法は、自然と興味を惹かれるものを追いかけ、どこで働くかを決める段階でリスクをとることだ。ビジネススクールが教える金儲けの作法に従うのではなく、自分の好奇心にすなおになろう。二十代のあいだは、あなたの選択はだいたい間違っていて、入った会社、あるいは立ち上げた会社は失敗すると思ったほうがいい。社会人になりたての頃は、自分の夢が儚《はかな》く散るさまを眺め、その亡骸からできるだけ多くを学ぶことが何より大切だ。行動し、失敗し、そこから学ぶ。そうすれば結果はついてくる。

：

ゼネラルマジックの面接に、僕は安っぽくてぶかぶかの垢《あか》ぬけないスーツを着て行った。床に座っていた社員たちは、驚いたように僕を見上げた。「こいつ、どうした?」とその顔に書いてあった。それから僕を床に座らせると、「いいから、そんなもの脱ぎなよ」とネクタイとジャケットを外させた。

これが失敗その一だ。

たいしたものじゃなくてよかった。こうして一九九一年、僕は社員第二九号として入社した。まだ二一歳の若造で、診断ソフトウェア・エンジニアの仕事をありがたく頂戴した。他の社員がデザインしたソフトウェアやハードウェアを確認するためのツールをつくる仕事で、一番の下っ端だ。でもそんなことは気にならなかった。とにかく会社に入れてもらえれば、自分の実力を証明して、上に行けるはずだ。

その一カ月前までは、自分で興《おこ》した会社のCEOだった。社員三～四人のちっぽけな会社で、その歩みはうんざりするほど遅かった。歩くというより立ち泳ぎ、もっと言えば溺れかかっているような気がした。成長できないなら人生終わりだ。停滞なんてありえない。

そこで僕は成長できる場所へ向かった。肩書や給料などどうでもよかった。大切なのは人。ミッション。チャンス。それがすべてだった。

荷物をクルマに積んで、ミシガンからカリフォルニアへ向かったときのことははっきり覚えている。ワクワク感で胸はいっぱいだが、貯金はたった四〇〇ドル。両親は息子が何を考えているのか、なんとか理解しようとしていた。

両親は僕の成功を望んでいた。幸せを願っていた。でも僕は何をやってもしくじってばかりで、しかもずっとそうだった。コンピュータが大好きだったが、七年生で初めてとったコンピュータの授業では毎回教室から追い出された。先生が間違ってる、僕のほうがよくわかっていると言い張り、絶対に譲らなかった。結局先生が泣き出し、僕は教室から引きずりだされて、履修科目をフランス語に変更させられた。

また、僕はミシガン大学での最初の一週間をすっぽかした。サンフランシスコで開かれていた「アップルフェス」に出て、僕自身のスタートアップのブースを運営するためだ。両親にはデトロイトに戻ってから報告した。もちろん、二人とも怒り心頭だった。でも僕はとっくの昔に、事前に許可を得るより事後に許しを乞うほうがずっといいことを学んでいたのだ。その晩遅く、サンフランシスコのフィッシャーマンズワーフで食べた夕食でまだ腹いっぱいのまま大学の寮にもどったとき、僕は気づいた。自分は二つの世界に同時にいることができるのだ、と。しかもそれは、そんなに大変なことでもなかった。

そして今度は自分で創業した会社を辞めると言い出した。信じられないほどのリスクを背負って日夜仕事に打ち込んできて、ようやくなんとか努力が実り始めたというときに。そして、どこへ行くって？　ゼネラルマジック？　なにそれ。定職に就くというなら、なぜＩＢＭにしないんだ。なぜアップルじゃないのか。なぜもっと安定した仕事に就かないのか。なぜ親にも理解できるような道を選ばないのか。

当時の僕が、次の言葉を知っていたらと思う。もしかしたら親も納得してくれたかもしれない。

二十代で犯しうる唯一の失敗は、行動しないことだ。あとは試行錯誤あるのみ。――著者不明

僕は学ぶ必要があった。その一番の近道は、すばらしいものを生み出すことがどれだけ大変か知っている人たち、それを証明するために満身創痍になったことがある人たちのなかに飛び込むことだ。たとえその選択が間違っていたとしても、失敗は次に同じ失敗をしないための一番の学習法でもある。行動し、失敗し、そこから学ぶのだ。

何より重要なのは目標を持つことだ。でっかくて、困難で、自分にとって大切なもののために努力することだ。そうすれば目標に向けた一歩一歩が、たとえつまずいたとしても、あなたにとって成長になる。

この一歩一歩を省略することはできない。さっさと答えだけもらって、大変な部分は免除してもらうなんて無理だ。人間は生産的奮闘を通じて学習する。身をもって挑戦し、失敗し、次はやり方を変えてみる。社会に出たばかりの時期は、それを受け入れなければならない。リスクをとっても報われないかもしれないが、それでもリスクをとるのだ。指導や助言を受けることはできるし、誰かの先例に従って道を選ぶこともできるが、自分自身で道を選び、その行き着く先を確かめてみるまで、本当に何かを学ぶことはない。

僕はときどき高校の卒業式で講演を頼まれる。一八歳の子供たちが生まれて初めて自分の足で世の中へ出ていく節目だ。

あなたたちの意思決定のうち、自分で下しているのはせいぜい二五パーセントくらいだ、と僕は言う。

生まれてから両親の家を出ていくまで、あなたたちの選択の大部分は親があらかじめ決めていたり、誘導したり、あるいは親の影響を受けていたりするものだ。

どの授業を履修するか、どのスポーツをやるかといった、わかりやすい意思決定だけではない。何百万という無意識の選択があったことに、あなたは実家を出て、独立して初めて気づくだろう。

どの歯磨き粉を使うか。

どんなトイレットペーパーを使うか。

ナイフやフォークはどこにしまうか。

洋服はどんなふうに収納するか。

どの宗教を信じるか。

こうしたささやかな選択は、あなたが成長するなかで自ら下したのではなく、もともとあなたの脳みそに植えつけられていたものだ。

こうした選択を、改めて問い直す子供はまずいない。親をまねるだけだ。そして子供のあいだは、たいていそれで構わない。というか、そうせざるを得ない。

でもあなたたちはもう子供じゃない。

そして実家を出た後、ほんのつかの間、すべてを一〇〇パーセント自分だけで決められる、短くも輝かしい、すばらしい時期が訪れる。配偶者にも子供にも親にも縛られない、完全な自由。何でも自分が好きなように選べる自由だ。

そのときこそ大胆になるチャンスだ。

どこに住むか。

どこで働くか。

何者になりたいのか。

親はいつだってオススメの選択肢を用意している。それを受け入れても、無視してもいい。親の判断には、彼らのあなたへの期待が込められている（もちろん、良かれと思って）。あなたは有益なアドバイスをくれる親以外の誰か、親以外のメンターを見つけなければならない。学校の先生、いとこ、親戚のおばさん、あるいは家族ぐるみでつき合っている家のお兄さん、お姉さん。独立したからと言って、何から何まで一人で決めなければいけないわけではない。

これはかけがえのない時期だ。あなたの好機、リスクをとるべき時期だ。

たいてい三十代、四十代になると、この特別な時期は終わりを告げる。もはや自分の意思だけで何かを決めることはできなくなる。それでもかまわないし、もしかしたら幸せかもしれないが、それまでとは違う。支えなければならない人々の存在が、あなたの選択を形づくり、影響を与える。家庭を持たなくても人間関係、資産、社会的立場などが毎年少しずつ蓄積されていき、もうリスクはとりたくないと思うようになる。

でも社会に出て間もない頃、人生を歩み出して間もない頃には、大きなリスクをとった場合に起こりうる最悪の事態といっても、せいぜい実家に戻るくらいだ。そして、それは恥ずかしいことではない。リスクに飛び込んだ結果、とてつもない大失敗に終わったとしても、それは速く学習し、次に自分が何をしたいか探すための最善の方法だ。

あなた自身が失敗するかもしれない。あなたの会社が破綻するかもしれない。食べ物にあたったかと思うような胃の痛む思いもするかもしれない。それで大丈夫。それこそあなたが経験すべきことだ。胃がキリキリと痛むような思いさえしていないというのは、ちゃんとやっていない証だ。たとえ崖から転げ落ちようとも、山をよじ登っていかなければならない。

僕は人生初の成功より、人生初の大失敗から多くを学んだ。

ゼネラルマジックは一つの実験だった。僕らがつくろうとしていたモノだけでなく（事実、僕らはどこまでも、バカバカしいほど、信じられないほど新しいモノをつくろうとしていた）、会社のあり方までが実験的だった。社員は驚くほど優秀で、どちらを向いても天才ばかりで、「マネジメント（管理）」という概念の出番はなかった。社内に明確なプロセスなどなかった。ただただモノをつくっていただけだ。会社のリーダーたちがクールだと思う何かを。

そして何から何まで、自分たちの手でゼロからつくらなければならなかった。たとえて言えば一〇〇人の職人を集め、板金とプラスチックとガラス板を渡し、自動車をつくれ、というようなものだ。担当したプロジェクトの一つが、さまざまなガジェットをゼネラルマジックのデバイスに接続する手段の開発で、僕はUSBポートの前身のようなものをつくった。続いて複数のデバイスをつなぐ（リモコンとテレビをつなぐような）赤外線ネットワークの開発を命じられた。そこで僕は七層のプロトコルスタックを一からつくりあげた。驚いたことに、それはちゃんと機能した。まわりの技術者は盛り上がり、それを土台に単語ゲームをつくった。ゲームは社内で流行し、僕は有頂天になった。だがしばらくしてベテラン技術者が僕の書いたコードを見て仰天し、なぜわざわざあんなネットワーク・プロトコルをつくったんだ、と聞いてきた。自分がネットワーク・プロトコルをつくっているなんて気づかなかった、と僕は答えた。

これが失敗その二だ。

本を一冊読めば習得できたはずのプロトコルを、何日もかけて開発する必要などなかったのは事実だが、あのときは最高の気分だった。世界に存在しなかった便利なものを、自分なりのやり方で生み出したのだから。

とんでもない職場だった。でも楽しかった。特に創業初期、誰もが楽しむことしか考えていなかった時期は最高だった。服装規定はなかった。社内ルールも一切なかった。僕が中西部で見てきた会社とはまるで違っていた。ゼネラルマジックはおそらく、職場で遊ぶことには価値がある、楽しい職場からは楽しいプロダクトが生まれるという思想を真に体現していたシリコンバレー企業の走りだ。

多少お楽しみが行き過ぎたケースもあった。いつものように遅くまでオフィスで働いていたある晩、僕はばかでかいスリングショット（ぱちんこ）を手に取った（どんな職場にも一つは置いてあるやつ）。一人の共犯者と一緒にスリングショットにスライムを装塡して発射したところ、建物三階の大きな窓に巨大な穴が開いてしまった。これはクビになる、と僕は震え上がった。

だがみんな笑っただけだった。

これが失敗その三だ。

四年間、僕はゼネラルマジックでの仕事に没頭した。学び、失敗し、そして働きに働いた。週に九〇時間、一〇〇時間、一二〇時間働くこともあった。コーヒーは好きではなかったので、頼みの綱はダイエットコークだった。一日一ダース空けていた（ちなみに、以来ダイエットコークとはすっぱり縁を切っている）。

（みなさんにはこんなふうに働くのはオススメしない。仕事のために命を削るべきではないし、命を削らせるような仕事はおかしい。でも自分に力があることを証明したいとき、できるだけ多くを学び、できるだけ成果を残したいときには、長時間働くことも必要だろう。夜遅くまで働こう。朝早く出社しよう。ときには週末も祝日も働こう。二カ月ごとに長期休暇をとれるなんて期待しないほうがいい。ワークライフバランスの重心を少しだけワークのほうに傾けよう。自分がつくっているモノへの情熱に身を任せるのだ）

僕はこの時期、まわりに「進め！」と言われた方向にいつも全力疾走した。しかしゼネラルマジックは同時にあらゆる方向に走っていた。ヒーローと崇めるリーダーたちに「あの丘を征服せよ」と言われれば、そこを自分のエベレストとみなして、一目置いてもらうために何でもやった。自分たちが歴史を変える史上最強のデバイスをつくるんだと一〇〇パーセント信じて疑わなかった。社内のみんながそうだったと思う。

だがプロダクトの発売は遅れた。その後さらに延期、延期、延期となった。資金は十二分にあり、メディアの注目度も高く、世間の期待も高かったので、プロダクトは進化しつづけた。僕らがこれで十分、やり尽くした、と思うことはなかった。そんななか、どこからともなくライバル勢がわいてきた。当時はちょうどインターネットが誰もが使えるサービスとして主流になり始める頃だったが、ゼネラルマジックはＡＴ＆Ｔのような大手通信企業のプライベート・ネットワーク・システム向けにプロダクトを開発していた。

社内で開発したプロセッサは、創業者のアンディとビルが思い描くような野心的なユーザー・エクスペリエンス（ＵＸ）や、スーザン・ケアがデザインしたグラフィックスやアイコンをサポートするには力不足だった。スーザンはＭａｃ用にオリジナルのビジュアル言語を生み出した腕利きのアーティストで、ゼネラルマジックの『マジックリンク』にも美しい世界を創造した。だがスクリーンをタップするたびにデバイスはフリーズしてしまった。テストユーザーは自分が操作ミスをしたのか単に

図２『マジックリンク』は小売価格 800 ドル、重さは約 700 グラムで、7.7 × 5.6 インチの立派なモニターが付いていた。電話、タッチスクリーン、電子メール、ダウンロード可能なアプリ、ゲーム、航空券の購入、動く絵文字など革命的テクノロジーを満載していた。iPhone のようなもの、といえるだろう。

デバイスが停止したのかがわからず、待機時間の長さやバグにうんざりした。解決すべき問題のリストは日に日に長くなっていった。

これが失敗その四からその四〇〇〇までだ。

一九九四年、ゼネラルマジックはようやく初のプロダクトを世に出したが、それは当初計画していた『ポケット・クリスタル』ではなかった。『ソニー・マジックリンク』だ（図２）。

それは根本的欠陥を抱えた、過去と未来に片足ずつ突っ込んだような製品だった。なにせファックス対応小型プリンタと動く絵文字の両方を備えていたのだから。それでも間違いなく、どこからどう見ても時代のはるか先を行くすばらしい製品だった。これまでとは違う新たな世界、誰もがどこへでもコンピュータを持っていける時代への第一歩だった。大変な苦労、睡眠不足、僕の身体的負担、両親の精神的負担に見合うだけの価値があった。僕は心からマジックリンクが誇らしかった。チームが成し遂げた成果に興奮していた。今でもそうだ。

だがフタを開けると、まったく売れなかった。

あれだけの日々、あれだけの夜を職場で過ごしてきた僕は、朝目覚めてもベッドから起き上がることができなくなった。胸に重石《おもし》が乗っているようだった。僕らがやってきたことすべてが失敗に終わったのだ。完全に。

そして僕にはその根本的理由がわかっていた。

ゼネラルマジックがガラガラと音を立てて崩れはじめたとき、僕はもう下っ端の診断ソフトウェア技術者ではなかった。シリコン、ハードウェア、ソフトウェアのアーキテクチャと設計を担当していた。会社がおかしくなりはじめた頃、僕は思い切って営業やマーケティング部門に出向き、担当者と話すようになった。そしてサイコグラフィック（顧客の心理学的属性）やブランディングについて学び、マネージャーや社内プロセスやルールの重要性にようやく気づいた。

四年間のゼネラルマジックでの日々を経て、プロダクトのコードを書きはじめる前に考えておくべきことがやまほどあることを初めて知った。そして、その「考えておくべきこと」にとても魅力を感じた。それを自分もやってみたい、と思った。

会社の失敗、僕自身の失敗、自分が努力してきたことすべてが崩壊していくという経験は、腹にズシンとパンチを食らうようなものだったが、不思議なことにそれによって進むべき道が僕の前にはっきりと浮かび上がった。ゼネラルマジックはすばらしいテクノロジーをつくっていたが、現実を生きる人々の問題を解決できるようなプロダクトはつくっていなかった。でも自分ならできる、と僕は思った。

これこそ若いときに経験すべきことだ。何でもわかっている気でいたところに、突然自分は何もわかっていなかったという事実を突きつけられる衝撃。何かすばらしいモノを生み出す力を持った人々からできる限り多くを学ぶため、猛烈に働ける職場。尻を蹴っ飛ばされるような思いをしても、その勢いで人生の新たなステージに進んでいける。そうやって次にやるべきことを見つけるのだ。

第二章　就職する

自分の時間、エネルギー、青春を捧げるなら、ネズミ捕りをただ改良しようとしているだけの会社より、革命を起こそうとしている会社がいい。世界のあり方を大きく変える可能性を秘めた会社には、次のような特徴がある。

一　ライバル企業にはつくれない、それどころか理解もできないような、まったく新しいプロダクトやサービスを開発している、あるいは既存のテクノロジーを斬新な方法で組み合わせている。

二　そのプロダクトは多くの顧客が日々、悩んでいること（本物の頭痛の種）を解決する。大きな市場がすでに存在する。

三　新たなテクノロジーによって会社のビジョンを実現する。プロダクトだけでなく、それを支えるインフラ、プラットフォーム、システムも会社のビジョンを体現する。

四　会社の首脳陣はソリューションのあるべき姿について凝り固まった考えを抱かず、顧客ニーズに対応しようとする。

五　問題あるいは顧客ニーズに対して聞いたことのないような、しかし聞いた途端に「なるほど」と思うような発想で取り組む。

すばらしい技術があるだけではダメだ。すばらしいメンバーがそろっているだけ、資金があるだけでもダメだ。ゴールドラッシュだと信じてむやみに最新の流行に飛びつき、最終的に崖から転げ落ちる人があまりに多い。バーチャルリアリティ（ＶＲ）市場の犠牲者数を考えてみてほしい。見渡すかぎり破綻したスタートアップの屍《しかばね》が転がり、過去三〇年で数十億ドルが泡と消えた。

「プロダクトをつくれば顧客は自然と湧いてくる」という考えが、常にうまくいくとは限らない。テクノロジーがまだ成熟していなければ、顧客は絶対に湧いてこない。たとえテクノロジーが完成していても、やはりタイミングを見きわめる必要がある。世界にそれを受け入れる準備が整っていなければならない。あなたのプロダクトは遠い将来に抱えるかもしれない問題ではなく、今直面している現実の問題を解決してくれる、と顧客に思わせる必要がある。

これがゼネラルマジックの問題だったと僕は思う。スティーブ・ジョブズがｉＰｈｏｎｅのアイデアをひらめくはるか以前に、それをつくろうとしていた。

僕らを完膚なきまでに叩きのめした製品が何だったか、想像がつくだろうか。答えは『パーム』だ。携帯情報端末（ＰＤＡ）のパームを使えば、それまで手元の紙切れに書きとめていた、あるいはデスクトップ・パソコンに打ち込んでいた電話番号を登録し、持ち運ぶことができたからだ。それだけでよかった。そんな単純な話だ。回転式名刺スタンドの「ローロデックス」をポケットやハンドバッグに入れて持ち歩くことはできないので、当時はパームが最適なソリューションだった。なるほど、と思わせる製品。パームには存在理由があった。

ゼネラルマジックにはそれがなかった。僕らはテクノロジーを起点に考えた。自分たちなら何をつくれるのか、社内の天才たちをうならせるモノは何かばかりを考え、技術に詳しくない一般の人々が何を必要としているかを考えもしなかった。だから『マジックリンク』は一般の人々が一〇年先まで存在することすら気づかないような問題を解決していた。まだ存在しない問題のためにテクノロジーを開発する企業はないので、ゼネラルマジックの製品が必要としていたネットワーク、プロセッサ、インプット・メカニズム（入力機構）はいずれも未熟だった。だからすべてを自前で開発しなければならなかった。革新的なオブジェクト指向のオペレーティングシステム「マジックＣＡＰ」、新たなクライアント・サーバー用プログラミング言語の「テレスクリプト」。さらにはオンラインアプリやショップをそろえたサーバーまで作った。最終的に、創業者のビジョンには及ばないものの、僕らは本当にすばらしいプロダクトをつくった。ただし、ギークにとっては、というただし書き付きで。

それ以外の人は「なんだかすてきそうだね」くらいにしか思わなかっただろう。それもマジックリンクが何かを理解していればの話で、結局それは金持ちか技術オタク、あるいは大金持ちの技術オタクのための贅沢なおもちゃ、遊び道具だった。

実在する問題を解決するのでなければ、革命など起こせない。

その最たる例が『グーグルグラス』や『マジックリープ』だ。あれだけの資金を投じ、宣伝をしても、拡張現実（ＡＲ）メガネはまだ解決すべき問題の見つかっていないテクノロジーであるという事実は変わらなかった。どうしたって一般人には買う理由がない。現時点では。あの風変わりで垢ぬけないメガネをかけてパーティや職場に出かけていって、身のまわりの人たちを誰彼構わず撮影するなんて想像もできない。さらにＡＲメガネの未来にどれほど輝かしいビジョンがあろうと、テクノロジーはまだそれを実現できる水準に到達しておらず、社会の偏見が消えるまでに相当な時間がかかるだろう。いずれそういう時期が来ると僕は確信しているが、それはまだ何年も先のことだ。

対照的なのがウーバーだ。創業者たちは顧客の問題から出発した。顧客が日々の生活で経験している問題にテクノロジーを応用したのだ。その問題というのは、パリでタクシーを拾うのは不可能に近いが、お抱え運転手を雇うにはカネと時間がかかりすぎるという単純な話だった。スマートフォンが存在しない時代なら、新たなタクシー会社やリムジン会社を立ち上げるというのが解決策になっていたかもしれない。だがウーバーのタイミングはまさに完璧だった。あっという間に誰もがスマートフォンを持つようになり、ウーバーはプラットフォームを手に入れ、顧客の側にもウーバーのソリューションを受け入れる準備が整っていた。スマホのアプリでトースターを注文できるなら、タクシーを呼んだっていいよね、と。この現実の問題と、正しいタイミングと、革新的テクノロジーの組み合わせによって、ウーバーはパラダイムシフトを起こすことができた。伝統的なタクシー会社が想像もできなかったような、競争しようとも思わないようなサービスをつくったのだ。

これはシリコンバレーに限った現象ではない。革命的企業は農業、創薬、金融、保険などあらゆる産業で、しかも世界中で誕生している。一〇年前なら解決するのに数十億ドルかかり、莫大な投資のできる巨大企業しか手を出せなかったような問題が、今ではスマホのアプリと小型センサーとインターネットさえあれば解決できる。それはすなわち世界中で何千人という人が、人々の働き方、暮らし方、モノの考え方を変える機会を手に入れたということだ。

そういう会社と出会ったら、どんな仕事でもいい、それを受けよう。肩書などあまり気にしないほうがいい。仕事に集中しよう。成長企業に入りさえすれば、機会も成長するというのがわかるだろう。

どんな仕事に就いてもいいが、マッキンゼー、ベイン、あるいは他の大手戦略コンサルティング八社の「経営コンサルタント」にだけはなってはいけない。どこも何千人という従業員を抱え、「フォーチュン五〇〇」リストに名を連ねる名門企業しか相手にしない。こういう企業のトップは通常、何年かすればいなくなるリスク回避型のＣＥＯで、経営コンサルティング会社に大規模な監査を依頼し、問題点を見つけさせ、あらゆる問題を魔法のように「解決」する新たな経営計画を首脳陣に提案させる。どんなおとぎ話だ……このあたりで止めておこう。

大学を出たての若者の多くは、理想の仕事だと思うだろう。信じられないほどの報酬をもらって世界を飛び回り、有力企業とその幹部と肩を並べて仕事をし、企業を成功に導く方法をしっかり学べる。なんとも魅力的な展望だ。

その一部は事実かもしれない。たしかに給料は高いだろう。有力クライアントの前でプレゼンを練習する機会もたくさんあるはずだ。でも会社を興し、経営する方法は学べない。それは無理だ。

スティーブ・ジョブズはかつて経営コンサルティング会社についてこう語った。「彼らは会社の全体像を見ることができるが、それはとても薄っぺらいものだ。バナナの絵にたとえれば、とても正確な絵ではあるけれど、二次元でしかない。実際に経験してみなければ、それが三次元になることはない。だから壁にたくさんの絵を並べて、友達に自慢することはできる。僕はバナナの仕事をした、桃もブドウの仕事もした、と。でも一度も本当に味わったことはないんだ」

みなさんがこの道を歩むと決め、ビッグ４、あるいは他の大手六社に就職するなら、それももちろん構わない。それはみなさんの選択だ。ただ働き始める前に、自分の人生の次のチャプターに進むために何を学びたいのか、どんな経験をしたいのかよく考えておこう。そこで足を止めてはいけない。経営コンサルティングはあなたの終着点ではないはずだ。実際に何かを成し遂げるため、何かをつくるための旅路における中継地点、止まり木のような場所であるべきだ。

偉大なことを成し遂げるには、そして本当に学ぶためには、屋根の上から提案を叫び、あとは他人たちにやっておいてもらう、というわけにはいかない。自分で汗をかき、一歩一歩に細心の注意を払い、一つひとつのディテールを心を込めて仕上げなければならない。どこかが崩れたらすぐに直せるように、その場にいなければならない。

自分で実際に手を動かさなければならない。愛情を持って、作業しなければならない。

でも愛する対象を間違えてしまったらどうなるのか。その製品、あるいは会社が時期尚早だったら？　サポートするインフラはなく、顧客は存在せず、経営陣はとんでもないビジョンに固執していたら？

夢中になったのが量子コンピューティング、合成生物学、核融合、あるいは宇宙探査など、近い将来モノになる兆しが一切ないような分野だったら？

それなら、やっちまえ。本気で好きなら、僕のアドバイスなんて忘れて、タイミングなんて気にせずに飛び込めばいい。

僕はドットコム・バブルのあいだ、携帯情報端末をつくっていた。ゼネラルマジックという船が傾きはじめたとき、一番良さそうな選択肢はヤフーかイーベイに飛び移り、インターネットというゴールドラッシュに身を投じることだった。周囲からはそうアドバイスされた。「正気か？　なんでフィリップスなんかに行くんだ⁈　今儲かるのはインターネットだ。これ以上消費者向けのコンピューティング・デバイスなんて要らないよ」と。

それでも僕はフィリップスを選んだ。デスクトップ・コンピュータと携帯電話のあいだに、何かすばらしいものが生まれる余地がある、と確信していたからだ。ゼネラルマジックにいるとき、それをこの目で見て、感じた。だからフィリップスでチームを立ち上げてデバイスをつくり、それから自分の会社を立ち上げてデジタル音楽プレーヤーをつくった。その仕事にこだわったのは、大好きだったからだ。原子と電子のレベルからハードウェア、ソフトウェア、ネットワーク、デザインにいたるまで、ゼロからシステムをまるごとつくりあげることが心底好きだった。だからアップルからｉＰｏｄをつくるために声がかかったとき、僕にはその方法が完璧にわかっていた。

あなたが何かに夢中になったら、いつか途方もなく大きな問題を解決できるかもしれない何かに夢中になったら、しがみつこう。

まわりを見まわし、自分と同じようにそれに夢中になっている人たちのコミュニティを探そう。地球上で自分以外に興味を持っている人がひとりもいないというのなら、本当に時期尚早か、間違った方向に進んでいるかだ。でもほんの数人でも同じようなことを考えている仲間が見つかったら、たとえそれがちっぽけなオタクの集団で、どうやって事業化するか誰ひとりわかっていなかったとしても続けよう。その場に足を踏み入れ、友人をつくり、メンターを見つけ、知り合いを増やそう。そうすれば地球があと何周かして、あなたがつくろうとしているものに人々が意味を見いだすようになったとき、そうしたつながりが実を結ぶだろう。そのとき勤めている会社は、最初に入ったところではないかもしれない。ビジョンもプロダクトも、テクノロジーそのものも変わっているかもしれない。何度も転び、学習を繰り返し、変化し、理解し、成長しなければならないかもしれない。

でもあなたが本当に重要な問題を解こうとしているなら、ある日突然、世界がそのソリューションの必要性に気づいたとき、あなたはすでにそこにいる。

あなたが何をするかは重要だ。どこで働くかも重要だ。そして何より、誰と一緒に働き、学ぶかが重要だ。仕事は目標を達成するための手段だと考えている人はあまりに多い。働かずに暮らしていけるほどカネを稼ぐための手段だ、と。しかし仕事に就くというのは、世界に凹みをつくる機会を手に入れることに等しい。何か意味のあるものに対して、関心とエネルギー、そして何より大切な時間を注ぎ込む機会だ。すぐに経営幹部にならなくてもいいし、大学卒業直後に世界を変えるようなとびきり最高の会社に就職できなくても構わない。でも目標は持つべきだ。自分がどこに行きたいのか、誰と働きたいのか、何を学びたいのか、何者になりたいのか。そこから出発すれば、きっと自分がつくりたいものをつくる方法が少しずつわかっていくはずだ。

第三章　自分のヒーローを見つける

学生は修士号や博士号を取るとき、最高のプロジェクトで最高の教授につこうとする。一方、仕事を探すときには給料、福利厚生、肩書ばかりに目を向ける。でも仕事が本当にすばらしい経験になるか、完全な時間のムダになるかを決める唯一の要因は「人」だ。自分のフィールドを徹底的に理解し、そこで得た知識を使ってベスト・オブ・ベスト、心から尊敬できる人たちとつながりを持とう。あなたにとってのヒーローといえる人たちだ。そんなロックスター（といっても謙虚な人が多い）があなたを心から望むキャリアへと導いてくれるはずだ。

⁚

ソフトウェア・デザインとプログラミングの神と呼べる人間がいるならば、それはビル・アトキンソンとアンディ・ハーツフェルドだ。二人の写真は、僕が小学生の頃から隅々まで読んでいた雑誌によく出ていた。『Ｍａｃ』『ＭａｃＰａｉｎｔ』『ハイパーカード』『リサ』など、二人が生み出した革新的な製品はすべて使っていた。

二人は僕のヒーローだった。対面したときには、大統領に会ったような気持ちだった。あるいはビートルズ。レッド・ツェッペリン。握手をしたときは手汗をかいた。息もできないほどだった。でもしばらくして正気に返ると、二人は親しみやすく、話しやすい人たちだと気づいた。天才の世界にはめったにいないタイプだ。しかも二人となら何時間でも話せる気がした。プログラミングについて、デザインやUXについて、自分が興味を持っている一〇〇万個くらいのテーマについて。自分のスタートアップ、コンストラクティブ・インスツルメンツで開発したプロダクトまで見せたほどだ。

僕がゼネラルマジックに採用された最大の理由は、このときの出会いだと思う。面接の機会を得るために会社の前で野宿する者までいる状況のなか、僕はミシガン州出身の無名のギークだった。創業者たちに媚《こ》びを売ったわけでもなく、人事担当ディレクターに面接の前後につきまとったわけでもない（とはいえ電子メールがなかった当時、面接前後の一カ月、人事ディレクターに毎日電話をかけたのは事実だ）。僕が膨大な手間暇をかけて、膨大な量の実務的、実践的知識を身につけていたからだ。暇さえあれば半導体チップやソフトウェアやデバイスや会社をつくり、空いた時間には業界について書かれたものを片っ端から読んだ。

それが僕の特別な強みだった。そしてこの特別な強みは、誰だって身につけることができる。おそろしく優秀で皮肉屋の逆張り投資家として知られる、シリコンバレーのベンチャーキャピタリストでテキサスのディーールメーカーでもあるビル・ガーレイはそれをこんな言葉で表現する。「あなたが誰よりも賢く、聡明な人間になる方法はわからない。でも誰よりも知識のある人間になることはできる。誰よりも多くの情報を集めることはできる」

情報を集めるのにそれだけの時間をかけるのなら、対象は興味のあることを選んだほうがいい。仕事に就くことが目的ではなくても、だ。自分の好奇心に従おう。たくさんの知識で武装したら、その分野の超一流の人材を探し、彼らと一緒に働けるよう努力しよう。電気自動車に興味があるならイーロン・マスクのストーカーになれ、といった話ではない。マスクの直属の部下は誰か。その直属の部下は誰か。彼らをなんとしても引き抜こうとするライバル会社はどこか。興味がある分野をさらに細分化し、あなたが一番興味のある分野の先頭を走っているのは誰か調べよう。ツイッターやユーチューブでその道のプロを探し、メッセージ、コメント、リンクトインのつながりリクエストを送ろう。あなたと相手は同じものに興味を持ち、同じものに夢中になっている。だからあなたの意見を伝え、気の利いた質問を投げかけよう。あるいは家族や友人なら死ぬほど退屈な顔をするような魅力的なトリビアを開陳しよう。

人とつながる。どんな分野であろうと、それが仕事を見つける最善の策だ。

そんなことは不可能だ、とあなたは思うかもしれない。ツイッターで自分のヒーローをフォローすることはあっても、向こうがこちらに注意を向けてくれることなど想像できない、と。ここでぜひ言っておきたい。その考えは大間違いだ。僕は自分が誰かのヒーローだとは思わないが、経験豊富で、顔も広く、プロダクトデザイナーとして幸運にも誰もが知るようなテクノロジーの開発にかかわってきた。そんな僕がいきなりツイッターでＤＭを送ってくる人やメールを送りつけてくる人に興味を持つことなどないだろう、と思う人は多いはずだ。でも、ときにはそうすることもある。

単に仕事が欲しいという人や、出資を求めてくる人には興味がない。でも何かおもしろいこと、感心するようなことを教えてくれる人には興味を持つ。相手が何度も連絡をくれればなおさらだ。先週何かおもしろいものを送ってきて、今週も別のものを送ってきて、そのたびに魅力的なニュースやテクノロジーやアイデアを教えてくれて、しかも粘り強いという人がいたら意識するようになる。相手の名前を覚え、返信するようになる。その結果、会うことになったり、友達になったり、人を紹介したり、あるいは投資先企業の仕事を斡旋することもあるかもしれない。

重要なのは粘り強いこと、そして相手の役に立つことだ。頼みごとをするだけでなく、自分からも何かを申し出る。好奇心と情熱がある人なら、いつだって他人にオファーできるものがあるはずだ。良いアイデアを交換することはいつでもできる。相手に親切にして、何か役に立てる方法を見つけることもできる。

一例がハリー・ステビングスだ。聡明で裏表がなく、本当に感じのよい人物で、二〇一五年に『20ミニッツVC』というポッドキャストを始めた。そしていろいろなゲストを招待しはじめた。自らリスクをとった。そして粘り強く努力した。思いやりがあり、温かかった。すると徐々に『20ミニッツVC』に勢いがついていった。最初にある会社のCEOが協力すると、別の会社のCEO、創業者、投資家、企業幹部なども続々と協力した。僕もその一人で、あれはポッドキャストで受けたインタビューのなかで一番気に入っているものの一つだ。

ハリーはポッドキャストの収録を終えるたびに、インタビュー相手にオフレコで尋ねた。「あなたの尊敬する知り合いで、僕が話を聞くべきだと思う人を三人挙げてもらえませんか？　よかったら簡単に僕のことを紹介してもらえませんか？」と。

二〇二〇年、ハリーはこのポッドキャストの成功とそこで培った人脈をテコに、ささやかなVCファンドを立ち上げた。二〇二一年、ファンドは一億四〇〇〇万ドルの追加資金を獲得した。

本書執筆時点で、ハリー・ステビングスはまだ二四歳だ。

あなたもツイッターやリンクトインで自分のヒーローにメッセージを送れば、一億四〇〇〇万ドル規模のVCファンドができるなどと言うつもりはない。でも、そこから何か仕事につながるかもしれない。あなたのヒーローと一緒に働く機会につながることだってあるかもしれない。

そしてあなたのヒーローと一緒に働けるのであれば、どんなものだろうと良い仕事であるに決まっている。

ただ、できれば小さな会社に入ろう。何かつくる価値のあるものをつくっている、社員三〇〜一〇〇人程度の会社なら理想的だ。そして日々一緒に働くことはできなくても、社内に数人、あなたが多くを学べそうなロックスターがいるといい。

グーグル、アップル、フェイスブックなどの巨大企業に就職してもいいが、そこではロックスターの間近で働くのは容易ではないだろう。そして、それほどインパクトのある仕事はできないと思っておいたほうがいい。少なくとも、かなり長い時間待たなければ、そういう機会は巡ってこない。大きなゾウの体の上で跳ねている小石のようなものだ。でも給料はたっぷりもらえるし、休憩時間にはヘルシーなケールチップも無料で食べられる。だからそういうルートを歩むと決めたら、高給と引き換えにいつ終わるともわからない巨大プロジェクトの一部を粛々と担えばいい。そして自由時間はたっぷりあるはずなので、企業の構造や部門構成、細やかな社内規則やプロセス、リサーチ、長期的なプロジェクトや長期的な戦略といったものをしっかり学んでほしい。それは明日出荷しなければ倒産する、というような会社にいては学べないことだからだ。そういうことを知っておいて損はない（第一六章を参照）。でもゾウの体の上にいつまでもとどまっていたら、全体像を見ることはできない。社内の手順や官僚的手続き、業績考課、社内政治をそつなくこなすことを、真の人間的成長と勘違いする人は多い。

小さな会社はリソースも乏しく、設備も満足に整っておらず、予算も限られている。成功まで漕ぎつけないかもしれないし、利益は一向に上がらないかもしれない。福利厚生も充実していないかもしれない（とはいえ、それは良いことだ。調達した資金を卓球のインストラクターや無料のビールサービスに使ってしまうスタートアップ企業は注力すべきところを間違っている。第三二章を参照）。それでもセールス、マーケティング、プロダクト、オペレーション、法務、さらには品質管理やカスタマー・サポートに至るまで、幅広い分野の優秀な人材と一緒に働くことができる。小さな会社でも業務は専門化しているかもしれないが、タコツボ化してはいない。そしてエネルギーレベルが違う。全社一丸となって、大切なアイデアを実現しようとしている。不要なものはすべて切り捨てる。お役所的な手続きや社内政治はまず存在しない。あなたは会社の存亡にかかわる、責任のある仕事を任される。誰もが一緒に救命ボートに乗り込んでいるようなものだ。

心から尊敬する人たちと一緒に救命ボートに乗り込むのは楽しい経験だ。これ以上の職場はない。そんなすばらしい時期は二度と訪れないかもしれない。そして陸に到着したところで終わりではない。

ゼネラルマジックのすばらしい同僚に、ウェンデル・サンダーとブライアン・サンダーがいた。二人は父子で、どちらもとびきり優秀で、余人を持って代えがたいエンジニアのなかのエンジニアだった。ブライアンはゼネラルマジック時代の僕の直属の上司で、父子は僕がマジックリンクのための周辺機器用バス型ネットワーク「マジックバス」をつくりあげるのを手伝ってくれた。僕ら三人が一緒に生み出したアイデアと特許は、今では世界中で使われているＵＳＢデバイスの大元となっている。彼らと一緒に働くのは、まさに夢が現実化したような経験だった。

ゼネラルマジックが破綻し、僕らはそれぞれ別の道を歩むことになった。でも連絡は取り続けた。そして一〇年後、僕はｉＰｏｄを一緒に開発する仲間としてブライアンを採用した。そしてブライアンは父のウェンデルを採用した。

あるときウェンデルと僕が「インフィニット・ループ１」と呼ばれるアップル本社を歩いていると、スティーブ・ジョブズとばったり会った。スティーブは大喜びした。ウェンデルはかつてアップルの社員第一六号だったが、もう何年も顔を合わせていなかったのだ。「ウェンデル！　今、どこで働いているんだよ？」

「ここさ。ｉＰｏｄをつくっているんだ。ファデルと」とウェンデルは答えた。

生ける伝説、ヒーロー、神と呼ばれる人々と実際に働いてみると、自分が頭のなかでつくり上げていた偶像とは違うことに気づく。彼らはある分野では天才かもしれないが、他の分野では何も知らなかったりする。あなたの仕事を評価して育ててくれるが、あなたも彼らを助け、彼らのミスに気づき、ただヒーローとして崇めたてるだけでなく互いに尊敬しあう関係を築くことができる。

ひとつ確かなことがある。あなた自身のヒーローの力になり、その信頼を勝ち取る。彼らがあなたの意見に耳を傾け、信頼できると見なし、一目置いてくれる。世の中にこれほど胸の躍ることはない。その後あなたが次の仕事、さらにまた次の仕事へとステップアップするなかで、彼らがあなたに一段と敬意を払ってくれるようになったら、それほど嬉しいことはない。

ヒーローを持つことのすばらしさはここにある。彼らが与えてくれる刺激が、あなたの原動力になる。あなたがやるべきことをやり、真剣に耳を傾ければ、彼らは自分が何十年もかけて学んだ知識を分け与えてくれる。そしていつか、あなたが恩返しをできる日が来るかもしれない。

第四章　下（ばかり）を見ない

一般社員（部下を持たない社員、ヒラ）は通常、当日あるいは一～二週間で完了すべき仕事を与えられる。ヒラの役割は細部を詰めることなので、たいていは上司や経営陣に目的地を設定してもらい、そこまでの道筋を示してもらったうえで仕事に集中する。

ただ下ばかりを見ていると、目の前に迫った締め切りや仕事の細部しか目に入らなくなり、レンガの壁に突っ込んでいくかもしれない。

ヒラとして働いているときには、折に触れて次の二つを実践しよう。

一　**先を見る**。次の締め切りやプロジェクト、さらには数カ月先までのマイルストーン（中間目標）をすべて確認する。それから最終目的地、つまりミッションまでの道筋を確認する。それが、あなたがそもそもそのプロジェクトに加わった理由と一致しているのが理想だ。プロジェクトが進捗する過程では、ミッションがまだ妥当性を失っていないか、そこに至る道筋が現実的であるかを常に確認しよう。

二　**まわりを見る**。心地よい自分の居場所、いつも一緒に働くチームから離れてみる。社内の他の部署の人たちと話し、彼らの視点、ニーズ、懸念を理解しよう。こうした社内でのネットワーキングは絶対に役に立つ。プロジェクトが正しい方向に進んでないとき、早めに警報を受け取ることができる。

•

僕がようやく視線を上げたのは、空が崩れ落ちてきたときだ。文字どおり、会社という世界が崩壊したときである。それまでもときおり、ゼネラルマジックで働く僕のキュービクル（仕切りに囲まれた作業スペース）を小惑星が突き抜けていくことはあった。質の高いタッチスクリーンをつくるための部品がまだ発明されていない、僕の書いたソフトウェアのせいでシステムが動かなくなった、必要なモバイル・ネットワークがまるで機能しなかった、など。でもそのたびに僕はキーボードの埃《ほこり》を払い、仕事を続けた。

僕はビル、アンディ、マークが船をしっかり操縦してくれると信じていた。自分に必要なのは、自分の能力を証明することだけだ、と。これはヒーローと仕事をすることのデメリットの一つだ。彼らから学ぶことに必死で、彼らなら全体像が見えているはずだと思い込む。自分たちの進路にレンガの壁がそびえていれば、気づいてくれるだろう。

プロジェクトは時間軸を走る一本線のようなものだ。始まりと終わりがある（あってほしい）。誰もが線の上を日々、同じペースで進んでいく。技術、マーケティング、セールス、ＰＲ、カスタマー・サポート、製造、法務など、それぞれの部門の線があり、互いに平行して走っている（図３）。ＣＥＯや経営陣ははるか先の水平線を見ている。持てる時間の五〇パーセントは何カ月、あるいは何年も先のぼんやりとした遠い未来を計画することに費やす。二五パーセントでこの先一～二カ月の

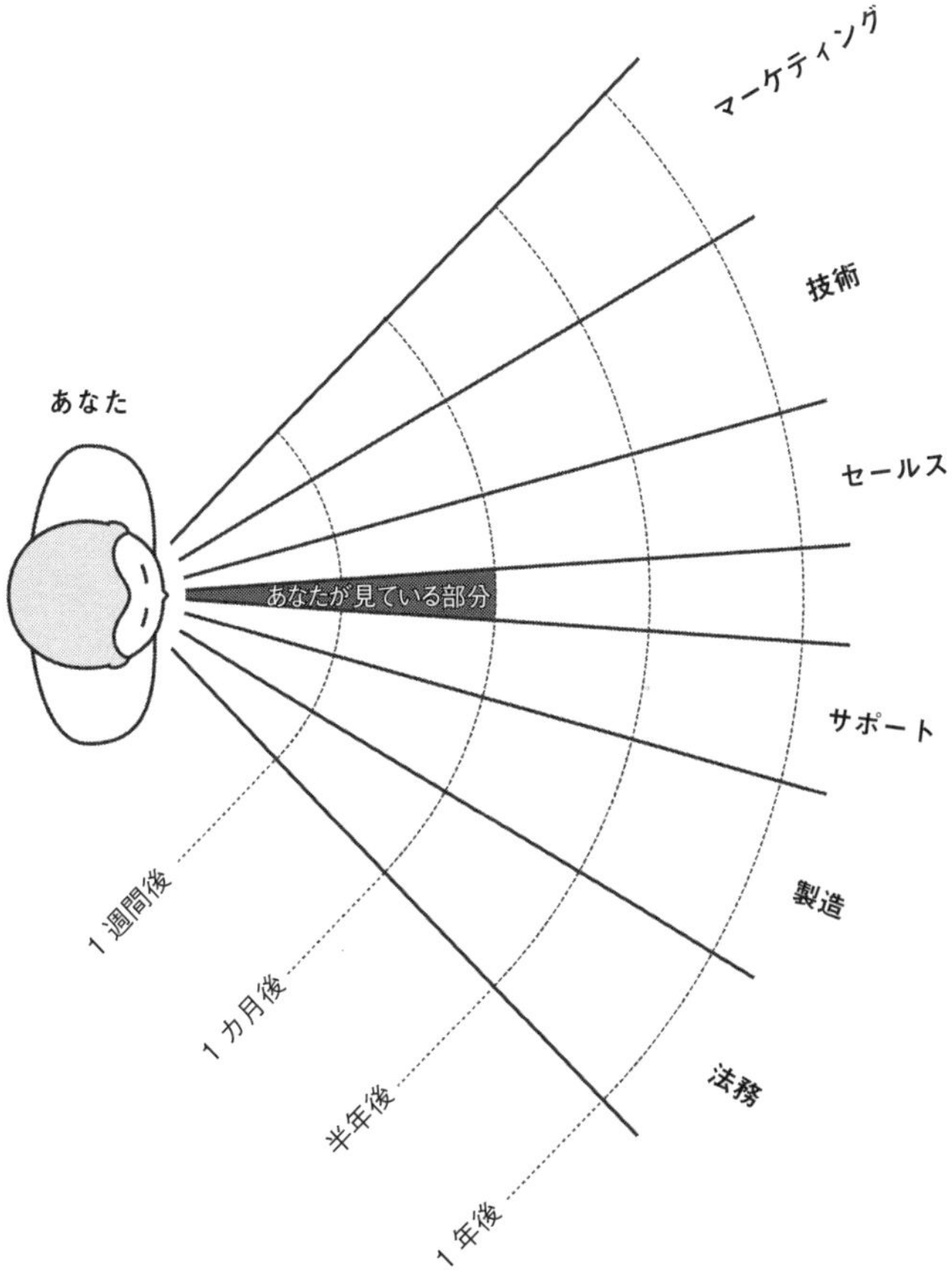

図3　プロジェクトのうち、あなたの目の前にある部分ははっきり見える。だが先を見るほど、すべてがぼやけている。そしてチームを構成するメンバーは、それぞれ同じタイムラインの異なる地点を見ている。

マイルストーンを確認し、残る二五パーセントで、いま足元で発生している火事を消し止める。さらに平行して走るすべての線に目を配り、全員が同じ方向に進んでいることを確認する。

管理職はたいてい二～六週間先までを見ている。担当するプロジェクトは相当具体化されているが、まだ曖昧な部分が残っている。管理職の視線は目まぐるしく移る。手元を見る時間も長いが、ときにはもっと先に視線を送り、さらに左右を見て平行して走る他のチームの動きに目配りし、次のマイルストーンを達成するためにすべてが順調に進んでいることを確認する。

職位の低いヒラ社員は、八〇パーセントの時間は手元（一～二週間先まで）を見て、担当業務の細かい部分に目を光らせる。社会に出たばかりの頃は、それが正しい姿だ。プロジェクトのなかで自分に任された部分に集中し、質の高い仕事をして、次の工程に引き渡す。

進路に障害物がないかは、経営陣や管理職が注意しているはずだ。あなたが進路を修正する、あるいは少なくともヘルメットぐらいは被る時間があるように警報を発してくれるはずだ。

でも、そうではないときもある。

だからヒラ社員も二〇パーセントの時間は視線を上げたほうがいい。そしてまわりを見る必要がある。早い時期からそういう習慣を身につければ、より速く、より高いポジションへとキャリアアップしていける。

与えられた仕事をするだけが仕事ではない。自分の上司やＣＥＯのように考えるのも、あなたの仕事だ。たとえそれがはるか先で、たどり着いたときの状況がはっきりとは思い描けないとしても、最終的なゴールを理解しておく必要がある。それはあなたの日々の仕事の役に立つ。目的地がどこかわかっていれば、今やっていること、その方法について優先順位をつけ、判断することができる。でもそれだけじゃない。自分が進んでいる方向が今でも正しいと感じられるか、今でも信じられるか、常

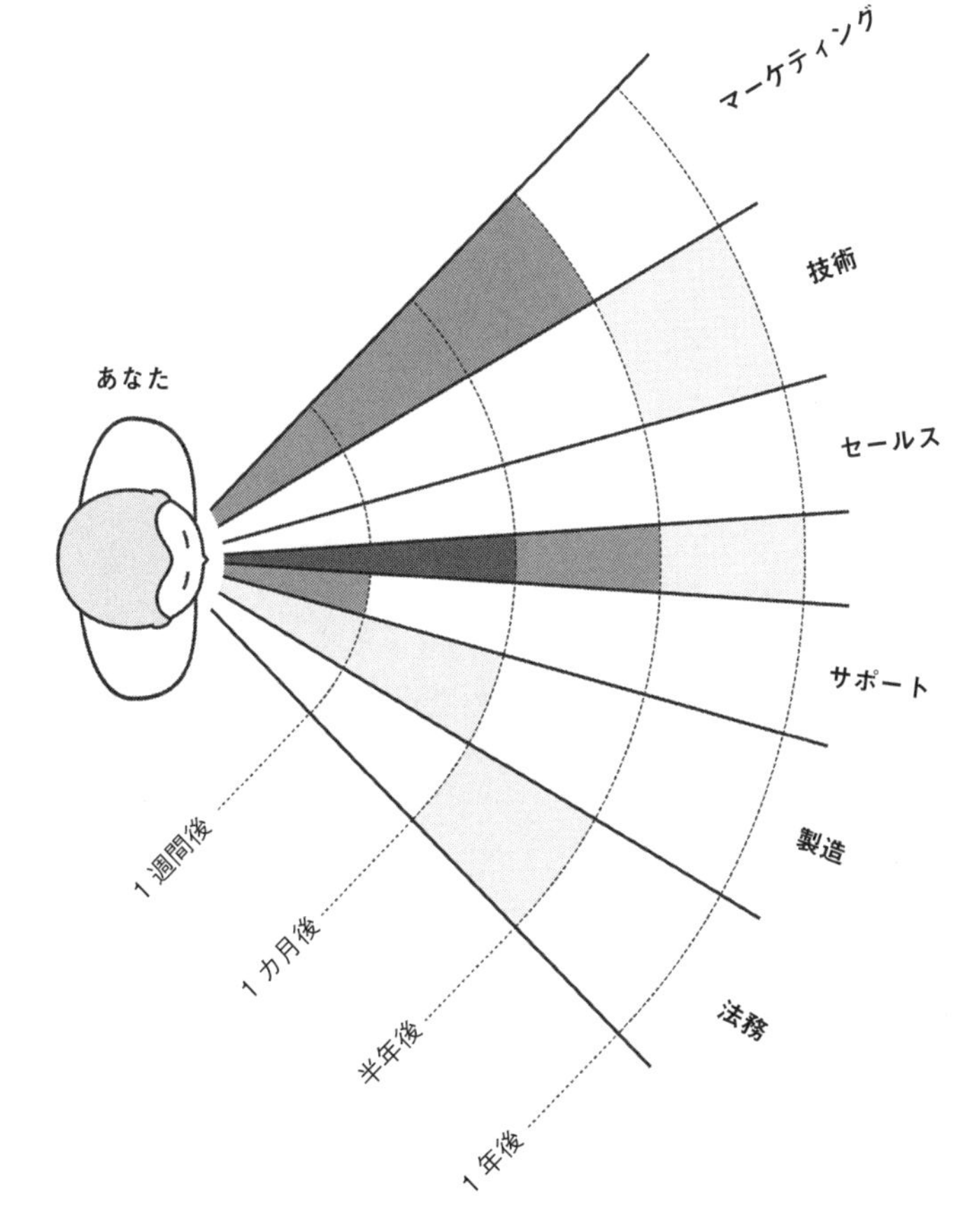

図4　視線を上げ、まわりを見回すと、中期的、長期的目標にまだ妥当性があるか確認でき、他のチームのニーズや懸念も理解できる。社内であなたの顧客となる部署、あなたが顧客となっている部署、そして現実の顧客に一番近いところにいるマーケティングやサポートといった部署の人と話をしよう。そうすれば自分たちが順調に進んでいるのか、あるいはかなり難しい状況に陥っているかがわかる。

に確認しておくべきだ。

そして周囲で一緒に働いている他のチームのことも無視してはいけない（図4）。

初めて小惑星が僕の顔面を直撃したのは、トレイシー・バイアーズと昼食をとっていたときだ。トレイシーは生粋のいたずらっ子だった。マイクロソフトでは「ウィンドウズ1・0」を担当した、プロダクトマネージャー兼百戦錬磨のマーケターだ。

「なぜあのレモンが必要なのか、さっぱりわからない」とトレイシーは言った。ゼネラルマジックの開発陣が追加したばかりの小さな動く絵文字のことだ。メールのなかを歩きまわり、現代の絵文字ですら逆立ちしてもできないような芸当をやってみせる。なるほどね、と僕は思った。トレイシーはエンジニアじゃない。だからわからないんだ。そこで僕は勢い込んで説明しはじめた。めちゃくちゃ革新的なんだよ。どうやったたか、説明するね。最高にクールだろ、そう思わない？

「まあ、かわいいんじゃない」と言いながらトレイシーは肩をすくめた。「でも私はメールがちゃんと機能すればいい。レモンなんてどうでもいい。あんな歩くレモンなんて、誰も気がつきゃしないわ」

へえ。エンジニアリングチームではみんな夢中だけど。そこで僕は言った。「どういう意味か、詳しく説明して」

僕はトレイシーの視点からプロダクトを見たことがなかった。トレイシーは僕に、技術に精通したエンジニア特有のバラ色のレンズが付いたメガネを外させ、一般の人の視点から開発中のプロダクトを見直させた。

耳の痛い会話だった。僕は戸惑い、呆然とした。それでもお互いにとって本当に有益だった。僕はトレイシーの視点を理解したかった。トレイシーは僕の考え方を理解しようとした。何より、僕らがそもそも何をしているのか理解したがっていた。

僕らが開発している機能が魅力的だが何の役にも立たないものではないか、と心配していただけではなく、開発陣が本当に実物をつくっているのか心配していたのだ。

「最近ソニーのマーケティング部門と協力して広告キャンペーンを制作したのだけど、そこでは『マジックリンク』ではこんな機能もあんな機能も実現するって言ってるの。それは事実？　本当に発売できるの？」

ちょうど『マジックリンク』の五度目の発売延期を発表した頃だった。ゼネラルマジックが投資家やパートナー企業に約束していた機能の多くは抜け落ちていた。製品の動作は遅く、バグだらけだった。だからトレイシーは首脳陣の公式声明だけではなく、舞台裏で本当は何が起きているかを知りたかったのだ。

ワイヤレス・メッセージのどの部分が機能し、どの部分が機能しないのか。カスタマー・エクスペリエンスはどんなものになるのか。その結果、何が犠牲になるのか。

僕は逐一トレイシーに説明し、それから彼女の意見を聞いた。ゼネラルマジックという世界が崩壊しつつあることに僕が気づいたのはそのときだ。

僕は気づいていなかったが、周囲を並走していた人たちには僕には見えないものが見えていた。同じ世界に対して、まったく違う見方をしていた。それを僕は理解したかった。

新たな視点はどこにでもある。道端で通りすがりの誰かをつかまえて、製品を見せて感想を聞く必要はない。まずは社内の顧客から始めよう。プロダクトを開発していない人を含めて、誰にだって顧客はいる。僕らはいつだって誰かのために何かをつくっている。クリエイティブチームはマーケティングのために素材をつくり、マーケティング部門はアプリデザイナーのために、アプリデザイナーはエンジニアのために何かをつくる。会社のなかの誰もが（ときには別のチームで働く同僚のためにというささやかなケースもあるが）誰かのために何かをしている。

またあなたは誰かの顧客でもあるかもしれない。だからあなたのために仕事をしてくれている人と話をしてみよう。何か価値のある情報、あるいは的を射た問いを携えて相手を尋ねてみよう。彼らが何に困っているか、何にワクワクしているか理解する努力をしよう。

さらに顧客に一番近い、マーケティングやサポートといった部署とも話をしよう。日々顧客とやりとりし、そのフィードバックを直接聞いているチームを見つけよう。

好奇心を持とう。周囲に心から興味を持とう。視線を上げ、まわりを見回すのは、会社が潰れそうなのか、どれほど早く見切りをつけて逃げ出すべきかを見きわめるためではない。どうすれば自分の仕事の質を高められるか、理解するためだ。自分の担当するプロジェクト、会社のミッションが成功するのをどうすればサポートできるのか、アイデアを集めるためだ。それは管理職や経営者のように考えはじめることであり、本物の管理職や経営者になる第一歩だ。

そうすることで、かすみのなかから見えてくるものがあるかもしれない。

つらいこと。レンガの壁のように頑なに動かないもの。

ようやく視線を上げて周囲を見回したとき、僕は自分たちが絶対に動かない壁に突き当たっていることに気づいた。ゼネラルマジックのミッションは輝きを失っていなかったが、そこに至る道は塞がっていた。そこで僕はミッションは変えずに、目指す目標を変えた。それまで歩いてきた道を外れ、真横に曲がった。その結果、新たな仕事が見つかった。

チームの一員として何かをつくることの最大の喜びは、他の人たちと肩を並べて一緒に歩いていけることだ。それぞれが足元を注視しつつ、同時にはるか先の地平にも目を凝らしている。あなたに見えないものが見える人もいるだろう。そしてあなたは他の誰の目にも入らない何かに気づくかもしれない。だから自室に籠《こも》ってただ働けばいい、というものではない。チームの仲間と一緒に歩くことも仕事の重要な一部だ。あなたがなすべき仕事とは、チームとともに目的地に到達すること。あるいは新たな目的地を見つけて、チームを一緒に連れていくことだ。

第二部　キャリアをつくる

僕はゼネラルマジックを救いたかった。

ギーク仲間以外に『マジックリンク』を買おうという人はいない、という事実が残酷なまでにはっきりしたとき、僕はおっかなびっくり、自分のヒーローたちにこう提案をした。方向転換しよう。一般人向けのコミュニケーションとエンターテインメント用のデバイスをつくるのをやめ、ビジネスパーソンに集中しよう。

ゼネラルマジックのターゲットは「ジョー・シックスパック」。つまり缶ビールの六本パックを抱えてソファでボケーッとフットボールを観ているような、どこにでもいるアメリカ人だ。お客様をこんなふうに考えるなんて最悪だ。そして僕らがマジックリンクはジョーのためのプロダクトだといくら訴えたところで無意味だった。たとえジョー・シックスパックが実在したとしても、マジックリンクなど買うはずがなかったからだ。当時はまだインターネットを使えるのはごく限られた人で、デスクトップ・コンピュータを持っている人もメールを使う人もごくわずか、モバイルゲームや映画を楽しむことなど想像もできなかった時代だ。

要するに一九九二年当時、ジョー・シックスパックにはポケットにコンピュータを入れておく理由など一つもなかった。

だがビジネスパーソンなら話は違うかもしれない。ビジネスの現場ではメールやデジタルメモやカレンダーが使われはじめていた。重さが五キロ近くあるノートパソコンではなく、業務用の連絡先をすべて入れておけるモバイルデバイスが必要とされていた。僕の父と同じように常に街から街へと移動するような人たち。携帯電話が存在しなかった頃、クルマや飛行機から降りるたびに小銭を握りしめて公衆電話にかけつけ、ボイスメールを聞いて交渉やミーティングの状況を把握しようとしていた人たち。彼らは問題を抱えていて、僕らにはそれを解決することができた。

どこからどう見ても明らかな事実だった。現に問題を抱え、日々苦労している人々のためにプロダクトをつくる。マジックリンクにキーボードを付ければいいだけだ。奇抜さや思いつきは捨てよう。歩くレモンはボツだ。そして仕事に集中しよう。ビジネス用途に照準を合わせたモバイル端末、ユーザーインターフェース、アプリケーション一式をそろえよう。ワープロや表計算を追加しよう。僕は社内を歩き回り、みんなに関心を持ってもらおうとした。まず同僚に、それから経営陣にプレゼンをした。

「良いアイデアだと思う。でも……」というのが返事だった。お互い気まずい思いをしないように、しばらくやりとりは続いた。なんとか実現しようという動きもあった。だが最終的な判断は明確な「ノー」だった。あまりに負担が大きすぎる。変更しなければならない部分が多すぎる。今は無理だ。優先事項は他にある。

だがフィリップスは飛びついた。ゼネラルマジックの主要な提携先で株主でもあったフィリップスからは半導体やプロセッサの供給を受けていたので、彼らに話を持っていくのは簡単だった。フィリップス社内でビジネス用途に絞ったポケットコンピュータを開発する、ただしハードウェアとソフトウェアはゼネラルマジックのものを使う、という僕のアイデアをフィリップス側は大いに気に入った。僕は自分の夢を追い続けることができ、フィリップスはソフトウェア・ドリブンなデバイスという新市場にとどまることができる。

こうして僕は一九九五年、ゼネラルマジックを後にした。仲間と廊下でリモコンカーを走らせ、天井裏にホットドッグを隠すといったいたずらを仕掛けた懐かしい場所から、まったく違う世界へと踏み出したのだ。違いはあるだろうと覚悟していたが、フィリップスはやはり衝撃だった。

板張りの壁には一九七〇年代からのタバコのシミが付き、個人用のキュービクルはなく、ひたすら会議会議で、管理職には何を言っても答えは「ノー」だった。オランダから派遣されてきた保守的で年配の社員たちは『ダウエグバーツ』コーヒーがないだの、フリカンデル（知らない人は気にしなくていい）がないだの文句ばかり言っていた。まわりはみんな、僕がゼネラルマジックの面接の日を境に捨ててしまった垢抜けないスーツを着ていた。

僕は二五歳で、部下を管理した経験も、チームを率いた経験もなきに等しかった。それが三〇万人近い社員を抱える巨大企業の最高技術責任者（ＣＴＯ）の一人になったのだ。すでにやまほどの失敗を経験してきたが、目の前にはまったく新しいワクワクするような現実と、失敗の可能性が広がっていた。自分が無能なペテン師であることが露呈するのではないかという不安で押しつぶされそうだった。

そんななか僕のチームに入るためにフィリップスに入社する人は、全員薬物検査を受けなければならないと告げられた。

信じられないほどバカバカしい話を聞かされると、目が覚めるものだ。エンジニアリングの仕事に就くために紙コップにおしっこを採る？　シリコンバレーでそんな仕打ちを甘んじて受ける者などいない。それでは誰ひとり採用することはできない。だから僕はフィリップスの連中にこう言った。「ふざけんな、そんなことができるか！」。ふざけんな、の部分は口には出さなかったが、顔にはっきり書いてあったと思う。そこで交換条件を出した。「僕が薬物検査を受ける。陰性なら僕が採用する者は検査を免除してほしい」。幸い僕の検査結果は陰性だったので、とびきり優秀な人材を採用できた。

それから僕らはゼネラルマジックとの交渉に乗り出した。ゼネラルマジックが開発したオペレーティングシステム（ＯＳ）の、僕らが必要とするバージョンを使わせてもらうためだ。僕はコードを熟

図５　1997年８月に発売された『フィリップス・ヴェロ』はサイズが6.7×3.7インチ、重さは374グラム、価格は599ドル99セントだった。移動中にメールができ、表計算やワープロソフト付きで、カレンダーの更新機能もあった。ソフトウェアはウィンドウズCEベースだが、ハードウェアの中核はゼネラルマジックのものを使った。

知していて、うまくいくことは分かっていた。だがその頃にはゼネラルマジックの経営は急速に悪化していた。収入はゼロ、顧客もゼロ、社内はパニックだった。マーク・ポラットはたくさんの人にたくさんの約束をしたが、すべて空手形になりつつあった。ＯＳの使用許可を得るために何カ月も交渉を重ねた挙句、僕のところに電話がかかってきた。

「トニー、できない。悪いな」

フィリップスで新たなポストを得て、新たなチームを立ち上げ、予算と心から信じられるミッションを手にした僕は、半年を無駄にした末にOSがない状況に陥った。そこで僕らはゼネラルマジックを救うという夢を諦め、OSにはしぶしぶ「ウィンドウズ・マイクロソフトCE」を採用し、仕事にとりかかった。

ゼネラルマジックは一〇〇人もの職人が心を込めて一つひとつの要素をゼロからつくり上げる、まっさらなキャンバスのような会社だったのに対して、フィリップスはレゴ・ブロックだった。すべてのピースはすでに社内にそろっている。だからさっさと何かをつくれ、というカルチャーだ。

こうして僕らが一九九七年に完成させたのが『フィリップス・ヴェロ』だ（図5）。

ヴェロは僕がゼネラルマジック経営陣にプレゼンしたアイデアをほぼそのまま形にしたようなプロダクトだった。タッチスクリーンとキーボードを備え、インターフェースはシンプルで、ビジネスツールに特化していた。

翌年にはより小型の『フィリップス・ニノ』も発売された。

『ヴェロ』と『ニノ』はともに数々の賞を獲得し、批評家からも高く評価された。当時世の中に出ていたウィンドウズCEデバイスのなかで最も速く、使用感が良く、電池の持ちも一番良かった。ウィンドウズベースのビジネスパーソン向け携帯端末として、最高のツールだったと自信を持って言える。

僕らは大々的なマーケティングキャンペーンを展開し、テレビでも紙媒体でも広告を打った。そして殺到する注文を待ち受けた（図6）。

当時、電子機器は家電店に足を運んで買うもので、その売り場は二つのカテゴリーしかなかった。「テレビとオーディオ製品」と「コンピュータ機器」だ。「ニュー・テクノロジー」のコーナーなどなかった。建物の半分にはステレオが、もう半分にはプリンタが並んでいて、携帯情報端末（PDA）をどこに並べるべきかは曖昧だった。

大手チェーンのベストバイは、『ヴェロ』を計算機コーナーに置いた。サーキットシティは『ニ

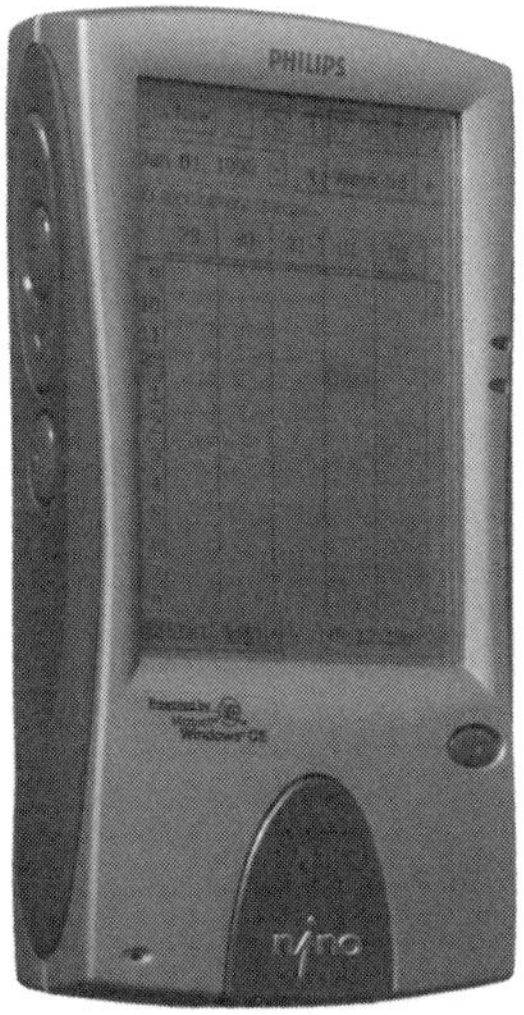

図6　『ニノ』は1998年に発売された。サイズは5.5×3.3インチ、重さは220グラム、価格は300ドルだった。OSはウィンドウズCE、簡単な音声入力ソフトを備えていた。オーディブルからオーディオブックをダウンロードできる端末の走りだった。

ノ』をノートパソコンと一緒に並べた。消費者もどこに置いてあるかわからず、店員に尋ねても「は？」という顔をされるだけだった。

僕らのプロダクトをどう売ればいいのか、誰もわかっていなかった。どこで売るか。誰に売るか。小売業者のみならずフィリップス自身もわかっていなかった。営業チームはＤＶＤプレーヤーやテレビを売らなければボーナスがもらえない仕組みになっていた。マーケティングチームは電気シェーバーのことで頭がいっぱいだった。こうして『ヴェロ』や『ニノ』はテキサス・インスツルメンツ（Ｔ

I）の計算機や東芝のノートパソコンの背後に追いやられることになった。

当然ながら売れ行きは最悪とは言わないまでも、ぱっとしなかった。本当に悔しかった。すべてのピースを完璧にそろえたつもりだったのに、一つだけ欠けていた。営業部門と小売業との真のパートナーシップだ。また一つ、腹に強烈なパンチをくらうように僕は貴重な教訓を得た。

またしても別の仕事を探すべきときがきた。ただ今度は会社との雇用契約までは終了しなかった。フィリップスのストラテジー・アンド・ベンチャーズグループという新たなチームに異動したのだ。フィリップスのデジタル戦略立案と、有望なスタートアップへの投資をサポートする仕事だ。ちょうど当時は新たなスタートアップが大量に生まれていた時期だった。駄菓子屋に足を踏み入れた子供のような状況だ。僕らは初のデジタル・ビデオレコーダーのティーボ（テレビ放送を一時停止したり保存したりできる、当時としては革命的テクノロジーだった）や、初のオンライン・オーディオブック・サービスのオーディブルに投資した。

ただ僕がオーディブルと出会ったのはそれ以前、まだ『ニノ』を開発していた頃だ。オーディブルも独自の端末を発売しようとしていたが、あまり熱心ではなかった。ハードウェアをつくりたいのではなく、自分たちが目指すコンテンツ市場のイメージを示すために必要だから開発していただけだ。他社のハードウェアでデモができれば喜んでそうしたが、当時はオーディオを再生できる端末をつくっているところがなかった。シングルチャンネルのモノラル音声ファイルさえ再生できればよかったのだが。

オーディブルをいち早く採用した端末の一つが『ニノ』だった。オーディブルは軌道に乗り、消費者は夢中になった。

オーディオブックを再生できるなら、音楽もできるはずだ。メモリを大きくする。ステレオ音源に対応する。音響出力の質を高める。それでいい。

僕はこのアイデアとテクノロジーについて、じっくり考えた。一九九九年の自分の三〇歳の誕生日パーティの招待状は手づくりのCDだった。ザ・スペンサー・デイビス・グループの『愛しておくれ』やジョン・レノン（プラスティック・オノ・バンド）の『インスタント・カーマ』、ザ・ビー・フィフティートゥーズの『プライヴェート・アイダホ』など好きな曲を選び、レッドブック（CDのオーディオ記録方式）とMP3でCDに焼いて配ったのだ（当時はMP3プレーヤーを持っている人などほとんどいなかったが）。

僕には新しいタイプのデバイスの可能性が見えていた。オーディオのためだけに設計された端末だ。ある日、このプロダクトのアイデアをリアルネットワークスのCEOに三時間たっぷり話してきかせた。音声と動画のインターネット・ストリーミングを世界で初めて実現した、当時おそろしく人気のあったテクノロジー企業だ。そしてリアルネットワークスのソフトウェアをフィリップスのハードウェアに搭載するため、両社のCEOの会合をセッティングした。だが当日、フィリップスのCEOは遅刻した。大遅刻だ。

ようやくCEOが到着した頃には、僕の転職が決まっていた。

僕はリアルネットワークスに入社し、新しいタイプの音楽プレーヤーを開発することになった。シリコンバレーで新しいチームを立ち上げ、リアルネットワークスの技術を使って新たなビジョンをつくってくれ、と言われたのだ。リアルネットワークスの採用担当者の話はとても説得力があった。率直に言って僕の出会ったリアルネットワークスの関係者のなかで一番まともだった。社内で何人かのチームリーダーと話してみると、おそろしく政治的な人もいた（その一人は今、連邦上院議員になっている）。彼らは僕に、なんとか長ったらしい競業禁止契約にサインさせようとした。そして入社初日、約束を反故にして、シアトルに引っ越せと言ってきた。僕は本社の奥まったところにあるちっぽけなオフィスを与えられた。部屋の真ん中には巨大な柱が通っていた。二週間後、僕は辞表を提出した。

簡単な決断でなかった。会社にとどまるのか、やめるのか。給料をとるか、自らの精神衛生を守るか。巨大企業にしがみつくか、船を飛び降りて自分で会社を興すか。誰にとっても難しい選択だ。いわゆる「マネジメントの不安」と似ている。経験がないのに、どうやってチームを管理すればいいのか。みんなの意見が割れているときに、どうやって決断を下せばいいのか。共通の目的に向けて着実に前進できるようなプロセスをどうやってつくるのか。自分が正しい方向に向かっているか、それとももう辞めるべきか、どうすればわかるのか。

こういう問いが存在することに気づくのは、早いほどいい。キャリアにおいて成長していくなかで、誰もが一度は直面する。

はっきり言っておこう。初めてこういう問いに向き合ったときは、おそらく失敗する。みんなそうだ。それで構わない。学習し、成長し、次はもっと上手に対応できるようになる。それでも初めてリーダーになるという人生の大ジャンプに挑むみなさんの恐怖を多少なりとも和らげられるように、役に立ちそうなことをいくつか書いておこう。

第五章　マネージャーになる

マネージャー（管理職）になろうと思っている人が知っておくべきことが六つある。

一　**成功するのに必ずしもマネージャーになる必要はない。**富や名声をつかむにはマネージャーになるしかない、と思っている人は多い。しかし同じくらいの収入、同じくらいの影響力を手に入れつつ、もっと幸せになる道は他にもある。もちろん、自分は向いていそうだ、だからマネージャーを目指すというなら、断然目指したらいい。ただ、それでもずっとマネージャーでいなければならないわけではないことは頭に入れておいてほしい。マネージャーから一般社員に戻り、次の仕事で再びマネージャーになる、というケースを僕はたくさん見てきた。

二　**マネージャーになったら、あなたの仕事はこれまであなたが成果をあげてきたものではなくなる。**あなたが人並み以上に得意としてきた仕事を続けるのではなく、ほかの人たちの仕事のやり方をよく見て、彼らが上達するのを助けるのだ。これからは一にも二にもコミュニケーションに努め、有望な人材を探し、採用し、解雇し、予算を決め、部下を評価し、個人面談、チーム会議、他のチームとの会議、経営陣との会議に出席し、チームを代表して発言し、目標を設定して部下の進捗を確認し、いさかいを解決し、困難な問題にクリエイティブなソリューションを見つけ、社内政治を拒否したり対処したりし、部下のメンターとなり、ひたすら「何か困っていることはない？」と尋ねる。それがあなたの仕事になる。

三　**マネージャーになるのは「修業」**。マネジメントは才能ではなく、学習を通じて身につけるスキルだ。生まれながらにしてマネジメント能力を持っている人はいない。さまざまな新しいコミュニケーション・スキルを学び、ウェブサイト、ポッドキャスト、本、講座、あるいはメンターや経験豊富なマネージャーの力を借りるなどして、勉強しよう。

四　**部下に厳しく、最高の成果を求めることはマイクロマネジメントにはならない**。チームに質の高い仕事をさせるのがあなたの仕事だ。部下の成果を見るのではなく、仕事のやり方を逐一指図したとき、それは初めてマイクロマネジメントになる。

五　**個性より大切なのは誠実さ**。誰にだって個性はある。にぎやかな人、物静かな人、感情的な人、分析的な人、アツい人、冷静な人。あなたがどのタイプでも、チームに伝えるべき不都合で困難な事実を誠実に伝えることから逃げなければ、うまくやっていけるはずだ。

六　**部下が活躍すると自分がかすんでしまうのではないかと心配するのはやめよう**。むしろ、それがあなたの目標だ。誰かがあなたの代わりを務められるように、常に部下を教育しよう。部下が優秀であるほど、あなたがさらに昇進し、マネージャーのマネージャーになりやすくなる。

あなたが今の仕事に秀でているとしよう。たとえばすばらしく優秀な会計士だとする。そしてあなたの所属するチームは、業務に精通し、部下を助け、経営陣にチームの立場を主張してくれるマネージャーを必要としている。そこであなたは努力し、昇進し、マネージャーになった。おめでとう！　いまや会計チームのリーダーになった。

大丈夫。会計士として、他の会計士に仕事のやり方を教える。それだけの話だ。できるに決まってる。きっと最高のチームになるはずだ。

そこであなたは全員の仕事をじっくりチェックしはじめる。すると、みんないろいろとおかしなことをしている。少なくともあなたとは違うやり方をしている。しかも、なんでこんなに時間がかかるんだ？　あなたが昇進したのは、彼らが今やっている仕事で成果を出したからだ。みんなに正しいやり方を教えてあげよう。成功するにはどうすればいいか、手取り足取り、微に入り細を穿つように指導しよう。

だがどうもうまくいかない。部下はあなたに信頼されていないと感じている。しかもあなたが手を広げすぎたため、つまり全員の仕事ぶりを隅々まで見ようとするせいで、チームのメンバーに何に取り組むべきなのか、何が重要なのか、きちんと理解させられていない。みんながあなたに文句を言ったり、あなたの不満を言ったりしはじめる。誰もがうんざりしている。

うまくいかないことが増えるほど、あなたは自分ができることに集中しようとする。自分は会計士の仕事ならわかる。だから会計チームのマネージャーとして能力を磨くかわりに、チームで一番優秀な会計士になろうとする。部下がやるべき仕事を、どんどん自分が引き受けるようになる。部下へのフィードバックや懸念は胸にしまう。これ以上みんなのモチベーションを下げたくないからだ。そして「みんなで乗り越えよう！　私が手本を見せるから、ついてきて！」と発破をかける。

こんな具合にごくふつうのまっとうな人が、部下には耐えがたいマイクロマネージャーに変貌する。リーダー不在のためにプロジェクトに遅れが生じ、崩壊しはじめる。チームを任された人の多くがこのワナに陥り、結局そこから脱却できない人もいる。

なぜこんなことになるのか。それはひとたびマネージャーになったら、もう会計士ではなくなるからだ。デザイナーでも漁師でも芸術家でも、あなたが本当に好きな仕事すべてについて同じことがいえる。僕はよくこう忠告する。あなたが昇進前に好きだった業務を今もしているのなら、おそらく働き方を間違っている。マネージャーになったらかつて自分が得意としていた仕事を、部下に指導するのが仕事になる。だから業務時間の少なくとも八五パーセントはマネジメントに使うべきだ。そうしていないのなら、マネージャーとして間違っている。あなたの仕事はマネジメントだ。そしてマネジメントは大変な仕事だ。

僕がフィリップスのCTOだった頃、部下たちがオフィスに赤色灯を置いた。パトカーの屋根についている例のアレだ。何か問題があったとき、あるいは僕の機嫌が悪そうなとき、部下たちは赤色灯を点けた。誰かが、あるいはどこかのグループが「ちょっと話がある」と僕のオフィスに呼ばれそうなとき（雑談にしてはかなり音量が大きくなることもあった）、なぜかそれを察知して点灯させた。

赤色灯はおふざけだった。表向きは。

僕は八〇人近いチームを率いていた。部門のバイスプレジデント兼CTOだが、二五歳の若造で、マネージャーになるのは初めてだった。

マネジメントの訓練など受けたこともなかった。本物のマネージャーの下で仕事をした経験もなかった。目指すべき優れたマネージャーの心的《メンタル》モデルもなかった。

かつて興したスタートアップには従業員はいたが、きちんとした組織構造があったわけではない。トップダウンの社内プロセスはなく、業績考課もなければ、各自の役割や責任を明確にする会議もなかった。僕は創業者だったが、五～一〇人くらいのチームでCEOというより自分も一般社員のような働き方をしていた。要は、ただ一緒に働いているだけだったのだ。誰も誰のことも管理していなかった（第二二章、図24を参照）。

ゼネラルマジック時代も同じような状況だった。「マネージャーなんて要らない」という企業文化は明白だった。全員が優秀で、自分で自分を管理できる。そんなふうだから、きちんとマネージャーの仕事をしようとする人がいても徹底的に無視された。

最高の職場だった。ただそれもチームが大きくなるまで、プロダクトの発売が決まり優秀な人材に同じ目標を共有させる必要が生じるまで、何が必要で何を捨てるべきか意見を統一しなければならなくなるまでの話だ。

ゼネラルマジックを退社してフィリップスに入社したときの僕は、チームが組織として動くこと、明確な期限と計画とリーダーシップが必要であることは理解していた。自分がマネージャーにならなければいけないこともわかっていた。

問題ない、と思っていた。僕はエンジニアとして、仲間のエンジニアに仕事のやり方を指示するってことだろ？

こうして赤色灯が設置された。僕だけでなくチームにもストレスとフラストレーションが蓄積されていった。僕は絶えず部下に質問を浴びせ、せっついた。マイクロマネジメントだ。

マネージャーになるというのは、単に仕事に責任を負うのではなく、人に対して責任を負うことだ。

それは一見、当たり前のことであり、マネージャーの仕事の一番大切な部分だ。でも突然八〇人の部下ができて、「この人はチームを引っ張っていく方法をわかっているのだろう」と期待の目で見られても、なかなかうまく対処できないものだ。

だからマネージャーになる前に、それが自分にとって正しい道なのか真剣に考えるべきだ。なぜなら、それは必ずしも必要なことではないからだ。本当はあまり気が進まないが、キャリアアップするにはマネジメントのはしごを登っていくしかないと思っている人は特にそうだ。無理にマネジメント職に就くべきではない人はたくさんいる。人とかかわるのがそれほど好きではない、自分の仕事だけに集中したい、あるいは仕事で日々成果と達成感が得られることが大事で、「いつかチームとして成果を出せるかもしれない」というマネージャーの仕事ではモチベーションがあがらないというタイプなどがそれにあたる。

個人プレーヤーとしてスター級の活躍ができる人材には、すばらしい価値がある。多くの企業がマネージャーと同等の給料を払うほどの価値だ。真に偉大な個人プレーヤーは、それぞれの専門領域でリーダーとなるだけでなく、非公式なカルチャーリーダーとして部門の壁を越えてあらゆる人からアドバイスを求められ、メンターを頼まれるようになる。アップルはそうしたスター級のエンジニアを認め、表彰する「特別技術者、科学者、テクノロジスト（DEST）」制度を正式に設けている。グーグルの「レベル8」カテゴリーのエンジニアにも同じような影響力がある。優秀な個人プレーヤーを認証する制度はエンジニアの世界では一般的で、他の分野にも広がりつつある。

あなたがこの道を進みたいと思うなら、まず社内で個人プレーヤーとしてどこまでやっていけるか、しっかり把握しよう。大組織ではたいてい社内階層が明確だ。個人プレーヤーのキャリアパスを確認して、組織に個人プレーヤーの仕事をきちんと評価する仕組みがあるか見きわめよう。

チームリーダーになるという選択肢のある会社も多い（少なくとも、この選択肢を用意すべき会社は多い）。これは個人プレーヤーとマネージャーの中間にあるポジションだ。チームの成果を評価し、影響を与え、引っ張っていく権限は多少あるが、部下はいない。予算や他部門との調整に責任を持ったり、マネジメント会議に出たりする必要もない。

僕もこの道を選んでもよかったのかもしれない。いちエンジニアにとどまることもできた。チームリーダーでもよかった。そのほうが間違いなくシンプルで、穏やかだったはずだ。

だがゼネラルマジックでようやく視線を上げ、社内を見渡すようになったとき、気づいたのだ。プログラミングやハードウェアの設計より、プロダクト全体、そして事業そのものをどうやって成立させるかを考えるほうがおもしろい、と（第四章を参照）。優れたエンジニアリングだけでは事業の成功は保証されないことは、どう見てもはっきりしていた。最高のテクノロジーが必ずしも勝つわけではない。ウィンドウズ95とマックOSの勝敗を見ればわかる。

どんなプロジェクトであろうと、さまざまな要素を整えておかなければ成功の見込みはない。営業、マーケティング、プロダクトマネジメント、広報、パートナーシップ、財務。どれもエンジニアには異質で不可解だが、とてつもなく重要な、ときには事業の成否を握る要素だ。僕がエンジニアリングチームに与えられた五〇〇万ドルの予算を最大限に生かそうと手元ばかりを見て必死に働いている傍らで、マーケティングチームは一〇〇〇万〜一五〇〇万ドルの予算を受け取っていた。その理由を知りたかった。だから尋ねた。

それによってすべてが変わった。他のチームと話をするようになると、自分に特別な力が宿ったことに気づいた。

エンジニアしか信用しないエンジニアは多い。財務担当者が財務チームのスタッフしか信用しないのと同じだ。みんな自分と同じようなモノの考え方をする人が好きなのだ。だからエンジニアはとかく営業、マーケティング、クリエイティブなど、軟弱でつかみどころのない部門で働いている人を避けようとする。

同じように、マーケティング、営業、クリエイティブチームの人たちもエンジニアと話そうとしない。数字の話が多すぎる。白黒はっきりさせすぎる。オタク密度が高すぎて息が詰まりそう。

でも僕は軟弱な話もオタクっぽい話も、両方理解したかった。そしてどちらの話もおもしろいと感じた。両者の言葉を翻訳することもできた。軟弱な話をエンジニアに、デジタルな話をクリエイティブスタッフにわかるように解説できた。すべての構成要素を組み合わせ、会社全体の置かれた状況を思い描くことができた。

僕にとってそれは知的刺激に満ちたワクワクする作業だった。これこそ自分のやりたいことだ、と思った。つまりマネージャーになるということだ。僕自身がマネージャーの仕事に惹かれたというのもあるが、それより重要なのは会社のミッションにとってそれが必要だったことだ。チームもマネージャーを必要としていた。

こうして僕は、前線から一歩引くことを学んだ（少なくとも、多少は）。

マネジメントの難しさの一つに、手放すこと、つまり自ら仕事をしないことがある。手放すことでプロダクトの質が低下するのではないか、プロジェクトが失敗するのではないかという不安を克服しなければならない。チームを信頼し、クリエイティブになる自由と、輝くチャンスを部下に与えなければならない。

でも、それをやりすぎてもいけない。自由放任にした結果チームで何が起きているか把握できなくなり、プロダクトの仕上がりを見て仰天するようではダメだ。高圧的な人間に見られたくないからといって、プロダクトが凡庸なものになるのを放っておいてはいけない。プロダクトに直接手を出さなくても、ハンドルは握っておくべきだ。

プロダクトの細部にまで徹底的に目を光らせ、チームが開発しているプロダクトの品質にとことんこだわるのは、決してマイクロマネジメントではない。それこそマネージャーの仕事だ。僕はスティーブ・ジョブズが宝石商のごとくルーペを取り出し、ディスプレイ上の一つひとつのピクセルにまで目を光らせ、ユーザーインターフェースのグラフィックスがきちんと描かれているか確認していた姿を覚えている。そしてすべてのハードウェアからパッケージに書かれた文言の一字一句に至るまで、同じレベルの注意力を持って確認した。それを通じて僕らは、アップルの細部へのこだわりを思い知らされた。そして同じ基準を自分自身に求めるようになった。

マネージャーになったら、部下が文句なしに最高のプロダクトをつくっているかに意識を集中すべきだ。質の高い成果物を確保するのがあなたの仕事、その成果物をどうやって生み出すかは部下が考えるべきことだ。チームの仕事の「成果」ではなく「プロセス」にクビを突っ込みすぎれば、マイクロマネジメントにまっしぐらだ（もちろんプロセスに欠陥があり、質の低い成果につながることもある。その場合は好きなだけ首を突っ込み、プロセスを見直せばいい。それもマネージャーの仕事だ）。

仕事のプロセス（進め方）についてはは初期段階で確認しておいたほうがいい。製品開発のプロセスはこう、デザインのプロセスはこう、マーケティングのプロセスはこう、営業のプロセスはこう、という具合に最初に明確にしておくのだ。私たちのスケジュールはこう、そして仕事の進め方、互いに連携する方法はこう、と。マネージャーと部下の全員が合意したら、マネージャーは手を離さなければならない。仕事を部下に任せるのだ。

その後はチームの定例会議で、すべてが正しい方向に進んでいることを確認する。

会議は手順を定め、あなたと部下がチームの状況をできるだけ明確に把握できるようにしよう。あなたはマネージャーとして、チームの優先事項と部下に確認すべきことを毎週メモにまとめるべきだ（第一九章を参照）。個々のプロジェクトと部下一人ひとりについて、懸念材料をリストアップしておこう。そうすればリストが長くなりすぎたときに一目でわかる。それはあなたが部下の仕事に深く関与すべきか、あるいは一歩引いて見守るべきタイミングだ。

有益な情報を得られるもう一つの機会が部下との個人面談（ワン・オン・ワン）だ。個人面談は気を抜くと無意味な雑談になってしまうので、チームの定例会議で手順を定めたのと同じように、毎週の個人面談でも議題と目的をはっきりさせ、お互いにとって有益な時間になるようにすべきだ。あなたにとってはプロダクトの開発について必要な情報を得る、そして部下にとっては自分の仕事ぶりを評価してもらう機会だ。部下の視点から状況を見直してみよう。彼らの不安やあなた自身の懸念をきちんと口に出し、あなたの考えを整理して部下にフィードバックを伝え、目標を理解させ、曖昧な部分や懸念材料をすっきりさせよう。

自分がすべての答えを持ち合わせているわけではない、と認めることを恐れてはいけない。「助けてほしい」と言ってもかまわない。初めてマネージャーになったとき、あるいは新しい会社やグループの所属になったときには、正直にこう言えばいい。

「こういう仕事は初めてなんだ。今も勉強中だから、チームの状況を良くするために私に何ができるか教えてほしい」

それだけの話だ。でも、そんなふうに発想を切り替えるのはなかなか難しい。自分がどうすればいいのかわからなくて困っていることがみんなにバレてしまうのではないかと恐れ、口をつぐんでしまう人を僕はたくさん見てきた。でも、わからなくて当然だ。わかっているフリをしたところでまわりは騙されないし、ますますどつぼにはまるだけだ。初めてマネジメント職に昇進するときは、それまで仲間だった人たちを管理することが多い。あなたをよく知っていて、信頼してくれている人たちだ。その信頼感を大切にしよう。「今はマネージャーという立場になったけれど、これまでどおり話をしよう」と伝えるのだ。

あとは部下に対して常に正直であればいい。物事がうまくいっていないときでも、厳しい現実を部下に伝えるのを避けてはいけない。バンドエイドをベリッとはがしてしまおう。お互いが不安なときは、何か前向きな話から会話を始めてもいい。だが口に出しづらい事実、そもそも対話が必要になった理由に目をつむってはいけない。誰かの仕事ぶりやふるまいを批判するときでも、それは相手を傷つけるためではないことを頭に入れておこう。相手を助けるためだ。相手を大切にする気持ちで、一つひとつの言葉を選ぼう。そして彼らの問題点を指摘し、それを克服するための手立てを一緒に考えよう。

マネージャーになったら、おそらく半年ごとに正式な業績評価シートを部下に渡すことになるだろう。グーグルやフェイスブックのような会社ではもっと頻繁で、いつも何らかの評価をしたり、されたりしているような気がしてくる。ただ正式な業績評価は、毎週部下と話していることを単に書き留めただけのものであるべきだ。つまり部下にはフィードバックを（良いものも悪いものも）リアルタイムに伝えるべきで、数カ月経ってからいきなりサプライズのように蒸し返すのはやめよう。

みなさんにこうしたノウハウが身につく魔法の呪文でも教えてあげられたらと思うのだが、僕の場合は試行錯誤もしたし、何よりスキルを磨くために努力した。エンジニアの仕事だってぱちんと指を鳴らして手に入れたのではない。学校に通い、何年も訓練を積んだ。マネジメントについても同じようなプロセスが必要だ。*

僕はまずマネジメントの講座をいくつか受講した。講座を受けたからといってすべての答えが手に入るわけではないが、何も勉強しないよりずっとましだ。それから大企業の初歩的なマネジメント講座で教わる内容より、さらに大きく踏み込んだ。自らウサギの穴に飛び込んだのだ。マネジメントの本をいろいろ読んでみると、結局のところ自分自身の恐れや不安をどう管理するかという問題に行き着くことがわかった。そこで心理学の本を読みはじめた。それがきっかけでセラピーを受けるようになった。それからヨガも。セラピーとヨガを始めたのは一九九五年で、まだどちらも今のように広く定着する前のことだ。僕の頭がおかしかったから、あるいはマネージャーになっておかしくなりかけていたからではない。セラピーとヨガを始めた理由は同じだ。自分のなかでバランスを見つけるため、身のまわりで起こることに対する自分のリアクションを変えるため、本来の自分自身と自分の感情、そして周囲の人たちがそれをどう受け取るかをよく理解するためだ。

僕にとってとても重要だったのは、会社の問題と僕自身の問題を切り離すことだ。つまり僕自身の行動がチームの不和の原因となっているときと、自分ではどうにもならない状況にあるときを見分けることだ。それは自力でやろうとすると難しい。自分の思考を自分で吟味するのは、初めからインストラクターの指導を受けずにヨガにチャレンジするようなものだ。セラピストは僕のコーチとなり教師となって、なぜ僕が過剰なマイクロマネジメントをしてしまうのか理解するのを助けてくれた。リーダーとしてうまくチームを率いていくために、性格のどの部分をコントロールする必要があるか示してくれた。

自分の思ったことと職場で口に出すことを多少区別するスキルを身につけるまでは、悩みや不安が口調や日々の仲間とのやりとりにダダ洩れしていた。チームはリーダーの気分を増幅するものだ。だから僕がイライラしていると、それがオフィス内で増幅され、一〇倍になって返ってくる。チームの進捗が遅れて僕が腹を立てると、怒りの感情がチーム全体に広がった。僕は自分自身を調節する方法を身につける必要があった。僕の個性の出力を二段階くらい抑えめにして、効果的なマネジメントスタイルを確立したのだ。

ただ人格そのものを変えようとはしなかった。僕は僕、あなたはあなただ。マネージャーを務めるために人格を完全につくりかえなければならないとしたら、それは常に演技することになり、あなた自身が違和感を持ちつづけることになる。

僕はにぎやかで情熱的なタイプだ。グーグルとアルファベットのCEO、スンダー・ピチャイのようにはなれない。スンダーは物静かで穏やかで、聡明でとても分析的だ。いつも物事をじっくり考え抜いてから冷静な判断を下す。一方、僕の音量のセッティングは一つだけだ。やや大きめの音量から一気にクレッシェンドしてめちゃめちゃ熱くなる。以前、息子からプレゼントにデジタル騒音計をもらったことがある。もちろんジョークだが、測ってみたらたいてい七〇~八〇デシベルでしゃべっていることがわかった。要するに騒がしいレストラン、目覚まし時計、掃除機レベルということだ。世界中のマネジメント本に部下に対して物静かに穏やかな声で話せと説教されても、常に従うのは無理だ。

だから僕のリーダーシップスタイルは声が大きく情熱的で、何よりミッションにこだわる。目標を設定するとフルスピードで疾走する。何も僕を止められないし、まわりのみんなにもついてきてほしいと思う。

＊　このテーマについて詳しく聴きたいという読者には、僕がマネジメントと自らの経験を語ったポッドキャスト『ティム・フェリス・ショー』（*Tim Ferriss Show*）をお勧めする。

ただ僕がモチベーションを感じることにチームのみんながモチベーションを感じるわけではないこともわかっている。世界はトニー・ファデル的な人間ばかりでできているわけではない（ありがたいことに）。プライベートや家族など、大切にしたいこと、大切にしなければならないことが他にもあり、両立に苦労しているふつうの人、まともな人もいる。

だからマネージャーとして、チームと共有できる部分を見つける必要がある。どうすればあなたの情熱をチームに伝え、彼らのモチベーションを高められるだろうか。

その答えはやはりコミュニケーションに尽きる。チームに「なぜ（Why）」を説明しなければならない。なぜ自分はこんなにアツくなっているのか。なぜこのミッションにそれほど意味があるのか。みんながどうでもいいと思っているこのささやかなディテールに、なぜ自分はこれほど真剣になるのか。理由もなく風車に闘いを挑むドン・キホーテについていこうと思う人はいない。みんなに一緒に闘ってほしい、本物のチームになりたい、自分の中で沸き立っているエネルギーや意欲を部下にも注入したい。そう思うなら、理由を説明しなければならない。

ときにはそこに「何を（What）」の要素も多少追加する必要がある。報酬は何か。成功したら、どんな見返りがあるのか。チーム全員がミッションに燃えていたとしても外発的動機づけも忘れてはならない。みんな人間だ。昇給、昇進、あるいは打ち上げパーティ。温かい言葉でもいい。何をすれば部下は評価されていると感じられるのか。彼らが職場で何に幸せを感じるのか、理解しよう。

部下が成功できるようサポートするのが、マネージャーであるあなたの仕事だ。彼らが最高の自分になれるよう、責任を持って見守らなければならない。彼らがあなたも驚くような成果をあげられる環境を用意する必要がある。あなたを超えていける環境を。

自分がこれまでやってきた仕事を誰かにやらせる、という考えに拒否反応を示す人もいる。自分よりもうまくやれる人を雇うなんて、さらにぞっとする。スタートアップを立ち上げたばかりのＣＥＯから、何度も言われた。「えっと、この仕事を任せるために誰かを雇ったら……私は何をすればいいんですかね？」

答えはもちろん、その新たなメンバーに任せる従来の仕事ではない。あなたがマネージャー、リーダー、あるいはＣＥＯなら、マネージャー、リーダー、あるいはＣＥＯの仕事をするべきだ。個人として日々結果を出すことに誇りを感じるのではなく、部下の成果に誇りを持つようにする。

サムスン電子の元ＣＥＯで、ともにｉＰｏｄの開発に取り組んだときから僕のすばらしいパートナーであり、兄貴であり、ときにはメンターでもあった権五鉉《クォン・オヒョン》はあるとき、こう言った。「部下が自分より優秀になることを恐れるマネージャーは多い。でもマネージャーというのは、メンターや親のようなものと考えなくてはいけない。愛情豊かな親が子供の成功を望まないなんてことがあるかい？子供には自分より成功してほしいと思うだろう」

もちろん、自分より優秀な部下に不安を感じるのは自然なことだ。だいたいこんな思考に陥る。

「ちょっと待った。ジェーンのほうが私より優秀なのに、マネジメントなんてできるのか？　ジェーンがこの仕事で私以上の成果を出したら、まわりはジェーンがマネージャーになるべきだと思うんじゃないか」

正直に言おう。それは事実かもしれない。そして好ましいことだ。

あなたの部下がすばらしい成果をあげたら、それは会社に対してあなたが最高のチームをつくったと証明することになるからだ。そしてあなたはその報酬を受けるべきだ、と。チーム内に常に少なくとも一人か二人はあなたの後継者となるべき人材がいる状態が望ましい。他の部下より頻繁に個人面談をして、リーダー会議にも出席させ、他の人にも注目されるような存在に育てていく。

社内での彼らの知名度は高まるほど良い。というのも、それによってあなたが昇進しやすくなるからだ。あなたが別のポストに異動したとき、誰がチームを引き受けるのかという問題がなくなる。

子供が何かすばらしい成果をあげたとき、周囲が親に「おめでとう」と声をかけるのには理由がある。それは子供自身の成果であると同時に、親の影響の表れでもあるからだ。親は子供の成功を誇っていい。そこに至るまでに大変な努力、アドバイス、厳しい対話、苦労があったはずだ。

あなたがマネージャーになったのなら、それはめでたいことだ。それは親になったことに等しい。部下を子供扱いしろ、というのではない。彼らが失敗を乗り越え、成功をつかむのをサポートする責任を負ったということだ。それは部下が成功したときに、心から喜びを感じる責任でもある。

僕のアップル時代の部下の一人が、マット・ロジャースだ。ｉＰｏｄのエンジニアリングチームが採用した初めてのインターンで、マットはまだ大学生だった。五年後、マットはｉＰｏｄとｉＰｈｏｎｅのソフトウェアのシニアマネージャーになった。押しも押されもせぬスーパースター社員で、人格も才能も秀でていた。僕がアップルを退社して何か新しい会社を立ち上げようかと考えはじめた時期に、僕らは再会した。そして共同創業者として一緒にネストを立ち上げることになった。

ネストではハリー・タネンバウムというインターンを採用した。分析力があり粘り強く、戦略的にモノを考えることができた。五年後、ハリーはグーグル・ネストでビジネス・アナリティクスとｅコマース担当ディレクターになった。さらに一年後にはグーグルのハードウェア全体のディレクターとなった。マットはネストを退社すると、ハリーに電話をかけた。二人は二〇二〇年に一緒に会社を立ち上げた。

僕は二人のことを心から誇らしく思っている。

そして彼らが発掘し、メンターとなり、ともに会社を立ち上げる次の世代のスーパースターの登場を楽しみにしている。

あなたが優秀なマネージャーとして優れたチームをつくれば、チームは大成功するだろう。だから全力でチームを支えよう。部下が昇進したら、ともに喜ぼう。取締役会や全社ミーティングで部下がすばらしいプレゼンをしたら、誇らしさではちきれそうになっていい。そうすれば優秀なマネージャーになれる。そしてマネージャーという仕事を心から好きになるだろう。

第六章　データか主観か

僕らは日々、何百というささやかな判断を下すが、ときには本当に重要なものがある。たとえば未来のかかった判断、膨大な資金や人員にかかわる判断もある。このような場面では、自分が直面している判断のタイプをきちんと認識することが重要だ。

データに基づく判断　事実や数値を入手し、調べ、議論することが可能で、それに基づいてかなり自信を持って決定を下せるもの。判断を下すのも、正当化するのも比較的容易で、チームのほぼ全員が答えに賛同できる。

主観に基づく判断　参考になるデータも、裏づけとなるデータも十分にないなかで、自分の直感と、何をしたいのかというビジョンに基づいて下さなければならないもの。このタイプの判断は常に困難で、周囲に疑問符を付けられる。結局のところ、主観は人それぞれなのだから。

すべての判断にはデータと主観の両方の要素があるが、最終的にはどちらか一方が決め手となる。データに重きを置くべきときもあれば、すべてのデータに目を通したうえで直感を信じるべきときもある。そして直感を信じるのはめちゃめちゃ怖い。直感が働かない、あるいは自分の直感を信じられない人は多い。直感を信じられるようになるには時間がかかる。だから本来は主観に基づくべき経営判断を、データに基づいて決めようとする。しかし主観にかかわる問題をデータで解決することはできない。だからどれほどデータを集めても、結論が出ない。そうすると分析マヒ、考えすぎによる思考停止に陥る。

判断を下すのに十分なデータがなければ、主観の参考になる質の高い情報が要る。顧客や市場、あるいはプロダクトに関する重要な知見など、自分が何をすべきかという直感的ひらめきに通じる実のある材料だ。外部から情報を得るのも良い。専門家やチームのメンバーに相談してみよう。全員の意見が一致することはなくても、あなたが直感的に正しいと思う選択をするのに役立つかもしれない。直感に耳を傾けたうえで、結果に責任を持とう。

：

ゼネラルマジックで自分たちは「ジョー・シックスパック」のためのプロダクトをつくっている、とよく話していたが、実際には誰もジョーに会ったことなどなかった。

開発の最終段階でユーザーテストを実施したが、それ以前にはほぼやっていなかったはずだ。ジョー・シックスパックが何を欲しがるか見当もつかなかったので、自分たちが欲しい機能を開発し、世の中の人も喜ぶだろうと単純に思っていた。

当時の僕は一介のヒラ社員で、きっと会社のリーダーたちが状況を把握しているだろうと思っていた（第四章を参照）。

その後、僕はフィリップスに転職し、今度は自分がリーダーになった。振り子は大きく逆に振れた。もう勝手な思い込みは禁止。直感頼みも禁止。僕はゼネラルマジックから何人かフィリップスに引き連れていったが、僕も含めて全員が『マジックリンク』の手痛い失敗から立ち直ろうとしていた。もう二度と同じ失敗を繰り返すわけにはいかない。ターゲットとなる顧客と、彼らが具体的に何を望んでいるかを理解しなければならない。今度は疑う余地のない、白黒はっきりしたデータに依拠してプロダクトをつくろう。一九九〇年代、それは消費者モニター調査を意味した。当時大流行していた手法だ。

こうして僕らは外部のコンサルティング会社と契約し、ターゲットは「モバイル・プロフェッショナル」だと伝えた。コンサル会社はいくつかの州で三〇〜四〇人のモニターを集め、一〇〇ドルの謝礼を支払って数時間のプレゼンに参加してもらった。

そこで僕らは手の内をすべて明かした。文字通りすべてを。

あるときには『フィリップス・ヴェロ』用の小さなキーボードの試作品を一〇種類も用意していた。どれが使い心地が良いと思いますか？　一番使いやすそうなのはどれ？　信頼性が高そうなのは？タイピングするときはキーボードとディスプレイのどちらを見ますか？　タイプするときはすべての指を使いますか、それとも親指だけ？　グレーが好き？　ブラック？　ブルー？　それともブルーがかったグレー？

僕らはセッションのビデオテープを擦り切れるほど見た。モニターの表情、指の動きに目を凝らし、質問用紙に書き込んでくれた回答を精査した。コンサルタントも同じことをした。すべてを確認し、六週間後にレポートをまとめてくれた。

お客様は常に正しいに決まっている。

ただ消費者モニターにプロダクトをデザインすることはできない。僕らに進むべき方向がわかるほど、はっきりと自分が何を欲しいか説明することはできない。見たことも使ったこともないような新製品について考えさせられるときなどなおさらだ。消費者はすでに存在する製品のほうが（たとえそれがひどくお粗末でも）使い勝手が良いと感じるものだ。

だが僕らは誰もが陥るワナにはまった。コンサルタントの手腕に感動し、データに夢中になった。そしてあっという間に両者に頼りきりになった。自分で判断しなくて良いように、とにかくデータを求めた。デザインができても先に進む代わりに、「よし、まずはテストしてみよう」という話になった。自分たちが開発しているプロダクトに誰も責任を持ちたくなかったのだ。

そこでテストする。さらにもう一度。月曜日に消費者モニターは選択肢「X」を選んだ。金曜日には同じグループが「Y」を選んだりする。僕らはコンサルティング会社に何百万ドルも支払う。コンサルタントはテストのたびに一カ月半かけて自分たちの見解をまとめたレポートを作成する。データは僕らの道しるべにはならなかった。せいぜい松葉づえ、ひどい場合には足かせだ。僕らは分析マヒに陥った。

これは昔ながらの消費者モニターに限った話ではない。これが一九九六年ではなく二〇一六年だったら「A／Bテスト」を使っていただろう。インターネット時代の万能ツールだ。A／Bテストとは簡単に言えば、被験者が選択肢Aと選択肢Bのどちらを好むか、デジタルツールを使って実験することだ。一部の被験者にはブルーのボタン、他の被験者にはオレンジ色のボタンを見せ、どちらをクリックする人が多いか調べる。消費者モニターよりはるかに迅速に結果が出て、解釈するのも簡単。すばらしいツールだ。

だが僕らが使ったのがA／Bテストでも、結果はおそらく消費者モニターと同じように曖昧なものだっただろう。そして間違った判断を下してプロダクトを台無しにしてしまうのではないか、という不安にとらわれただろう。

今では多くの企業がプロダクトのありとあらゆる要素を迅速にテストし、何の疑問も抱かずにクリック数の多いほうの選択肢を選ぶ。だがA／Bテストやユーザーテストはプロダクト・デザインではない。単なるツール、テスト、せいぜい診断手法だ。何かがうまく機能していないことは教えてくれても、その直し方までは教えてくれない。あるいは局所的な問題を解決できる選択肢を示してくれても、あとになって何かがおかしくなることもある。

だからあなた自身が選択肢やテストをデザインし、何をテストするのかしっかり理解しておく必要がある。何を選択肢A、Bとするのかを自ら考えるべきだ。アルゴリズムにランダムに決定させたり、場当たり的にいろいろ試すというのはもってのほかだ。だがそうするためにはカスタマー・ジャーニー（顧客がプロダクト購入に至るまでの道筋）をよく理解しなければならない。必要なのは仮説であり、その仮説は全体的なプロダクト・ビジョンに沿うものでなければならない。「購入する」ボタンをウェブページ上のどこに置くべきか、色はブルーにするかオレンジにするかといったことはテストで調べられても、そもそも顧客はオンラインで商品を購入するかどうかを検証することはできない。

プロダクトの核となる基本機能をテストし、A／Bテストの気まぐれな結果に応じてそれを変更するというのなら、プロダクトにそもそも核がないということだ。本来あるべきビジョンがなく、その空白にデータを放り込んで埋めてしまおうとしているだけだ。

僕らのケースでは、データをどれだけ放り込んでも終わりはなかった。プロダクトの第一世代というのは常にそういうもので、どれだけデータを集めたところで自信を持って選択することはできない。プロダクトが真に新しいものなら、比較したり最適化したりテストしたりする要素は存在しない。

ターゲットとなる顧客を明確に定義し、彼らと話し合い、どんな問題を抱えているか調べたところまでは正しかった。だがその後、顧客の問題を解決する最善の方法を考えるのは僕らの仕事だった。

顧客の意見やデザインへのフィードバックを尋ねたのも正しかった。だがその後、聞き取った情報を活用し、自分たちが正しいと思う方向に進むべきだった。

最終的に僕らのチームはそれに気づいた。やみくもにコンサルティング会社にカネを支払うのをやめ、堂々巡りをやめ、自分と周囲の優秀な人たちの意見を信頼し、前に進みはじめたのだ。

僕らは判断を下した。僕が判断を下した。これはいい。これはダメ。これはこういう仕様にすべきだ。

チームの全員が僕の意見に賛成したわけではない。でも誰かが最終判断を下さなければならないこともある。そんなとき、このチームは民主制じゃない、これは僕の主観に基づく判断であり、コンセンサスが正解に至る道ではないと説明するのはマネージャーあるいはリーダーの責任だ。でも独裁でもない。自分の考えを説明せずにただ命令するだけではダメだ。

だからチームにあなたの思考プロセスを説明しよう。あなたが参考にしたすべてのデータ、集めた情報を示し、最終的に今回の選択に至った理由を語ろう。部下の話を聞こう。相手の言葉に言い返さず、ただ傾聴しよう。あなたの判断に賛成するメンバーは少数派かもしれない。優れたフィードバックが得られ、それによってあなたの計画が変わることもあるだろう。変えないのであれば、あなたの考えを語ろう。君たちの立場は理解した、この指摘は顧客にとってプラスだが、この点は違う。僕らは前に進まなければいけない。今、この段階では僕は自分の直感に従うしかない。だから、これで行く。

チームにはあなたの答えに納得しない人もいるかもしれないが、あなたの判断を尊重し、あなたを信頼するだろう。自分の意見を述べ、あなたの選択を批判しても、即座に叩き潰されることはないと理解するだろう。そして小さくため息をつき、肩をすくめたら、自分のチームに戻って「なぜ」この判断が下されたかを説明し、仕事にとりかかってくれるはずだ。

僕の場合このやり方でいつもうまくいってきた。フィリップスの部下たちはこうして僕の判断を受け入れるようになった。

しかし、ころころ入れ替わるフィリップスの経営陣は違った。発売直前まで僕らのプロダクトに市場があることを証明せよ、とデータを求めてきた。でも、まったく新しいモノをつくろうとするとき、消費者が必ずそれを気に入ると証明する方法はない。とにかく出荷して、世の中に（少なくとも寛容な顧客や社内ユーザーに）さらして反応を見るしかない。

この段階で重要なのは、あなたがどのような判断に直面しているかを理解してくれる上司だ。あなたを信頼し、進んで味方になってくれるリーダーだ。

だがこのようなリーダー（そもそもこのような人間）はなかなかいない。

たいていの人は世の中に主観に基づく判断というものが存在すること、あるいは自分がそれを下さなければならないことを認めるのすら嫌がる。なぜなら自分の直感に従った結果間違っていたら、どこにも責任を転嫁できないからだ。データの示すとおりにして失敗したら、悪いのは自分ではない。しくじったのは別の誰かだ。

言い逃れをする人がよく使う手だ。「私のせいじゃない。データに従っただけだ。データは嘘をつかないんだから！」

データなど存在しない事柄についてデータを求め、架空のデータに従って破綻への道を突き進んでいくマネージャー、経営者、株主がいるのはこのためだ。カーナビの指示を疑おうともせず、崖に突っ込んでいくのはこのタイプだ。彼らは判断に人間的要素、人間の主観をできるだけ差し挟まないようにする。

法外な料金をふっかける（僕から見れば何の価値もない）有力コンサルタントにすぐ頼ろうとするのもこの手合いだ。プロダクト、会社、カルチャーのことなど何ひとつわかっていないのに、あなたの判断になんだかんだといちゃもんをつけ、あなたの手からプロジェクトを奪うコンサルタントにおうかがいを立てる。

そういう事態に巻き込まれたら、何が起きているかを把握し、経営陣に方向転換を求めなければならない。直属の上司があなたのアイデアについて迅速に判断を下さず、コンサルタントを呼ぼうとする理由はいくつかある。

一　**先延ばし**　昇進やボーナスなど何かを控えていて、それを手に入れるまではリスクを取りたくないと思っている。

二　**保身**　失敗したら自分が今のプロジェクトや職務から外される、とてつもない大きな失敗をしたらクビになると思い込んでいる。

三　**時間がない、あるいは時間をかけたくない**　わざわざ何が問題なのか理解し、あなたの判断を他の選択肢と比べたうえでリスクを負うだけの価値がないと思っている。自分の代わりに誰かがやってくれて、しかも自分が優秀に見えればいいと思っている。

四　**すでに腹を固めているが、誰も傷つけたくない**　「いい人」と思われたいので、あなたがうんざりして諦めるまでひたすら「もっとデータがほしい」と言い続け、成り行きを見ようとする。

では上司が誰になんと言われようとカーナビの言うとおり崖に突っ込もうとする、しかもできれば転落する前に窓からコンサルタントに向かって有り金全部を投げ出そうとするタイプだったら、どうすればいいのか。あるいはデータを集めてみたものの、結論ははっきりしないという場合はどうか。正しい方向に向かっていることを証明はできないものの、チームを説得してついてきてもらう必要があるときは？

そんなときはストーリー（物語）を語ろう（第一〇章を参照）。何か新しいことに挑戦するとき、周囲にあなたを信頼してついてきてもらう手段がストーリーテリングだ。大きな決断はつまるところ自分自身が語るストーリー、あるいは誰かの語るストーリーを信じられるかどうかにかかっている。誰もが理解でき、信じることのできるストーリーをつくる能力は、前へ進み、困難な決断を下していくうえでカギとなる。それはマーケティングの神髄であり、セールスの要諦だ。

そしてこういう状況であなたが伝えようとしているのは、ビジョン、直感、主観である。

だから「はい、ジェーンの一日を見てみましょう。私たちのプロダクトを使うと、彼女の生活はこんなふうに変わります」といったお決まりのスライドを見せるだけではダメだ。顧客の目線からプロダクトを見るのはもちろん大切だが、それはあなたがやるべきことのほんの一部でしかない。あなたの直感は信頼できること、集められるデータはすべて集めたこと、あなたにはこれまで優れた判断を下してきた実績があること、意思決定者がどのような不安を抱くかをよく理解しており、そうしたリスクを抑えるために手を尽くしていること、顧客とそのニーズを把握していること、そして何よりあなたの提案は会社に好ましい影響を及ぼすことを、経営陣を納得させるようなストーリーとして語ることがこの段階であなたがやるべき仕事だ。そのストーリーをうまく語り、周囲を旅路に巻き込むことができれば、たとえ提案を裏付けるような確固たるデータがなくても誰もがあなたのビジョンを支持してくれるだろう。

この世に一〇〇パーセント確実なことなどない。完璧にデータをそろえたような科学的研究にも、実は常にたくさんの但し書きが付いている。このサンプリングはしなかった、ここではこんな変異が見られた、こんなテストでフォローアップする必要がある、など。答えは答えではないかもしれない。答えが間違っている可能性は常にある。

だから完璧なデータがそろうのを待ってはいられない。そんなものは存在しないからだ。腹をくくって未知の世界に一歩踏み出すしかない。学んできたすべてを動員し、次に何が起こるかを知恵を絞って予想しよう。人生とはそういうものだ。決断を下すとき、データは参考にはなるが答えをくれるわけではない。

グーグルのハードウェアデザインのバイスプレジデントを務めたアイビー・ロスは、優秀で思いやりがあり、洞察力はあるが私心はない人物だ。そのロスが常々言っていた。「データか直感か、ではない。データも直感も、だ」

どちらも必要。どちらも活用しなければならない。そしてときにはデータのない領域に足を踏み出さなければならないこともある。そんなときは、えいやとジャンプするしかない。下を見ずに、思い切って。

第七章　クズ

仕事をしていると、ときどき本当にどうしようもない人間のクズに遭遇する。大半は男性だが、女性もいる。自己中心的であったり嘘つきであったり残酷であったり、さまざまなタイプがいるが、共通点が一つある。信用できないのだ。自分が何かを手に入れるため、あるいは単に自分がデキるやつだと思われたいために、あなたやチームの足を引っ張り、散々な目に遭わせる。一般社員からマネージャーまであらゆる階層にクズはいるが、一番クズ率が高いのがピラミッドの頂点あたりだ。サンディエゴ大学教授のサイモン・クルームによると、企業の経営上層部ではサイコパスの特徴を示す人の割合が一二パーセントにも達する（第二一章を参照）。

ただ一緒に仕事をやりづらく、一見クズのようだが（ぶっきらぼう、声がでかい、偉そう、ムカつく）、モノの考え方や行動がクズとはまったく違う人もいる。

そんな相手にどう対処すべきか、あるいは必要に応じてどう避けるべきかを判断するためには、どのような人間か見きわめることが大切だ。

あなたが遭遇しそうなクズを類型化しておこう。

一　**策士型クズ**　社内政治の達人で、他人の手柄を横取りする以外は何もしない。この手のクズは通常、とにかくリスクを回避しようとする。自分が生き残り、他人を押しのけてトップに登り詰めることしか頭にない。自分は何も手を動かさない。ここぞという仕事のとき、あるいは困難な判断を迫られる場面にはまずいないのに、誰かのプロジェクトが躓《つまず》いた途端に「だから言ったじゃん！」といそいそ寄ってきて、「問題解決」に乗り出そうとする。大きな会議では発言しない。間違った発言をするところを上司に見られたら大変だから。自分がバカに見えるリスクを冒すわけにはいかない。代わりに自分の「配下」ではない者の足を引っ張るため水面下で動く。この手のクズのまわりにはたいていクズ予備軍の取り巻きがいる。その立ち居振る舞いを社内で成功するための手本としてマネするのだ。彼らには憎悪し、あらゆる手を尽くして排除しようとする標的が常に一人いる。

二　**ボス型クズ**　マイクロマネジメントによって自分のチームから意図的にクリエイティビティと働く喜びを吸い取る。この手のクズに理屈は通じない。自分以外の誰かが出した優れたアイデアをことごとく憎み、自分より有能な部下を恐ろしい脅威とみなす。他人の仕事の成果を認めたり、褒めたりすることはまずないが、横取りすることは多い。大きな会議は彼らの独壇場だ。他の人が発言するのを許さず、自分の意見を批判したり代替案を提示したりする人がいるとムキになって反論する。この手のクズは自分のスキルをとことん磨き上げ、周囲の足をすくう達人になることもある。

三　**クズのなかのクズ**　仕事に限らず、あらゆる面で不愉快な人物。小心者のくせに意地悪で嫉妬深く、パーティでは絶対に近寄らないようにするのに、職場ではなぜか隣の席になってしまうタイプ。任された仕事もできず、おそろしく非生産的なので、自分に注目が集まらないように手を尽くす。嘘をつき、噂話を捏造し、周囲が自分の無能ぶりを嗅ぎつけないように振りまわそうとする。この手のクズの唯一の救いは、一般的にすぐに職場から消えてくれることだ。彼らが無価値なことに周囲が気づくのにそれほど時間はかからないし、ぜひ一緒に働きたいと思う人などひとりもいない。

それに加えて、クズの行動パターンはいくつかある。

攻撃的　キレる。怒鳴る。ありとあらゆる難癖をつけてくる。会議であなたの発言をあざ笑い、上司の前でバカにする。この手のクズは識別しやすい。

受動攻撃的　笑顔を浮かべ、あなたの発言にうなずく。あなたの意見に賛成し、親しげにふるまう。だがそのウラで悪意ある噂を流し、あらゆる機をとらえて足を引っ張ろうとする。この手のクズのほうがはるかに危険だ。背中を刺されるまで忍び寄っていることにすら気づかない。

ボス型クズと混同されがちだが、本質的に異なるタイプの人も職場にはいる。傲慢な厄介者として反射的に避けたくなるが、行動の動機はクズとはまったく違う。自分が得をする、あるいは周囲を傷つけるのが目的ではなく、常に質の高い仕事をすることを考えている。なにより重要なのは、人として信用できることだ。あなたとは判断が分かれることもあるが、彼らにとって大切なのは全体の利益なので、プロダクトや顧客のためになる筋の通った意見には耳を傾ける。これが本物のクズとの根本的な違いだ。だからといって一緒に働きやすい相手ではない。

四　ミッション邁進型《まいしん》「クズもどき」

ミッション邁進型「クズもどき」　とことん仕事に情熱を燃やし、少し変わっている。本音を口にし、人間関係の機微には無頓着で、「これが私たちのやり方だ」などという薄っぺらい社会秩序はブルドーザーで踏みつぶしていく。本物のクズと同様に仕事をしやすい気さくな相手ではない。だが本物のクズと違って情がある。相手に関心を持ち、話に耳を傾ける。驚くほど仕事熱心で、部下にもっとできるはずだと（無理やり）活を入れる。自分が正しいと思っているときは断固として譲らないが、意見を変えることを厭わず、他の人の仕事が本当にすばらしいと思えば賛辞を惜しまない。仕事相手がミッション邁進型クズもどきかどうかを確認する良い方法がある。その人物にまつわる伝説に耳を傾けるのだ。このタイプの場合、かならずとんでもない武勇伝があり、そばで働いた人たちは「本当はそんなに悪いヤツじゃないんだ」と周囲に言ってまわる。何よりチームはこの人物を信頼し、その仕事ぶりをリスペクトし、ともに働いた経験を楽しそうに振り返る。それは、このタイプは周囲が人生最高のパフォーマンスを発揮するようプッシュするからだ。

⁂

僕のことをクズだと思っている人はたくさんいる。

それは僕がうるさいからだ。最初の何回かは愛想よくお願いをするが、事態がまったく進展しなければ愛想はかなぐり捨てる。自分にもまわりにもプレッシャーをかける。簡単には諦めない。自分にもまわりにもベストを尽くすことを期待する。会社のミッションとチーム、そして顧客のことを真剣に考える。軽く流すなんてできない。

だから食い下がる。何かが間違っている、もっとうまくできる、顧客のためにもっとできることがあると思えば譲らない。状況が悪化するのを見て見ぬふりはできない（第二八章を参照）。専門家と呼ばれる人、正しいやり方を知っている人、これまでどうやってきたかわかっている人に、それじゃダメだ、新しい方法を見つけてくれと要求する。相手にとっては大変なことだ。僕と一緒に働くのは楽じゃない。それを否定するつもりはない。

だが最高の成果を求めて周囲にプレッシャーをかけるからといってクズということにはならない。凡庸な成果を許容しない、あるいは誰もが当たり前だと思っていることに異を唱えるからといってクズ呼ばわりするのはおかしい。「あいつはクズだから」と誰かを切り捨てる前に、その行動の動機を理解すべきだ。

顧客のことを思って情熱的に仕事に取り組むことと、自分のエゴを満たすために誰かに嫌がらせをすることはまったく違う。

ただこの違いは、一緒に働く人間には必ずしも明白ではない。ハリケーンのような相手に遭遇したとき、「ああ、この人は情熱的なんだな」と見きわめるのは難しい。そんなときはしばらく暴風をやり過ごしてから、説得力のあるデータを示せばいい。

ただ理屈の通じるハリケーンもいれば、そうではない者もいる。

だから僕のようなタイプへの対処法を教えよう。ハリケーンと実のある議論をするコツは「なぜか」と尋ねることだ。

自らの決断を説明し、周囲がそれを理解できるようにするのは、情熱的な人物の責任だ（リーダーならなおさらだ）。なぜそれほど情熱的になるかを説明してもらえれば、周囲はその思考プロセスを追体験し、自分も船に飛び乗るか、あるいは問題点を指摘することができる。

だから判断の理由を尋ねよう。しつこく食い下がるのを躊躇してはならない。自分の信じるところを主張するほど、相手はあなたをリスペクトするはずだ。ミッション邁進型クズもどきは、与えられた仕事で最高の成果を出したい、何より重要なミッションを成し遂げたいと切望している。会社が正しい方向に向かっているという確信が欲しいのだ。

だから顧客の利益を最大化することにつながるなら、あなたの意見に耳を傾け、自分の考えを改めるだろう。紆余曲折はあるかもしれないが。

アップル時代、スティーブ・ジョブズがとんでもなくおかしな方向に行ってしまったとき、僕はいつも自分のチームにこう語りかけた。「うん、確かにスティーブはイカれてる。でも最後は正義が勝つんだ。だから今スティーブが間違っていても、最後には正解にたどり着くと信じよう。僕らはもっと良いアプローチを考えて、自分たちの考えが正しいと証明するだけだ」

暴風や雨あられが降ってくることもあるだろう。でも吹き飛ばされてしまうんじゃないかと心配することはない。ミッション邁進型クズもどきはあなたの仕事をこてんぱんに批判することはあっても、あなた個人を攻撃することはない。名指しで批判したり、自分に異を唱えたからといってクビにすることはない。

それがミッション邁進型クズもどきとボス型クズとの大きな違いだ。

ボス型は人の話を聞かない。自分の間違いを絶対に認めない。策士型クズも同じだ。誰が見ても明らかな問題に目をつぶり、まっとうなフィードバックに耳を塞ぐ。それが自分の出世に役立たない、あるいは自尊心が強すぎて受け入れられないからだ。プロダクトや顧客、チームを守る気はさらさらない。守りたいのは自分だけだ。

ひとつはっきり言っておくと、スティーブ・ジョブズはクズではなかった。ときには一線を越えてしまうこともあった（人間だから仕方がない）。それを大目に見たり許容するつもりもないが、常にそういうふるまいをするわけでもなかった。スティーブはミッション邁進型なクズもどき、情熱的なハリケーンだった。

最終的にはプロダクトにとって最善の選択が採られた。それはプロダクトこそが何よりも重要であったからだ。またスティーブはいつだって仕事のことだけを考えていた。ひたすらに。

職場をつまらなくするのは、仕事ではなく人、つまり他者を支配することしか考えないクズだ。真正クズは常に自分のことしか考えない。行動の動機は仕事ではなく自分だ。自分にとって都合がよければ、プロダクトがどうなろうが、顧客がどんなに不便な思いをしようが気にしない。誰もが誇りを持てるようなプロダクトの開発を妨げるのは、こういうクズだ。

僕の友人に「CEOと直接話すな！」と命令したマネージャーなどはその典型だ。

製品開発を担当していたこの友人にはCEOが頻繁に電話をかけてきて、質問をしたり、アイデアを伝えたり、ブレインストーミングをしたりしていた。友人の上司にあたるマネージャーがCEOに迅速に情報を伝えなかったので、CEOは直接友人に電話をかけてきたのだ。

マネージャーは激怒した。なぜキミは組織の秩序を無視するんだ？　ここではそんなやり方は許されないぞ！　「CEOと直接話すな。電話をかけるな。メールも送るな。必ずオレを通せ」

だが友人からCEOに連絡していたわけではない。CEOのほうから友人に電話をかけてきていたのだ。しかも友人はバカではなかった。CEOが自分に聞きたいことがあるなら対応するつもりだった。友人はマネージャーに、CEOと話した内容はすべて報告すると申し出たが、相手は納得しなかった。自分がまともに働き、CEOの質問に答えられるよう努力するのではなく、部下がCEOと直接話すのをなんとかやめさせようとした。

うんざりした友人は、マネージャーの命令を完全に無視した。しかし製品を出荷するためには、このマネージャーの許可が要る。そこで友人はボス型クズへの正しい対処法を採った。

一　過剰にやさしくする。
二　無視する。
三　迂回する。
四　退職する。

この順番どおりに対応するのだ。

もしかしたら行き違いがあったのかもしれない、という姿勢で接してみよう。以前に何か不愉快な経験をしたのかもしれない。以前このチームで働いていた部下との関係がこじれていたのかもしれない。あなたとの付き合い方がわからないだけかもしれない。何か大きな行き違いがあり、それを解消すれば生産的な関係になれるかもしれない。

まずは自分に非がなかったか確認しよう。あなたが誤解を与えるような行動をした、あるいは意図せずに問題を引き起こしたのではないか。自分の落ち度を認めるなど、率直に会話してみよう。友好的に、親切な態度で接しよう。人前で相手を褒めよう。相手の仕事ぶりに称賛を送ろう（たとえうまくいかなかったケースでも）。ときにはそれで問題が解決することもある。

だが、しないこともある。

最善を尽くし（相手に相談する、アドバイスを受ける、公平な態度で接する、率直に会話するなど）、それでも労多くして報われないという状況なら、今度は防御に入ろう。良い上司がいたら、そのクズから守ってほしいと頼んでみるのも手だ。もしかしたら、そのクズとの仕事の接点がなくなり、相手の意見を聞かなくてすむようになるかもしれない。

相談してもうまくいかなかったら無視しよう。あなたが判断を下すときにクズを巻き込まないようにする。事前に許可を求めるのではなく、事後に報告するだけにして、最終的には報告さえやめてしまおう。あなたの仕事ぶりが会社にとって明らかに価値のあるものなら、クズがどれほど怒鳴ろうと、あるいはあなたを陥れようとしても、手も足も出せないだろう。相手に攻撃的あるいは不愉快な態度を取る必要はない。ただ自分のやるべきことに集中しよう。

それによって波風立てずにプロジェクトを完了するのに十分な時間を確保できるかもしれない。

だが、できないこともある。

あるとき僕の職場にクズがいた。何週間も無視しつづけたが、ミーティングのたびにこちらの足を引っ張ろうとし、バカにするような発言をちょこちょこ挟んでくる。そんなある日、クズのオフィスに呼ばれた。人事部のスタッフも同席していたが、クズは僕の顔を正面から見据えると、こう言った。

「調子こいてんじゃねえぞ、このフニャチンが」

認めよう。これはさすがに無視できない。

僕は座ったまま、必死に何が起きているかのみこもうとした。いったい何と言ったらいいんだ？　何をしたらいいんだ？　殴りかかればいいのか？　それが相手の目的なのか。あまりに異様で、不愉快だったので、僕は正攻法で応えた。何も言わず、ただ相手をじっと見たのだ。相手は罵詈雑言を連射してきた。僕は言い返さなかった。挑発に乗らなかった。ただ状況認識を改めただけだ。なるほど、これがコイツの本性か。負けるわけにはいかない。相手は僕の仲間じゃないし、リスペクトする価値のない人間だ。

今度はこちらが攻めに出る番だ。それには応援が要る。

あなたがクズに手を焼いているなら、たいてい他にもうんざりしている人はいるはずだ。だからあなたと同じように、このクズがチームにいては困ると考えている人たちを探し、その同僚や人事にも相談してみよう。タイミングを見計らってその上の上司にも問題を訴えてみよう。上司が「わかっている」とうなずき、すでに手を打っていることも多い。時間と手間はかかるが、うまくいけばクズはあなたのプロジェクト、あるいはあなたの人生から消えてくれるかもしれない。

それでもうまくいかなければ、別のチームへの異動を試みるという手もある。ただ正真正銘のクズの場合、その悪評は社内にとどろいている。他のチームはあなたを引き受ければ問題のクズの逆鱗にふれるのではないかと警戒し、わざわざ危ない橋を渡るのはやめようと考えるかもしれない。僕の知っている例では社内に一人鼻つまみ者がいて、その部下が他のチームに異動できなくなっていた。誰もが鼻つまみ者の報復を恐れていたからだ。

そうなったら、あなたには最後の選択肢しか残されていないかもしれない。

辞めることだ。

上司や人事部、あるいは興味を持ってくれそうな人に、やれることは全部やったが、もうこの人物と仕事はできないと伝えよう（第八章を参照）。

あなたが社内で重要かつ有用な人材と思われていれば、おそらく経営陣は慌てて引き留めようとし、問題を収拾する方法を模索するだろう。大切なのは、重要なプロジェクトで結果を出しつづけることだ。あなたが成果を出し、相手が出さなければ、最終的にクズはクズ認定され、社内で孤立するか何もできなくなっていく。本当に長い時間がかかるかもしれないが、たいていはクズの意見は影響力を失い、影は薄くなっていく。

とはいえ、常にそうなるとも限らない。

ときには組織から追い出されたクズが、なおもあなたの足を引っ張ることもある。だからソーシャルメディアには常に目を光らせておこう。社内の噂だけに注意を払っていてはダメだ。グラスドア、フェイスブック、ツイッター、メディアム、リンクトイン、そして（言いたくはないが）クォーラだってチェックしたほうがいい。ティックトックも、とにかく幅広く。キレた人間はあらゆるところに毒をまく。ソーシャルメディアはクズの軍備に欠かせない新たな兵器だ。職場であなたを思いどおりにできなければ、公の場であなたを個人的に貶《おとし》めようとする。

これは深刻な問題で非常に不愉快なことだが、ボス型のクズやどこにでもいる凡庸なクズのなかのクズであれば、おそらく自滅し、最終的には真実が明らかになるだろう。

だが策士型クズはまた話が違う。

策士型クズが厄介なのは、他の策士型クズと結託する傾向があることだ。本来はまっとうな人々が、クズが昇進するのを見て、自分もあんなふうにふるまうべきなのだと思い込む。こうしてクズの仲間が増える。彼らは上司と良好な関係を築くことにほぼ全精力を傾けるため、上層部は問題に気づかない。

策士型クズはマキャベリズム的小細工が通用する大企業に跋扈《ばっこ》する。状況を説明しようとすると、こちらのほうが頭のおかしい偏執狂に思われる。彼らはあまり仕事のできない人に目をつけ、守ってやる代わりに忠誠を誓わせる。同僚の汚点を見つけ（「秘書と不倫しているのは誰だ？　人事に手をまわして隠蔽《いんぺい》できるか？」）、一生分の恩を着せる。

まるでマフィアだ。ただ殺すのは人間ではなく、優れたアイデアだ。

策士型クズは仲間を動員して不和の種をまいたり、噂を流して組織の上層部の耳に入れたりする。

そうやって人々をコントロールし、自分はうまく逃げおおせる。

ではマフィアとはどう戦えばいいのか。

ともに働く仲間を集め、さらに高い成果を出すための計画を立てるのだ。ただ目的は自分たちを守ることではない。クズと競って昇進や権力やボーナスを手に入れることでもない。顧客の役に立つために力を結集するのだ。

策士の集団というのは足の引っ張り合いが激しく、サバイバルゲーム的にピラミッドを形成しながらそれぞれがトップに這い上がろうとする。あなたの集団はお互いに高め合い、クズどものばかげた意思決定から顧客を守ることに集中しなければならない。クズ連合は嘘をまき散らしたり、アイデアを盗んだり、あるいは自分たちとは関係のないプロジェクトを乗っ取ろうとするとき、互いの言葉をオウム返しに上層部に伝える。全員が示し合わせて同じストーリーを語る。上層部が無視できなくなるまで、お互いに支え合う。

そんなとき、あなたのチームはそれに対抗するストーリーを語らなければならない。ここでは「ブランドリーニの法則」、すなわちデタラメの非対称性原理が働く。「デタラメを否定するのに必要なエネルギー量は、それを生み出すのに必要なエネルギー量の数倍に達する」というやつだ。

だから圧倒的に優れたストーリーを構築し、お互いを支える準備をしてミーティングに臨もう。事前に意見を一致させ、全員が台本をきちんと頭に入れておく。単なる言葉の応酬にならないように、データを固めておく。そうすればクズどもがキーキーわめきはじめても、それを排除するのに十分な弾薬と撃ち手がいるだろう。

うまくいけばマフィアを無力化できるか、少なくとももっと楽な獲物に集中しようと思わせることができるだろう。そしてこのような戦いによって一つ得られるものがあるとすれば、幅広い集団に属するすばらしい人々と長くつづく絆ができることだ。

クズどもがプロダクトを台無しにし、顧客に不利益をもたらすのを止めることができたら、ストーリーの構築は終了できる。そもそも参戦したくなかったくだらない戦いに終止符を打ち、大好きな仕事に戻ることができる。

クズの問題は、あまりに不愉快なので記憶にしっかり残ってしまうことだ。大切な著書のまるまる一章を彼らに割いてしまうほどに。とはいえ、ほとんどの人は純粋にすばらしいプロダクトを作るために働きたいと願っている。あなたに不愉快な思いをさせる人の大半は、悪意があったりマキャベリ的人格であったりするのではなく、仕事がうまくいっていなかったり、初めてマネージャーになったばかりであったり、自分に合わない仕事に就いていたり、あるいは単にとても嫌な目に遭ったばかりだったりするのかもしれない。赤ん坊が寝ない。母親が亡くなった。どんなにすばらしい人でも、ときにはクズのようなふるまいをすることもある。あるいはあなたには才能があるのに能力を出し惜しみしている、だからプレッシャーをかけたいと思っている情熱的なハリケーンタイプなのかもしれない。

ほとんどの人はクズではない。

そしてたとえクズだとしても、相手も人間だ。だから誰かをクビにしてやろうなんて気持ちで職場に向かってはいけない。仲良くやっていく努力をしよう。物事を良いほうに考えよう。

それでもうまくいかなかったら……。因果は巡る、と自分に言い聞かせよう。ただ少し時間がかかるだけだ。

粘り強さは重要な資質だ。何かを本気でつくりたいなら、辛抱づよく追い求めなければならない。プロジェクトをやり遂げるまで安い給料に甘んじたり、ひどい会社にとどまったりしなければならないこともあるだろう。

しかし、ときにはどうしても辞めなければならないケースもある。見極めるポイントは以下のとおりだ。

一　**ミッションに情熱を感じられなくなった**。給料を貰うため、あるいは希望する肩書を手に入れるために会社にとどまっているが、席に座っている一分一秒が永遠に感じられるというのなら、もう自分を解放してあげよう。会社にとどまる目的が何であれ、朝起きるのが苦痛で、魂を蝕《むしば》むような惨めな仕事を続けるだけの価値はない。

二　**手は尽くした**。まだミッションには情熱を感じる。だが会社には失望している。マネージャー、他のチーム、人事部、経営上層部に相談した。何が障害となっているかを理解し、解決策や選択肢を提案するよう努力した。それでもプロジェクトはうまくいかない、あるいはマネージャーがどうしようもない、会社が潰れかかっている。そのようなケースでは会社を辞めてもミッションは守り、同じような方向を目指している別のチームを見つけよう。

会社を辞めると決めたら、必ず正しい方法で辞めよう。自分で決めてこの会社にコミットしたのだから、始めた仕事はできるかぎり完遂する努力をしよう。担当しているプロジェクトの自然な切れ目（大きな目標を達成したタイミングなど）を探し、そこで退職することを目指そう。その会社での在籍期間が長く、立場が高いほど、身を引くのにも時間がかかる。一般社員なら通常は退職の二〜三週間前から二〜三カ月前に意思表示すればいい。ＣＥＯなら一年以上は必要かもしれない。

：

僕はフィリップスでのプロジェクトを最後まで見届け、自分のチームが成功するために手を尽くしてから退職した。退職を決めたのは、誰もが同じマイクロソフトＯＳを使っている限り、発揮できる機能が決まってしまい、僕らの製品が競合他社より優れていることを示しようがなかったからだ。四年間、努力と焦りと学びを重ね、個人的にも職業人としても成長してから辞めた。

リアルネットワークスは二週間で辞めた。それは自分がいずれそこでの仕事を嫌いになると、はっきり見えてしまったからだ。

それでも退職の意思を表明してから、さらに四週間とどまった。リアルネットワークスが立ち上げることができそうなさまざまな事業の選択肢をまとめ、事業計画やプロジェクトのプレゼンテーション資料を作成した。何か目に見えるもの、優れたアイデアに基づく価値のある仕事を残していきたかった。「アイツは入社したと思ったら、引っ掻き回しただけで出て行った」などと後ろ指をさされないように（といっても、いずれにせよ後ろ指はさされただろうが）。

それでもリアルネットワークスからは脱出するしかなかった。彼らが前言を翻し、僕にシアトルへの引っ越しを命じた瞬間、僕はリアルネットワークスへの信頼を完全に失った。信頼できない人たちと働くことはできない。今後も状況は「悪い」から「最悪」になるだけだと、僕のなかのあらゆる直感が告げていた。

たいていの人は「辞めどき」を直感的に理解するが、それから何カ月も（ときには何年も）かけて自分を思いとどまらせようとする。だが僕には給料は高くても、自分がひどく惨めになることが見えていたのだ。

これだけははっきり言っておこう。どれだけ給料が高くても、嫌いな仕事をするのは割に合わない。念のため、もう一度繰り返しておく。あなたを引き留めるために会社がどれだけ昇給、肩書、福利厚生を提示しようと、嫌いな仕事を引き受けるのは割に合わない。

僕のような幸運に恵まれた金持ちの人間が言っても、説得力はないかもしれない。でも僕が金持ちになったのは、巨額の報酬や肩書と引き換えに嫌いになるのがわかっている仕事を引き受けたからではない。僕は自分の好奇心と情熱に従ってきた。常に、だ。だから大金を稼ぐチャンスをふいにすることもある。周囲にコイツは頭がおかしいんじゃないかと思われるほどの大金だ。「自分が何を棒に振ろうとしているのか、わかっているのか？　iPhoneの指揮官を辞める？　アップルを退職する？　あれだけの報酬を捨てる？　何を考えているんだ？」と。

でも、捨てて正解だった。

嫌いな仕事にとどまった経験のある人なら、共感してくれるだろう。一つひとつの会議、無意味なプロジェクト、ムダな時間が永遠に続くような気がする。上司は尊敬できず、ミッションはひどいもので、毎日仕事を終えるころには疲弊して、帰宅すると家族や友人に愚痴をぶちまけ、自分と同じくらいうんざりした気持ちにさせる。あなたの人生から時間とエネルギーと心身の健康が完全に失われる。

それでも肩書や社会的地位や報酬にはそれだけの価値がある？

ワナにはまってはいけない。もっと良い選択肢が思い浮かばないからといって、存在しないわけではない。報酬を払ってくれるところはほかにもある。仕事はほかにもある。

あなたが仕事を探している、あるいは退職したと宣言したとたんに新しい機会が向こうからやってくるはずだ。僕は友人たちの身にそんなことが起こるのを何度も見てきた。彼らがリンクトインに近況を載せたとたん、すぐに声がかかる。「え、この人が今フリーなんだ。やったね！」とばかりに。

言うまでもなく、（転職にかぎった話ではないが）接触する相手は正しく選んだほうがいい。

正しい相手を見つけるカギはネットワーキングだ。それはどこかのカンファレンスに出かけていって笑顔を振りまいたり、名刺やＱＲコードを配ったり、雇ってくれそうな相手がサンドイッチを食べようとしているのにしつこく話しかけたり、といったことではない。仕事抜きで新しい人間関係をつくろうという意味だ。あなたがふだん過ごしている「バブル」の外にいる人に話しかけてみよう。外界では何が起きているのかを学ぼう。新しいタイプの人に会おう。ネットワーキングは就職先に満足しているときでも絶えず取り組むべきことだ。

二〇一一年、僕はアップルを退社して新しい会社を始めようとしている人物と昼食をとった。一九九〇年代後半からずっとアップルで働き、ずっとスティーブ・ジョブズの秘蔵っ子だった。こんなに恵まれた立場にいる人もなかなかいないと思うだろう。それまでの一〇年、シリコンバレーで一番有名な会社の上層部で、一番ホットなリーダーの側近として働いてきたのだ。この人に出資しない投資家などいるだろうか。この人と一緒に働くチャンスに飛びつかない人などいるだろうか。

でもこの人物は刑務所から出所したばかりという風情だった。スティーブ・ジョブズの勢力圏外の人とまったく話したことはなかった。誰に相談すればいいか、どうやって資金を調達すべきか、見当もつかないようだった。アップルを通じてしか世界とつながっていなかったため、アップルを辞めると何もできなかった。もちろん最終的にはうまくいったが、本人が予想していたよりはるかに時間がかかった。

だからワナにはまってはいけない。

そしてネットワーキング自体を目的達成の手段と考えてはいけない。誰かに貸しをつくったら、いつか返してくれるかもしれない、といったギブアンドテイクの関係を求めるのではない。自分が利用されていると感じて気分のよい人はいない。

心から興味を持った相手に話しかけ、親しくなろう。社内の他のチームはどんな仕組みで動いているのか、どんな仕事をしているのか、知りたくはないだろうか。あなたと同じ問題を違うやり方で解決しようとしているライバル企業の人とも話してみよう。自分のプロジェクトを成功させたければ、チームメイトだけでなく、パートナー企業、顧客、顧客の顧客、顧客の提携先とも昼食をともにしたほうがいい。あらゆる人に話しかけてみよう。そして彼らの考え方や視点を学ぶのだ。そうするなかで、あなたが誰かの助けになることもあれば、友人になったり、興味深い会話が生まれたりすることもあるだろう。

興味深い会話は、面接の機会につながることもある。そうならないこともあるが、少なくとも楽しめたならそれでいい。なんらかの可能性に気づくかもしれない。それで新しい道が開け、新たな会話が始まるかもしれない。そこからまた次、次の次へとつながっていくだろう。そしてついにトンネルの出口が見える。あそこで働きたい、という気持ちがまた湧いてくるような会社、仕事、あるいはチームだ。それはあなたが自分らしさを取り戻すきっかけになるだろう。

そんな出会いがあったら、古い仕事は辞めよう。さあ辞めた、辞めた！

とはいっても、上司の部屋に行って辞表を叩きつけ、これまで築き上げてきたすべてに背を向けてはいけない。それまでの仕事がどれほど嫌いでも、中途半端に放り出してはいけない。終わらせられる仕事は終わらせ、途中のものは整理し、できれば後任にきちんと引き継ごう。数週間、ときには数カ月かかるかもしれない。管理職あるいは幹部職の場合、率直に言って引き継ぎは永遠に終わらないような気がする。僕がグーグル・ネストを辞めるときは引き継ぎに九カ月かかった。アップルを去るときは二〇カ月だ。

まわりはあなたが入社したときのことは忘れてしまう。だがどのように辞めたかは忘れないだろう。

ただし引き継ぎの手間を理由に転身を諦めてはいけない。ミッションに共感できる仕事に移れば、すべてが変わる。

もちろん、転職した先も辞めることになるかもしれない。これだと思うミッションやアイデアが見つかったら、それこそが死守すべきものだ。どの会社で働くかは二の次だ。夢中になることが見つかったら、それを追いかけるのに最適な場を求めつづけよう。僕はパーソナル・エレクトロニクスに夢中になり、五つの会社を渡り歩きながら、それに情熱を燃やしつづけた。最後の最後に莫大なお金を稼ぐことができたが、とにかくパーソナル・エレクトロニクスが好きだから、その仕事ができる新たな機会を探しつづけたのだ。どの仕事も同じ問題に別の角度、新たな視点から向き合うものだったので、最終的に自分が解決したい課題をまるごと理解し、ありとあらゆる解決策を出せるようになった。どの会社から給料を貰うかより、どんなアイデアを追いかけられるかのほうがはるかに大切だった。

とはいえ、そこはバランスの問題だ。リアルネットワークスは不運な出会いとしか言いようがなく、あっという間に信頼関係が崩れたが、それ以外の会社では四年、五年、一〇年近く働いた。自分が夢中になれる仕事をする機会が見つかったら、その会社でうまくやっていく努力をせずに投げ出してはいけない。

要するに、何かがうまくいっていなければ、それを解決する権限もない人たちに愚痴をこぼすのではなく、お手上げだと認めて会社を辞めよう。上司に相談するのも打開策としては不十分だ。その上司が問題の元凶ならなおさらだ。

あなたが夢中になったミッションが社内政治、お粗末な経営、経営陣の交代、あるいは単に判断ミスによって輝きを失っているなら、おとなしくしている必要はない。ネットワーキングに精を出そう。いろいろな人と話をしてみよう。給水機まわりでのおしゃべりや社内の噂話に興じるのでも、解決策もなくただ愚痴を言うのでもない。あなたやチームが直面している厄介な問題を解決するための提案を用意し、上司、人事部、他のチームに話をしにいこう。話に耳を傾けてくれるリーダーを見つけよう。あなたの意見に賛同してくれる人もいれば、疑問を呈し、考えに磨きをかけるのを助けてくれる人もいるだろう。どれも有益だ。他の人々の意見を手に入れよう。

そこには会社の幹部、経営陣も含まれる。チャンスがあるなら、会社の取締役や出資者にアプローチしてもいい。僕はそうした。まずフィリップスで、そしてアップルでも。できるだけ高いレベルにアプローチし、どんな問題が起きているか伝えよう。問題が解決しなければいずれにせよ会社を辞めるのだから、失うものは何もない。

経営トップはたいてい組織の下の方で何が起きているかを知りたがっている。問題に対して注意喚起したことに、感謝されるかもしれない。あなたの苛立ちに共感することもあるだろう（口には出さないかもしれないが）。

もちろん結果として直属の上司の逆鱗に触れるかもしれない。上司の頭越しに動くのは、いつだって危険がともなう。僕の上司だった人たちも僕が頭越しに他の幹部と接触するたびに激怒していた。だからもし上司に「何をしているんだ」と聞かれたら、正直に答え、理由も伝えよう。求めるのは「許可」ではなく「許し」だ。「あなたにも相談したが（実際、頭越しに行動する前に一度は相談すべきだ）、何も解決しなかった」と説明しよう。何を懸念しているのかを伝え、解決策も提案しよう。そして社内の誰に相談していて、その目的は何かも話そう。

とはいえ、このルートを選択するなら（上司を迂回し、会社中を巻き込んで大騒ぎする）、それが自分個人のためではないか振り返ってみよう。

僕がアップルで、大規模な全社員会議（年に二〜三回くらいしか開かれないもの）に出たときのことだ。質疑応答の時間にある男性社員が立ち上がり、自分はなぜ昇給や高い評価を得られなかったのか、スティーブ・ジョブズに質問しはじめたのだ。スティーブは信じられないといった顔で男性を見ると、こう言った。「理由はわかるよ。一万人の前でそんな質問をするからだ」

この社員はまもなく解雇された。

あんなふうになってはならない。

給料が低い、なかなか昇進できない、あるいは今取り組んでいる仕事がうまくいかないなど、個人的な問題は誰にでもある。個人的な問題で会社を辞めるのも正当な行為だ。だが全社員の前で文句を言うのは違う。そして一万人の前で赤っ恥をかく必要もない。あるいは相手がたった一人の経営幹部であっても、しつこくストックオプションについて泣き言ばかり言うのも同じくらいいただけない。

全員の注目を引こうというなら、それは個人的利益のためではなく、ミッションを支えるためでなければならない。あなたのプロジェクトの足を引っ張っている問題は何か、じっくり考えよう。思慮深く、洞察力に富む解決策を書面にし、上層部に提出しよう。うまくいくかはわからないが、少なくともそのプロセスを通じてあなた自身が学べる。

誰かにしつこくつきまとうのはよくないが、粘り強さは必要だ。行動するタイミングを賢く選び、プロフェッショナルにふるまい、うまくいかなかった場合に自分がどうするかもはっきり伝えよう。この仕事を成功させたいと心から思っているが、この問題を解決できなければおそらく会社を辞めるだろう、と。

ただその場合は本気でなければならない。単なる駆け引きとして退職をちらつかせるのは禁物だ。癇癪を起こして勤務先でのキャリアを棒に振る人はあまりに多い。会社を辞めると脅しをかけたうえで躊躇し、一八〇度態度を変えてとどまるというのは絶対にダメだ。誰もがあなたへのリスペクトを一瞬にして失う。口に出した以上は責任を取らなければならない。

辞めると脅しをかけるだけで会社は本気になり、あなたが求めていた変化を起こしてくれるかもしれない。だが、そうならないこともある。退職は絶対に交渉戦術として使ってはならない。それは常に最後の切り札にすべきだ。

そして、たとえ上層部があなたが正しいと認め、大きな変更を約束してくれたとしても、実際に何かが変わるまでには時間がかかるかもしれない。あるいは永遠に変化は起きないかもしれない。それでも挑戦してみる価値はある。困難な状況に陥るたびに会社を辞めていると、経歴書の見栄えが悪くなるだけでなく、誇りに思える何かをつくるチャンスも潰してしまう。優れたものをつくるには時間がかかる。重要なものをつくるには、さらに時間がかかる。次から次へとプロジェクトや会社を乗り替えていると、何か有意義なものを最初から最後までやり抜くという貴重な経験を積む機会は手に入らない。

仕事というのは簡単に取り換えのきくものではない。ちょっと暑くなったからといって、簡単に脱ぎ捨てられるセーターとは違う。本物と呼べる何かをつくるための厳しく苦しい仕事にのめり込み、本気で努力しなければならなくなった途端に、船を飛び降りる人はあまりに多い。そういう人の経歴書を見ると、すぐにパターンが透けて見える。

たった二ページの経歴書でも、見るべきポイントがわかっていれば三〇〇ページの小説と同じくらいの物語が詰まっている。そして多くの筋書きには、ぽっかりと大きな穴が空いている。

だから会社を辞める前にストーリーを完成させたほうがいい。質の高い、信頼性のある、事実に基づく物語だ。なぜその会社を辞めたのか、合理的な説明が必要になる。それと次の会社に入社したいと思う理由を説明する物語も必要だ。この二つは、まったく違う物語であるはずだ。それは面接に必要なだけでなく、あなた自身に必要なものだ。さまざまなことをしっかり考え抜いたのか、確認するために。そして次の仕事が正しい選択であるかを確認するために。

会社を辞める理由についての物語は、誠実で公平でなければならない。そして次の仕事の物語は、胸の躍るようなものでなければならない。私はこれを学びたい、こんなチームで働きたい、会社のミッションのうち自分が心から共鳴できるのはこの部分だ、というのを伝えるのだ。

リクルーターから声がかかったときには、こうしたことを頭に入れておこう。なぜならあなたが仕事で成果を出していれば、必ず声はかかるからだ。会社を辞め、リクルーターに身を委ねるタイミングを見きわめるのは二段階のプロセスだ。まず今の仕事がもはや自分に合っていないことを確認し、その次に転職先のほうが好ましいことを確認しなければならない。この二つを混同し、リクルーターの売り込みに目がくらみ、今の職場にある機会に目をつむってしまう人があまりに多い。あるいは社内でネットワーキングをしないので、どんな機会があるか気づきもしない人や、よく調べ、考え抜いてから転職しない人を、僕はたくさん見てきた。そういう人はたいてい三～六カ月後にしおしおと戻ってきて、元の仕事に戻れないか聞いてくる。

　こんなふうにもなってはならない。

　でも（単にリクルーターの言葉に目がくらんでいるのではなく）本当の本当に限界だったら、辞めることを恐れてはならない。

　僕はアップルを辞めると言ったことが三回ある。一回目はiＰｏｄを発売した直後だ。僕らのチームは大変な努力の末に、あらゆる人の予想より何カ月も早く製品を市場に送り出し、高い評価を得た。しかも僕の上司がチームの努力を自分の手柄にしようと悪あがきしたにもかかわらず、チームは成功したのだ（第七章を参照）。

　僕はこの上司とうまくやっていくために、あらゆる手を尽くしてきた。真摯に向き合ったり、無視したり、戦ったり、相手のエゴを満たしてやったり。でもようやくプロジェクトが完了した。僕のチームは一〇カ月も休みなしに突っ走ってきた。そこで僕は約束のもの、すでに自分が手にしているはずの職位を求めた。「僕はいつバイスプレジデントになるんですか」と。

　すると上司は「一年待とうか。こういうことは時間がかかるんだ。そんなに速く昇進する人はいないよ」と答えた。

　入社当初から僕はもっと高い職位を与えられてしかるべきだったこと、自分がその邪魔をしてきたことを、彼はよくわかっていた（この一件については、ウォルター・アイザックソン『スティーブ・ジョブズ』〔井口耕二訳、講談社〕に詳しいので、興味があったら読んでほしい）。それでも僕は成果を出した。むしろ出し過ぎたくらいだ。

　僕はなんとか冷静さを保とうとして、自分の考えを説明した。だが上司は肩をすくめ、作り笑いを浮かべた。「悪いな。今じゃない」

相手に対してわずかに残っていたリスペクトが、窓から飛んでいった。

僕はまだミッションへの情熱を失ってはいなかった。自分たちがつくり上げたプロダクトを誇りに思い、これからの展開にワクワクしていた。でもコイツはなんとしても僕の行く手を阻もうとしている。僕がどれほどすばらしい成果を出しても、潰しにかかるだろう。これは治る見込みのない傷だ。もうたくさんだ。そこで僕は最後に言うべき言葉を発した。「辞めます」

会社を辞めることが、自分を救う唯一の方法である場合もある。

二週間後、自分のオフィスを片付けていると、シェリル・スミスから電話がかかってきた。ｉＰｏｄチームを担当していた人事責任者だ。僕が入社したばかりの頃、アップルというマシンがどう動くのかを教え、うまくやっていけるように助けてくれた、すばらしいパートナーだ。「何があったか、聞いたよ。ありえない。辞めてはダメ！　ちょっと散歩に行こう」

アップルのキャンパスを歩きながら何が起きたかを詳しく説明するうちに、僕らの声も身振り手振りもどんどん大きくなっていった。シェリルは僕の気持ちに寄り添い、なんとかするから慌てないでと言った。でももう手遅れだ、と僕は思った。二四時間後には僕はアップルを永遠に去ることになっていたのだから。

翌日、人事部員に出口へとエスコートされる予定時刻の数時間前に、スティーブ・ジョブズが僕に電話をかけてきた。

「どこにも行くな。キミの望みを何でも叶えるから」

僕は意気揚々とマネージャーの部屋に向かった。扉の前でシェリルがにっこり笑って待っていた。

僕の上司はしぶしぶテーブルについたが、ずっと不機嫌で苦虫を嚙み潰したような顔をしていた。

そして「こんなのおかしいだろう」とつぶやきながら僕の昇進を認める書類にサインした。

その晩、僕は送別パーティの会場に行き、「会社に残るよ！」と宣言した。

それからしばらく経ち、僕は再び辞めなければならない状況になった。今回はプロダクトとチームを守るためだ。それからもう一度。そのときは僕の心の健康と家族を守るためだった。もちろん、すったもんだはあった。めちゃくちゃあった。自分のチームやスティーブに背を向けるのは簡単なことではない。

でもそれが正しい判断だと僕にはわかっていた。一〇年間、全精力をアップルに注ぎ込んできた。辞めるべきときが来ていたのだ。

ときにはどれだけ緻密に考え抜き、上司との交渉や話し合い、人事部との面談をしても意味がないこともある。とにかく辞めるべきタイミングというものがあるのだ。そういうときが訪れたら、おそらく自分でわかるだろう。

そうなったら会社を辞め、自分が心から愛せることをしよう。

第三部　プロダクトをつくる

初代ｉＰｏｄの土台となったテクノロジーをデザインしたのはアップルではない。

そもそも携帯用デバイス向けに開発されたわけでもなかった。

一九九〇年代末、消費者はハードドライブにＭＰ３の音声ファイルをやまほどため込むようになった。史上初めて（十分）高音質な楽曲を十分容量の小さいファイルに保存できるようになったので、コンピュータに大量の楽曲をダウンロードしておけるようになったのだ。

ただ自宅にどれだけ高級なステレオシステムがあっても、それでダウンロードした楽曲を聴くことはできなかった。ステレオはテープやＣＤのために作られていたためで、誰もがダウンロードした曲をお粗末なコンピュータのスピーカーで聴いていた。

一九九九年、僕はもっと良い方法を思いついた。ＭＰ３プレーヤーではない。デジタルオーディオ・ジュークボックスをつくろうと考えたのだ。

それを使うと手持ちのＣＤを全部ＭＰ３に転換できるし、それに加えてダウンロードした楽曲もテレビや自宅のステレオシステムで聴くことができる。ｉＰｏｄの有名なキャッチフレーズ「一〇〇〇曲をポケットに」が登場する前に、僕らは「一〇〇〇枚のＣＤを自宅のホームシアターで」というビジョンを実現しようとしていた。

いずれにせよ、僕がリアルネットワークスに提案したのはそんなアイデアだった。とはいえ提案する会社も、提案する相手も、すべてが間違っていた。そこでこう考えた。「もういいや。自分でやってやる」

こんな言葉とともに誕生したスタートアップは世の中にたくさんある。

僕は自分の会社をフューズ・システムズと名づけた。

ひらめきが舞い降りたのは、フィリップスでとあるプロジェクトに携わっていたときだ。そこでつくろうとしていたのは、ウィンドウズの使えるホームシアター兼DVDプレーヤーで、テレビでインターネットをブラウジングし、ウェブからオーディオ（だけでなく、なんでも。ちなみに当時WiFiはなかった）をストリーミングできるようにしようというアイデアだった。

これはすばらしいアイデアの芽だった。家庭用インターネットは毎秒56キロビットから1メガビットへと猛烈な勢いで高速化しており、オーディオはもちろん、切手くらいの大きさの動画もダウンロードできるようになっていた。将来消費者が音楽や映画を保存しておく先がコンピュータに変化していくのは明白だった。とはいえ一九九〇年代の地味で陰気な仕事用のウィンドウズ・コンピュータで音楽を聴きたいという人はいなかった。高解像度テレビ（HDTV）と音声サラウンドシステムも搭載したホームシアターのほうがずっといい。だがそうした機能をインストールできるのは、腕利きのオーディオ・ビジュアルオタクぐらいだった。

フィリップスにもそれはわかっていたが、何もできなかった。マイクロソフトに洗脳され、ステレオに憧れるパソコンをつくっていた。自分たちがつくれるモノばかりに目を向け、ユーザーが何を欲しがるかは眼中になかった。僕はその様子を見て、「そんなんじゃダメだ」と思っていた。ウィンドウズなんか使っていたらダメだ。僕は何年もマイクロソフトのOS相手に苦闘しつづけた結果、家電には使えないと見切っていた。テレビが立ち上がるのを二分も待つような消費者がいるだろうか。しかもホームシアターはギーク以外でも使えるようにシンプルにしなければいけない。コンセントを差し込むだけで誰でも使えるようなものをつくるのだ。

僕はインターネットに接続でき、それでいてコンピュータには見えないコンポーネントをつくりたかった。新会社フューズが目指すのは、家電のような使い勝手の良い製品だ。CD・DVDプレーヤーを含めたホームシアター・システムを好きなように組み合わせ、注文できるようにする。ビルトイ

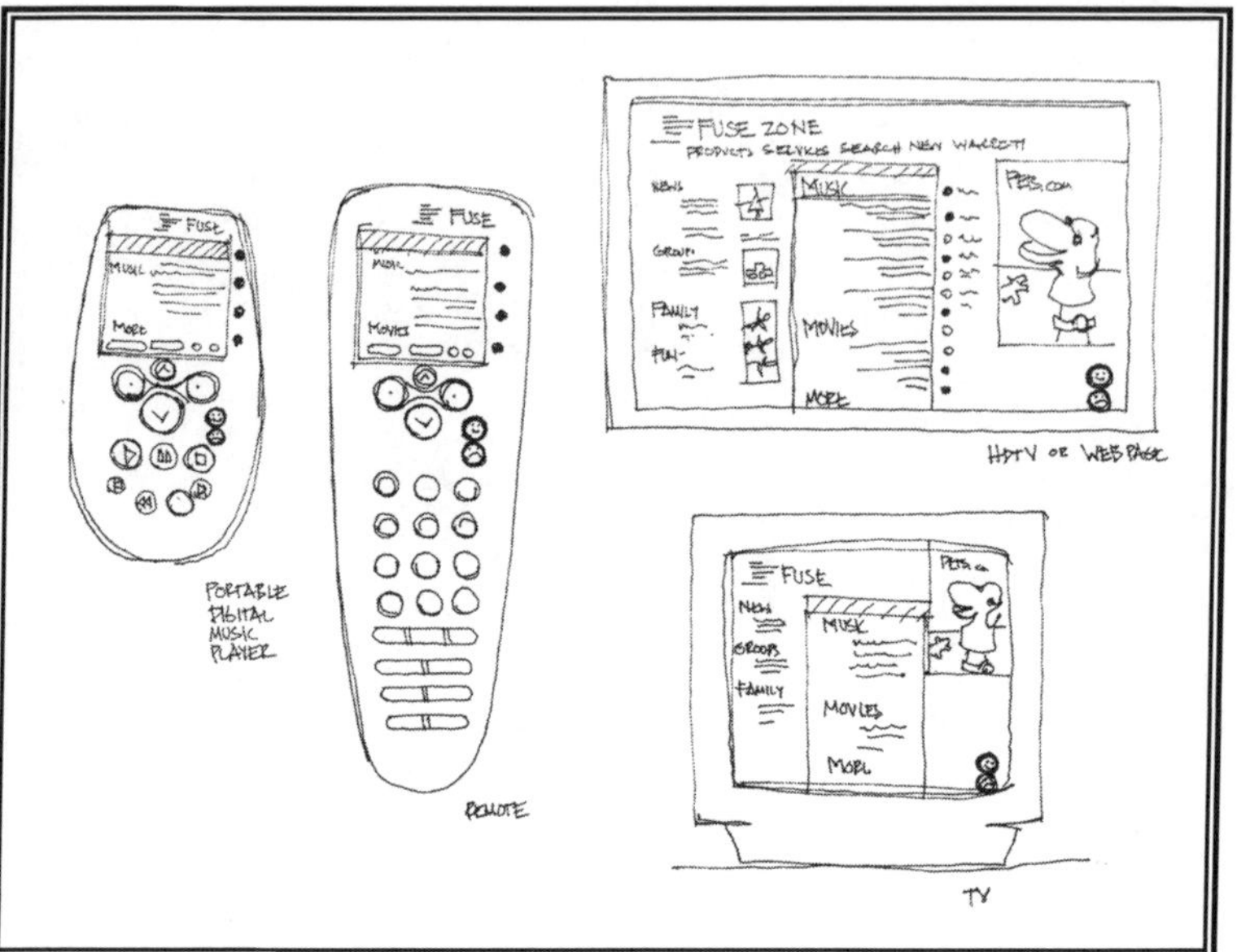

図7　これはフューズでインターネットと音楽とテレビを融合させる方法を説明するのに使っていたイラストだ。一番左のMP3プレーヤーの図を見ると笑ってしまうし、「ペット・ドットコム」の広告のイラストには毎度大笑いしてしまう。

ン型のハードドライブには音楽を保存できる。そこから世界初のオンラインストアに接続し、楽曲をダウンロードする。将来的には映画もテレビ番組もダウンロードできるようになるだろう。当時はデジタル・ビデオレコーダーの「ティーボ」が注目を集めていたが、フューズではその先を行きたかった（図7）。

　そこでわずかなシードキャピタルを獲得すると、仕事にとりかかった。まずは会社を作らなければならない。片手間にできる小手先の学生ベンチャーではない。本物の会社、本気の会社だ。

　今度こそ成功させるつもりだった。世界の主要プレーヤーを追撃するのだ。ソニーの牙城を切り崩してやる。

でもその前に、まずは僕と一緒に働いてくれる優秀な人材を説得しなければならない。僕はやまほどの社内手続きと資金力を有するフィリップスという巨大なインフラに別れを告げ、ゼロからスタートを切ろうとしていた。大化けする可能性を秘めたアイデアはあったが、それ以外には何もなかった。一方、僕が採用しようとしていた人々は、みな給料を求めていた。医療保険も。人事や経理などふつうの会社で働いていれば当たり前に存在するさまざまな機能も。

僕は仕事にとりかかった。そして働きに働いた。

一二人を採用し、チームをつくった。そしてアメリカ市場になんとか食い込もうとしていた、当時まだ無名だった韓国のサムスン電子と組んだ。僕らがプロダクトの設計を、サムスンが製造を担い、それにフューズのブランドを付けて販売する計画だった。消費者はフューズのデジタル・コンポーネントと、リブランドしたサムスンのテレビ、スピーカーなどを組み合わせてホームシアターをカスタマイズする。すべてをオンラインで注文したら、組み立てやすいかたちで自宅まで一括配送する。

一九九九年のことだ。シリコンバレーには資金と才能とアイデアがうなるほどあり、僕らも成功に向けて順調に滑り出した。ゼネラルマジックの失敗、そして花開く前に潰れてしまった『ヴェロ』や『ニノ』の可能性の分まで取り返してやろう。僕は意欲と決意に燃えていた。

僕らの行く手を阻むものは何もない。

こんな言葉とともに崖から真っ逆さまに落ちていったスタートアップもたくさんある。

二〇〇〇年四月にドットコム・バブルが弾けた。僕がちょうど出資者を探しはじめた頃で、それまでシリコンバレーに奔流のように流れ込んでいた資金が一夜にしてぴたりと止まった（第一七章を参照）。

僕はさまざまなベンチャーキャピタルに八〇回ピッチ（売り込み）をした。八〇回だ。そのすべてが失敗に終わった。株価が急落し、会社がバタバタと潰れ、何十億ドルもの投資資金がパーになるなかで、投資家はすでに投資した（しすぎた）スタートアップを救済するのに必死で、新たにお金のかかる家電をつくろうとするスタートアップに投資しようというところはひとつもなかった。タイミングがすべてだというのに、僕の起業のタイミングは最悪だった。一セントも調達できなかった。

どん底の日々のなか、なんとか出資者を見つけようとゼネラルマジック時代の同僚と昼食をとった。自分が今何をつくろうとしていて、何が問題なのか説明した。自分たちが生み出そうとしているモノへの期待と、それを打ち切りにしなければならないのではないかという不安が入り混じって吐きそうだった。同僚は僕に同情し、サンドイッチを食べて、頑張れよと言ってくれた。

翌日の午後、この元同僚はアップルで働いている知人と昼食をとった。相手はアップルで新しいプロジェクトを立ち上げようとしていると言い、こう尋ねた。「携帯端末を開発した経験のあるヤツ、誰か知らない？」

僕にアップルから電話があったのはその翌日だ。

本書を手に取っているみなさんは、おそらくその後の展開をよくご存じだろう。フューズの従業員に給料を払うカネを稼げるのではないか、もしかしたらフューズを買収してもらえるかもしれないと思い、僕はアップルからまず単発のコンサルティングの仕事を受けた。アップルに期待をかけるというのは当時、かなり無謀な賭けだった。すでにスティーブ・ジョブズは経営トップに復帰していたが、それまでの一〇年、アップルは死のスパイラルに陥っていた。凡庸なプロダクトを次々と出し、崩壊の瀬戸際に追い込まれていた。『マッキントッシュ』の国内シェアは二パーセントを切るところまで落ち込み、コンピュータの販売は低迷していた。当時の時価総額は四〇億ドル程度。二五〇〇億ドルのマイクロソフトとは大差がついていた。

アップルは死にかかっていた。だがフューズはそれ以上のスピードで死に向かっていた。

図８　スティーブ・ジョブズにiPodのプロジェクトにゴーサインを出してもらうため、僕が2001年3月に発泡スチロールで作ったモデルだ。

そこで僕はこの仕事を受けた（図8）。

- アップルから電話がかかってきたのが二〇〇一年一月第一週。
- 二週間後、僕はコンサルタントとしてｉＰｏｄの可能性を探る責任者になった。とはいえ、まだ『ｉＰｏｄ』という名前はなく、プロジェクト名は『Ｐ６８ダルシマー』。担当チームもプロトタイプもデザインも、何もなかった。
- 三月、スタン・イングと僕はスティーブ・ジョブズに『ｉＰｏｄ』のアイデアを売り込んだ。
- 四月の第一週、僕はアップルの正社員となり、フューズのチームも一緒に引っ張り込んだ。
- 四月末までに、トニー・ブレビンズと僕は製造パートナーを見つけた。

図９　有名な「1000曲をポケットに」のキャッチフレーズとともに、2001年10月に発売された初代iPod。10.2×6.2センチ、価格は399ドル。7カ月前に僕が発泡スチロールで作ったオリジナルモデルにかなり近かった。

台湾のインベンテック（英業達）だ。

- 五月、僕はＤＪノボトニーとアンディ・ホッジを採用した。フューズのオリジナルメンバー以外で初めての採用となった。
- 二〇〇一年一〇月二三日（僕がアップルに入社した一〇カ月後）、ｉＰｏｄが世に出た。プラスチックとステンレススチールでできた僕らの秘蔵っ子だ（図９）。

初代から一八世代までのｉＰｏｄの開発チームを率いることができたのは、信じられないくらい幸運だった。しかもそれに続いてもう一つ、信じられないようなチャンスに恵まれた。ｉＰｈｏｎｅの開発だ。僕のチームはハードウェア（今みなさんの手の中にある金属とガラスの傑作だ）と、スマホを動かすための土台となるソフトウェアをつくった。タッチスクリーン、セルラーモデム、セル方式の携帯電話、Ｗｉ‐Ｆｉ、ブルートゥースなどを動かすためのソフトウェアだ。第二世代、第三世代のｉＰｈｏｎｅでも同じ役割を引き受けた。

そうしてふと気づいたら、二〇一〇年になっていた。

僕はアップルで九年を過ごした。そしてようやく大人になった。もはや小さなチームの親分ではなかった。数百人、数千人を率いる立場になったのだ。それは僕のキャリアを、そして僕という人間を大きく変えた。

一〇年にわたって失敗を繰り返した末に、ようやく人々が本当に欲しいと思うモノを（しかも二つも）つくることができた。やっと正解にたどり着いた。

でも最初はうまくいっているという感覚はなかった。というより、最後までそんな感覚はなかった。どの段階もしんどかった。

アップルで僕は、どこで線を引くべきかを学んだ。「これで十分」というラインだ。

デザインとは何なのかも。

そして過酷で神経が磨り減るような、いつまでも終わらないプレッシャーのなかで、自分のアタマを整理し、チームをまとめていく方法も。

あなたが今、キャリアの新たな段階に足を踏み入れようとしているなら、ひたすら高いレベルへ歩みを進め、チームをつくり、人間関係をつくり、現場からどんどん遠ざかりつつ、それまで背負ったこともないほどの責任を背負い込もうとしてとんでもないストレスを抱えているのなら、僕の経験が参考になるかもしれない。

第九章　「見えないもの」を「見えるもの」に

大切なことに意識を集中するのは難しい。僕らは目で見て、手で触れられるものに本能的に気をとられやすく、目に見えない経験や感覚の重要性は見落とされがちだ。でも新しいプロダクトをつくろうとするときには、それが原子でできているのか電子でできているか、あるいは法人向けか消費者向けかにかかわらず、頭に入れておいてほしい。あなたがつくっているモノは、ユーザーがそれを手に入れるずっと前に始まり、手に入れた後もずっと続く、目に見えない、見落とされがちな壮大なストーリーのごく一部に過ぎないということを。

だからプロダクトのプロトタイプ（試作品）ができた時点で仕事が終わるわけではない。顧客のエクスペリエンスそのものを、できるかぎり忠実にプロトタイプに落とし込もう。見えないモノを見える化して、ストーリーのなかであまり目立たないが本当に重要な要素を見落とさないようにしよう。顧客がプロダクトをどのように発見し、購入を検討し、インストールし、使用し、手直しし、場合によっては返品するか、詳細に検討し、可視化しておく必要がある。

：

僕は子供の頃、祖父といろいろなものを作った。鳥の巣箱はもちろん、石鹼の箱でレーシングカーを作ったこともある。芝刈り機や自転車の改造、家の改築もした。

楽しかった。子供時代にはよくわからないこと、自分にはコントロールできないことも多い。でも物理的なモノづくりには曖昧なところがひとつもなかった。何かをつくり、自分の手で触り、誰かに手渡す。満足感が得られ、すっきりする。

プログラミングに夢中になってからも、コンピュータそのものが何より重要だという信念は揺るがなかった。原子がなければ電子など何の役にも立たない。

大学卒業後、僕がゼネラルマジックに入社できるのをあれほど喜んだのはこのためだ。ずっとプログラミングばかりしてきたが、今度は「モノづくり」ができる。デバイス、物理的な物体、僕の人生を変えてくれたコンピュータのようなモノを。

だがゼネラルマジック、フィリップス、そしてアップルでモノづくりに携わるなかで、つくらなくてよいモノもたくさんあることに気づいた。

ｉＰｏｄが世に出ると、たくさんの人が僕のところに自分のデバイスを売り込みにきた。きっと誰かから「トニーはハードウェアが好きだから、きっとキミのアイデアを気に入ると思うよ」と言われてやってきたのだろう。でも美しく仕上げたプロトタイプをドヤ顔で渡されると、僕はまずそれを脇に置いてこう尋ねた。「キミが解決しようとしている問題を、これを使わずに解決するにはどうしたらいい？」

すると相手は仰天する。なぜ「ハードウェア好き」のコイツはオレのクールなガジェットを見もしないのか、と。

原子を使ってモノをつくることに夢中になり、デザイン、インターフェース、色、素材、質感にこだわり始めると、もっとシンプルで簡単なソリューションがあるのに目に入らなくなってしまう人は多い。だが原子で何かをつくるというのはおそろしく難しい。アプリと違ってクリック一つでコピーやアップデートができるわけではない。わざわざ製造、梱包、出荷という手間をかけてまでハードウェアをつくる意味があるのは、それがどうしても必要なモノで、世の中を変える力があるときだ。何らかのユーザー・エクスペリエンス（UX）を実現するのに絶対的に必要ではないハードウェアは、存在するべきではない。

ときにはどうしてもハードウェアが必要なとき、避けられないときもある。だがそれでもやはり僕はそのプロダクトをいったん忘れてほしい、と相手に言う。「それのどこが特別かなんて、教えてくれなくていい。それによってカスタマー・ジャーニーがどう変わるかを教えてほしい」

プロダクトだけがプロダクトなのではない。

ユーザーのエクスペリエンス全体、つまりユーザーがあなたのブランドを初めて知ったときから、返品するか捨てるか、友人に売ったり中身をリセットするなどして別れを告げるまでの一連のプロセスが、あなたのプロダクトなのだ（図10）。

顧客は広告、アプリ、エクスペリエンス、カスタマー・サポートをそれぞれ区別して考えない。すべてあなたの会社、あなたのブランドとしていっしょくたに考える。

だが作り手は忘れてしまう。ユーザー・エクスペリエンスは顧客がプロダクトやスクリーンに触れた瞬間に始まると思いがちだ。原子でできているかビットでできているか、あるいは両者かにかかわらず、実際に「モノ」を使った瞬間だ。常に「モノ」を中心に考える。

ネストの創業初期にも同じことが起きた。誰もがサーモスタットに夢中になった。デザイン、AI、デバイスのユーザー・インターフェース（UI）、エレクトロニクス、技術的問題、色、質感を仕上げることばかり考えていた。設置するときの状況、ダイヤルをまわすときの感覚、人が近づいたとき

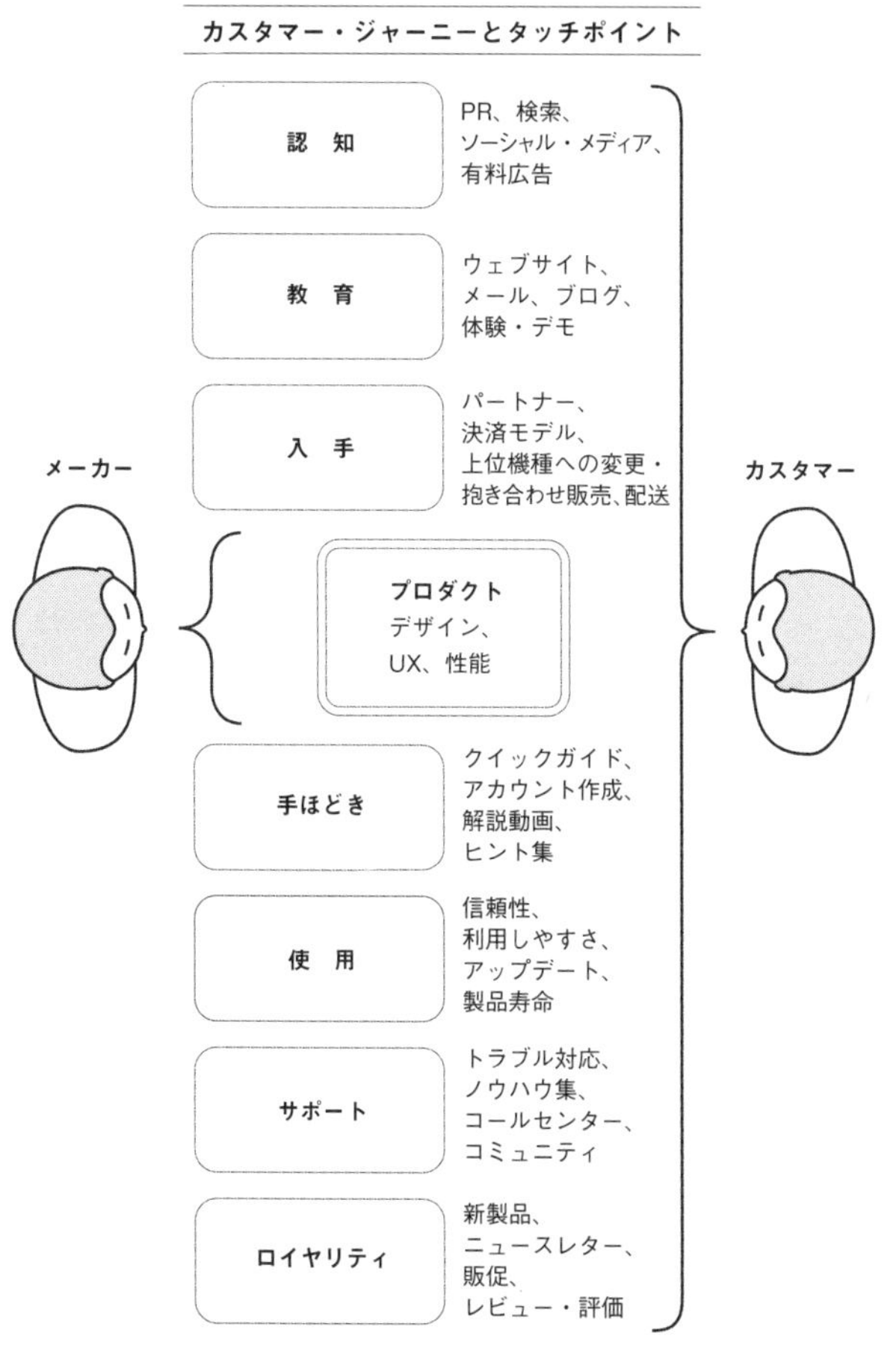

図10　メーカーは自分たちがつくっているピカピカしたプロダクトだけに目を向け、プロダクトを顧客に引き渡す直前までそれ以外のエクスペリエンスをまったく考慮しないことも多い。一方、顧客はすべてを見て、すべてを経験する。段階を踏んでプロセス全体を経験する。途中の段階が抜けていたり一貫性が欠けていたりすれば、つまずき、背を向けるかもしれない。

に発光する照度など、一つひとつの要素を徹底的に考え抜いた。デバイスそのものが完璧になるように、ハードウェアとソフトウェアの改良に粘り強く取り組んだ。

しかしカスタマー・エクスペリエンスのもっとも重要な部分には、十分な関心を払っていなかった。スマホのアプリだ。

そんなものは大したことがない、とチームは考えていた。たかがアプリじゃないか、と。カスタマー・エクスペリエンスについて検討しはじめた二〇一一年にアプリのプロトタイプを作成したが、サーモスタットの開発が進展する過程で再度アプリに目を向け、改良しようとはしなかった。後でやればいい、と思っていたのだ。いつか、どこかで。やるべきことは山のようにあるのに、たかがモバイルアプリにかかわってなどいられない。やるべきときにサクッと対処すればいい。

僕はちょっと腹を立てた。いや、正直に言おう。激怒した。

アプリはどうでもいい、あるいは後で追加すればいいような要素ではない。サーモスタットと同じくらい重要なものだ。ユーザーが世界中どこにいても、自在に自宅のサーモスタットをコントロールできるようにする必要がある。もちろん自宅のソファに寝転がっているときでも。アプリは僕らの成功に絶対的に重要なもので、それでいてきちんとつくるのがもっとも難しい要素の一つだ。

もちろんサーモスタット自体は重要だが、それはカスタマー・ジャーニーのほんの一部を構成するに過ぎない。

- ネストのカスタマー・エクスペリエンスの一〇パーセントは、ウェブサイト、広告、パッケージ、店頭ディスプレイが占めていた。まず消費者に製品を購入してもらう、あるいは少なくとも購入を検討しよう、調べてみようと思ってもらう必要がある。

- 別の一〇パーセントは設置が占めていた。顧客ができるだけストレスを感じず、また停電時間を最小限にとどめつつ、説明に従って自宅の壁に製品を取り付けられるかどうかだ。
- さらに別の一〇パーセントはデバイスの見た目と感触だ。消費者が自宅に置きたいと思うような美しい見た目でなければならない。とはいえサーモスタットを設置して一週間も経てばユーザーの好みや不在時間を学習するので、デバイスに触れることは少なくなる。ネストがやるべきことをきちんとやれば、顧客がデバイスに触れるのは予想外の寒波や熱波に見舞われたときなどに限定される。
- カスタマー・エクスペリエンスの七〇パーセントを占めていたのは、ユーザーのスマホやノートパソコンだ。帰宅途中にアプリを開いて暖房をつけたり、履歴を見てエアコンの連続稼働時間を確認したり、あるいは運転スケジュールを変更したりする。メールを開いて、前月の電力使用量の概要を確認することもある。何か問題があればネストのウェブサイトを訪れ、オンラインのトラブルシューティングを利用し、サポート記事に目を通すこともあるだろう。

ここに挙げたカスタマー・エクスペリエンスの要素の一つでもなおざりにすれば、ネストは会社として失敗していたはずだ。顧客がエクスペリエンスの各段階を自然と通過でき、そのあいだに発生する不具合を克服することができるように、一つひとつの段階が完璧でなければならない。

プロダクトの認知から入手、導入、使用など、すべての段階のあいだにはちょっとした壁があり、会社として顧客がそれを乗り越えるのを支援しなければならない。壁に突き当たるたびに、顧客は「なぜ?」と思うはずだ。

なぜこんなものに注目する必要があるのか。

なぜこんなものを買う必要があるのか。
なぜ使う必要があるのか。
なぜ使い続ける必要があるのか。
なぜ後続製品に買い替える必要があるのか。

プロダクト、マーケティング、サポート。すべてが滞りなく運ぶようにしなければならない。継続的に顧客とコミュニケーションをとり、つながり、疑問に答える。そうすることで顧客に、一貫性と必然性のあるプロセスをスムーズに通過していく感覚を持ってもらう必要がある。

そのためには顧客のエクスペリエンス全体をプロトタイプ化しなければならない。すべての構成要素に物理的プロダクトと同じ重みや現実味を与えなければならない。あなたのプロダクトが原子でできていようがビットでできていようが、あるいはその両方でできていようが、プロセスは同じだ。絵を描く。モデルを作成する。コンセプトを示すコラージュを作成する。プロセスの骨子を簡易な図で示す。架空のプレスリリースを書いてみる。顧客が広告からウェブサイト、アプリへと移動し、その過程でどのような情報に触れるかを示す詳細なモックアップをつくる。アーリーアダプター（初期採用者）にどんな反応を期待するか、ユーザーレビューにどんな見出しをつけてもらいたいか、ユーザーのどんな感情を喚起したいかを書き出してみる。それらすべてを視覚化する。具体化する。頭の中にあるアイデアを実際に触れられるモノへと転換しよう。プロダクトができあがるのを待つのではなく、プロダクトの機能を検討するのと並行してユーザー・エクスペリエンスの全体像を明確にしよう。

これはあなた自身の考え方をハック（改造）する方法であり、あなたのチームで働く全員の考え方をハックする方法でもある。

カスタマー・ジャーニーの出発点から始めよう。プロダクトを市場に送り出すはるか以前に、マーケティング活動のプロトタイプを作成すべきだ。

ネストのケースでは、それは箱に意識を集中することを意味した。パッケージング（梱包）がすべての中心となった。製品名、キャッチフレーズ、主な機能、優先順位、主要な価値命題はすべて段ボール箱に印字される。僕らは絶えず箱を手に取り、じっくり眺め、微調整や修正を繰り返した。箱の表面積には物理的制約があるため、最初に顧客に理解してもらいたいポイントは何か、二つめ、三つめのポイントは何かに自然と意識が向くようになった。狭いスペースに収めるため、クリエイティブチームが製品説明を簡潔な表現にまとめた。それは後になって動画や広告、ウェブサイト、メディアとのインタビューで使うことができた。ネストのブランドイメージを高めるため、温かみのある美しい写真で箱全体を覆い、製品が自宅や暮らしのなかにある様子を消費者がイメージできるようにした（図11、12）。

箱はネストのマーケティング戦略の詰まった小宇宙だった。店頭で足を止めた人が箱を見れば、僕たちが伝えたいと思っていることがすべて伝わる。

ただ、この出会いの瞬間、つまり誰かがパッケージに気づき、手に取るまでの〇・五秒を正しくプロトタイプに落とし込むためには、この理論上の顧客が「誰か」のままではいけない。

相手を知らなければならない。「誰か」とは誰か。なぜ箱を手に取るのだろう。知りたいことは何か。一番重視するのは何か。

僕らは業界やネストの潜在顧客について学んだこと、人口統計学や心理統計学の知見をもとに、二つのはっきりとしたペルソナをつくりあげた。一つは女性、もう一つは男性だ。男性はテクノロジーに強く、ｉＰｈｏｎｅを愛用し、常に気の利いた新しいガジェットを探している。女性は家庭内の意思決定者で、家に何を置くか、返品すべきものは何かを決める。美しいものが大好きだが、最新の、

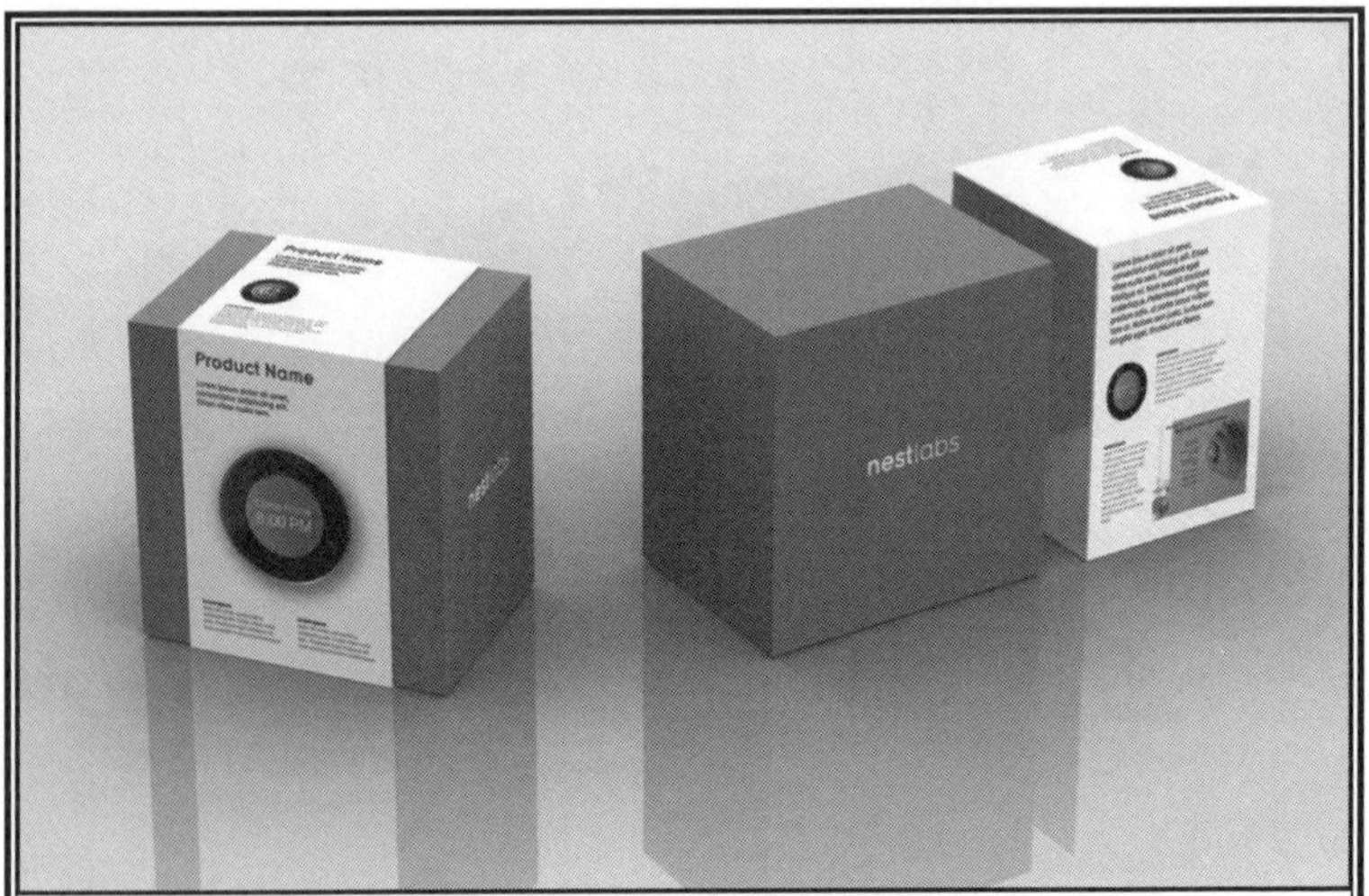

図11　『ネスト・ラーニング・サーモスタット』を発売するおよそ１年前、まだ製品名も確定していないうちから、このようなパッケージのプロトタイプを作成し、マーケティング・メッセージを検討していた。

性能が未知数なテクノロジーには懐疑的だ。

僕らはそれぞれに名前や姿を与えた。それぞれの自宅、子供、興味、仕事のイメージをまとめたムードボードを作成した。彼らが好きなブランド、自宅に対して抱いている不満、冬場にどれくらい暖房費を支払っているかも把握した。

男性の目で世界を見て、なぜ箱を手に取るか理解する必要があった。そうすれば自分たちの家にこの製品を置くべきだと、女性を説得することができる。

その後、顧客に対する理解が深まるにつれて、夫婦、子供のいる家族、ルームメートなど、さらに複数のペルソナを追加していった。ただ最初は二人だけだった。この二人については誰もが頭のなかでイメージしたり、写真に触れたりできるようにした。

プロトタイプをつくるとはこういうことだ。こんな具合に抽象的概念を具体化していく。構築したメッセージを言葉や写真に

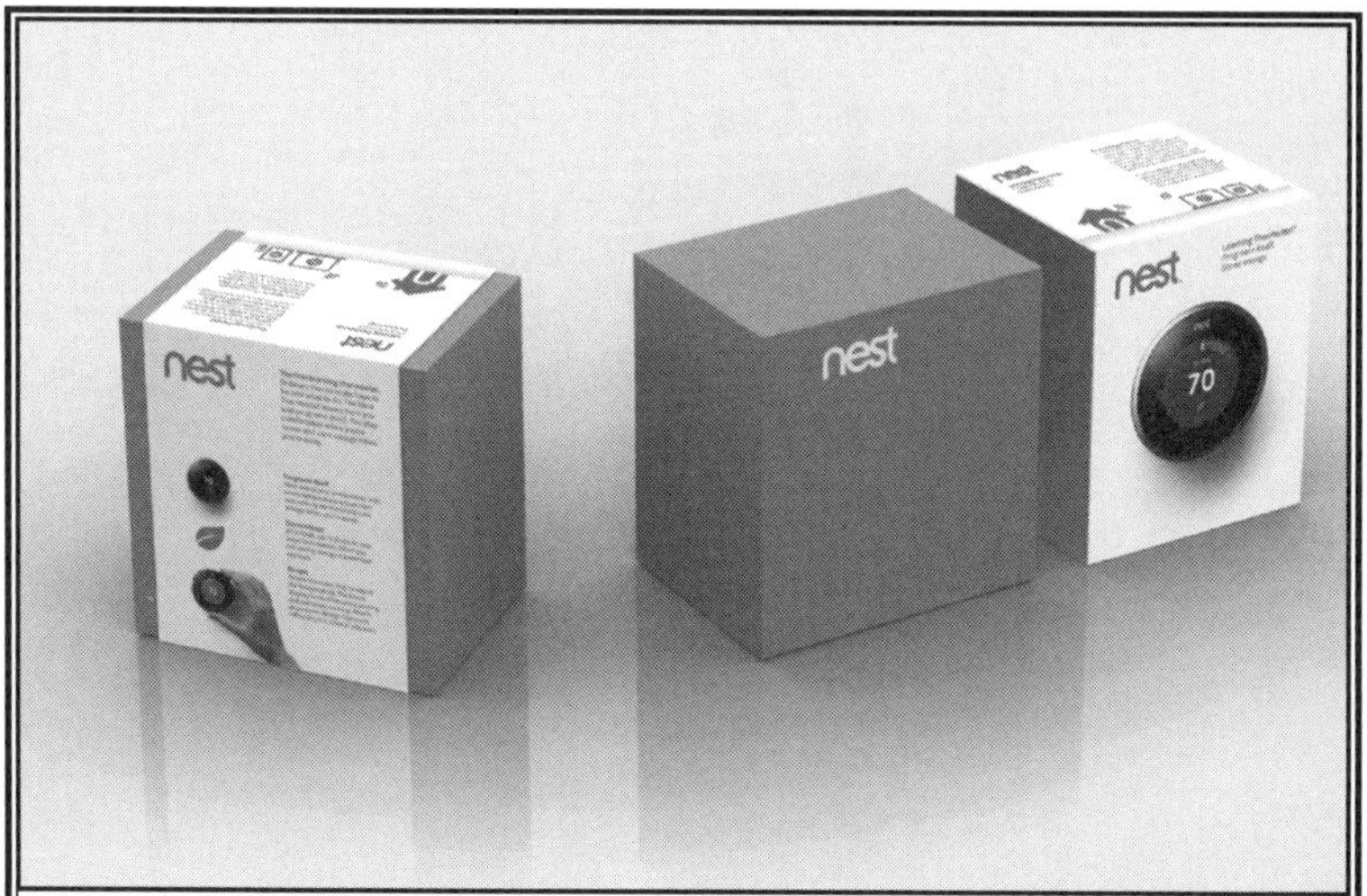

図12　2011年10月の発売時のパッケージ。紹介文は学習機能と省エネ性能に的を絞っている。シンプルで高級感のあるデザインにこだわった。

して箱に載せる（第二四章の図27も参照）。「販売店を訪れる誰か」を「ペンシルベニア州に住むベス」に変えるのだ。

それを継続する。製品を世に送り出すまでの一つひとつのステップのすべてにおいて。

サーモスタットそのもののプロトタイプができると、消費者に実際に使ってもらってテストをした。自分で設置することが普及の大きな妨げになる可能性があるのはわかっていたので、誰もがテスト結果を固唾をのんで見守った。感電する人はいないか。発火しないか。作業が難しすぎて途中で投げ出したりしないか。

まもなくテストの結果が返ってきた。うまくいったのだ。プロダクトはきちんと設置され、機能していた。だが設置には一時間近くかかっていた。

僕らはがっかりした。こりゃ、ダメだ。一時間なんて長すぎる。ペンシルベニア州のベスは電気を止め、壁に穴を開け、よくわからない配線と一時間格闘しようとは思わない。簡単なDIY作業、あっという間に終わる改修工事にしなければならない。

そこで報告を詳しく見ていった。いったい何にそんなに時間がかかるのか。僕らにどんな不備があったのだろう。

その結果、僕らに不備はないことがわかった。不備はテストに参加した人々にあった。まず工具を探すのに三〇分かかっていた。電線ストリッパーとマイナスドライバーが必要なのか。あれ、違う。プラスドライバーか。小さいほうのドライバーはどこに置いたっけ。

必要な工具がそろうと、設置作業はあっという間に終わった。せいぜい二〇〜三〇分だ。たいていの会社なら、そこで安堵するところだろう。なんだ、実際の設置作業は二〇分で終わったのか。それなら顧客にそう伝えればいい。よしよし、一件落着だ、と。

しかし、これは顧客がネストのデバイスに初めて触れる場面になるはずだ。ネストを初めて経験する瞬間だ。二四九ドルもするサーモスタットを買うのだ。それまでとはまったく違うエクスペリエンスを期待しているはずだ。そして僕らは顧客の期待を超える必要があった。箱を開けるところから始まり、説明書を読み、壁に設置し、初めて暖房のスイッチを入れるまで、すべてが驚くほどスムーズに進行しなければならない。気持ちよく、楽しく心暖まる経験でなければならない。

しかも僕らはベスをよく知っていた。まずドライバーを探してキッチンの引き出しを開ける。それからガレージに行って工具箱を見る。あれ、やっぱりキッチンだったかしら。それが気持ちよく楽しい経験のはずがない。五分もしないうちにうんざりするだろう。イライラして、腹が立ってくる。

そこで僕らはプロトタイプを変更した。サーモスタットのプロトタイプではなく、設置に関するプロトタイプを。新しい要素として小さなドライバーを一本追加したのだ。交換可能なヘッドが四種類あり、手のひらに収まる大きさだ。おしゃれで、かわいらしいデザインで、何より重要なのはものすごく使い勝手が良かったことだ（図13）。

こうして顧客は古いサーモスタットを壁から取り外すために、工具を探して戸棚や工具箱を漁る必要がなくなった。ネストの箱を開けて、必要な道具を取り出すだけだ。ドライバーを追加することで顧客のイライラする瞬間を楽しい瞬間に変えられた。

しかも、メリットはそれだけではなかった。

ドライバーは設置作業に役立っただけではない。ネストと顧客とのかかわりのあらゆる面に波及効果があった。

カスタマー・エクスペリエンスで非常に重要なのが販売後だ。どうすれば顧客にとって有益なかたちで、顧客との関係を維持することができるだろうか。ひたすらマーケティングやセールスの働きかけを続けてうんざりさせるのではなく、どうすればネストとのかかわりを喜んでもらえるだろうか。

ネストのサーモスタットは顧客の自宅の壁に一〇年間とどまるようにつくられていた。美術品のような存在、ときどき愛《め》でたり、いじったりするものの、たいていは存在を意識しないような仕様になっていた。

だがキッチンの引き出しを開けるたびに、かわいい小さなネストのドライバーが目に入ればどうか。にっこりするだろう。

子供のミニカーの電池を変えるたびに、ネストのドライバーを手に取るようになる。むしろミニカーよりドライバーのほうがおもちゃになる。

ドライバーが単なる工具ではなく、マーケティングツールになることを、僕らは理解していた。顧客がネストを思い出し、ネストのファンになるのに役立つツールだ。

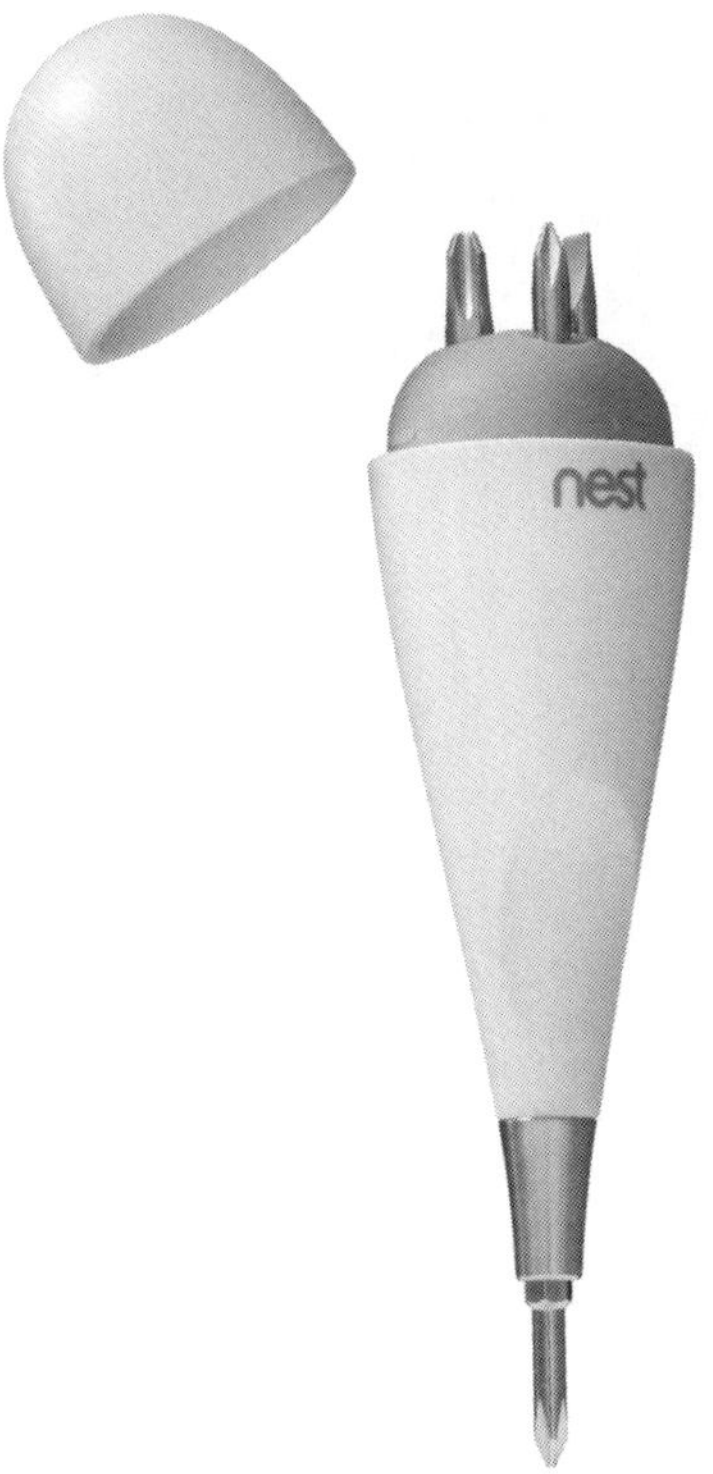

図13　ネストの初代ドライバーの製造コストは約1ドル50セント。これをすべての製品に付けるべきか否か、ムダを省き利益率を高めることを重視していたチームの意見は割れた。ただドライバーのかわいらしい形状にはサーモスタットを自分で設置する作業への不安を和らげる効果があった。しかも非常に便利だったため、販売後もマーケティングツールとして効果を発揮した。

しかも消費者がネストを認知するのにも役立った。メディアはドライバーについて記事を書いてくれた。サーモスタットの五つ星評価の根拠として、常にドライバーが挙がった。それはネストにとって無料の広告であり、口コミを広めるのに役立った。ネストの受付には鉢にいっぱいのキャンディの代わりに、鉢にいっぱいのドライバーを置いていた。それはネストのユーザー・エクスペリエンスのシンボルになった。配慮が行き届き、美しく、長持ちし、とても役に立つ。

だから僕は絶対にドライバーを付属品からはずさせなかった。

新しい世代のサーモスタットが登場するたびに、社内では必ず論争が起きた。ドライバーにはコストがかかる。一本一本がネストの利益に食い込む。だからドライバーを付けるのをやめよう、と主張する社員はいつも大勢いた。なぜわざわざ製造原価を増やすようなマネをするのか、理解できなかったのだ。

彼らがわかっていなかったのは、ドライバーは製造原価に含まれるアイテムではない、という事実だ。それはマーケティング費用であり、カスタマー・サポートの費用だ。ドライバーがあるおかげで電話によるカスタマー・サポートの費用を大幅に抑えることができていた。ドライバーのおかげで顧客は怒りの電話をかけてくる代わりに、ネットにネストとのすばらしいエクスペリエンスを綴るのだ。サーモスタットそのものについて考えるのと同じくらい真剣かつ入念に設置について考えていなかったら、すべての箱にドライバーを入れるという発想は生まれなかっただろう。

そして僕らがカスタマー・ジャーニー全体について（製品を発見するところからサポート、ロイヤリティまで）考えていなかったら、イケアの家具に付いてくるような小さな使い捨てのドライバーを作っていただろう。だが僕らはサーモスタットを設置するのには必要ないものも含めて、四種類のヘッド付きのドライバーを作った。顧客がどんな用途にも使えるように。ドライバーがキッチンの引き出しに入っているかぎり、あるいはそれ以降も、ネストを覚えていてもらえるように。

会社がユーザー・エクスペリエンスのあらゆる部分にこれだけ心を砕けば、消費者に伝わる。確かにネストのプロダクトは優れていたが、最終的にブランドを特徴づけていたのは全体的なエクスペリエンスだ。それこそがネストが特別な存在になれた理由であり、アップルが特別な存在である理由だ。会社はただ製品を提供するだけでなく、「ユーザー」や「消費者」といった関係性を超えて、顧客との人間的つながりを築くことができる。これが愛されるモノを生み出す方法だ。

第一〇章　なぜストーリーテリングが必要なのか

あらゆるプロダクトにはストーリーが必要だ。なぜそれが存在する必要があるのか、顧客の抱える問題をどのように解決するのかを説明する筋書きだ。優れたプロダクトストーリーには三つの要素がそろっている。

・理性と感情の両方に訴える。
・複雑な概念をシンプルに伝える。
・プロダクトが解決しようとしている問題を明確にする。「なぜ」の部分にフォーカスする。

「なぜ」こそが製品開発の一番重要な部分だ。いつもそこから始めるべきだ。なぜそのプロダクトが必要かという問いにしっかり答えられたら、次に「どのように」機能するかを考えればいい。あなたのプロダクトを初めて目にする人たちが、あなたと同じ背景知識を持ち合わせているわけではないことを忘れないようにしよう。顧客に「なぜ」を説明する前に、「何を」を押し付けることはできない。

またストーリーは顧客のためだけにあるわけではない。チームに人材を惹き寄せるため、あるいは会社に投資してもらうためにもストーリーは必要だ。セールス担当者の説明資料にも、あなたが役員会で使うプレゼン資料にも、ストーリーを載せるべきだ。

プロダクト、会社、ビジョンについてのストーリーが、会社が行うすべての活動の原動力になるべきだ。*

　　　　　　　　　　•

二〇〇七年、世界にｉＰｈｏｎｅを発表するスティーブ・ジョブズをスタンドから見守っていたときのことを、僕はよく覚えている。

今日は私が二年半にわたって待ち望んでいた日です。

ごくまれに、すべてを変えるような画期的な製品が登場します。そしてアップルは……いや、最初に言っておくと、こんな製品に一生に一度でも携わることができたら、とても幸せなことです。アップルはとても幸運な会社です。こんな製品をいくつも世に送り出してきたのですから。

一九八四年にはマッキントッシュを発表しました。マッキントッシュはアップルだけでなく、コンピュータ産業そのものを一変させました。

二〇〇一年には初代ｉＰｏｄを発表しました。それは私たちが音楽を聴く方法を変えただけなく、音楽産業そのものを変えました。

そして今日、私たちは同じくらい画期的な製品を三つ発表しようとしています。ひとつめはタッチ操作できるワイドスクリーンのｉＰｏｄです。二つめは革新的な携帯電話。そして三つめは画期的なインターネット通信用デバイスです。

そう、三つのモノ。タッチ操作できるワイドスクリーンのｉＰｏｄ、革新的な携帯電話、そして画期的なインターネット通信用デバイス。iPod、電話、インターネット通信用デバイス。iPod、電話……もうおわかりですね。三つの別々のデバイスではなく、これは単一のデバイスなのです。名前は「iPhone」。本日、アップルは電話を再発明します。さあ、ご覧ください。

これがスピーチのなかで誰もが覚えている部分だ。ムードを盛り上げてからのサプライズ、最高の前振りだ。今でもメディアはこのくだりを記事にとりあげ、一〇周年のお祝いもあった。

ただ、これ以降の部分も同じくらい重要だ。前振りに続いてスティーブは、アップルが解決しようとしている問題を聴衆に思い出させた。「最先端の電話はスマートフォンと呼ばれています。ただ問題はこうした電話がちっともスマートじゃないこと、そして使い方が難しいことです」。新しいiPhoneの特徴について語る前に、通常の携帯電話とスマートフォンについて、またそれぞれの問題点についてじっくり話したのだ。

スティーブの使ったテクニックを、僕はのちに「疑念のウイルス」と呼ぶようになった。聴衆のアタマに入り込み、日々抱いていた不満を思い出させ、改めてもううんざりだという気持ちにさせる。「もしかして自分の今の状況は思っていたほど良くなかったのかもしれない、もっと改善できるんじゃないか」と、疑念のウイルスに感染させるのだ。そうすることで、あなたのソリューションを受け入れる素地が整う。今の状況への不満を喚起することで、新しい方法への期待を高められる。

＊　デザインとそれを支えるストーリーテリングに興味がある読者には、ピーター・フリントのポッドキャスト『NFX』での僕との対談を聴いていただきたい。

スティーブはこの達人だった。プロダクトがどんなものか説明する前に、なぜそれが必要かを説明した。しかもそれをとても自然に、当たり前のようにやってのけた。

僕はそれ以前にも他の経営者がプロダクトをアピールする様子を見てきたが、革新的と称するプロダクトをまるで理解していなかった。ときには正しい持ち方すらわかっていなかった。だがスティーブのプレゼンはいつも顧客とメディアを魅了した。「奇跡みたいだ。スティーブはとても冷静で、落ち着いている。事前に用意した原稿もないし、スライドにはほとんど文字がない。自分が何を語っているか完全に理解していて、まとまりがある」と。

スピーチというより対話のようだった。物語を聴いているようだった。

理由は簡単だ。スティーブはただプレゼンのための原稿を読んでいたわけではない。製品開発の続く何カ月ものあいだ、同じストーリーを毎日毎日社員、友人、家族に語り続けてきた。絶えずストーリーに修正を加え、改善していった。そうとは知らずにストーリーの聞き手となった人々が、困惑した表情を浮かべたり詳しい説明を求めたりするたびに表現を磨き、微調整を繰り返し、完璧に仕上げていった。

それはプロダクトのストーリーであり、僕らがプロダクトをつくりあげるうえで指針となった。

ストーリーにうまく伝わらない部分があるなら、それはプロダクトの一部がうまく機能しないということで、変更する必要があった。ｉＰｈｏｎｅのフロントパネルがプラスチックではなくガラスなのも、ハードウェアとしてのキーボードがないのもこのためだ。ユーザーがポケットに入れた途端にフロントパネルに傷が付いたり、映画をちっぽけな画面で観なければならないとしたら、熱狂的信者を集める「神スマホ」というストーリーが成立しなくなってしまう。アップルが語っていたのは、すべてを変える電話というストーリーだ。それならば、そのとおりのモノを作らなければならない。

そして「ストーリー」というのは言葉で語るだけのものではない。プロダクトのデザイン、機能、写真や動画、顧客の言葉、レビュワーの評価、サポート担当者とのやりとりは、すべてストーリーだ。あなたが生み出したモノについて、人々が見たこと、感じたことの総和がストーリーなのだ。

ストーリーは単にプロダクトを売るためだけにあるのではない。ストーリーはあなたがプロダクトを定義し、理解するため、そして顧客を理解するために役立つ。投資家に出資してもらうため、新たな社員にチームに加わってもらうため、パートナー企業に協力してもらうため、そしてメディアに興味を持ってもらうためにある。そして最終的には、顧客にあなたの販売するプロダクトを買いたいと思ってもらうために語るものだ。

そのストーリーの最初に来るのが「なぜ」だ。

なぜこのプロダクトは存在する必要があるのか。なぜ重要なのか。なぜ人はそれを必要とするのか。なぜ夢中になるのか。

この「なぜ」の部分を見つけるためには、あなたが解決しようとしている問題の本質、つまり顧客が日々直面している本当の問題は何かを理解する必要がある（第一五章を参照）。

そして「何を」（プロダクトの機能、イノベーション、顧客の抱えるさまざまな問題への答え）の部分に取り組むあいだも、「なぜ」の部分を死守しなければならない。というのも開発期間が長くなるほど「何を」の存在感が増していくからだ。「なぜ」はもはや当たり前になる。本能の一部、あらゆる活動の一部となり、もはや敢えて口に出す必要もなくなる。するとそれがどれだけ重要かが忘れられていく。

「何を」で頭がいっぱいになった会社は、消費者を置き去りにする。誰もが自分たちと同じ景色を見ていると思い込む。だが実際はそうではない。何週間、何カ月、何年もこのプロダクトにかかわってきたわけではない。だから会社は足を止め、まず「なぜ」を明確に説明する必要がある。「何を」に関心を持ってもらうのはその後だ。

取り扱うプロダクトがB2Bの決済ソフトウェアであろうと、まだ存在しない顧客を念頭においたハイテク・ソリューションであろうと、二〇年来の取引先の工場に納入している潤滑油であろうと、それは変わらない。

市場シェアと同様、マインドシェアにおいても競争がある。ライバル会社があなたよりも優れたストーリーを語れば、あるいはライバルがストーリーを語っているのにあなたが語らなければ、向こうのプロダクトの質が低くても関係ない。世間の関心は向こうに集まる。顧客、投資家、提携先、あるいは求職中の人材の目には向こうが業界のリーダーであるかのように映るだろう。人々が話題にするほどライバル会社のマインドシェアは高まり、さらに多くの人が話題にするようになる。

だから顧客の心に残り、顧客があなたの会社を話題にするようなストーリーを生み出す機会を見つけなければならない。顧客がすでにあなたの会社やプロダクトをよく知っていても、どれだけ専門知識があっても、彼らのために取り除くことのできる摩擦や障害はあるはずだ。なぜあのタイプの潤滑油ではなく、このタイプを買うべきなのかを説明する、あるいは顧客が耳にしたことのないような情報を提供するのもいい。同じプロダクトでも、ライバル会社ではなくあなたの会社で購入したほうがいい理由を説明しよう。自社製品に精通している、あるいは顧客ニーズを理解していることを示し、相手の信頼を勝ち得よう。顧客に有益なサービスを提示してもいい。あなたの会社こそが正しい選択肢だと、顧客が確信するような絆を作ろう。顧客が共感できるようなストーリーを語ろう。

優れたストーリーは共感を生む。それは聴衆のニーズに寄り添う。事実と感情を組み合わせ、両面から顧客にアプローチする。浮ついたくだらない議論だと思われないように、まずは確かな知識や具体的情報を伝える。決定的データでなくても構わないが、聴衆に確かなデータに基づいて語っているという印象を与える、実のある内容でなければならない。とはいえ、それが行き過ぎてもいけない。ただ情報を伝えることに終始すると、聴衆はあなたの主張に納得しても、すぐに行動しようという気にはならない可能性が高い。来月でいいか、来年でもいいか、と。

だから顧客の感情に訴えかけなければならない。彼らが大切に思っている何か、あるいは悩みや恐れと共振するように。あるいは魅力的な未来のビジョンを見せてもいい。人間の顔をした具体例を話して聞かせよう。現実の人間はこのプロダクトをどのように経験するだろうか。その一日、家族、仕事において、どんな変化を経験するだろうか。ただし感情的つながりを強調しすぎて、あなたの話が目新しいが必要性の低いものと思われないようにしよう。

魅力的なストーリーを語るには技がいる。ただセオリーもある。

そして顧客の脳は必ずしもあなたと同じように反応するわけではない、ということを覚えておこう。あなたの合理的主張が感情的共感を生むこともある。あなたの感情豊かなストーリーが、プロダクトを購入する合理的根拠になることもある。ネストの顧客のなかには、彼らの心と魂に響くように僕らが心を込めて開発した美しいサーモスタットを見て「良い商品だ、買おう」と決断した後に、月額二三ドルの光熱費を節約できると知って胸が高鳴ったという人が少なくない。

私たちは一人ひとり違っている。一人ひとり、あなたのストーリーの受け取り方は違う。

ストーリーテリングのツールとしてアナロジー（比喩）が非常に有効なのはこのためだ。込み入った概念を簡潔に伝えることができる。一般的な経験へと、まっすぐ橋渡しできる。

これも僕がスティーブ・ジョブズから学んだことだ。アナロジーは顧客にとほうもない力を与える、といつも言っていた。優れたアナロジーを使うと、顧客は複雑な機能を一瞬にして理解し、それを周囲にも伝えることができる。「一〇〇〇曲をポケットに」がめちゃめちゃ強力だったのはこのためだ。それまではみんな大きなプレーヤーにCDやカセットテープを入れて音楽を聴いていた。それでは一度にアルバム一枚分、一〇～一五曲しか聴けない。「一〇〇〇曲をポケットに」とのコントラストは圧倒的だった。形のない概念を、誰もが思い描くことができた。自分の好きな楽曲をすべて一つの場所にまとめられ、簡単に探すことができ、持ち運びも簡単だ。しかもこの新しい「iPod」なるものがなぜそんなにすばらしいのか、友人や家族に説明する表現としてもうってつけだ。

　ネストでも積極的にアナロジーを使った。ウェブサイトや動画、広告、サポート記事、設置ガイドブックにまでアナロジーをたっぷり盛り込んだ。そうせざるを得ない理由もあった。ネストのプロダクトを本当に理解するためには、HVACシステムや送電網の仕組み、レーザーを使って煙を屈折させて火災を検知する仕組みなど、誰も知らない事柄を理解してもらう必要があったからだ。そこで僕らはズルをした。何から何まで説明しようとせず、アナロジーを使ったのだ。

　僕が覚えている複雑な機能の一つに、誰もが一斉に冷暖房をつける一年のうち一番暑い日と寒い日に、発電所への負荷を軽くするために設計されたものがある。そういう事態が起こるのはたいてい一年のうちほんの数日、それも午後の数時間だけだ。電力会社は停電を防ぐため、休止していた古い石炭火力発電所をいくつか稼働させる。そこで僕らはこうした状況が起こるのを予測し、ネスト・サーモスタットがピークアワーの数時間前に冷暖房を強めにして、他の人々がつけるころには弱めにする機能を設計した。このプログラムに登録したユーザーは、電気料金が割安になる。登録者が増えるほどウィンウィンになる。消費者は冷暖房がきいた自宅で心地よく過ごすことができ、電気料金も節約できる。そして電力会社は最も環境を汚染する発電所を稼働させずに済む。

すばらしい機能だったが、説明するのに一五〇ワードは必要だ。そこで熟慮を重ね、さまざまな選択肢を試した末に、三ワードに落とし込んだ。「ラッシュ・アワー・リワード」だ。

ラッシュ・アワーの概念は誰でもわかる。大量のクルマが一気に道路に押し寄せ、大渋滞が起こる。同じことがエネルギーでも起こる。これ以上説明は要らない。ラッシュ・アワーは問題だが、エネルギー版ラッシュ・アワーの場合、消費者は得をすることもある。電力会社からリワード（ご褒美）をもらえるのだ。他の消費者と同じ時間帯に送電網に押し寄せるのをやめれば、電気料金を節約できる。

僕らは自動車のイラストと、小さな発電所が必死に発電している様子を描いたウェブサイトをつくった。説明がくどかった部分や、比喩を使い過ぎた部分もあったが、ほとんどの消費者はそこまで気にしないだろう。

顧客の大多数にとって、これで話は大幅にわかりやすくなった。三つの単語と一つの比喩によって、エネルギーのラッシュ・アワーが発生したときネスト・サーモスタットを使うことであなたの電気料金は安くなりますよ、とわかりやすく伝えられたのだ。

これがストーリーだ。とても短いが、お手本のような例だ。

簡潔なストーリーは覚えやすい。そしてなにより他の人にも伝えやすい。あなたのストーリーを語る人が増えたら、より多くの人の耳に入る。そのほうがあなた自身が語ったり、自らのプラットフォームで宣伝したりするより何倍も説得力がある。だからとびきりすばらしいストーリーを語れるように、常に努力しよう。もはやあなただけのものではなくなり、顧客も理解し、愛し、覚え、自らのストーリーとして会う人すべてに語ってくれるほどすばらしいストーリーを。

第一一章　進化か破壊か実行か

進化　何かを改善するための小さな漸進的変化。

破壊　進化の系統樹が枝分かれするポイント。現状を根本的に変える新しい何か、たいていは昔からある問題に対する新しい、あるいは革新的アプローチが登場する。

実行　約束していたことを実際に、しかもきちんと行うこと。

バージョン１（Ｖ１）プロダクトは進化ではなく破壊でなければならない。とはいえ破壊的というだけで成功が保証されるわけではない。すばらしく破壊的なものさえ生み出せばいいと考え、実行の重要性を見過ごしてはならない。またアイデアを実行したとしても、それだけでは不十分かもしれない。確固たる基盤のある主要な産業に革命をもたらそうとするなら、マーケティング、流通経路、製造、ロジスティクス、あるいはビジネスモデルなど、これまで考えてみたこともない領域でも破壊的変化を起こさなければならないかもしれない。

Ｖ１が成功した場合、バージョン２（Ｖ２）は通常、その進化形になる。データや顧客からの意見をもとにＶ１を改善し、当初の破壊的変化をさらに倍加させる。実行も少しレベルアップさせなければならない。勝手がわかってきたのだからプロダクトの機能性を大幅に高められるはずだ。

しばらくの間はそのプロダクトを進化させていくのでも構わないが、常に自らを破壊する方法を模

索しつづけよう。ライバル企業に追いつかれそうになってから、あるいは事業に停滞の兆しが表れてから破壊を考えはじめるのでは遅すぎる。

⁚

あなたが全身全霊で新しい何かを生み出そうとするのなら、それは破壊的なものであるべきだ。野心的な、「何か」を変えるプロダクトだ。必ずしもモノである必要はない。アマゾンは独自のハードウェアの開発に乗り出すずっと前から、破壊的サービスだった。モノの売り方、配送やサービスの方法、資金調達の方法も破壊の対象となる。あるいはマーケティングやリサイクルの方法もしかりだ。

破壊はあなた自身にとって重要なことだろう。胸の躍るような有意義な挑戦をしてみたいと思わない者などいるだろうか。ただ破壊はあなたの会社の健全性にとっても重要だ。本当に破壊的な何かを生み出すことができれば、ライバル企業はおそらく簡単にはマネできない。

重要なのは正しいバランスを見つけることだ。実行できないほど破壊的ではいけないが、誰も興味を持たないほど簡単に実行できてしまうものもいけない。どこで勝負するか、選ばなければならない。

そもそも勝負をしなければ話にならない。

目標が低いと、つまりあなたがつくろうとしているのが単なる進化、踏みならされた道をさらに一歩先に進めるだけのものだと、さまざまな分野で一流の人材にプレゼンしても肩をすくめて「ふーん、わかった」と言われてしまう。

失望が目に見えるほどだ。

相手が思わず足を止め、「すごいな。詳しく教えてくれよ」というような何かが必要だ。何を破壊するかがあなたのプロダクトの最大の特徴になる。誰もが興味を持つ部分だ。

そして誰もが失笑する部分でもある。確固たる巨大産業を破壊しようとすると、ライバルからはまずバカにされる。おまえが作ろうとしているものはおもちゃだ、脅威ではない、と。面と向かって笑い飛ばされるだろう。

ソニーはｉＰｏｄを笑った。ノキアはｉＰｈｏｎｅを笑った。ハネウェルはネスト・ラーニング・サーモスタットを笑った。

最初のうちは。

死の受容の五段階のなかで「否認」と呼ばれるステージだ。

だがまもなくあなたの破壊的プロダクト、プロセス、あるいはビジネスモデルが顧客の支持を得るようになると、ライバルは不安になりはじめる。注意を払いはじめる。そして自分たちの市場シェアが奪われるかもしれないと思うと、憤る。本気で。死の受容の五段階の「怒り」のステージに差し掛かると、暴言暴力に出てくる。怒った会社は、あなたより低い価格で販売しはじめたり、広告であなたを侮辱したり、メディアにネガティブ情報を流したり、販売チャネルと新たに契約してあなたを市場から締め出そうとしたりする。

訴えてくるかもしれない。自らイノベーションができない企業は訴訟を起こすのだ。

訴訟を起こされたというのは、あなたの存在が正式に認められたという喜ぶべきニュースだ。ネストではハネウェルから訴えられた日にお祝いのパーティを開いた。僕らは嬉しくてゾクゾクした。ハネウェルの馬鹿げた訴えは（ネストのサーモスタットの形状が丸いという理由で訴訟を起こした）、僕らが本物の脅威であり、彼らがそれを認めたことを意味した。だから僕らはシャンパンを開けたのだ。やっと気づいたか、アホンダラ。こちとらおまえらのメシのタネを狙っているんだよ、と。

僕らは一歩も引くつもりはなかった。ハネウェルがもう何十年も、イノベーティブなささやかなベンチャー企業を訴訟によって潰してきたことは知っていた。相手を追い詰め、二束三文でハネウェルに身売りせざるを得ない状況に追い込んできた。そんな具合にどんな脅威もすばやく踏みつぶしてきた。だがネストの法務責任者のチップ・ラットンと僕は、アップル時代にともにこういう闘いを切り抜けてきた間柄だった。怯えて和解をする気は毛頭なかった（第二七章を参照）。

あなたの会社が破壊的存在なら、強烈な反応や感情が返ってくることを覚悟しておく必要がある。あなたのプロダクトを熱烈に支持する人もいる。その一方、猛烈に、徹底的に憎む者もいる。それが破壊に伴うリスクだ。あらゆる人に歓迎されるわけではない。破壊は敵をつくる。

大企業のなかで新しい事業を始めるからといって安全ではない。社内政治、嫉妬、恐れに対処しなければならないだろう。あなたは何かを変えようとしているのだ。変化は恐ろしいものだ。とりわけ自分の領土を完全に支配していると考え、足元からそれが崩れ去るという状況をまったく想定していない人々にとっては恐怖だ。

ほんの一つか二つ、恐ろしい有力なニューフェースが誕生するだけで地滑りが起こる。だから、やりすぎてはいけない。一度にすべてを破壊しようとしないことだ。アマゾン・ファイアフォンの二の舞は避けよう。

僕はジェフ・ベゾスが初めてファイアフォンの話をしたときのことをよく覚えている。朝食会の席で、僕がアマゾンの取締役になる可能性を話し合っていた。ジェフはアマゾンブランドの新しい製品群を立ち上げる計画を口にした。その中核が電話だという。おそろしく破壊的なデバイスになるだろう。この端末を使えばすべてが３Ｄに見えるし、どんなメディアもスキャンできる。世界中のあらゆるものをスキャンして、アマゾンで買うことができる。世界が変わるはずだ。

僕は、アマゾンにはすでにキンドルという破壊的なハードウェアがあるじゃないか、と指摘した。すばらしくイノベーティブなデバイスであり、しかも誰にもマネできない唯一無二のプラットフォームもある。アマゾンが消費者のスマホに入り込み、スマホでのネットショッピングのあり方を変えるために、わざわざまったく新しいデバイスを作る必要はない。他社がつくったどんなデバイスの上でも機能する、最高のアプリを作ればいいだけだ、と。

自分なら電話を作らない、と僕は言った。

ジェフは電話を作った。

僕はアマゾンの取締役にはなれなかった。

発売されたファイアフォンには、ジェフが約束した機能がすべてそろっていたが、満足に機能したものはひとつもなかった。あまりにも多くをやろうとし、あまりにも多くを変えようとしたからだ。こうして破壊的プロダクトは子供だましのギミックに化け、プロジェクトは失敗した。厳しく、つらい教訓で、以降アマゾンは同じ失敗を繰り返していない。行動し、失敗し、学ぶのだ。

いずれにせよ、これが破壊の難しさだ。とにかく慎重にバランスをとることが求められる。破壊が失敗する理由は、たいてい次の三つうちのどれかだ。

一　すばらしいプロダクトを開発することだけに集中し、それが包括的なエクスペリエンスの一部であることを忘れてしまう（第九章の図10を参照）。プロダクトほどおもしろくない、たくさんの地味なディテールを無視した結果、誰の人生の役にも立たないこざっぱりとしたデモ版ができあがる（これはV１で起こりやすい）。

二　破壊的ビジョンから出発したものの、テクノロジーが難しすぎる、コストがかかりすぎる、うまく動作しないといった問題によって、実現が後回しにされてしまう。その結果、他のことは完璧に仕上がっても、プロダクトの際立った特徴になるはずだった部分が失われてしまう。

三　あまりにも多くのことをあまりに拙速に変えてしまい、一般消費者がプロダクトを理解できない。これはグーグルグラスが抱えていた（膨大な）問題のうちの一つだ。見た目もテクノロジーもあまりに斬新で、消費者はいったいどうやって使えばいいのか見当もつかなかった。それがいったい何のためのモノなのか、直感的に理解することはできなかった。たとえて言えば、テスラが最初から車輪が五つ、ハンドルが二つある電気自動車をつくろうとしたようなものだ。モーターやダッシュボードを変えるのはかまわないが、それでも自動車のような見た目は保たなければならない。人々の心的モデルから乖離しすぎてはいけない。少なくとも最初のうちは。

アップルが初代ｉＰｏｄの発売と同時にｉＴｕｎｅｓミュージックストアをオープンしなかったのは、この三番目の理由に配慮したためだ。当時は音楽のマーケットプレイスは存在せず、「ポッドキャスト」という言葉が生まれるのもまだ何カ月も先のことだった。ユーザーはｉＴｕｎｅｓを使ってＣＤをリッピングしたり、あるいは海賊版をネットで購入したりしていた。

僕らがミュージックストアのことを考えていなかったためではない。ｉＰｏｄの開発中からｉＴｕｎｅｓの機能としてさまざまなものを思い描いていた。しかしそれをきちんと実行する時間がなかったうえに、すでに十分破壊的なことはやったと考えていた。僕らは消費者に、ＣＤからＭＰ３に乗り換えてもらう必要があった。それだけでも消費者にとっては思い切ったジャンプだ。そこでまずバランスよく着地してもらわなければ、もう一度ジャンプしてもらうことはできない。

Ｖ２、Ｖ３の開発に取りかかる過程で、デジタル・マーケットプレイスに取り組むのが理にかなった次のステップとして浮上した。Ｖ１で起こした破壊的変化をさらに大きく広げ、活用した。たやすく収穫できる果実がたくさん実っている状態で、Ｖ４、Ｖ５、Ｖ６と次々に改善と進化を進めた。

進化を続けるほど、いろいろなことを変えたくなった。あるとき僕らはまったく新しい、ワクワクするようなデザイン案を持ってスティーブのところに行った。これまでより小さく、軽量で、革新的で美しいデザインだった。クリックホイールもなくしてしまった。スティーブはそのデザインを見て、こう言った。「すばらしいね。でもｉＰｏｄの持ち味が失われた」

世界中の人にとってはクリックホイールこそがｉＰｏｄだった。だから、クリックホイールをなくすというのは進化ではない。あの時点では、無意味な破壊だった。あのとき僕らのデザインで突き進んでいたら、より小型で軽量な音楽プレーヤーはできたが、僕らの大切なブランドが失われるところだった。

こうして僕らは重要な教訓を学んだ。

進化のプロセスではプロダクトを特徴づける、なくてはならない要素を理解しておく必要がある。プロダクトの機能とブランディングにおいてカギとなる要素は何か。顧客に何を探すよう刷り込んできたか。ｉＰｏｄの場合、それはクリックホイールだった。ネスト・ラーニング・サーモスタットの場合、それは中央に大きな数字で温度が示される、丸くてすっきりとしたスクリーンだ。

プロダクトのコア部分を維持するために必要な要素は通常一つか二つだ。他のすべてがどう変わっても、それだけは変えてはならない。

そして、このような制約には意味がある。プロダクトを掘り下げて考え、クリエイティビティを発揮し、これまで考えてみたこともないような可能性をこじ開けるためには、多少の制約が必要なのだ。

アップルで僕らは常に限界を探っていた。毎年クリスマスシーズンに間に合うように、大幅に改良した新しいｉＰｏｄを発売しなければならないことはわかっていた。アップルがこのようなペースを自ら定めたのは初めてのことだ。Ｍａｃのプロダクト開発のペースは、サプライヤーがコンピュータのプロセッサをアップグレードするタイミングによって決まっていたからだ（第一三章を参照）。ただ頭のなかでは、ソニーをはじめライバルメーカーのひたひたと迫る足音が常に聞こえていた。アップルはリードしていたが、それを維持するためには進化と実行を確実に続ける必要があった。新たなｉＰｏｄはハードウェアあるいはソフトウェアの面で、ときにはその両面で、去年のモデルよりも大幅に優れたものでなければならなかった。ライバル企業を突き放し、顧客に新しいものに買い替える理由を与える必要があったからだ。

そこで僕らは、約束は控えめにして、期待を上回る結果を出す習慣を身につけた。バッテリー寿命のような主要な機能については、保守的な見方をするようにした。開発期間を通じて一三時間なり一四時間なりスティーブが満足するような数字を達成するよう努力した。その舞台裏では一分単位でひたすら改良を続けた。

こうして「バッテリー寿命一四時間」という最新仕様のｉＰｏｄを発売する。実際にレビュワーが新しいｉＰｏｄを使ってみると、仕様を満たすだけでなく、実はそれを大幅に上回ることがわかる。期待した以上に長時間動作するのだ。

僕らはそれを何度も、毎年繰り返したが、なぜか誰もその事実に気づかないようだった。毎回、世間はそれをサプライズと受け取り、喜んだ。これがｉＰｏｄのデザインやユーザー・エクスペリエンスと同じくらい、エクセレンスを求める会社としてアップルの名声を高めた。

この飽くなき前進は、ｉＰｏｄのブランドを揺るぎないものとし、アップルへの世間の関心を維持するのに大いに役立った。そしてライバル企業を打ちのめすのにも役立った。フィリップスの友人に、今度こそｉＰｏｄをぎゃふんと言わせるようなアイデアが浮かんだと思うたびに、数カ月後にはそれと同じような機能を搭載したｉＰｏｄが出てきてデザインから練り直すはめになる、とぼやかれたことがある。やる気が削がれる、と。僕らがあまりのスピードで進化していたので、相手が追いついたと思う頃にはさらに差が開いていた。

とはいえ進化にも限界がある。

やがてライバル企業が差を詰めてきた。ｉＰｏｄは他のＭＰ３プレーヤーを市場から駆逐し、世界市場のシェアは八五パーセントを超えた。ただおそろしく競争力の高い携帯電話メーカーがｉＰｏｄのパイを奪う方法を見いだしはじめた。ＭＰ３プレーヤーを電話機に搭載し、通話、テキストメッセージ、ゲーム、そして音楽も、すべて単一のデバイスで提供する可能性に気づいたのだ。

ちょうどその頃、世界的に携帯電話の普及が猛烈に進み、データネットワークが劇的に改善し、高速化するとともに安価になっていた。ほとんどの人が音楽をダウンロードせずストリーミングで楽しめるようになるのは時間の問題だった。それはｉＰｏｄの事業環境が根本的に変わることを意味した。

足元から景色が変わっていくのを待つか、それとも自ら景色を変えるか。

僕らが自らを破壊すべきときがきた。

それまで一五年にわたり、アップルにとってｉＰｏｄはＭａｃ以外で唯一成功したプロダクトだった。アップルの収益の五〇パーセント以上を占めた時期もある。非常に人気があり、依然として急成長していた。Ｍａｃを使わない数百万人のユーザーにとってはｉＰｏｄこそがアップルだった。

それでも僕らはｉＰｏｄの市場を自ら浸食することにした。ｉＰｈｏｎｅをつくらなければならない。たとえそれがｉＰｏｄの息の根を止めることになろうとも（そうなる可能性は高かった）。

リスクはとてつもなく大きかった。だがどのような破壊的イノベーションでも、ライバルは永遠に否認と怒りに浸っているわけではない。最終的には容認のステージに到達し、まだライフが残っていれば必死で破壊者に追いつこうとしてくる。あるいは破壊的プロダクトに刺激され、それを踏み台として一気に追い抜いていこうとするまったく新しい企業群が生まれるかもしれない。

競合がすぐそこまで迫っているのがわかったら、何か新しいことをしなければならない。あなた自身の事業のあり方を根本的に変えなければならない。前に進みつづけなければならない。

最初に成功をつかむきっかけとなったプロダクトを破壊することを恐れてはならない。たとえそのおかげで大成功をつかんだとしてもだ。コダックがどうなったか。ノキアはどうなったか。巨大になり、慢心し、成功のきっかけとなった重要なイノベーションを保ち、守ることしか考えなくなった企業は倒れる。崩壊する。死んでしまう。

あなたが今、かつてないほど大きな市場シェアを維持しているのなら、それはもうすぐ硬直して停滞するサインだ。自らの置かれた状況をしっかり調べ、自分の尻を蹴飛ばすべきタイミングだ。グーグル、フェイスブックなど巨大テック企業は、いますぐ自らの破壊に動くべきだ。さもないと規制によって強制的にそうさせられるだろう。

テスラも同じワナに陥ってもおかしくなかった。史上初めて電気自動車（ＥＶ）を消費者にとって魅力あるものにするというとてつもない破壊とともに始まった会社だ。しかし世界中のありとあらゆる会社がその後を追ったため、ＥＶが当たり前になった自動車市場における一プレーヤーになりさがる危険が生じた。そこでテスラはさまざまなタイプの車両のＥＶ化や、充電ステーション・ネットワークや小売やサービス、バッテリーとサプライチェーンなど幅広い分野のイノベーションに乗り出した。ライバル企業がオペレーションのあらゆる領域を完全に破壊しなければ、競争相手にすらなれない状況を生み出している。すべての自動車メーカーがＥＶを品揃えに加えたら、顧客が次に注目するのはここに挙げたような車両以外の側面になるだろう。だから先回りして破壊し、競争条件に加えようとしているのだ。

直接的あるいは間接的な競争は、あるのが当たり前だ。成功している会社があれば、なんとかつけ入るすきを見つけようと誰かが常に狙っている。

長年マイクロソフトの主な収益源は、巨大企業向けのウィンドウズの販売だった。その文化はセールス中心であり、プロダクト中心ではなかった。インターネットが誕生し、さまざまな変化が起きてもずっと、マイクロソフトのプロダクトはほぼ変わらなかった。マイクロソフトのビジネスモデルは死にかけていることが明らかになっても、ずっと変わらなかった。企業文化が劣化し、産業界から恐竜とバカにされるようになっても、ずっと変わらなかった。

だが何年も模索を続けた末に、新たにCEOとなったサティア・ナデラが企業文化を変革し、社員の目を新たなプロダクトやビジネスモデルに向けさせた。新たな事業分野に進出した。何度も誤った方向に進み、多くのプロダクトが失敗した。新たな事業分野の多くは失敗したが、『サーフェス』、クラウドコンピューティングの『アジュール』など、いくつかは実を結んだ。ウィンドウズをドル箱とみなすのをやめ、マイクロソフト・オフィスをオンライン・サブスクリプションサービスに転換した。自らがはまっていた落とし穴、停滞の泥沼から這い上がり、いまや再び複合現実（MR）ヘッドセット『ホロレンズ』や『サーフェス』製品群など、革新的で想像力を刺激するようなプロダクトを生み出すようになった。

もちろん創業者の多くは、まずはなんとか停滞の危機に瀕するほどの大会社に育て上げたいと思っている。そこまで到達できる人はほとんどいない。

ほとんどの創業者は最初の一歩、つまり最初の破壊でつまずく。「何か有意義な変化を起こす」と言うのは簡単だが、すばらしいアイデアを思いつき、顧客の支持を得るようなかたちで実行するのはとほうもなく難しい（第一五章を参照）。

すばらしい破壊的変化を一つ起こすだけでは足らないこともあるのだから、なおさらだ。自分では考えたこともないようなモノを破壊する必要が出てくるかもしれない。

ネストの破壊がハードウェアだけだったら（ネスト・ラーニング・サーモスタットをつくるだけの会社だったら）、まちがいなく失敗していた。

僕らは販売方法も流通チャネルも破壊しなければならなかった。

当時、ふつうの人はわざわざサーモスタットなど買いにいかなかった。ホームセンターなどで購入することはできたが、個人が簡単に設置することができないように敢えて複雑につくられていた。しかもネットでは売っていなかったので、さまざまな店を比較して、電気工事を請け負う人々がどれほどぼったくっているか調べることもできなかった。だから自宅のサーモスタットが故障したら設置業者に電話をして、交換してもらうのが当たり前だった。また家の暖房器具やエアコンが故障したら、（必要か否かにかかわらず）サーモスタットも上位機種に交換するよう勧められるのが常だった。

というのも新しいハネウェルのサーモスタットを買わせれば、設置業者に報奨金が入るからだ。サーモスタットをたくさん売れば、ハネウェルのおごりでハワイ旅行に行けますよ、と。

サーモスタットは既存のプレーヤーがあらゆる手を使って競合企業を締め出してきた、固定化された市場だった。設置業者にはネスト・ラーニング・サーモスタットを販売する動機づけなどひとつもなかった。ネストは報奨金を出していなかった。それどころか旧来型サーモスタットよりネストを売ったほうが業者の利益は少なかった。僕らはハワイ旅行をプレゼントする気はさらさらなかった。ネストはちっぽけな会社だったが、ハネウェルは何十年もかけて設置業者の忠誠をカネで買ってきた。

だから僕らは既存のチャネルを完全に破壊しなければならなかった。住宅所有者がサーモスタットを買う習慣のない世界で、直接住宅所有者に売るためには新しい市場をつくる必要があった。しかもこれまでサーモスタットを販売したことのない場所で売らなければならない。販売パートナー第一号はベストバイだったが、どの売り場にサーモスタットを置けばいいか、まるでわかっていなかった。そもそもサーモスタット・コーナーなどないのだから。

だが僕はフィリップスのときと同じ過ちは犯さない、と心に決めていた。ネストの製品が倉庫のどこかでステレオの後ろに押し込められるようなことがあってはならない。そこでベストバイには、サーモスタット・コーナーは要らない、「スマートホーム」コーナーに置いてほしいと頼んだ。もちろんそんなコーナーは存在しなかったので一緒につくりあげた。

僕はベストバイの売り場に破壊的変化を起こそうと思ってサーモスタット事業を始めたわけではない。だがサーモスタットを売るためには、そうせざるを得なかった。

あなたがやるべきことをきちんとやれば、一つの破壊的変化が次の破壊的変化を引き起こす。一つの革命がドミノ倒しのように別の革命を起こす。最初はバカげたことをしている、と笑われるかもしれないが、それは相手があなたを意識しはじめていることの表れだ。あなたが取り組む価値のあることを見つけた証だ。そのまま突き進もう。

第一二章　最初の冒険……そして二度目の冒険

新たなチームやプロジェクトを率いて、あなた自身もチームにとっても経験のないプロダクトのV1（バージョン1）を開発するのは、友達と一緒に初めて山登りに行くようなものだ。野宿や登山のために必要なものはすべてそろえたつもりだが、経験はない。だからおっかなびっくりになる。ペースも遅い。でも何が必要か、どこへ向かうべきかを知恵を絞って想像し、山道へと踏み出す。

翌年、再び同じ仲間と山に登ることにする。これはV2だ。今度は状況はまるで違う。目的地はどこか、そこに到達するために何が必要かわかっており、仲間のこともよく知っている。今度は自信を持ち、より大胆になり、大きなリスクをとり、前回は想像もできなかったほど上まで登れる。

だが初挑戦のときにはそんな強みはない。データや過去の経験に頼ることができないため、主観に基づいてたくさんの意思決定をしなければならない（第六章を参照）。

そうした意思決定に必要なツールを、重要な順に挙げていこう。

一　**ビジョン**　自分が何をつくりたいのか、それはなぜか、誰のためか、なぜ彼らはそれを買うのかを理解しておこう。ビジョンを確実に実現するためには、強いリーダーか核となる小さなグループが必要だ。

二　**顧客の情報**　顧客調査や市場調査から得た情報、あるいはあなた自身が顧客の立場になって考えたことがこれにあたる。顧客は何を好み、何を嫌うか、どのような問題に頻繁に悩まされているのか、どんな解決策なら反応するだろうか。

三　**データ**　本当に新しいプロダクトの場合、信頼できるデータは存在しないか、あってもきわめて限られている。だからといって客観的情報を集めるための相応の努力が必要ない、ということではない。客観的情報とは、どのような機会があるか、人々は既存の解決策をどのように使っているか、などだ。ただこうした情報は決して確定的なものではない。あなたに代わって判断を下してくれることもない。

Ｖ２として既存のプロダクトをもう一度作り直すとき、つまり二度目の冒険に乗り出すときには、経験もあり、顧客もいて、データに基づく意思決定もたっぷりできる。ただし目の前の数字にとらわれていると、進むペースが遅くなったり道を踏み外してしまうこともある。だから一度目の冒険と同じツールがすべて必要だが、その優先順位は違ってくる。

一　**データ**　顧客が現在のプロダクトをどのように使用しているか追跡し、新しいバージョンをテストしてもらうことができる。実際にお金を払って使用している顧客から信頼性の高いデータを集め、直感を裏づけたり否定したりすることもできる。こうしたデータがあれば、直感だけに基づいて仕事をしていた頃に犯してしまったミスを直すことができる。

二　**顧客の情報**　プロダクトにわざわざお金を払ってくれた人は、有益な情報を提供してくれる可能性が大幅に高くなる。問題点や今後期待する事柄を教えてくれるだろう。

三　**ビジョン**　Ｖ１がそれなりにうまくできていれば、もとのビジョンは実際の顧客から得られるデータや情報よりも優先順位は低くなる。とはいえ、新たなバージョンを送り出していくうえで、当初のビジョンを完全にお払い箱にすべきではない。プロダクトの本来の目的を見失わないために、長期目標とミッションは常に心に留めておくべきだ。

V1、V2をつくるというのは、プロダクトだけの話ではないことを心に留めておこう。チームやプロセスのV1、V2も同時につくっているのだ。

V1チーム　ほとんど、あるいは全員がそれまで一緒に働いたことのないメンバーだ。お互いを信頼できるのか、本当に困難な状況になったときに頼りになるのかを探り合っている状況だ。チームとして共通のプロセスに合意する必要があるが、それはプロダクトについて合意するより難しいことも多い。それぞれが過去の経験に基づいて異なる意見を言い、信頼関係があっという間に崩れてしまうこともある。チームへの信頼感の欠如は、新しいものを生み出すリスクを一段と高める。

V2チーム　さらなる高みを目指そうとするなかで、メンバーの一部を刷新する必要があるかもしれない。ただV1という嵐をともに耐え忍んだチームメートの多くは、再びV2開発に取り組む備えができているはずだ。おそらく互いを信頼し、正しい開発プロセスについても合意があるはずで、それによってすべてがスピードアップするはずだ。互いへの信頼感によって、さらに大きなリスクをとり、魅力的なプロダクトを生み出すことができるだろう。

ｉＰｈｏｎｅのキーボードをめぐってスティーブ・ジョブズと一番激しくやり合ったのはマーケティングチームだが、それ以外の多くの社員もジョブズに抵抗した。二〇〇五年に圧倒的な人気を博していた「スマート」フォンはブラックベリーだ。あまりの中毒性から「クラックベリー（クラックはコカインの意味）」というあだ名がついたほどだ。市場シェアは二五パーセントに達し、さらに急成長していた。しかもブラックベリーの熱烈なファンは口をそろえて、その最大の魅力はキーボードだと言っていた。議論の余地なし、と（図14）。

まるで戦車のようだった。慣れるのに一〜二週間かかるが、その後は信じられないスピードでテキストメッセージやメールが送れるようになる。親指で操作していると安定感があり、気持ちいい。だからスティーブ・ジョブズが開発チームに、「大きなタッチスクリーンのみ、ハードウェアのキーボードは付けない」というアップル初の電話のビジョンを伝えたときには、誰もが息をのんだ。廊下では誰もがひそひそ話をしていた。「本気でキーボードレスの電話なんてつくるの？」と。

タッチスクリーンのキーボードなんて最悪だ。それは周知の事実だった。僕も心底嫌っていた。なにせ二度、自分でつくったのだから。一度目はゼネラルマジックで、そして二度目はフィリップスで。タッチペンを使って、何の反応もよこさない固いスクリーンをタップしなければならない。ペン先は滑るし、しかもイライラするほど動作が遅かった。どうしても無理があった。このため僕はアップルの期待に応えるようなタッチスクリーンをつくる技術が存在するのかも疑わしいと思っていた。僕がこの分野で働きはじめた一九九一年以降、大した技術的ブレークスルーはなかった。最大のイノベーションはパーム社の携帯情報端末（ＰＤＡ）用入力システム「グラフィティ」だったが、コンピュータが理解できるように象形文字のように簡略化して入力する必要があった。

マーケティングチームは技術についてはさほど心配しておらず、むしろ販売への影響を懸念してい

図 14　これがブラックベリーだ！　熱狂的ファンからは「クラックベリー」と呼ばれた。この写真は 2004 年に発売された『ブラックベリー 7290』で、ネット閲覧、メール、バックライト付き QWERTY キーボード、そしてなんと 15 行もの文章を表示できる白黒ディスプレイも付いていた。

た。消費者がハードウェアのキーボードを欲しがることがわかりきっていたからだ。アップルでブラックベリーは長らく営業担当にしか使用が認められていなかったが、その後マーケティングチームにも与えられ、なぜみんながブラックベリーに夢中なのか、自ら確かめることができるようになった。そしてマーケティングチームもたちどころにブラックベリーに夢中になった。だからハードウェア・キーボードが付いていないプロダクトで、既存のスマートフォンと戦えるわけがない、と思っていた。モバイル・プロフェッショナルはそんなものは買わない。彼らはクラックベリト中毒なのだから。

だがスティーブは譲らなかった。

ｉＰｈｏｎｅはまったく新しいプロダクトだ。これまでのものとは何もかも違う。しかもモバイル・プロフェッショナルのためだけにあるのではない。ふつうの人のためのプロダクトだ、と。だがふつうの人たちがどのように反応するかは予想できなかった。消費者向け市場は一〇年にわたって完全に放置されていたからだ。ゼネラルマジックの世界初の「スマートフォン」の命運が尽きたとき、ふつうの人向けのパーソナル端末を開発しようという業界の意欲も完全に失せてしまった。

一九九〇年代から二〇〇〇年代初頭にかけて、ハードウェアメーカーのほとんどが僕と同じような選択をした。ビジネス用ツールに力を入れたのだ。フィリップス、パーム、ブラックベリーなど、いずれも主にメールやテキストメッセージの送信と、ドキュメントのアップデートさえできればいい、というビジネスパーソンをターゲットにしていた。映画を観たり、音楽を聴いたり、インターネットを閲覧したり、写真を撮ったり、友達と連絡を取り合ったりするための手段ではなかった。

しかもｉＰｈｏｎｅはめちゃめちゃ小型になる予定だった。簡単にポケットに出し入れできるように、ｉＰｏｄと比べてそれほど大きくするつもりはなかった。最終的にスクリーンサイズは三・五インチ（九センチ弱）になった。スティーブはそのスペースの半分を、設計図までさかのぼらなければ修正できないようなプラスチック製キーボードに割くつもりはなかった（図15）。

ハードウェア・キーボードを使っているかぎり、ハードウェアの世界に縛られてしまう。たとえばフランス語、日本語、あるいはアラビア語で入力したいときはどうするのか。絵文字を使いたいときは？　ファンクションを追加あるいは削除したいときは？　動画を観るときは？　スマホの半分をキーボードが占めていたら横画面にすることもできない（図16）。

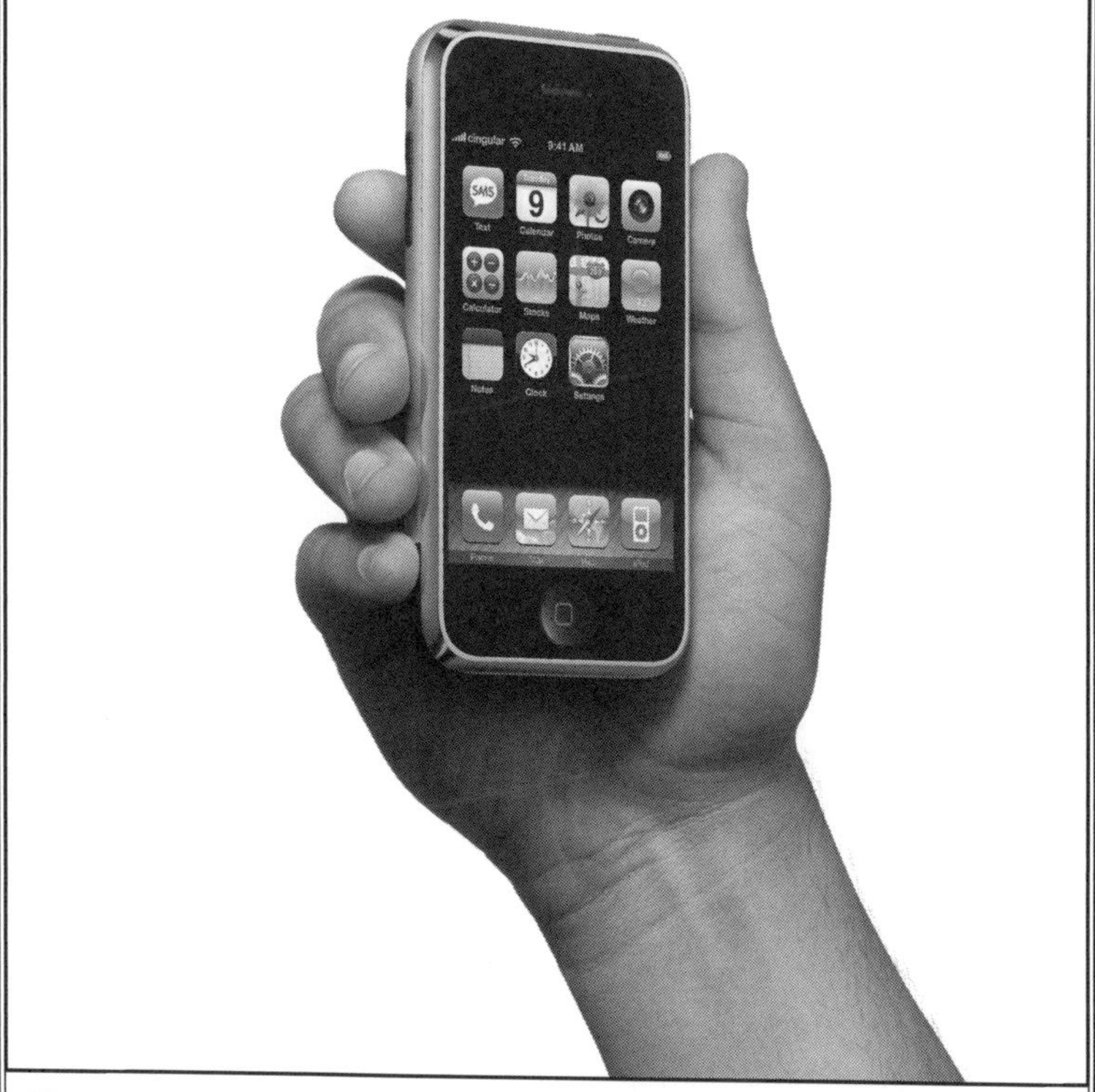

図15　2007年に発売された初代iPhoneはとにかく小さかった。現在販売されているiPhoneより断然小さい。11.5×6.1センチ、重さ135グラム、スクリーンサイズは3.5インチだった。それに対しiPhone13mini は14.7×6.4センチ、重さ141グラム、スクリーンサイズは5.4インチだ。

図16　2007年8月に発売された『ブラックベリーカーブ』を、2007年6月に発売された初代iPhoneと比較すると、スティーブの主張が正しかったことがわかる。ブラックベリーのスクリーンサイズはわずか2.5インチ。キーボードがあまりに立派すぎて、スクリーンのスペースはほとんどなかった。

僕はスティーブの考えに賛成だった。理屈の上では。ただ、それまで見てきた技術で実現できると思えなかった。まずはスティーブのビジョンを実現できるのか判断するため、十分なデータを集めなければならない。主観でモノを言い合うのをやめ、納得できるデータを集めるため、ハードウェアチームとソフトウェアチームがそれぞれ毎週の課題を定めてデモ版の質を高めていくことにした。どれくらい速度を高められるだろう。エラー率はどうか。キーは指先より小さいので、エラーはどうしても発生する。どうすればそれを防ぎ、すばやく修正できるだろうか。キーが動作するのは指が画面に触れたタイミングか、それとも指を離したタイミングか。そのときどんな音がするのか。力覚フィードバックがないなら、音のフィードバックが必要だ。定性的な確認事項もあった。端末を使っていて気持ちがよいか。使いたいと思うか。使っていてイライラしないか。僕らはシステムを構成するあらゆるレベルのアルゴリズムを、何度も何度も変更した。

八週間後、完璧からは程遠いものの、まあまあのモノができあがった。わずか二カ月でものすごい進歩だ。ハードウェア・キーボードほどは良くないが、これでも十分だと僕は自信を持っていた。

だがマーケティングチームは納得しなかった。

何週間も議論を続けた末に、スティーブは腹を固めた。このキーボードの成功を確約するデータはない。一方、成功しないことを確約するデータもない。これは主観に基づく判断になる。そして一番重みを持つのはスティーブの意見だ。「この案に乗るか、チームを去るか、いま決めてくれ」。このスティーブの言葉で、マーケティングチームは矛を収めた。

今さら言うまでもないが、結局スティーブが正しかった。ｉＰｈｏｎｅは世界を変えた。スティーブが自らのビジョンを貫いたからこそだ。

だからと言って、常にビジョンを貫くのが成功への道だというつもりはない。

スティーブ・ジョブズでさえ常勝ではなかった。

ｉＰｏｄ開発の本来の目的を知っている人は少ないが、もともと音楽を聴くためだけに開発されたわけではない。マッキントッシュ・コンピュータを売るためだった。それがスティーブのもくろみだった。Ｍａｃでしか使えない最高のプロダクトをつくろう、そうすればまた誰もがＭａｃを買ってくれるようになる、と。

当時のアップルは瀕死だった。アメリカ国内ですら市場シェアはほぼゼロ。だがｉＰｏｄがうまくいけば一発逆転だ。

ｉＰｏｄはウィンドウズでは絶対に使えないようにする、というのが少なくともスティーブの考えだった。そんなことをすればアップルのコンピュータの販売台数を伸ばすという目的がおじゃんになる。

初代ｉＰｏｄが尻すぼみになったのは、まさにこのためだ。

批評家はｉＰｏｄを激賞した。すでにアップルのコンピュータを使っていた人も同様だ。ただ残念ながら、その数はさほど多くはなかった。ｉＰｏｄの販売価格は三九九ドル、ｉＭａｃのエントリーモデルは一三〇〇ドル。ＭＰ３プレーヤーとしてｉＰｏｄがどれほど優れていても、お気に入りのミュージシャンの曲を聴くためだけに一七〇〇ドルかけてアップル製品を一式そろえようという人はほとんどいなかった。

とはいえ僕らは諦めなかった。初代ｉＰｏｄの発売日には、すでに二代目の開発が進んでいた。Ｖ２はＶ１よりもっと薄く、機能的で、そして美しく仕上げるつもりだった。僕らはスティーブのところに行き、Ｖ２はウィンドウズでも使えるようにすべきだと訴えた。選択肢はない、と。

スティーブの答えは「ノー」だった。

絶対にダメだ、と。

スティーブに当初の野望を捨てさせるのは不可能に近かった。だが僕らも全力で戦った。今回は主観に基づいて判断すべきではない。データに基づいて決めるべきだ。今つくろうとしているのはＶ２であり、すでにお金を払って購入してくれた顧客（その数はやはり十分ではなかったが）からの売り上げとフィードバックがある。

一度やったことの繰り返し、一度登った山を再び登るのだから、ビジョンの優先順位は三番目に下げるべきだ。

こうして二代目iPodでは折衷案を採ることになった。ウィンドウズ・パソコンからiPodに曲を移すためのツール『ミュージックマッチ・ジュークボックス』（iTunesの最大のライバル。ただしウィンドウズ用）を追加したのだ。それさえもスティーブはなかなか納得しなかったが。最終的には有名なテクノロジー批評家のウォルト・モスバーグに決定を委ねることにした（モスバーグには知らせずに）。要はモスバーグをはめたのだ。スティーブはうまくいかなかったときに責任をなすりつける相手が欲しかったのだろう。

結局、スティーブが間違っていたことが明らかになった。ウィンドウズでも使えるようにしたことでiPodの売り上げはあっという間に伸びた。三代目が発売される頃には数千万台単位で売れるようになり、しばらくすると数億台単位になった。アップルが復活できたのはこのためだ。この決断が会社を救った。皮肉なことに、それでマッキントッシュも救われた。iPodを気に入った顧客が他のアップル製品に興味を持ちはじめたため、マッキントッシュも再び売れるようになった。

ここから学ぶべき教訓は、スティーブ・ジョブズも間違いを犯すということではない。人間なのだから、そんなのは当たり前だ。

むしろここから学ぶべきは、ビジョンとデータをいつ、どのように意思決定の拠りどころとすべきかだ。まだ顧客のいない初期段階では、何より重要なのはビジョンだ。

とはいえビジョンを自分だけでつくる必要はない。むしろ、自分だけでつくるべきではない。一人で部屋に閉じこもって唯一無二の輝かしいビジョンをまとめようとしたら頭がおかしくなりそうだし、はた目にもそう映るだろう。少なくとも二人で、できれば何人かを集めて、アイデアを出し合うべきだ。ともにミッションをつくり、ともに実現しよう。

やがて何か魔法のような、世界を変える何かができるかもしれない。ただ繰り返しになるが、何もできないかもしれない。

あらゆる障害をものともせずにV1のビジョンにしがみついたら、結局それが間違っていたという可能性は常にある（第一四章を参照）。せっかくつくったプロダクトが使い物にならない。データに基づく判断だと思ったものが、主観に過ぎなかったのかもしれない。計算が間違っていた、タイミングが悪かった、あるいはあなたの力の及ばないマクロ環境が変化したのかもしれない。

そうなったらそこまでの歩みを振り返り、（とてもつらいことだが）誠実かつ徹底的に失敗した理由を分析しよう。ここではとにかくデータを集める必要がある。直感に従った結果うまくいかなかったのなら、なぜ直感が間違っていたかを理解するのに役立つデータを探すべきだ。

巻き返しは不可能かもしれない。資金が尽きる、仲間が去ってしまう、あるいは信用を失うかもしれない。ただ過去を誠実に振り返ることが、前に進むための唯一の道だ。学ぶべき教訓、とりわけ厳しいものを身につけよう。それから再び挑戦しよう。また最初から、V1からやり直すのだ。

そうこうするうちにビジョンの質が高まってくる。再び自分の直感を信じられるようになるだろう。そして対岸、つまりV2に到達する。そこからはまったく違う話になる。

プロダクトのバージョン2を開発する際には、実際の顧客と話し、プロダクトへの意見や感想、次は何を期待するか聞くことができる。V1でなんとか実現したかったけれど、できなかったことをすべて盛り込むことができる。数字を分析し、費用対効果を理解することができる。ひらめきを情報で裏づけることができる。A／Bテストに図表もつくれる。顧客のニーズに合わせてプロダクトを調整し、対応させる。すばらしくシンプルで明快な、白黒はっきりしたデータによって判断できる事柄が増えていく。

だがそこまで到達するためには、Ｖ１という短距離走とマラソンを乗り越えなければならない。前に進むためには、信頼できる人材が必要だ。そして「ここまで」というタイミングを知っておく必要がある。

プロダクトが完璧になるのを待っていたら、永遠に終わらない。完了したタイミング、開発をやめて世に出すタイミングを見きわめるのは難しい。どこまでいけば、もう十分だろうか。どこまでいけば、ビジョンに十分近づけたといえるのか。なんらかの問題は必ず発生するが、それは無視しても大丈夫だと思えるのはいつだろうか。

たいていはビジョンのほうがＶ１としてできあがったプロダクトよりはるかにすばらしい。見直すべきこと、やりたいこと、変えたいこと、追加したいこと、修正したいことは常にある。どのタイミングで手を止め、自らを開発中のプロダクトから引っぺがすべきか。出荷し、世界に向けて解き放ち、どうなるか見るべきか。

裏技を教えよう。プレスリリースを書くのだ。

ただし、プロダクトが完成してから書くのではない。開発を始めるときに書く。

僕はアップルにいた頃にこれを始めたが、その後他のリーダーもやっていることを知った（たとえばベゾスだ）。本当に重要なことは何かを絞り込むのに、すばらしく有効な手段だ。

良いプレスリリースを書くためには、焦点を絞らなければならない。プレスリリースは世間の耳目を集めるため、ジャーナリストに自分がつくっているプロダクトに興味を持ってもらうために書く。ジャーナリストの注意を引かなければならない。簡潔で、興味をそそり、プロダクトの一番重要な機能を明確に伝えるものでなければならない。やろうとしていることをすべて列挙するわけにはいかない。優先順位をつける必要がある。「ほら、ここ。ニュース価値があるのはここだ。本当に重要なのはこの部分だ」と言うのがプレスリリースだ。

だから少し時間をとって、できるだけ質の高いプレスリリースを書いてみよう。必要ならマーケティングや広報担当に相談しよう。必要不可欠な内容に絞り込むのを手伝ってくれるはずだ。

それから数週間、数カ月、あるいは数年後にプロダクトが完成に近づいたら、そして何を盛り込み何を削るか、何が重要で何が重要でないかという議論が始まったら、プレスリリースを取り出して読んでみよう。

今すぐプロダクトを発売したら、プレスリリースはおおよそ正確にその内容を伝えることになるだろうか。答えが「イエス」なら、おめでとう。あなたのプロダクトはおそらく発売の準備が整っているか、かなりそれに近い状態にある。ビジョンの核心部分は実現したのだ。それ以外の要素は「あればいい」が必須ではない。

もちろん開発を始めた後で大きな方針転換があり、当初のプレスリリースが呆れるほど的外れになっている可能性もある。ときにはそういうこともある。

問題ない。また新たにプレスリリースを書けばいい。そして改善する。それを繰り返す。

これは冒険だ。冒険が計画どおりにいくわけがない。だから楽しい。だから怖い。だからやる価値がある。だから深呼吸して、最高の仲間を集め、荒野に向けて歩き出すのだ。

第一三章　リズムとリミット

優れた意思決定には制約（リミット）が必要だ。そして最高の制約とは時間だ。絶対的な締め切りに縛られていると、あれこれ試したり、考えを変えたり、仕上げ作業に延々と取り組んだりすることができなくなる。

締め切りという足かせで自らを縛ると（クリスマスや大きなカンファレンスといった、会社の都合とは無関係の、社外の動かせない日付なら理想的だ）、期限までに終わらせるためにやるべきことをやり、知恵を絞らなければならなくなる。この「外部のリズム」ともいうべき制約はクリエイティビティを高め、イノベーションの燃料になる。

V1を発売するまで、外部の締め切りははっきりしない。確たる締め切りを設定するには未知の未知が多すぎるからだ。だから全員が前に進み続けるためには、強力な社内の締め切りを設定する必要がある。各チームがスケジュールを設定する基準となる「内部のリズム」だ（図17）。

一　**チームのリズム**　各チームはそれぞれが担当するパズルのピースを完成させるため、自らのリズムと締め切りを設定する。そのうえで、すべてのチームがプロジェクトのリズムに同期する。

二　**プロジェクトのリズム**　プロダクトに依然として意味があり、すべてのピースが正しい速度で進捗していることを確認するため、異なるチームが同期するタイミングを設定する。

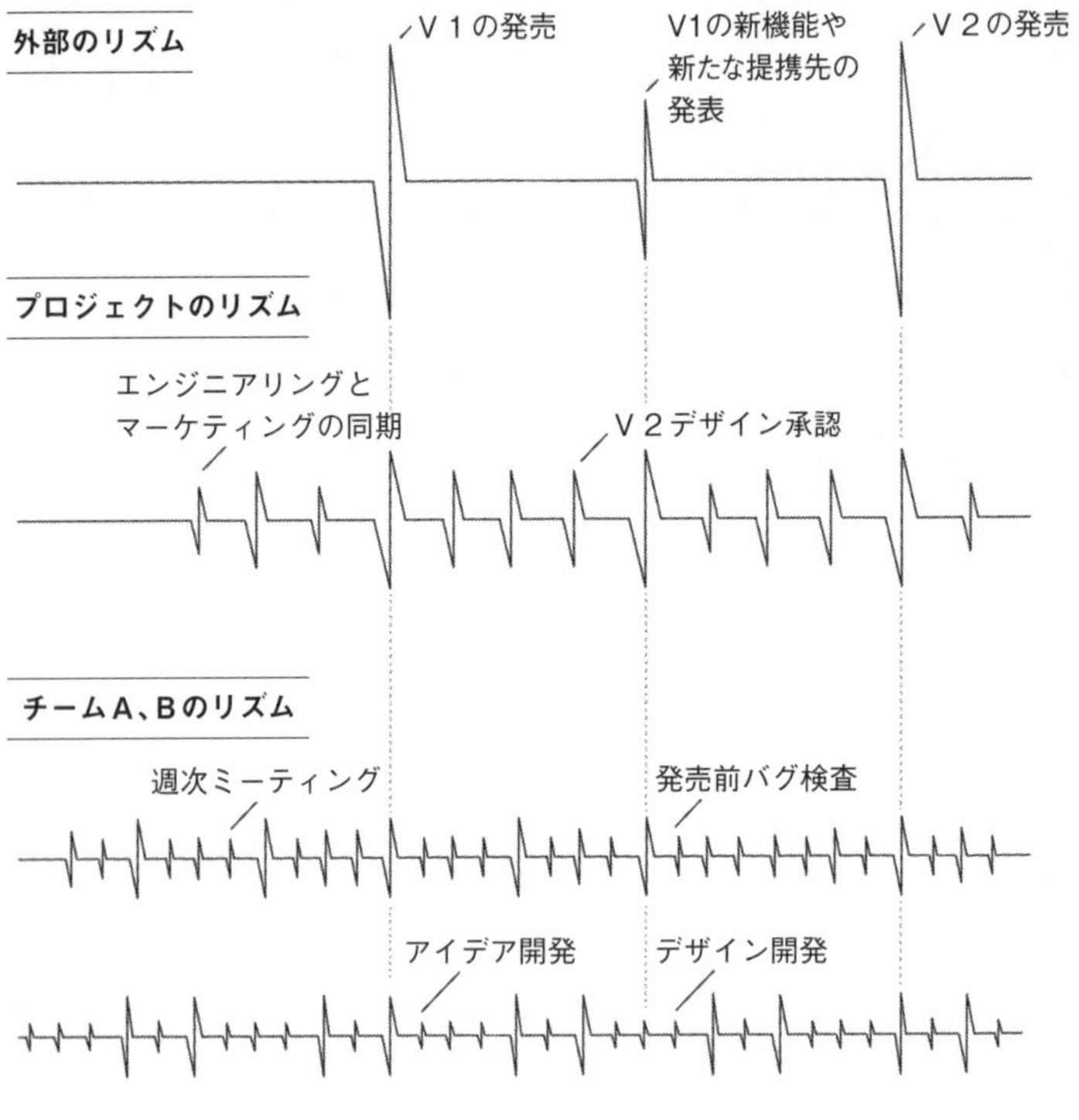

図 17　それぞれのチームにはスタイル、担当業務、プロジェクトのニーズに基づく独自のリズムがある。異なるチームはプロジェクトのリズムによって定められたマイルストーン（短期目標）に合わせて集まり、同期する。プロジェクトのリズムの基準となるのは外部のリズムだ。会社が設定するのではなく、クリスマスや大きなカンファレンスなど外部要因で決まるものが望ましい。こうした重要な締め切りに遅れることのないように、プロジェクトのリズムを着実に守らなければならない。

僕がゼネラルマジックに入社した時点では、九カ月後には製品を出荷することになっていた。その後、発売は六カ月延期された。そしてさらに六カ月。また六カ月。そんな状態が四年続いた。ようやく出荷することになった唯一の理由は、アップルが『ニュートン』を発売したことで投資家からのプレッシャーが高まったからだ。ライバル企業が追いついてきた。それがゼネラルマジックにとって初めての制約となった。

発売せざるを得ない状況に追い込まれて、ゼネラルマジックはようやく『マジックリンク』を発売した。何を盛り込み、何を削るか。ここの完成度は十分だ、ここは足りない。ようやくそうした厳しい決断を下しはじめた。もはや完璧さを求めて永遠に堂々巡りを続けることはできなくなった。ゼネラルマジックはぐらついていて、足かせを必要としていた。発売日を確定し、死守しなければならなかった。

ただこの「いつ発売するか」というのは、あらゆるV１につきまとう問題だ。まだ顧客はいない。どんなものを開発しようとしているのか世の中に発表してもいない。どうしても、そのまま作業を続けがちになる。

だから強制的に自分を止めなければならない。締め切りを設定し、足かせで自分をくくりつける。

初代ｉＰｈｏｎｅを開発するとき、僕らは自分たちに一〇週間という期限を与えた。

このプロダクトがモノになるか見きわめるための期間だ。一〇週間のうちに、進むべき方向を示すような最低限のバージョンをつくれるだろうか。

図18　この「iPod フォン」的モデルはアップル社内で作られたものではない。僕らが携帯電話を開発しているという噂を聞きつけたあるメーカーが売り込んできた案だ。この奇妙な端末を見ると、クリックホイールを使って電話を作るのが無理筋であることがわかるだろう。上半分が180度横に回転して、電話番号やテキストメッセージの入力には画面が使える、というアイデアだった。悪くはないが、それはiPhoneではない。

当初のコンセプトは「ｉＰｏｄ＋電話」だった。クリックホイールはそのままに、それ以外はすべて変える。三週間も経たないうちに、これではうまくいかないことがはっきりした。クリックホイールは最も重要なデザイン要素であったにもかかわらず、それをダイヤルとして使おうとするとダイヤル式電話になってしまう（図18）。

ｉＰｏｄの象徴的デザインとハードウェアをそのまま使うという当初の仮説は、誤っていたことが明らかになった。そこで僕らはリセットボタンを押した。新しい仮説を立てたのだ。今回はゼロから始めるので、五カ月という期間を自らに与えた。

二つめのコンセプトは、iPod miniの基本形や工業デザインを踏襲しつつ、全面をスクリーンにしてクリックホイールは付けないというものだった。今日のiPhoneにかなり近い。

ただ二つめのiPhoneのプロトタイプ・デザインにも、たくさんの新たな問題が生じた。アンテナ、GPS、カメラ、熱の問題などエンジニアリングがうまくいかなかったのだ。アップルはそれまでスマートフォンはもちろん携帯電話などつくったこともなかったので、仮説が誤っていたのだ。

またしても。

リセット、そしてやり直し。

三つめに作ったコンセプトで、iPhoneのV1を正しくつくるのに必要な要素がすべて出そろった。

一つめと二つめのコンセプトづくりで厳しい締め切りを設定していなかったら、そして数カ月の試行錯誤の末にそれぞれに見切りをつけ、リセットし、再スタートを切っていなかったら、三つめのコンセプトにたどり着くことはできなかっただろう。

僕らは自分たちにできるかぎりたくさんの制約を課した。時間を使い過ぎない、お金を使い過ぎない、そして人手をかけすぎないために。

この最後のポイントが重要だ（図19）。

人を集められるからといって、むやみに集めるのはやめよう。コンセプトづくりの段階では、たいていのプロジェクトは一〇人かそれ以下でも相当なことができる。人をかき集めた結果、合議制でモノを決めなければならなくなったり、あるいは方向性が決まるまで大勢の控え選手がやることもなくぶらぶらしているようでは困る。

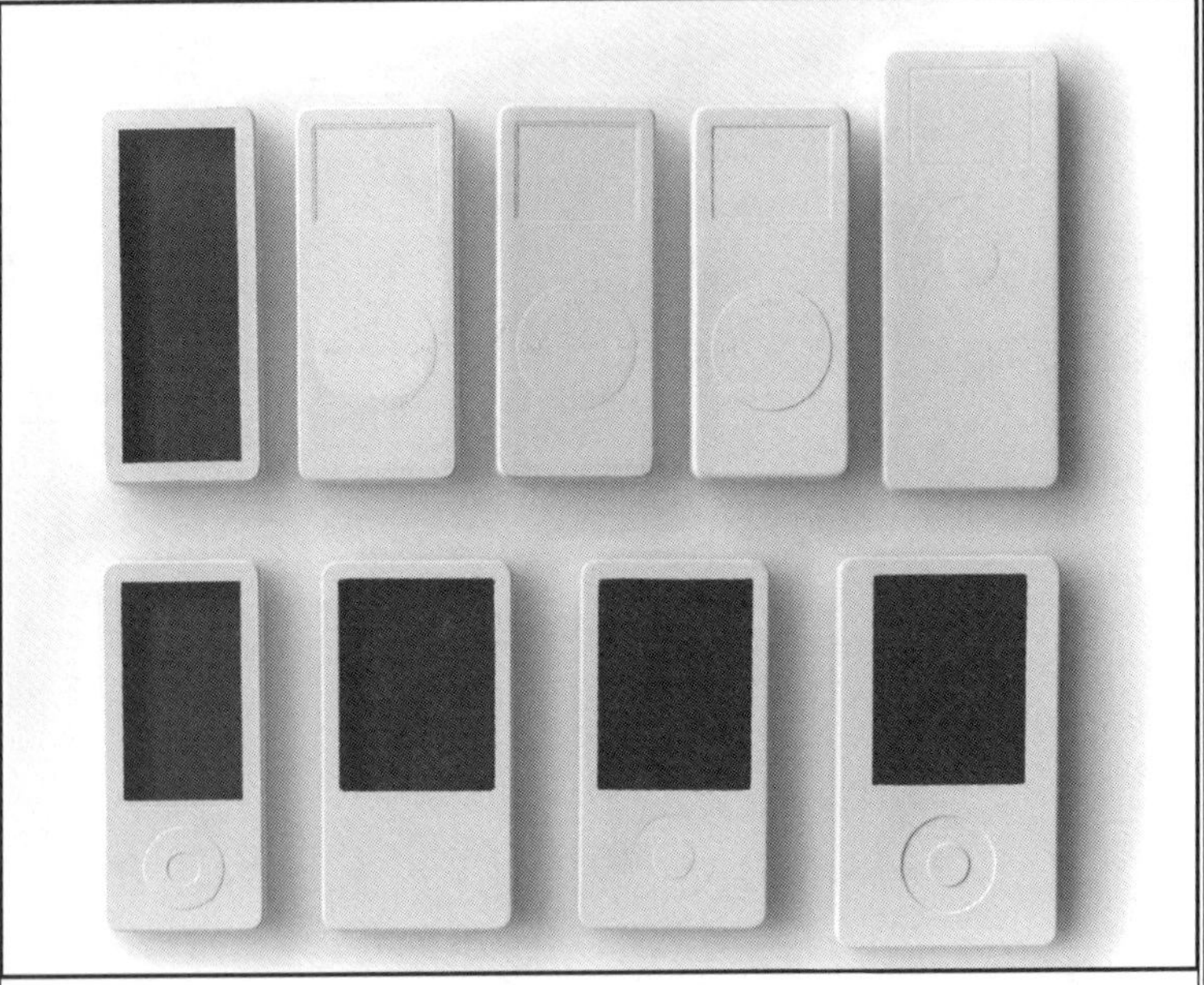

図19　僕らはさまざまなコンセプトを検討するのにたっぷり時間をかけた。ここに挙げたのは、初期のフォームファクター・テストのために試作したプラスチックモデルだ。手に取ったとき、ポケットやハンドバッグに入れたときにどんな感じかを確かめながら、何が妥当で何が妥当ではないかを探った。

初代iPhoneのプロジェクトの終盤には、およそ八〇〇人がかかわっていた。でも最初からそれだけの人が携わっていたらどうなっていたか、想像できるだろうか。それだけの人が、僕らがビジョンを捨てて再スタートを切る様子を見ていたら？　そして数カ月後にまた同じことを繰り返したら？　パニックに陥った八〇〇人をひたすらなだめ、前向きな材料に集中し、足並みを揃えながらとんでもない数の試行錯誤を繰り返すなんて、大混乱間違いなしだ。

だから可能なかぎりプロジェクトの規模は小さくとどめておこう。最初からたっぷり資金を割り当ててはいけない。

予算がふんだんにあると人は愚かなことをするものだ。設計を凝りすぎたり、考えすぎたりする。そうすると飛び立つまでの滑走路は長くなり、開発スケジュールも長くなり、ペースは遅くなる。とんでもなく遅くなる。

一般的に、どんな新しいプロジェクトでも出荷までに一八カ月以上はかからないはずだ。百歩譲って二四カ月が上限だ。スイートスポットは九〜一八カ月だろう。これはハードウェアでもソフトウェアでも、原子のプロダクトでもビットのプロダクトでも当てはまる。もちろん、もっと長くかかるプロジェクトはあるだろう。たとえば学術研究では数十年かかるものもある。ただある問いを研究するのに一〇年かかるとしても、定期的に状況をチェックすることで追いかけるべき答えをきちんと追いかけているか、正しい問いを投げかけているか、確認することはできる。

あらゆるプロジェクトにはリズムが必要だ。

V1を発売するまではリズムは完全に社内的なものだ。まだ外の世界とのかかわりはないので、あらかじめ決めた発売日に向けて背中を押してくれるような、しっかりとした社内のリズムが必要だ。リズムの基準となるのは主要なマイルストーンだ。取締役会、全社ミーティング、あるいはプロダクト開発の過程でエンジニアリング、マーケティング、営業、サポートなどあらゆる部門が足を止め、互いと歩調を合わせるためのミーティングだ。二〜三週間に一回、あるいは二〜三カ月に一回かもしれないが、全員が足並みを揃えて前進し、プロダクトを世に出すためには必ず開く必要がある。

そしてプロジェクトのペースを維持するためには、すべてのチームが自らの成果物をそれぞれのペースで生み出していく必要がある。各チームのペースは異なっているはずだ。六週間ノンストップで全力疾走するチームもあれば、毎週あるいは毎日状況確認をするチームもあるだろう。スクラム・フレームワーク、ウォーターフォール型プロジェクトマネジメント、あるいは看板方式など、それぞれに合った仕組みを採用すればいい。クリエイティブチームのペースはエンジニアリングのそれとはまったく違うはずだ。ハードウェアをつくる会社のペースは、ビットを動かすだけの会社のそれよりははるかにゆったりとしているはずだ。どんなペースであっても、リズムを安定させ、各チームが内容を理解していることが重要だ。

僕はそれをフィリップスで学んだ。初めてまっさらの状態からペースをつくらなければならない状況に置かれたからだ。

フィリップスでのプロジェクトが始まった当初、メンバーは全員かなり若く、プロジェクトマネジメントの経験が乏しかったので、コンサルタントを雇って工程表づくりを手伝ってもらうことにした。仕事を半日単位で整理しようとコンサルタントは提案した。まずプロジェクトを構成する一つひとつの仕事は「半日×何回」で完了するのかを評価する。それから考え得るかぎりの仕事を完了するのに必要な月数、週数、日数を計算する。最後に一人ひとりの作業負担に基づき、この先一二〜一八カ月の詳細な工程表をつくる。

とても理にかなったやり方に思えた。僕らはうなずきながらコンサルタントの話に耳を傾けた。やった！　まっとうな工程表ができた。これでプロジェクトをやり遂げられそうだ。だが、しばらくして僕らは気づいた。

一　成果を出すのに必要な時間あるいは手順を、正確に見積もれる人などいない。

二　そんなに先のスケジュールを、そんなに詳細に立てるのは無意味だ。ぶち壊しにする何かが必ず起こるのだから。

三　これは半日以内にできる、いや、できないなど、スケジュールを立てるのに膨大な時間をとられていた。しかも「半日」という木を通じて、「全体」という森を見通すことは不可能だった。プロダクトに修正や改良が追加されるたびに大騒ぎになった。さっさと修正や改良に取りかかればよいものを、それには半日作業が何回分発生するのかと担当者を詰問することになった。実際の作業ではなく、作業スケジュールを立てるために毎週何時間もかけていた。

数カ月後、僕らはこのシステムを丸ごと捨てた。半日単位で考えるのはやめ、数週間、数カ月単位でスケジュールを立てるようにした。プロジェクトを俯瞰的に見るようになった。その結果、『ヴェロ』のV1をおよそ一八カ月でつくりあげ、販売とマーケティングチームに引き渡すことができた。ただ引き渡されたほうは、それをどうしてよいのかさっぱりわからなかった。見たこともないものだったからだ。どう売るのか、どこで売るのか、どうやって宣伝するのか、さっぱりわからない。販売やマーケティングは僕らにとってはオマケに過ぎなかった。だが彼らにとっては僕らのほうこそオマケだった。

僕らは自分たちのペースを確立し、維持してきたものの、それを他のチームと同期させてこなかった。誰も僕らのリズムには乗ってこなかった。僕らは自分たちのビートに合わせて踊っていた。ダンスフロアの注目を一身に集めているつもりで。だがダンスの相手になるはずの人々は、フロアの反対側でカクテルを飲みながら電気シェーバーのことを考えていた。

必要なのはプロジェクトにかかわる人全員の社内マイルストーンだ。全員がプロダクトの進捗状況を理解し、それに合わせてそれぞれの業務を進めていくための定期的な打ち合わせである。それは、プロダクトに依然として意味があるかを確認する場でもある。マーケティングはまだこのプロダクトに魅力を感じるか、販売はどうか、サポートの人々はプロダクトをきちんと説明できるか。誰もが自分たちが何をつくっているか、いつ、どのように発売するかを把握しているか。

このようなマイルストーン会議は短期的にはスピードダウンにつながるが、最終的にはプロダクト開発全体をスピードアップする。そしてより良いプロダクトの開発につながる。

そしてついに、ようやく、プロダクトは完成する。少なくとも「もう十分」というレベルに達する。そしてV1は初めて外部のリズムに合わせて動き出す。

うまくいけば、V1は成功する。世間に評価される。次を期待する声が高まり、最初のリズムに二つめ、三つめが加わる。

V1からV2へと進むと、対外発表のペース、ときにはライバル企業の登場といった外部要因が内部のリズムを決めるようになる。

ここで注意しなければならないことがある。

あなたがつくっているのがアプリ、ウェブサイト、ソフトウェアなどデジタルプロダクトの場合、変更を加えるのはその気になればいつでもできる。毎週でも新しい機能を追加できる。毎月カスタマー・エクスペリエンスをまるごと変えることだってできる。ただ、できるからといって、やるべきとは限らない。

ペースは速すぎてはいけない。プロダクトのアップデートがあまりに頻繁だと、顧客は気を留めなくなる。ころころプロダクトが変わったら、使いこなすどころか使い方を覚える時間もなくなってしまう。

グーグルが良い例だ。グーグルのリズムは不規則で、予測できない。彼らはそれでうまくいっている（たいていは）。ただ、もっと、はるかにうまくやれるはずだ。グーグルにとって重要な外部のリズムは毎年開かれる「グーグルI／O」だけと言っていいだろう。それなのにほとんどのチームが自分たちのペースをそれに合わせせようとしない。自分たちの発表したいものを発表したいときに、年間を通じてだらだらと発表していく。ときには本格的なマーケティングが準備されていることもあるが、メールを使ったキャンペーンだけということもある。

これはグーグルが組織全体で一貫性をもって顧客とコミュニケーションできていないことを意味する。あるチームがこれをする。別のチームがあれをする。両者の発表は重複していたり、同じストーリーを語る機会があるのに無視したりしている。顧客はもちろん従業員ですら何が起きているかわからない。

他の人たちがついてこられるように、自然な流れのなかで足を止めなければならない。そうすれば顧客やレビュワーからフィードバックを受け取り、それを次のバージョンに活かすことができる。また開発チームは顧客が何を理解できていないか理解することができる。

とはいえペースを落とし過ぎるのもよくない。電子ではなく原子での商売をする会社のリズムは遅すぎることが多い。原子はおっかないからだ。原子でつくったプロダクトは簡単にやり直しがきかない。

正しいプロセスとタイミングは、速すぎてもダメ、遅すぎてもダメ。バランスが肝心だ。

これからの一年を考えてみよう。

V1を発売した後の一年間で、二〜四回は世界に向けて何か発信すべきだ。新しいプロダクト、新しい機能、デザイン変更やアップデートだ。世間の興味を引くだけの価値のあることでなければならない。大企業でもちっぽけな会社でも関係ない。つくっているのがハードウェアかアプリか、ビジネスモデルが「B2B（企業間取引）」なのか「B2C（企業対消費者間取引）」なのかにかかわらず、これが顧客にとって適切なリズムだ。あらゆる人間にとってそうだ。それ以上の数の発表や大きな変更をすると、受け手は混乱する。一方、それより少ないと世間から忘れられてしまう。だから毎年大きな発表を少なくとも一つ、そしてもう少し小さめな発表を一～三つ準備しよう。

かつてアップルの外部のリズムとして一番重要なのはサンフランシスコで開かれる『マックワールド・カンファレンス』だった。会社全体がこのイベントに合わせて動いていた。最大級の発表は必ずマックワールドでしなければならなかった。

マックワールドは一月と決まっていた。

最大の理由は、マックワールドの主催者がケチだったからだ。一年の最初の週はサンフランシスコの会議場を一番安く借りられた。観光客やビジネス関係者がホリデーシーズンの後にしばし出張を休むからだ。いずれにせよマックワールドの規模は小さかった。九〇年代のアップルは迷走していて、顧客は少なかった。マックワールドに参加するような熱烈なファンは、もともと近隣に住んでいるシリコンバレーの技術者くらいだった。サンフランシスコ市は一月に会場をオタクどもに使わせ、春や夏の稼ぎ時には遠方から参加者が集まるような大規模カンファレンスを開くという状況に満足していた。

こういうわけでマックワールドは一月に開かれていた。

ただこのためにアップル社員は毎年、年末のホリデーシーズンに休むことができなくなった。一月一日にはすべてが完璧でなければならなかった。特定のチームに所属していたら一一月末の感謝祭から新年まで家族とは会えなかった。ほとんどのチームはマックワールドが終わるまで人前に姿を見せなかった。祭典が終わるとボロボロだが晴れ晴れとした顔で、目をこすりながらしばらくぶりの太陽を拝んだ。そんなことが何年も続いた。

ついにスティーブが「やめようぜ」と言うまで。

もうアップルは十分体力がついたのでマックワールドを開く必要はない、とスティーブは判断した。新たなリズムを設定したのだ。

従来のペースは、一月のマックワールドで大きな発表をして、それから六月に開く『アップル・ワールドワイド・デベロッパーズ・カンファレンス（ＷＷＤＣ）』でもう少し小さめの発表をして、さらに九月にもう一つ発表をする、というものだった。

それが新たなリズムでは、三月に小さめの発表をして、その後夏のＷＷＤＣでビッグニュースを発表し、さらに秋にも小ぶりの発表をするというものになった。

いまや発表することがやまほどあるので、三月、六月、九月、そしてホリデーシーズン直前の一〇月に発表の場を設けることになった。

だが一月には何もしない。絶対に。教訓を学んだわけだ。

残念ながら、常に自分のペースをコントロールできるとは限らない。ときには誰かが主催するカンファレンスに合わせたり、他社のプロダクトを基準にしなければならないこともある。

マッキントッシュはずっとＩＢＭ、モトローラ、インテルといったプロセッサメーカーに振り回されてきた。新しいプロセッサの開発が遅れれば、新しいＭａｃの発売も遅れた。マッキントッシュがインテルのプロセッサを長く使っていたのは業界のなかでは比較的あてになったからだ。だがそのインテルさえも一〇〇パーセント予想可能ではなく、彼らのスケジュールがわずかでもズレると、アップルは大騒ぎして調整する羽目になった。

インテルのプロセッサに依存しているかぎり、Ｍａｃの顧客のために安定したリズムを設定することも、アップル社内のチームがまっとうなリズムで動くこともままならなかった。そこでスティーブは発表のスケジュールをアップルの都合で決め直したのと同じ頃、プロセッサも自ら開発することを決めた。

アップルをとりまく世界を予測可能なものにするにはそれしかなかった。人は誰でも予測可能な世界を好むものだ。私たちはスケジュールに振り回されたくない、自分はいつだって習慣という名のくびきを捨てられると思っているが、実際にはほとんどの人がルーティーンに沿って生きている。次に何が起きるかわかっていると安心感を抱く。人生を、そしてさまざまなプロジェクトを、計画せずにはいられない。

予測可能な世界では、チームは仕事に没頭すべきときと、視線を上げて他のチームと連絡を取り合ったり、引き続き正しい方向に進んでいるか確認したりするときを心得ている（第四章を参照）。予測可能な世界では、毎回ゼロから始めるのではなく、製品開発プロセスをきちんと定めることができる。チェックポイント、マイルストーン、スケジュール、新入社員の研修や全社員向けのトレーニングの計画を定めた文書を作成し、随時更新していくことができる。「これが私たちの仕事の進め方だ」「これがプロダクト開発のフレームワークだ」と。

つまるところ締め切りまでにきちんと仕事を成し遂げるには、予測可能性が必要なのだ。

外部のリズムを崩すことはなんとしても避けるべきだが、それでもときとしてそういう事態は発生する。何かが壊れる。誰も予想しなかったほど時間のかかる案件も生じる。ゼロから何かをつくろうとするなかで、さまざまな問題に対処しなければならないV1のフェーズではよくあることだ。ただプロセスを定め、なんとかV1を出荷することができたら、リズムは落ち着き、安定するかもしれない。

そしてV2を発売する段階では、おそらくすべてが予定どおりに進むだろう。チームも顧客もメディアも、みな一定のリズムを感じられるはずだ。

第一四章　三世代

「一夜にして成功を収めるには二〇年かかる」というジョークがある。ビジネスの世界では、たいてい六年から一〇年だ。プロダクトマーケットフィット（製品が市場に適合していること）を確かめ、顧客の関心を集め、包括的なソリューションを構築し、利益をあげるには思った以上に時間がかかる。新しい破壊的なプロダクトの場合、正しいかたちに仕上げ、利益があがるようになるまでには少なくとも三世代はかかることが多い。これはB2BでもB2Cでも、プロダクトを形づくるのが原子でも電子でも（あるいはその両方でも）、新しい会社でも新しいプロダクトでも変わらない。

「収益性の三段階」を頭に入れておこう。

第一段階　まったく利益があがらない　第一世代はまだプロダクトやその市場性を確かめ、顧客を見つけようとしている段階だ。多くのプロダクトや会社が利益を一セントもあげないまま、この段階で消滅する。

第二段階　単位当たりの採算性、つまり粗利益がプラスになる　V2ではプロダクトが一つ売れるたび、あるいは顧客が一人サービスを契約してくれるたびに粗利益がプラスになるかもしれない。ただしプロダクトやサービスの単位当たりの収支がプラスになるだけでは、会社全体としての利益が出るようにはならないことを覚えておこう。まだ会社をまわし、販売やマーケティングを通じて顧客を獲得するのに莫大なお金を使っている段階だからだ。

第三段階　会社の採算性つまり最終利益がプラスになる　V３になると、プロダクトやサービスが売れるたびに最終利益がプラスになる可能性が高まる。つまり売上高が事業経費を上回り、会社全体として利益が出るようになる。

粗利益がプラスになるのにこれだけ時間がかかり、最終利益がプラスになるのにもっと時間がかかる理由は、何かを学習するには時間がかかるためだ。会社も顧客も、学習する必要がある。

開発チームはV１を使ってプロダクトと市場をマッチングさせる方法を模索する。V２ではプロダクトを修正し、より多くの潜在顧客に向けて適切なマーケティングをする。そこでようやく事業を最適化し、持続可能な状態に整え、V３で収益化することに集中できる。

そして顧客の側も、あなたの会社になじんでいく必要がある。ほとんどの人はアーリーアダプター（初期採用者）ではない。新しいモノをすぐに試してみようとは思わない。新しいアイデアを受け入れ、レビューを読み、友人の意見を聞き、おそらくさらに改良されているであろう次のバージョンを待とうとする。

⁂

まだゼネラルマジックにいた一九九二年か九三年頃、ジェフリー・ムーアの『キャズム――新商品をブレイクさせる「超」マーケティング理論』（川又政治訳、翔泳社）を読んだ。たくさんの社員がこの本を読み、議論した。そして自分たちがどんどんキャズムにはまりつつあるのに、しかもそこか

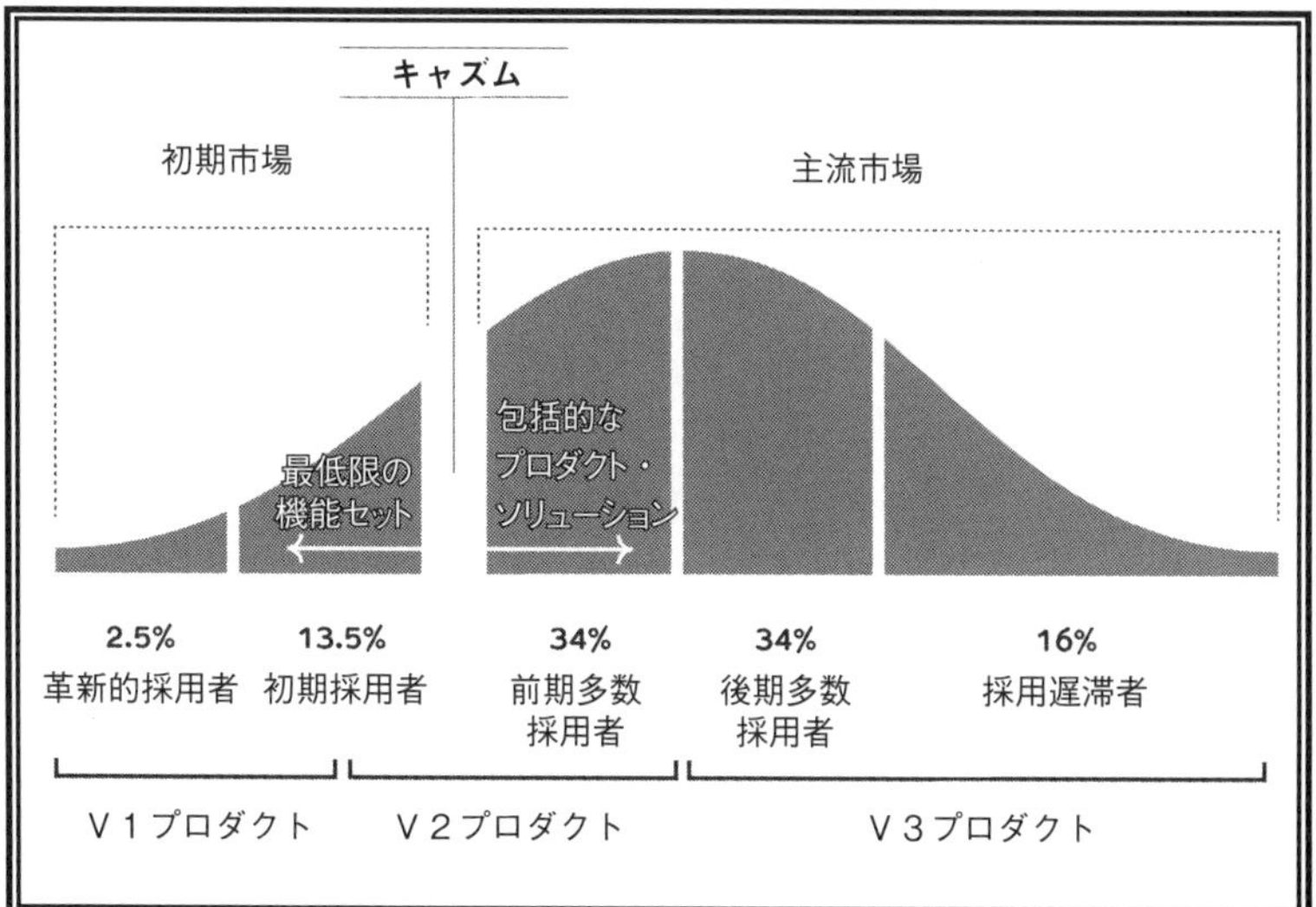

図20　ジェフリー・ムーアは『キャズム』で、さまざまな人がどのタイミングで新製品を受け入れるかを示した。ただ重要な点は他にもある。プロダクトのＶ１、Ｖ２、Ｖ３がこの図のどこに位置するかを理解することだ。それによって注力すべき点（破壊か、改善か、それとも会社の収益か）が変わってくる。

ら抜け出せる見込みはないことが明白になりつつあったのに、この本の内容を絶賛していた。

ここでいう「キャズム」とは、（アーリーアダプターだけではなく）一般の人々がプロダクトを買ってくれないときに、企業が陥る深い溝だ。今日ではプロダクトマーケットフィットという言葉で表現される。『キャズム』は上の図に示す有名な「顧客採用曲線」を提唱した。その考え方はきわめてシンプルだ。顧客のなかのごく一部は、新しいプロダクトが機能しようがしまいが関係なく、とにかく飛びつく。要は新しもの好きなのだ。だがほとんどの人は発売されてしばらく経ち、さまざまな不備が解決されるまで待とうとする（図20）。

ただ話はここで終わらない。顧客採用曲線とプロダクトや会社の発展段階との関係性を理解しなければ、非常に重要な視点が抜け落ちることになる。

プロダクトマーケットフィットが確認できたら、会社は収益性に焦点を合わせていくことができる。原子でプロダクトをつくる会社なら、売上原価に注目する。直接人件費以外では実際にモノづくりをするための費用が大きな負担になる。収益化するにはプロダクトを製造するコストを低くしなければならない。

一方、電子でプロダクトをつくる会社は顧客獲得コストに注目する。直接人件費以外では、プロダクトの販売とサポートの費用が大きな負担になる。

原子と電子の両方を使ってプロダクトをつくる会社は、売上原価と顧客獲得コストの両方に目配りする必要があるが、一般的には同時ではなく、まず売上原価に対処し、続いて顧客獲得コストに移る。まずプロダクトをつくり、それからサービスを追加するのだ。

そして原子と電子、ハードウェアとソフトウェアには多くの違いがあるが、両者共通の制約が一つある。時間だ。

開発しているプロダクトがどんなものであれ、収益化には思った以上の時間がかかる。V1ではほぼ確実に利益は出ない。少なくとも三回はプロダクトを抜本的に見直す必要がある。三回どころではないこともある。

たとえプロダクトの開発期間を短縮できても（単にアプリを改良するなど）、プロダクトが走り出すまでにはまずハイハイを、続いて歩くことを覚えなければならない。アプリやサービスを発売する場合でも、それに要する時間はハードウェアと変わらない。プロダクトが進化し、変化し、顧客からのフィードバックに対応し、さらにあらゆる顧客のエクスペリエンスをプロダクトそのものと同じように磨きあげるには時間がかかる。顧客があなたの会社のことを知り、プロダクトを試し、買う価値があるか否かを見定めるのにも時間がかかる。採用曲線の先へと進むには時間が必要だ。

ｉＰｏｄのユニット採算性がプラスになるまでには、三世代、三年の期間を要した。

ｉＰｈｏｎｅも同じだ。初代は本当に初期採用者しか買わない代物だった。３ＧもなければＡｐｐ《アップ》ストアもなし、価格決定モデルも完全に間違っていた。スティーブはｉＰｈｏｎｅに販売支援金を出すのを断固拒否した。消費者にｉＰｈｏｎｅの価値を正しく伝えるために、本当の価格を知ってもらいたいと考えていたからだ。さらにスティーブはデータプランの一部をアップルの懐に入れたいとも考えていた（第三一章を参照）。ただｉＰｈｏｎｅはいずれキャズムを超えることは明白だった。誰もがｉＰｈｏｎｅに夢中になった。アップルが細部を仕上げるまで購入を控えているだけだった。

どれほど支持されているプロダクトでも、必ずキャズムを超えられるという保証はない。そのうえ利益をあげるのは、もっともっと難しい。

もちろんインターネットの台頭によって登場した新たなビジネスモデルには、このような常識が通用しないものもある。それでもインスタグラム、ワッツアップ、ユーチューブ、ウーバーなど多くの会社が収益化するまでに五世代、一〇世代、あるいはそれ以上のバージョンを出さなければならなかった。そこまでやっても収益化できない会社もたくさんある。

収益化できない会社が存在しつづけている理由は、ベンチャーキャピタルからたっぷり出資を受けているから、あるいはさらに規模の大きいテック企業に買収されたからだ。そのおかげでプロダクトマーケットフィットを模索し、顧客基盤を固めることに集中し、収益化するためのビジネスモデルの検討は先送りすることができている。とはいえ、誰もがこのやり方でうまくいくわけではない。キャズムをさっと乗り越えたうえで、収益化に向けて資本の海を犬かきでよろよろと渡っていかなければ

対象者

Ｖ１	Ｖ２	Ｖ３
革新的採用者と初期採用者	**前期多数採用者**	**後期多数採用者、採用遅滞者**
どんな目新しい製品でも心から気に入ってくれる層。メカが大好き、テクノロジーが大好き、あるいはこの分野の製品が大好きという人もいるだろう。新しくて魅力的なモノには感情的に反応し、おそらくバグがあることをわかっていて購入してくれる。	トレンドを決める層。初期採用者の動きを見て、レビューを読んでから態度を決める。製品のバグは完全に解決済みで、まっとうなカスタマー・サポートを受けられ、スムーズに製品を購入し、使用方法を学べることを期待する。	残るすべての人々。完璧な製品を求める一般顧客だ。市場で明らかに勝者となった製品しか購入せず、どんな些細なトラブルも許さない。

プロダクト

Ｖ１	Ｖ２	Ｖ３
実質的には試作品を出荷しているようなもの	**Ｖ１で失敗した部分を修正する**	**十分すばらしい製品にさらに磨きをかける**
顧客獲得コストはべらぼうに高い。本当は盛り込みたかった機能の一部が欠けている。マーケティング、販売、カスタマー・サポートは不安定だ。必要な販売体制は整っていない。プロダクトはさまざまな不具合が発覚している段階だ。	この段階では、問題は何か、どのように修正すべきかがわかっている。そこには発売後に必ず発生する想定外の問題と、Ｖ１で敢えて目をつぶった問題の両方が含まれる。Ｖ２は通常、Ｖ１から時間を置かずに登場する。短期間に多くを学んだので、それを次世代版に反映したくてたまらないからだ。	プロダクトそのものより、事業に意識を集中し、顧客のライフサイクルにおけるあらゆるタッチポイントを改善していく。

外注 vs. 内製

V１	V２	V３
手探りと外注	**内製化を進める**	**社内に専門性を蓄積し、小さめの業務を選択的に外注**
チームの人数が少ないため、マーケティング、ＰＲ、ＨＲ、法務などさまざまな機能を外注しなければならない。それによって多くの業務が迅速に進むが、コストが高くスケールはできない。	Ｖ１開発の過程でサードパーティから学んだことをもとに、社内で同じ機能を構築しはじめる（第23章を参照）。チームの規模と専門性が高まる。	社内チームの一部が、会社の差別化に注力する。ブランディング、法務など会社にとって最も重要な部分だ。こうしたチームの任務が増えるなかで再び外注にも頼るが、小さな業務に限定し、社内チームが監督する。

プロダクト

V１	V２	V３
プロダクトマーケットフィット	**プロダクトの収益化**	**事業の収益化**
プロダクトに市場があり、キャズムを超えられるか否かを確認できるレベルに仕上げる。 少なくとも初期採用者は買ってくれることを証明できなければ、設計段階にさかのぼってやり直さなければならない。	この段階では市場を広げ、顧客採用曲線の先まで進んでいく。プロダクト単位で利益が出はじめることもあるが、会社全体のコストをまかなうには十分ではない。	V2で粗利益がプラスになったら、V3では会社の最終利益をプラスにしたい。販売パートナーに取引条件の改善を求め、カスタマー・サポートや販売チャネルを最適化し、広告媒体を広げる。販売規模が拡大し、価格を下げ、利益が出るようになるのが理想だ。V3ではプロダクト、会社、ビジネスモデルがすべて整う可能性がある。

ならない。その過程で潰れる会社も、最初のキャズムを超えられない会社と同じくらいたくさんある。

数年前、世界中の主要都市に電動スクーター・シェアリングや自転車シェアリングの会社が大量発生した。ふと気づくと、そこら中シェアリング会社だらけだった。顧客を囲い込むため、できるだけ多くの市場シェアを獲得してしまおうという戦略だった。十分な資金があったので、入手できるだけのスクーターや自転車を買い入れ、とにかく事業拡大に邁進した。

だが最終的に収益化はできなかった。V2にもV3にも到達できなかった。ようやくノウハウがつかめてきたという頃には資金が尽きていた。無尽蔵だったはずの資金が枯渇したのだ。

今、第二世代、第三世代のスクーターや自転車シェアリング会社が登場しているが、第一世代の挫折を目の当たりにしたこともあり、そのアプローチはまったく違う。参入する市場を厳選し、とにかく耐久性の高いスクーターや自転車を選んでいる。何に支出すべきか慎重に見きわめ、ユニット採算性を細かく把握している。

ライバルとの差別化につながる少数の重要な要素に集中するほうが、大きな網を広げて何かが引っかかるのを期待するより目標に到達できる可能性はずっと高くなる。

創業初期のテスラは徹底的に車両そのものに集中していた。正確にいえば、車両を構成するわずかな部品だけに集中していた。他のことはほとんど眼中になかった。カスタマー・サポートは実質的に存在しなかった。電話で相談しようにも相手はいなかった。ユーザーの車に不具合が発生すると、テスラのスタッフが自宅にやってきて車に乗って行ってしまった。取り残されたユーザーは車もなく、これからどうすればいいのかと途方に暮れた。

幸いテスラの本拠であるシリコンバレーには、ハイテク製品に目がない人や初期採用者がごまんといた。僕の友人はいち早く『テスラ・ロードスター』、つまりテスラのV1を購入した。基本的にはロータスカーズの車台をベースにしたEVで、ゼロからデザインしたわけではない。それでもテスラのカギとなる特徴はすでに備えていた。回生ブレーキだ。運転者がブレーキを踏むたびに、モーターが発電機となってバッテリーを充電する仕組みだ。

ただ困ったことに友人の家は丘の上にあった。毎日帰宅するとプラグを差し込んで一晩充電していたが、翌朝また丘を下ろうとするとブレーキがほとんど効かない状態だった。実は友人はテスラを一〇〇パーセント充電してはいけなかったのだ。丘を下るときにブレーキを踏みっぱなしにすると、バッテリーが過充電になってしまう。友人が衝突事故を起こさないように、テスラはブレーキと充電のアルゴリズムを修正しなければならなかった。

それでも僕の友人は、まさに典型的な初期採用者だった。テスラ・ロードスターに夢中になったのだ。自宅よりテスラの修理工場にある時間のほうが長くても、問題が生じると技術者に直接電話をかけるようになるほどトラブルが頻発しても、それは変わらなかった。

初期採用者は、誰だってV1ではすべてを完璧にはできないことをわかっている。V1で当初やりたいと思っていたことも、すべて盛り込めるわけではない。プロダクトも顧客基盤もやり直すたびに成長していき、またステージを上がるごとに異なるリスク、課題、投資が発生する。そのすべてに同時に対処できる会社はない。スタートアップでも大企業でも、それは同じだ。

だからあなたも社員も顧客も、どの段階で何を期待すべきか理解しておく必要がある。投資家も同様だ。

プロダクト単位でも事業単位でも、最初から利益が出ると期待している人が多すぎる。フィリップス時代、僕は企画されていた新しいプロダクトや事業が中断されるのを見てきた。出荷直前まで行っていたものもある。開発。テスト。完成。それでも実を結ばないことがあったのは、経営陣が保身に走るからだ。誰かが決まって、新製品は必ず利益が出ると保証できるのかと言い出す（第六章を参照）。ユニット採算性と事業としての採算性が健全であることを、事前に示せと言ってくる。だがそんなことは不可能だ。

それは未来を一〇〇パーセント近い確度で予測しろ、というのに等しい。赤ん坊が歩き出す前に、将来マラソンを走れることを保証しろと求める。

彼らは赤ん坊がどんなものか、よくわかっていなかった。新規事業を立ち上げる方法についてはそれ以上にわかっていなかった。

新規事業向けクラウドファンディングサイト、キックスターターのプロジェクトの多くが失敗に終わるのはこのためだ。起業家の多くは「五〇ドルでプロダクトをつくって二〇〇ドルで売れば、利益が出る。会社は成功するぞ」と考える。でも会社というのは、そういうものではない。一五〇ドルの利益は、オフィスで椅子を一脚買うたびに、従業員の医療保険に扶養家族が追加されるたびに、顧客がサポートに電話をかけてくるたびに、インスタグラムに広告を出すたびに目減りしていく。プロダクトだけでなく事業を最適化するまでは、持続性のある何かを生み出すことはできない。

今、テック業界の巨人となっているグーグル、フェイスブック、ツイッター、ピンタレストもみな同じ道をたどった。グーグルは長年、まったく利益をあげなかった。アドワーズという広告プロダクトを生み出したことで、ようやく収益化した。フェイスブックはまず人々の視線をつなぎとめることに集中し、ビジネスモデルは後から考えると決めた。ピンタレストとツイッターも同じだ。まずＶ１を作り、Ｖ２によって規模を拡大し、Ｖ３でようやく事業を最適化した。

ネスト・ラーニング・サーモスタットも同じパターンをたどった（図21）。

Ｖ２はＶ１と比べてはるかに楽だった。未来予測の要素は減り、現実の問題に対処する部分が増え

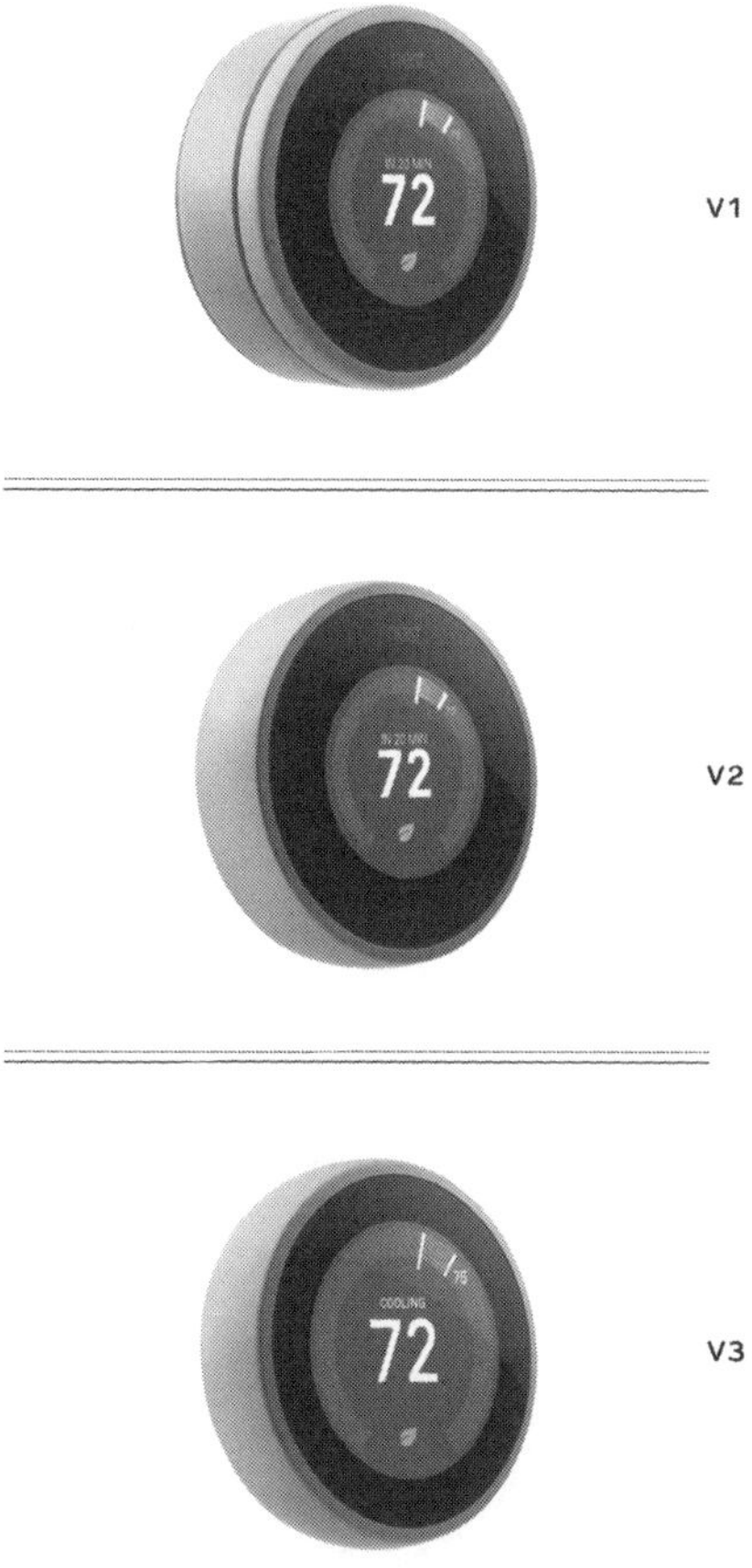

図21　世代が進むたびにプロダクトの見た目は良くなり、スリムで、値段も安くなっていく。V1とV2を見比べると、プロダクトが一気に改善したのがわかるだろう。僕らの初代サーモスタットは、当時としては市場で一番洗練されていて美しい製品だった。だがV2を発売した途端、V1は重くて無骨で、時代遅れになった。V3に到達したときにはプロダクトの変化はそれほど明白ではなくなったが、事業は完全に生まれ変わっていた。コストは低下し、販売するチャネルや国は拡大し、多くの販売パートナーができ、カスタマー・サポートは整っていた。

た。顧客が何を気に入り、何を気に入らなかったかがはっきりした。どんな機能を欲しがっているのか、どんな機能が一番役に立つかもわかった。Ｖ１には搭載できなかったけれど、Ｖ２にはどうしても盛り込みたかったさまざまな項目のリストを一つずつ潰していく必要もあった。Ｖ２はＶ１の一年後に発売した。僕ら自身が早く出したかったからだ。

ネスト・ラーニング・サーモスタットの第三世代は三年後に発売した。外見は明らかにＶ２とは違っていたが、アップデートはもう少し微妙なものだった。横から見るとややスリムになり、画面はより大きくなっていた。ただ変更点の多くは、目に見えないところにあった。

第三世代でようやく販売パートナーとがっちり手を組むことができた。Ｖ１のときはあまり小売業者に食い込めなかった。消費者が欲しがっていることを証明するために、ネスト・ドットコムで売るしかなかった。Ｖ２を見て、小売業者は真剣にネストのことを考えはじめた。「そろそろ仕入れたほうがいいかな」と。

それに対してＶ３は大手スーパーの「ターゲット」、家電量販店の「ベストバイ」、ホームセンターの「ホームデポ」や「ロウズ」、「ウォルマート」や「コストコ」で販売できるようになった。それも奥まったところではない。一つひとつの小売店に「スマートホーム」関連の製品を集めた、まったく新しい売り場をつくった。そしてネストだけでなく、急増していたスマートホーム関連製品を置いた。

ネストの販売に弾みがつき、僕らが本気で事業を続けるつもりであることが販売パートナーに伝わると、取引条件や契約内容は改善していった。僕らはカスタマー・サポートを改善して電話一本あたりのコストを大幅に下げ、ナレッジベースを充実させた。

だから二つめのプロダクトである煙と一酸化炭素報知器『ネスト・プロテクト』の開発に乗り出し

たときには、サーモスタットのときよりずっと簡単にいくと思っていた。これまでの蓄積によって、いくつかのステップを省略できるかもしれない、と。だが実際には新しいプロダクトに着手した瞬間、リセットボタンを押さなければならない。たとえ大企業でも、それは変わらない。二つめのプロダクトのほうが難しいこともある。最初のプロダクトを開発するときに作り上げたインフラが邪魔になるからだ。すべてが軌道に乗るまでには、やはり少なくとも三世代分の開発を繰り返す必要がある。こんな具合に。

プロダクトをつくる。修正する。そして会社のかたちを整える。
プロダクトをつくる。修正する。そして会社のかたちを整える。
プロダクトをつくる。修正する。そして会社のかたちを整える。
どんなプロダクトでも。どんな会社でも。毎回、必ず。

第四部　会社をつくる

この会社、つくらなきゃダメだよな……。

チキショー。

起業しようなんて思っていなかった。休むつもりだったのだ。それもたっぷりと。僕は切実に休みを必要としていた。ほぼ一〇年間全力疾走した末に、ようやくアップルを退社したのが二〇一〇年四月。ｉＰｈｏｎｅを初代から第三世代まで仕上げ、いち段落したところだった。ｉＰｏｄに一八世代までかかわったので、その後の展開は予想できた。永遠に少しずつ改良を進めていくのだ。ｉＰａｄに手をつけることもできた。基本の部分はｉＰｏｄ Ｔｏｕｃｈと同じで、ｉＰｏｄ Ｔｏｕｃｈの基本はｉＰｈｏｎｅと同じだったからだ。

でも退職した最大の理由は家族だった。僕と妻のダニはアップルで出会った。ダニは人事部門のバイスプレジデントだった。二人の子供たちはまだ幼かった。子供といる時間は確保していたものの、同時に夫婦ともに激務をこなしていた。そんな生き方を変えるチャンスだ。ダニと僕は一緒にアップルを退職し、海外へ出た。

世界中を旅してまわり、努めて仕事のことは考えないようにした。でもどこへ行っても、つきまとってくる厄介者があった。サーモスタットだ。いい加減で、エネルギーをムダに使い、信じられないほどバカでプログラム設定もできない、いつも家のどこかが暑すぎるか寒すぎる、つくづく腹立たしい代物だ。

誰かがなんとかすべきだ。そして最終的に、その「誰か」は自分なのだと思い至った。

大企業がやるわけがない。ハネウェルをはじめ、大手白物家電メーカーは三〇年も本当のイノベーションをしてこなかったのだから。アメリカ国内の年間売上高が一〇億ドルに満たない、生気のない打ち捨てられた市場だ。二〇〇七年から〇八年にかけてのグリーン・イノベーションの波が不発に終わったことで、グリーンテック投資家は省エネ機器から完全に手を引いていた。そんな状況では人脈のない新参者ばかりの小さなスタートアップを信用して出資する者はいない。「サーモスタット？本気か？　そんなものをつくったところで市場はちっぽけで、退屈で、厳しいぞ」とベンチャーキャピタリストが鼻で嗤《わら》う様子が目に見えるようだった。

でもそんなある日、僕はランディ・コミサーとサイクリングに出かけた。ランディは名門VC、クライナー・パーキンスのパートナーで、僕にとっては長年の友人でありメンターだった。出会ったのは一九九九年、僕がフューズに投資してもらおうと売り込んだときだ。僕はランディを心から信頼していたので、小型のサーモスタットというアイデアをぶつけてみることにした。

その場で小切手を切ってもいい、とランディは言った。

投資家から見て僕は理想の起業家だった。起業に四回失敗し、長年にわたって挫折を繰り返すという準備期間を経て、一〇年にわたって輝かしい実績を残した。四〇歳になり、起業がどれほど困難であるか、どんな失敗を繰り返してはいけないかをよくわかっていた。ちっぽけな企業と巨大企業の両方でハードウェアとソフトウェアを開発した経験がある。人脈と信用があり、経験上、自分が何を知らないかを知っていた。そしてビジネスのアイデアがあった。

新しいサーモスタットはユーザーがどんなとき、どんな室温を好むか学習する。ユーザーのスマートフォンと接続し、どこからでも操作できる。ユーザーが留守のあいだは出力を下げ、節電する。そしてもちろん、見た目が美しくなければならない。自宅の壁にかかっていることをユーザーが誇らしく思えるくらい。

欠けていたのは飛び込む意思だけだった。再び起業という重責を担う心の準備が僕にはできていなかった。今じゃない。一人では無理だ。

そんななか、まるで魔法のようにマット・ロジャースが連絡してきた。マットはｉＰｏｄプロジェクトが立ち上がったばかりの頃に僕らが採用したインターンの一人だった。精鋭チームに飛び込んできて、たちまち頭角を現した。大学卒業と同時に正社員となったマットは、まもなくとびきり優秀なマネージャーになった。チームビルディングを大切にし、常に問いを投げかけ、限界を突破しようとし、事業のあらゆる側面にとことん興味を持った。

僕がアップルを辞めた後、マットもアップルの状況に不満を持つようになった。そこでランチをすることになり、マットは僕に、これから何をしようとしているのか、と尋ねた。僕がサーモスタットのアイデアを話すと、マットは夢中になった。そしてマットがひとたび夢中になると、もう止められない。永久機関のように走り続ける。即座にサーモスタットについて調査をはじめ、次々と提案やアイデアを出してきた。議論すればするほど、マットはますますのめり込んでいった。

これこそ僕が求めていた最後のひと押しだった。マットは重荷を分かち合い、僕と同じくらい事業のことを真剣に考え、頑張ってくれる真のパートナーだった。一緒に働いた経験があり、プロダクト開発への考え方も完全に一致していた。僕と同じような中年の経験豊富な経営者に「あれはできない、これは無理」などと言われたくなかった。僕に必要だったのは、真の共同創業者だ。マットはまさにそんな人物だった。

僕らはともにサーモスタットのアイデアを検討し、ビジョンに仕上げた。投資家に示したのは「コネクテッド・サーモスタット」だ。とはいえサーモスタットだけの会社で終わるつもりはなかった。あらゆる家庭で必要とされているにもかかわらず軽んじられているプロダクトを、次々手がけていこうと思っていた。何より重要なこととして、僕らはプラットフォームをつくるつもりだった。「スマートホーム」というプラットフォームを。

コンセプト自体は新しいものではなかった。すでに二〇年ほど前から議論されていた。ゼネラルマジックのビル・アトキンソンも一九九〇年代にスマートホームをつくろうとしていた。何か役に立つモノをつくろうと、四苦八苦していたのを覚えている。金持ちのテック業界関係者は長年にわたり、自宅に高度なIoTシステムを装備しようと二五万ドルくらいをつぎ込んできた。サーモスタット、警報システム、照明、音楽をコントロールするためにセンサーやスクリーン、スイッチやコントローラーを壁に埋め込んだ。いかにも先端的でしゃれていたが、完全なガラクタだった。ゴミくずだ。どれもまったく役に立たなかった。

プレゼンでこの事実に言及すると、投資家は顔をしかめた。みな身に覚えがあり、そのことでいまだに配偶者に文句を言われていたからだ。

僕らは別のアプローチをとることにした。最初から考えつくかぎりの家庭用機器を盛り込んだ包括的プラットフォームを売るのではなく、本当に質の高い、たった一つのプロダクトから始めるのだ。一〇年以上、住宅の壁にとどまることになる美しいサーモスタットだ。サーモスタットを気に入った人は、それとセットで動く他のプロダクトも買ってくれるだろう。顧客はスマートホームの構成要素を一つひとつ組み合わせ、自宅や自分の家族にぴったりの固有のシステムをつくりあげることができる。

サーモスタットはその入り口になるはずだ。

だがまずはサーモスタットをつくらなければならない。

見た目を美しくすることはそれほど難しくない。ハードウェアとしてかっこよく、直感的に操作できればいい。それは僕らの得意分野だ。アップルでそのスキルを磨き上げてきたのだから。だがプロダクトとして存在意義を持ち、成功するためには、二つの大きな問題を解決する必要があった。

図 22 『ネスト・ラーニング・サーモスタット』は 2011 年 10 月、249 ドルで発売した。個性的な直径約 7 センチの円型スクリーンを中心に、サイズは直径約 8 センチ、厚みは約 4 センチ。独自のモバイルアプリと連動し、ユーザーのスケジュールを学習し、不在時は出力を落とす AI を搭載していた。

節電と販売だ。

北米とヨーロッパでは冷暖房が各家庭の電気料金の半分を占める。だいたい年間二五〇〇ドルほどだ。この数字を抑えようとするサーモスタットメーカー、電力会社、政府機関の取り組みは、さまざまな理由からことごとく失敗してきた。

僕らのサーモスタットはなんとしても節電を実現しなければならない。しかも顧客にとってすべてがシンプルでなければならない。

そのうえで販売しなければならない。当時ほぼすべてのサーモスタットは空調業者が販売・設置していた。その旧態依然とした世界に入り込むのは不可能だろう。まずは消費者の心に、それから家に入っていく方法を見つけなければならない。そして誰もが自分で簡単に設置できるようなサーモスタットをつくらなければならない。

こうして僕らは仕事にとりかかった（図22）。

僕らはもう少し薄型にしたかった。そしてスクリーンは僕のイメージしていたものとは違った。そういう意味では初代ｉＰｏｄに似ていた。それでも確かに機能した。スマホと接続することができ、素人でも自分で設置することができた。ユーザーの好む室温も学習した。家に誰もいないときは出力を落とした。節電に役立った。

消費者は夢中になった。

発売するまで、こんなプロダクトに興味を持つユーザーがいるのかわからなかった。だから有り金をはたいて製造し、やまほど在庫を抱えるのは避けたかった。信じられないことに初回製造分は初日に売り切れ、その後二年間にわたって在庫切れが頻発した。

僕らはすぐに初代の問題点を修正した二代目のサーモスタットを発売した。それから次のプロダクトに集中した。どこの家庭にもあるもので、しかもサーモスタット以上に腹立たしいプロダクトといえば？

答えは簡単。火災報知器だ。

誤作動ばかりして、料理をしているとひっきりなしに鳴り、深夜二時に電池交換アラームが鳴るのでどれかと思って探し回ると、絶対に手の届かないところに設置されたものだったりする。とにかく腹立たしいことこの上ない。

煙と一酸化炭素の領域でイノベーションを起こすのがこれほど難しいと初めからわかっていたら、おそらく手を出さなかっただろう。だが当時の僕らにわかっていたのは、火災報知器はあらゆる家のあらゆる部屋にあるという事実だけだった。しかも最悪な代物ときている。本当に、最低最悪だ。すべての家に設置が義務づけられているのでメーカーには改良する動機がない。最悪だろうが何だろうが、消費者には設置義務があるのだから。

最悪さの度が過ぎて、命にかかわるとわかっていても強制的に報知器をオフにする人も多かった。電池を抜いたり、頻発する誤作動にうんざりして壁から取り外したり、あるいは深夜に鳴り響く地獄の叫びのような音を消すためにゴルフクラブで叩き割ったり。

こうして二〇一三年、煙と一酸化炭素報知器『ネスト・プロテクト』が誕生した（図23）。

僕はそれまでにｉＰｏｄやｉＰｈｏｎｅなどでプロダクト開発を成功させたことはあった。でも本当の意味で大規模な事業を成功させたのはネストが初めてだ。ゼロから立ち上げ、アイデアというたった一つの細胞に過ぎなかったところから細胞分裂を繰り返し、完全な姿になるまでを見守った。僕らのベビー。僕らの会社だ。

だからみなさんが新しい会社、あるいは大企業のなかで新しいプロダクトやプロジェクトを立ち上げようとしているなら、あるいはすでに立ち上げ、それが一つの独立した生命体として歩み出すのを喜びと不安と驚きとともに見守っているのなら、僕が学んだことが参考になるかもしれない。どのようにアイデアを選び、会社を立ち上げ、投資家を見つけ、ストレスでぶっ倒れそうになったか。

成長の各段階について、そしてベビーがもう赤ん坊ではなくなったときにどうすべきかについて、僕が学んできたことをお話ししよう。

図23　煙と一酸化炭素を探知する『ネスト・プロテクト』は縦横13センチ、販売価格は119ドルだった。誤作動したらスマホで停止することができ、危険がある場合はスマホにアラートが送られてくるようになっていた。

第一五章　最高のアイデアをどう見つけるか

最高のアイデアには、必ず次の三つの要素がそろっている。

一　「なぜ」への答えがある。プロダクトに「何を」させるか決めるずっと前に、なぜ顧客がそれを求めるかを理解しなければならない。「なぜ」が「何を」を決める（第一〇章を参照）。
二　多くの人が日常生活のなかで直面する課題を解決する。
三　あなたにつきまとって離れない。リサーチし、知識を得て、試してみた結果、どれだけ実現困難かわかっても、そのアイデアのことが頭から離れない。

アイデアの実行にコミットする前に（新しい会社を立ち上げたり、プロダクトの開発に着手したりする前に）、まずはリサーチし、試してみることにコミットしよう。「遅い思考」を実践するのだ。ノーベル経済学賞を受賞した心理学者ダニエル・カーネマンの提唱した概念で、優れた判断を下すには、スローダウンすることが必要だというシンプルな考えだ。

直感的に「これだ！」と思えて、他には何も目に入らなくなるほどのすばらしいアイデアほど、コミットする前にじっくり時間をかけ、プロトタイプをつくり、できるだけ情報を集めるべきだ。このアイデアに人生の貴重な数年間を投じようというのなら、少なくとも数カ月は研究し、詳細な事業計画や製品開発計画を立て、それでもまだワクワク感が止まらないか考えてみるべきだ。本当にあなたをとらえて離さないだろうか。

すべての意思決定がこれほど重要なわけではない。日常の意思決定の大部分は迅速に下せるし、また下さなければならない。既存のプロダクトを改良しているのならなおさらだ。そうした場合でも時間をかけてさまざまな選択肢を検討し、その後のステップをしっかり考えておくべきだが、あらゆるアイデアを一カ月も考えつづけなければならないわけではない。

●

最高のアイデアは「ビタミン剤」ではなく、「鎮痛剤」でなければならない。

ビタミン剤は体に良いかもしれないが、不可欠ではない。一日、一カ月、あるいは一生ビタミン剤を飲むのを忘れても、違いはわからないだろう。

だが鎮痛剤を飲み忘れたらすぐに気づく。

鎮痛剤はひっきりなしにあなたを悩ませる「何か」を除去するためのものだ。除去することが可能な、頻発するイライラの種だ。一番良いのは（良いと言えるか微妙だが）あなた自身が生活のなかで経験するイライラだ。スタートアップ企業の多くは、誰かが日常的に経験する不快な経験にうんざりして、調べ、解決策を見つけるところから始まる。

すべてのプロダクトのアイデアがあなた自身の人生から生まれるわけではないが、「なぜ」の部分は常に明確かつ簡単に説明できなければいけない。なぜ多くの人がそのプロダクトを必要とするのか、簡単に、わかりやすく、説得力をもって説明できなければいけない。プロダクトにどんな機能が必要か、世に出すべきタイミングは今なのか、その市場はちっぽけなのか巨大なのかを見極めるには、それが必要だ。

本当に強力な「なぜ」が見つかったら、すばらしいアイデアの種を手に入れたと思っていい。とはいえ種だけで会社はつくれない。まずそのアイデアに会社を背負っていくだけの強さがあるのか見極める必要がある。事業計画、実行計画が必要だ。そして自分が本当にこれからの五〜一〇年をそれに賭けたいのか、確かめなければならない。

確かめる唯一の方法は、それがあなたにつきまとって離れないかどうかを調べることだ。「つきまとい」のプロセスは、常に同じだ。

- まず、あなた自身がそのアイデアのすばらしさに驚愕する。これまで誰も思いつかなかったなんて、どういうわけだ？
- それから調べてみる。ああ、なるほど、考えた人はいたわけだ。誰かが試してみて失敗した形跡がある。あるいはどうにも避けられない、どうにもならない障害があるために、これまで誰も本気で検討してこなかったのかもしれない。徐々に、アイデアを実行するのがどれだけ困難かがわかってくる。わからないこともたくさん出てくる。そこでしばらく忘れることにする。
- だが、どうしても頭を離れない。そこで時々リサーチをしてみる。スケッチをしたりコードを書いたり文書にしたり、試作品を作ってみたり。概念図を描きつけた紙ナプキンがカバンからしょっちゅうこぼれ落ちるようになる。ノートにはどんな機能を持たせるか、販売策、マーケティング策、ビジネスモデルのアイデアのメモ書きがたまっていく。もしかしたらこれまでこのアイデアを考えた人はやり方がまちがっていたのかもしれない、と思いはじめる。新しい技術によって、これまで他の人が解決できないと思っていた障害を取り除けるのかもしれない。もしかすると、ついにこのアイデアの機が熟したのかもしれない。

- 俄然このアイデアがあなたにとって現実味を帯びてくる。きちんとした情報に基づいて判断できるように、本気でじっくり調べてみようと決める。このアイデアを追いかけるべきか、見極めなければならない。
- ある日、どうにも解決できないと思っていた障害を克服する方法を思いつく。嬉しくてゾクゾクする！　だがすぐに次なる巨大な障害が立ちふさがる。チキショー。こんなもん、できっこない。それでも調査したり試行錯誤したり、専門家や友人からアドバイスをもらった結果、その障害も乗り越える方法があるかもしれないと気づく。
- 周囲からプロジェクトはどうだい、と聞かれるようになる。いつ立ち上げるんだ？　自分も入れてくれない？　エンジェル投資家を受け入れるのか？　一つひとつの障害が新たな機会となり、問題が新たな解決策へとつながり、解決策が見つかるたびにこのアイデアに夢中になっていく。
- 未知なる要素はまだやまほどあるが、それはもはや「未知の未知」ではない。もうこの世界を理解している。この事業の可能性が見えている。これまで調べてきたこと、克服してきた障害のすべてが勢いを与えてくれる。すべてが収斂《しゅうれん》してくるような気がする。これが正しい判断だと直感でわかる。だから歯を食いしばって全力で取り組む。

僕の場合、このプロセス全体に一〇年かかった。サーモスタットというアイデアは一〇年にわたって僕をとらえて離さなかった。

ただし、これはかなり極端なケースだ。新規事業や新製品のアイデアが生まれたら、通常はそれに取り組む価値があるか判断するのに一〇年もかける必要はない。

　それでもあれこれ調べ、粗い試作品をつくり、自分なりの「なぜ」を明確にするのに一カ月、あるいは二カ月、半年はかけるべきだ。その一カ月（あるいは二カ月、半年）のあいだ、アイデアに夢中になる一方で、どうしても考えるのをやめられないなら、真剣に取り組んだらいい。それから少なくともさらに二〜三カ月、場合によっては一年間かけて、アイデアをあらゆる角度から検討し、信頼する人に相談し、事業計画やプレゼンを練り、できるだけしっかり準備しよう。

　会社を立ち上げてから、すばらしいアイデアに思えたものが実際には穴の空いた歯に載った金ぴかのかぶせもので、軽く嚙んだだけで砕けてしまうことに気づいても遅い。

　シリコンバレーには「速く失敗しろ（Fail Fast）」をモットーにするスタートアップがたくさんある。何をつくりたいか慎重に計画するのではなく、さっさと作り、詳細は後から詰めればいい、という考えを表す流行語だ。成功を「見つける」まで何度もやり直せ、と。その結果には二パターンある。迅速にプロダクトを生み出し、それからさらに速度を上げて人々が本当に欲しがるものに仕上げるというのが一つ。仕事をやめ、人づきあいをやめ、うまくいきそうな事業が見つかるまで起業のアイデアを考えてすごす、というのがもう一つ。前者はときとしてうまくいくこともある。後者はだいたい失敗する。

　ダーツ投げですばらしいアイデアが見つかるはずがない。やる意味のあることをやるには、いつだって時間がかかる。理解するための時間。準備するための時間。正解を見つけるまでの時間。早送りできることも、手を抜けることもたくさんあるが、時間をごまかすことはできない。

　そうはいっても、やはり一〇年はかけすぎだ。ただサーモスタットについてぼんやり考えていた一〇年間のほとんどは、サーモスタットをつくる気などさらさらなかった。僕はアップルでとんでもない大所帯を率いて初代iPhoneを開発していたのだ。つま先から目玉までどっぷり仕事に浸かって学び、成長していた。それから結婚し、子供も生まれた。とにかく忙しかった。

でも繰り返しになるが、本当に凍えていたのだ。骨の髄まで。

金曜日の夜、仕事を終えて妻とタホ湖の畔《ほとり》に買ったスキー小屋まで車を走らせると、翌朝までスキージャケットを脱げなかった。電気と電気代を無駄遣いしないように留守のあいだは凍結ギリギリの室温に下げていたので、小屋を温めるまでに一晩かかった。

本当に辛かった。凍えた小屋に入っていくときは、いつも腹が立った。到着する前に小屋を暖めておく方法がないなんて、信じられなかった。何十時間も、そして何千ドルもかけて、アナログ電話線につながったセキュリティシステムやコンピュータ機器に細工をして、サーモスタットを遠隔操作できるようにしようとした。休暇の半分は床に電子部品を散らかしてワイヤーの配線に明け暮れた。妻はいつも呆れていた。あなた、休暇に来たんじゃないの、と。でも全然うまくいかなかった。こうして旅行の最初の晩はいつも同じように、氷のようなベッドで凍ったシーツにくるまり、明け方に室内がようやく暖まるまで吐く息が白い霧になるのを見つめていた。

そして月曜日になるとアップルに出社して初代iPhoneに取り組む。

そしてついに気づいた。僕がつくろうとしているのはサーモスタットのための完璧なリモコンだ、と。冷暖房システムをiPhoneにつなぐことさえできれば、どこからでも操作できる。だがそれを実現するのに必要な技術（信頼性の高い低コストの通信手段、安価なディスプレイ、プロセッサ）は当時まだ存在しなかった。そこでこのアイデアはいったん脇に押しやった。仕事に集中しろ。寒さのことなど考えるな、と。

一年後、僕たち夫婦はタホ湖畔に新しい、めちゃめちゃ高性能の家を建てることにした。僕は昼間はｉＰｈｏｎｅをつくり、帰宅してからはタホ湖の家の仕様を詰め、素材や仕上げ材やソーラーパネルを選び、最終的に冷暖房システムにとりかかった。そしてまたしてもサーモスタットにとりつかれた。最上位機種のサーモスタットはどれもこれも恐ろしくブサイクなベージュの箱で、ユーザーインターフェースも死ぬほどわかりにくかった。メーカーはタッチスクリーン付きだとか、時計やカレンダーがついているとか、デジタルフォトアルバム機能があるなどと自慢していたが、省エネ機能があるものは一つもなかった。遠隔操作できるものもなかった。しかも値段は四〇〇ドル近い。ｉＰｈｏｎｅの値段は四九九ドル。この醜悪でクソみたいなサーモスタットがアップルの最先端テクノロジーと同じくらいの値段だって？

タホ湖の建設現場に来ていた建築家や技術者に、こんなのおかしいと何度も文句を言った。「いつか僕がこの問題を解決する。僕の言葉を書き留めておいてくれ」。彼らはあきれた顔をしていた。またトニーの愚痴が始まった、と。

当初は苛立ちから発した、ただの愚痴だった。だが徐々に状況は変わり始めた。ｉＰｈｏｎｅの成功によって、以前ならおよそ入手できなかったような高度な部品のコストが低下した。突然、高品質なコネクタやスクリーンやプロセッサが数百万個単位で安価に製造されるようになり、他のハイテク製品にも使えるようになった。

そして僕の生活も変わった。アップルを退社し、家族と世界中を旅しはじめた。そしてどの大陸のどの国でも、どんなホテルでも一軒家でも、サーモスタットはもれなく最悪だった。室温調節はうまくいかず、あるいは使い方すらわからなかった。世界中が同じ問題に直面していたのだ。あらゆる人の家に必要な、この忘れられた誰にも愛されないプロダクトは、ユーザーに莫大なムダ金を使わせ、地球温暖化が進む世界で計り知れないほどの電力を浪費していた。

その後、つきまといは一段と激しさを増した。ネット接続型のサーモスタットをつくるというアイデアを、どうしても頭から振り払うことができなくなった。本物のスマート・サーモスタットだ。僕の問題を解決してくれて、しかもエネルギーを節減できるもの、これまで僕がつくってきたすべてのプロダクトの知識を活かせるものだ。

そこで僕はこのアイデアの手中に落ちることにした。シリコンバレーに復帰し、仕事に取りかかった。技術、機会、業界、競合、人材、資金調達、歴史について調べた。自分の人生と家族との過ごし方をがらりと変え、とほうもないリスクを背負い、五〜一〇年かけて何も知らない分野でこれまでつくったこともないような装置をつくろうとするなら、まず学習する時間が必要だ。デザインを描き、機能を検討し、販売やビジネスモデルを考える必要があった。

この時期には心から尊敬する人たちを相手に、ちょっとしたゲームをしていた。「最近は何をしているんだ？　何に関心があるんだ？」と聞かれると、「ちょっとしたアイデアがあるんだ、もしかしたら大化けするかもしれない」と答え、少し詳しい情報も話して相手の反応や意見、質問を待つ。スティーブ・ジョブズがしていたように、プロダクトのストーリーをつくり、プレゼンの準備をしていたのだ。調査と戦略立案の数週間が終わりに近づいたころ、僕は「アイデアがある」と言う代わりに、「プロダクトを開発しているんだ」と言いはじめた。実際にはまだ開発に着手してはいなかったのだが。でも「始まった」という実感が欲しかった。彼らを、そして何より自分自身を本気にさせるために。僕は信頼する人たちを説得したかったし、反論を聞きたかった。そしてプロダクトのストーリーを語り、その有効性を確かめたかった。

それから九〜一二カ月かけて試作品やインタラクティブ・モデルをつくり、一部のソフトウェアを開発し、ユーザーや専門家と対話し、友人たちに試してもらった。マットとともに腹を固め、投資家に事業プランを売り込みはじめたのはそれからだ。

自分たちが成功することを示す完璧なデータがあったわけではない。どれだけリサーチや遅い思考を重ねても、そんな保証が得られることはない。この会社を立ち上げるにあたってのリスクの四〇〜五〇パーセントは特定し、それを抑える方策も考えた。だがそれでも広大な未知なる荒野が目の前に広がっていた。これだけ熱心に準備したとはいえ、最終的には主観に基づいて判断を下さなければならない（第六章を参照）。そこで僕らは直感に従うことにした。死ぬほど恐ろしかったが、正しいという感覚があった。

おもしろいのは、遅い思考は必ずしも恐怖をやわらげてくれるわけではない、ということだ。むしろ理解が深まるほど心のなかの不安は大きくなる。うまくいかない可能性が次々と明らかになるからだ。あなたのアイデアや事業を潰し、時間を奪う可能性のある問題がやまほどわかってくる。だが自分を潰す可能性がある敵を知ると、人は強くなる。

そしてすでに危険な銃弾をいくつもよけてきたことを知ると、人はさらに強くなる。

投資家にプレゼンをするとき、ビジョンを語るだけにとどめなかった理由はここにある。僕らは「なぜ」、つまりストーリーを語り、それからリスクを説明した。自分たちが何を始めようとしているのかをわかっていない、しかも失敗のリスクを隠そうとするスタートアップはあまりに多い。だが事業計画にあなたが気づいていない、無視した、あるいは慎重に避けようとした穴があることに投資家が気づけば、あなたを信用して出資しようとは思わないだろう。だから僕らはリスクをすべて挙げた。ＡＩ（人工知能）の開発、何百種類もあるさまざまな（しかも旧式の）冷暖房システムとの接続性の確保、顧客自身による設置、小売り、そしてそもそも「スマート・サーモスタットなど欲しがる人がいるのか」というきわめて重大なリスクだ。会社を滅ぼす可能性のある問題（そしてその回避策）はいくつもあった。だがそれらを列挙し、わかりやすく説明し、誠実に語ったことが、僕らは自分たちが何をやろうとしているかきちんと理解していると投資家を説得する決め手となった。しかも僕らなら成功させられる、と。

最終的に、こうしたリスクの一つひとつがチームを奮起させるスローガンとなった。避けて通るのではなく、正面から向き合ったのだ。「簡単にできることなら、他のみんなもやっているはずだ！」というのが合言葉になった。僕らはイノベーションを生み出しているのだ。リスクを認識し、解決する能力こそ、僕らと他の人々との違いだ。僕らは他の誰も可能と思わなかったことをやろうとしている。

だからこそこの会社を立ち上げる意義がある。

もちろん人生におけるありとあらゆる判断について、たっぷり時間をかけてひたすら調べ尽くせ、などというつもりはない。ゼロから何かを始めるとき以外、二代目以降の開発においては、すべてがスピードアップする。

僕が初めてのサーモスタットをつくろうと腹を固めるまでには一〇年かかった。二代目をつくろうと決めるときは、せいぜい一週間だった。むしろ初代が完成する前に、二代目はどんなものにするか決めていた。潜在市場の大きさと技術はすでに立証されていた。あとは改良あるのみだ。二代目のサーモスタットをつくるのは当然だった。難しい部分はすでに乗り越えたのだから（第一二章を参照）。

プロダクトを最適化しようというときには、すでに指針となるデータも制約も経験もある。Ｖ１を完成させるのに何が必要かはすでにわかった。だからＶ２に到達するのはそこまで大変でもなければ、雲をつかむような試みでもない。Ｖ２にＶ１より不安を感じることはまずない。

Ｖ１はいつだって間違いなくとても怖い。絶対に。まともな人間なら、とてつもなく大きな最高のアイデアには絶対にビビる。それが最高のアイデアを見分けるヒントの一つでもある。

この本を読んでいるあなたは、きっと好奇心旺盛で意欲があるのだろう。おそらく人生において、本当にたくさんの良いアイデアと出会うだろう。良いアイデアはそこら中にあふれていると思うのではないか。だが真に優れたアイデア、有意義で破壊的で、あなたの時間を費やすだけの重要性と価値があるアイデアを見きわめるには、それについてしっかり検討し、途方もない潜在リスクや不都合な事柄、水面下に潜むタイタニック級の氷山に目を向けるしかない。その結果、一回はそのアイデアを頭から振り払おうとするだろう。他の機会、他の仕事や生き方を模索しようとする。だが結局、何をしていてもそのアイデアのことを考えずにはいられないことに気づく。そうなったら逃げるのを辞め、リスクを一つひとつ克服し、ついには取り組む価値があるという自信を持てるようになるだろう。

そうならないなら最高のアイデアではない。時間のムダだ。あなたにつきまとって離れないアイデアを見つけるまで探しつづけよう。*

* ポッドキャスト《Evolving for the Next Billion》ではこのテーマについてさらに詳しく語っているので、アイデアを追いかけるべきか判断に迷っている人はぜひ参考にしていただきたい。

第一六章　準備はいいか

世の中には事業のアイデアを持ち、会社を立ち上げたいと思っている人がやまほどいる。そんな人から、自分はスタートしてもいいだろうかとよく聞かれる。スタートアップを成功させるのに必要な要件が自分には整っているだろうか。それとも大企業のなかで一プロジェクトとしてスタートさせるべきだろうか。

「実際に挑戦してみるまでわからない」というのがその答えだ。それでも、できるかぎり準備を整える方法を挙げておこう。

一　スタートアップで働く。
二　大企業で働く。
三　さまざまな困難を切り抜けるのを助けてくれるメンターを見つける。
四　あなたの足りない部分を補い、重荷を共有してくれる共同創業者を見つける。
五　優秀な人材を見つけ、仲間に加わるよう説得する。創業チームには核となる「種結晶《たねけっしょう》」のような人材が必要だ。最高の人材がいれば、さらに多くの最高の人材が集まってくる。

典型的な起業家のイメージは、二〇歳の若者が実家の地下室ですばらしいアイデアを思いつき、あっという間に会社を成功させるというものだろう。映画になると、技術者としての天賦の才を活かして、性格にやや難はあるが有能な経営者となり何百万ドルもの富を手に入れる。それから目の覚めるような高級車を買い、最後に友情の大切さを知る。

だが現実は違う。

もちろん常に例外はある。恐るべき天才がユニコーンに乗って月まで駆け上がるようなケースもあるが、成功する起業家のほとんどは三十代後半から四十代だ。たとえ最初の起業で失敗していても、起業は二度目という創業者を投資家が好むのには理由がある。それはこうした起業家が失敗と学習にまみれた二十代を過ごしたからだ。大部分が僕と同じような道を歩んできた。懸命に働き、何度も失敗し、リスクをとり、就職したスタートアップは倒産し、大企業での就職を試みたところおかしな仕事をつかんでしまったり、すばらしいチームに恵まれたり、早まって退社してしまったり、逆にぐずぐずとどまったり。ピンボールのようにあちこち跳ねまわり、しょっちゅう何かに頭をぶつけている。厳しい試練を通じて学習していく。

アリ・タマセブの『スーパーファウンダーズ――優れた起業家の条件』（渡会圭子訳、すばる舎）によると、一〇億ドル規模のスタートアップの創業者の約六〇パーセントは、この大成功をつかむ前に別の会社を起業し、莫大な損失を出している。一〇〇〇万ドル以上のリターンを得てイグジットした経験があるのは四二パーセント止まりだ。つまりベンチャーキャピタルの基準によれば過半数が「失敗」しているのだ。

だがその経験を通じてスタートアップの基本的な心的モデルを獲得している。事業運営を細部まで理解し、ちっぽけなスタートアップが成功するとはどういうことかを知っている。それが大切なのだ。それこそが成功の扉を開く魔法の鍵だ。

問題はそこに到達するには何年もかかるということだ。そして誰もが近道をしたがる。

だがスタートアップで働く以外に自らスタートアップを立ち上げる準備を整える方法はない。だから仕事を見つけよう。スタートアップの経営方法を（多少なりとも）理解している創業者のいるスタートアップか、生きのいい小さな会社を探そう。あなたに必要なのはお手本とするロールモデルか、「こうなってはならない」という逆ロールモデルだ。オフィス（あるいはビデオ会議）で状況を俯瞰し、スタートアップの基礎的要素がどんなものか理解しよう。

組織図とはどのようなものか。

販売するとはどういうことか。

マーケティングとは何をするのか。

人事、財務、法務とは？

この一つひとつの分野について実務的知識が必要だ。それぞれの専門家になる必要はないが、どんな人材を採用すべきか、その人物にはどのような資格・能力が必要か、どこを探せばいいのか、どのタイミングで採用すべきか把握するためだ。たとえば創業当初には人事担当者はおそらく不要だろう。人材を採用しさえすればいい。財務も会計も要らない。法務も一時的に外注できる。だがクリエイティブ部門の人材はどうか。オペレーション、カスタマー・サポートはどのタイミングで必要になるのか。どんなカスタマー・サポートが必要なのか。物理的店舗を展開する会社とeコマースの会社では、必要なサポートはまったく違ってくる。

就職したスタートアップで、時間をかけてその事業を理解していこう。それから転職する。今度は大企業だ。大企業の直面する問題、とりわけ組織、プロセス、ガバナンス、社内政治といったプロダクト以外の分野の課題を理解する方法はそれしかない。スタートアップと大企業の経営がどのようなものか、それぞれ観察するほど、自分の会社を立ち上げたときに疑問点は少なくなる。

世界を変えるような最高のプロダクトのアイデアがあっても、会社を立ち上げたら運営していかなければならない。新しい何かを創り出すだけでも大仕事だ。夜も眠れないほど頭を悩ませる未知の未知は、解決しようと思っているプロダクト上の問題だけに絞るべきであって、マーケティング代理店を雇うべきか、どんな弁護士を雇うべきかで悩んでいるヒマはない。基本的な部分でしくじることは許されないし、当たり前のことを学ぶのにかける時間はない。

創業資金はあっという間に減っていく。迅速に前進するだけの自信がないと、一〇〇〇個の決断を下すのに一〇〇人の知り合いに相談しなければならず、すべてに時間がかかるだろう。さまざまな選択肢や意見に埋もれて身動きできなくなる。「何が最善なんだ？　どれが最新なんだ？」という問いがひたすら頭を駆け巡る。選択肢が多すぎて、どこに向かおうとしているのか見失ってしまう。

だからと言って誰にも相談するな、と言うつもりは毛頭ない。一人でできることではない。

メンターあるいはコーチは必要だ。

最高の創業チームも必要だ。

おそらく共同創業者も必要だろう。

会社を立ち上げるのは、想像できないほどストレスがかかり、しかも本当に途方もない労力と犠牲を伴う。だから対等なパートナーが必要だ。深夜二時に相手もまだ起きていて、このスタートアップのために働いていると確信を持って電話をかけられる相手だ。そして向こうも落ち込んでいて、サポートを必要としているときにあなたに電話してくる関係だ。創業は孤独で辛くて、最高にワクワクするいっぽう消耗する。その重みで潰れないためには、誰かと重荷を分け合うしかない。

ただひとつ慎重になるべき点がある。共同創業者がいたとしても、ＣＥＯになるのは一人だけだ。そして共同創業者を増やしすぎるのはトラブルの元だ。共同創業者が二人ならうまくいく。三人ならうまくいくこともある。それ以上でうまくいった会社は見たことがない。

僕がかつて協力したあるスタートアップには、共同創業者が四人いた。すべての意思決定を全員の合意で決めることになっていて、一つひとつの決定におそろしく時間がかかった。誰もそれ以前に起業の経験がなく、本当に基本的な問題でさえ延々と議論が続いた。採用、プロダクトの修正、どこから資金を調達すべきか、どのような契約を結ぶべきか。合意できないことがあると、良好な関係を維持するために決断を先送りして、角が立たないようにそれぞれの意見を希釈した。その結果ライバルに後れを取り、資金がつき、最終的に取締役会が介入して一部の創業者をクビにして、創業チームを大改造した。

重荷を分かち合うのと、重荷を完全に放り出すのはまるで違う。自分がチームのリーダーになると決めたら腹をくくらなければならない。

目をつぶったら、最初に採用する社員の顔がはっきり浮かんでくるようでないといけない。じっくり考えるまでもなく、採用すべき人を五人リストアップできるか。そんなリストを作成できないのなら、おそらくまだ起業すべきではない。

ただリストがあればいい、というわけでもない。実際にリストに挙がった人たちを採用する必要がある。少なくとも、そのうちの何人かは。そして単に「それは最高のアイデアだね、ぜひ一緒にやらせてよ」と言わせるのと、本気でコミットさせるのはまるで違う。採用したいと思う相手を口説き落とすことができないなら、事業計画そのものを練り直す必要があるかもしれない。

というのも最初のうちは経営チームのメンバーとして世界トップクラスの人材を探し、採用する役割を担ってくれる人事担当者はいないからだ。採用担当さえもいないだろう。最初の二五人くらいの採用はすべてあなたと共同創業者の手腕、そのビジョン、人脈、説得力にかかっている。メンターや取締役会を（場合によっては投資家にも）頼ってもいいし、お墨付きをもらうこともできるが、最終的にはあなた自身と成功するためのビジョンによって人材を惹きつける必要がある。

そのためにはあなたが尊敬できる人材、偉大なモノを生み出すのに力を貸してくれる人材の共感を呼ぶストーリーが必要だ（第一〇章を参照）。経営陣は会社そのものだ。とりわけ最初に採用する何人かが重要だ。あなたの会社の未来と文化を形づくるのを手伝ってくれる人材になる。

創業チームのメンバーはすべて実績があり、それぞれの分野で秀でている人でなければならない（過去にスタートアップで失敗した経験があるならなおいい。今度こそ何に注意すべきかわかっているからだ）。ただ、それに加えて正しいマインドセットを持っていることも必要だ。ゼロを一にするのは大変な作業で、そのためには全員が大きな負担を背負うことになる。努力が報われないリスクもある。だから一人ひとりがあなたと一緒に情熱を持って飛び込んでくれる協力者でなければならない。あなたと同じくらい事業のアイデアに夢中になっていなければならない。ただ若く野心家だからとか、それともすでにそれなりの資産を築いていて、当面の家賃負担を気にする必要がないからとか、理由は何でもいい。

肩書、報酬、福利厚生で人材を釣るのは避けるべきだが、ケチになれというわけではない。採用しようとしている一人ひとりのニーズに合うように、それなりの柔軟性を持って報酬を設定しよう。自社株より現金を好む人もいるので、そうした選択肢は常に用意すべきだ。ただほとんどの経営陣にはたっぷり自社株を与えるべきだ。彼らも事業アイデアのオーナーである以上、会社のオーナーでもあってしかるべきだ。経営陣の個人的利益が会社の成功と直結するようにして、何か問題が起きた時に（問題は必ず起きる）あなたを支えてもらわなければならない。

会社が誕生したばかりの草創期には、何よりもミッションに惹かれて集まってくる人材が必要だ。情熱、熱意、そして正しいマインドセットを持つ人材だ。種結晶となりうる人材でもある。

種結晶とはとびきり優秀で、とびきり人に愛される人材、それゆえにたった一人でも組織を立ち上げることのできるタイプだ。その多くは経験豊富なリーダーだ。大規模なチームのマネージャー、あるいは誰もが自然と耳を傾ける司令官タイプだ。彼らが会社に入ってくれると、たいていは同じように優秀な人材が雪崩をうって入社してくる。

僕らはそんな意図を持ってネストの中核となる経営陣を集めた。超一流の人材を採用し、それぞれの引力によって大勢の有能な人材を集めてもらった。

創業初期のある日、僕はメンターのビル・キャンベルと一緒にネストの本社を見渡していた。僕らの顔には自然と笑みが浮かんでいた。

陽気で聡明で気骨のあるビルと出会ったのは、ビルがアップルの取締役だったときだ。その後ネストを立ち上げようとしていたとき、再び僕から連絡を取った。ビルはどんな小さな感情の変化も見落とさないと言わんばかりに僕の目をじっと見据えて、こう聞いた。「キミはコーチを持つ気があるの？」。要は「他人の話を聞く気があるのか、学ぶ意欲があるのか」と尋ねていたのだ。それがビルにコーチを引き受けてもらうための唯一の条件だった。自分がすべてを知っているわけではないこと、失敗を犯すこと、失敗から学び、助言に耳を傾け、それに基づいて行動する意志があることを認める能力だ。

ビルはテクノロジーに詳しくなかったし、技術者ではなかったが、人間をよく知っていた。人と一緒に働き、相手の最良の部分を引き出すすべを心得ていた。僕に取締役会を運営する方法、チームが行き詰まったときに打開する方法を教えてくれた。しかも実際に問題が起こるずっと前に、それを見通すことができた。僕が間違った選択をしようとしていると、口に指を入れて「ポンッ」と弾ける音をさせて、こう言った。「何の音だかわかるか？　キミがケツの穴に突っ込んだ頭を引っこ抜く音だぜ」

会社を興すとき、あるいは新たに巨大プロジェクトを立ち上げようというとき必要なのは、まさにこういうコーチだ。メンターであり、知恵と助けを授けてくれる人。水面下でうごめいている問題に気づき、実際に起こる前に警告してくれる人。今、何も見えない真っ暗闇にいるのは、自分のケツに頭を突っ込んでいるからだと静かに指摘してくれて、そこから抜け出すためのヒントを与えてくれる人だ。

共同創業者はいなくてもなんとかなる。しばらくは経営チームがそろっていなくても、やっていける。だがメンターがいなくては絶対に成功できない。

少なくとも一人はあなたが心から信頼でき、またあなたを信じてくれる人を見つけよう。人生のコーチでも、経営者相手のリーダーシップ・コンサルタントでも、代理人でもない。ケーススタディをやまほど読み、一時間いくらの従量制でアドバイスを提供する者でもない。親でもない。親は子供を大切に思っているから、中立的な立場にはなり得ない。あなたを気に入っていて、助けてあげようと思ってくれる、そしてあなたが今やろうとしていることをやったことのある実務的で聡明で頼りになるメンターを見つけよう。

会社を立ち上げるときには、メンターに頼らなければならない。大企業の中でプロジェクトを立ち上げるときでさえメンターは必要だ。

後者のほうが簡単だ、他人の会社の傘下で起業すればさまざまな困難を回避できる、などとはゆめゆめ思わないでほしい。大企業内でプロジェクトを立ち上げるのは、起業家にとって決して近道にならない。その広大で贅沢な本社ビルには革新的な、それでいて初めから失敗を宿命づけられていたプロジェクトの屍が累々と連なっている。

大企業の内部で「スタートアップ」を興すのは、その企業が他では入手できないテクノロジーやリソースなど特別な何かを提供してくれるケースだけに限定すべきだ。そして適切なインセンティブ、組織構造、経営陣の支持という成功の条件がそろっていることを確認しておかなければならない。

企業内スタートアップはたとえて言えばゾウの尻に止まったブヨのようなもので、はるかに規模の大きい他の事業とリソースを奪い合うことになる。たとえ無尽蔵に近いリソースを擁する一〇億ドル企業の傘下にあっても、戦わずしてその一部でも獲得することはできない。そして大企業の社員が、あなたのプロジェクトのためにリスクを取ってくれることは期待できない。確かな見返りが期待できなければ、すでに成功していて企業内で一目置かれている部門を離れ、あなたのチームに参画しようなどとは思わないだろう。

外部から人材を採用しようとする場合も同じだ。正真正銘のスタートアップではなく、大企業内部の新たな小さなプロジェクトに来てほしいと誰かを口説き落とすには、事業が成功する根拠を示し、相手の貴重な時間を割く価値があると説明できなければならない。リスクと報酬のバランスのつじつまが合っている必要がある。

アップルでｉＰｏｄ開発のために最高のチームを集めることができた理由の一つは、他の部署とは比較にならないほど気前の良い自社株とボーナスをメンバーに約束できたことだ。そしてもう一つの重要な理由が、スティーブ・ジョブズの完全な支持を得ていたことだ。この二つが整っていたおかげで、契約書にサインするまで業務内容を伝えられなかったにもかかわらず、すばらしい人材を採用できたうえに、社内の抵抗勢力にも負けずに済んだ。

スティーブは僕らの小さなチームを過分にえこひいきしてくれた。僕らを上空から援護し、妨害しようとする者には爆弾を落とした。アップル社内の抵抗勢力が僕らを組織から放逐しようとしたことが何度かあった。「他にも優先すべきことがある、時間があったら手を貸すよ」「なんでこんなプロジェクトを手伝わなきゃいけないんだ。中核事業じゃないじゃないか」などと言われたことも一度や二度ではない。

でも僕らのチームの要求が正当なものであるかぎり（あるいは不当でも重要性が高ければ）、妨害しようとしたチームにはスティーブから直接電話がかかってきた。「あいつらが何か頼みごとをしたら、つべこべ言わずにやれよ！　これは会社にとってめちゃめちゃ重要なことなんだ！」と。

スティーブからこんな電話を受けたい者などいない。こうして誰も全速力で突っ走っている列車の前に身を投げ出すようなマネはしなくなった。

CEOがあなたのプロジェクトのために戦ってくれない、すばらしい人材を採用できるような報酬パッケージを用意できない、大企業の潤沢なリソースはまわしてもらえないのに間接費の負担は押し付けられるといった状況なら、他人の会社の中でプロジェクトを立ち上げるのはやめることだ。おそらく独立して起業するのが最適解だろう。自分のアイデアをみすみす死なせるのか、それとも本物のスタートアップを立ち上げるかの選択だ。

スタートアップの多くは、大企業を退社した起業家が立ち上げる。事業の必要性を感じ、上司に売り込んだものの却下され、自分でやることにしたのだ。ゼネラルマジック時代の同僚、ピエール・オミダイアがまさにそんなケースだ。ピエールは空いた時間に、消費者が収集品をオークションで売るためのプログラムを書いた。人気が出てきたので、会社に興味はないかと打診した。返事は「不採用」だった。そんなアイデアはバカげている、と。そこでゼネラルマジックに自分の書いたプログラムに対する権利を放棄するという文書を書いてもらい、独立して「イーベイ」という名のささやかなスタートアップを立ち上げた。

ピエールが成功した要因はいくつもある。完璧なタイミング、優れたアイデア、それを成し遂げる意志の力、実行するスキル、指導力だ。ただそれに加えて多くの人が見落としている重要な強みがあった。スタートアップで働いた経験だ。スタートアップとはどういうものか、手本とすべき事例、そして悪い事例もやまほど知っていた。

大企業を辞め、起業しようと決意したものの、その準備がまったくできていない人を僕は数えきれないほど見てきた。小さなチームでゼロから何かをつくり上げるという経験をしたことが一度もない人は、たいてい水を離れた魚のようになる。拙速にお金を遣い、必要以上に人を雇う。かけるべき時間をかけず、スタートアップにふさわしいメンタリティもなく、困難な決断を下すことができず、合意形成に躍起になる。結局凡庸なプロダクトをつくるか、何もつくれずに終わる。

そんな轍を踏んではならない。起業したい、何かを始めたい、新しい何かをつくりたいなら、偉大な結果を目指して突き進む備えが必要だ。偉大な結果は無からは生まれない。しっかり準備する必要がある。自分がどこを目指しているのか、原点はどこか意識しておかなければならない。困難な決断を下し、ミッションに邁進するクズもどきになる必要がある（第七章を参照）。

だからやるべきことをやろう。自分がどんな世界に飛び込もうとしているのか、しっかり理解しよう。直感を信じよう。

そうすれば時が来たとき、備えは整っているはずだ。

第一七章　カネ目当ての結婚

資金調達をするときは毎回、結婚と同じ気持ちでするべきだ。どちらも二人の人間による信頼、相互への敬意、共通の目標に基づく長期的な誓約だ。巨大なベンチャーキャピタルから資金を受け入れる場合でも、煎じ詰めればあなたとその会社のたった一人のパートナーとの関係と、互いの期待が合致しているかにかかっている。

結婚と同じで、自分に多少でも興味を示してくれる相手なら誰でもいい、というわけではない。相性の良い相手、駆け引きをせず、過度なプレッシャーをかけてこない相手を時間をかけて見定めなければならない。そして身を固めるのに適したタイミングか否か、確認する必要がある。会社がまだ若すぎて、自分たちがどんな会社なのか、どんなふうに成長していきたいかもはっきりしない段階で結婚すべきではないし、まわりの友人がみんな結婚している、今の相手で手を打たなければ次の相手は見つからないかもしれないという不安から結婚してはならない。

パートナーとその優先事項を理解する必要もある。たとえばベンチャーキャピタルは有限責任パートナー《リミテッド》（LP。銀行や教職員組合、資産家一族など大口投資家や団体）から資金を拠出してもらっており、借りがある。だからあなたの準備がまだ整わないうちに、LPにとっての価値を実現させようと事業売却や株式公開を迫ってくるかもしれない。そしてインテルやサムスンのようにVC部門を傘下に持つ会社は、出資をテコにあなたの会社の犠牲のもとに自分たちに有利な取引を押しつけようとするかもしれない。出資者が心のなかではあなたの利益を最優先に考えてくれているとしても（たとえエンジェル投資家があなたの母親だとしても）、その資金がリスクフリーである、あるいはまったく何の縛りもないとは限らない。

●●

ベンチャーキャピタルが存在するのは資金取引のためだ。あなたには資金が必要で、彼らはその資金を出す。でもベンチャーキャピタルという仕組みを機能させるのは人間関係だ。事業アイデアをプレゼンする際のやりとり、出資が決まった後にＶＣがどのように取締役の採用や取締役会の運営を助けてくれるか、次の出資ラウンドの際にどのような人脈を紹介してくれるか。ベンチャーキャピタルを動かすのはカネではない。人間だ。

そして有意義な人間関係を結ぶ秘訣は、いつだって同じだ。一足飛びに人生を変えるような誓いを立てる前に、まずは互いを良く知る必要がある。互いを信頼し、よく理解する必要がある。

だから徹底的に身辺調査をされ、吟味され、（たいてい）何かが欠けていると判断されることを覚悟しておかなければならない。「運命の相手」が見つかるまでに一ダースほどの拒絶を受けるかもしれない。ひどく残酷なデートのようだが、今回は「一杯奢らせてよ」という話ではなく、資金を出すよう相手に懇願するのだ。楽しいわけがない。

もう一つ、頭に入れておこう。ＶＣは決して「あなたが悪いんじゃなくて、私の問題なの」とは言わない。問題は常にあなたの側にある。評価されるのはあなたの会社、アイデア、人格だ。

そんなふうに丸裸にされるのはつらい。自分のすべてをさらけ出すのはつらい。市場がとんでもなく盛り上がっている時期、中途半端なプレゼンしか用意していない起業家でも出資を獲得できるような時期でも、それは同じだ。

たとえば一九九九年がそうだった。あるいはまさに今、二〇二二年がそうだ。

投資の世界には景気循環がある。創業者に有利な環境と、投資家に有利な環境の間で常に揺れ動いている。住宅市場と同じようなものだ。売り手市場のこともあれば、買い手市場のこともある。創業者に有利な環境では、市場にうなるほどの資金が流れ込んでいるので、投資家は投資機会を一つも逃したくないとばかりにどんな会社にでも出資する。一方、投資家有利の市場では資金が潤沢ではないので、投資家の見る目は厳しくなり、創業者に提示される条件は悪くなる。

そしてときには市場が完全におかしくなることもある。キャッシュが空から降り注いでいるかのような雰囲気で、すべての常識が放棄され、そんな状態が永遠に続くように感じられる。

だがもちろん終わりは来る。ドットコム・バブルが弾けた二〇〇〇年のように。常に平均への回帰が起こる。そしてどれほど市場が盛り上がっているときでも、資金調達は簡単ではない。努力は必要だ。事業計画の細部が問われる。簡単なように見えても、決してそんなことはない。「めちゃめちゃ大変」から「ほぼ不可能」まで、大変さの度合いが変化するだけだ。

だからこのプロセスに着手する前に、まずは自分自身を知り、自分が何を求めているかをはっきりさせておく必要がある。なぜなら最初の投資ラウンドは一度きり、二度目のチャンスはないからだ。真剣にやらなければならない。しっかり準備しなければならない。そして自分がいったい何を始めようとしているのか、理解しておく必要がある。

最初に自らに問いかけるべき質問は、一番シンプルなものだ。あなたの事業は本当に外部の資金を必要としているのだろうか。プレシード段階にある初期のスタートアップ企業の場合、その答えは意外にも「ノー」であることが多い。まだリサーチ段階、実験段階、アイデアに実現性があるか確認している段階では、焦って資金調達をする必要はない。時間をかけよう。落ち着いて遅い思考を実践しよう。

外部資金を受け入れる準備は整っていると思うのなら、調達した資金を具体的に何に使うつもりなのか。プロトタイプをつくる必要があるのか。経営チームを採用するのか。アイデアに関する調査を進めるのか。特許の取得、あるいは地方自治体に嘆願書を出すのか。パートナー契約を結ぶのか。マーケティングキャンペーンを始めるのか。こうしたニーズを今満たすために必要最低限の金額はいくらか。そして今後ニーズが変化したとき、いくら必要になるのか。

ここまではっきりしたら、投資家が今のあなたの会社に出資したいと思うか、じっくり考えてみよう。あなたの会社がベンチャーキャピタルから見て、投資にふさわしい会社であるとは限らない。大手VCはたいていリスクを嫌う。明らかに成長軌道に乗っていることを証明できないスタートアップには投資しない。インターネット時代の経験を通じて、VCはまともな数字が出ていることを投資先に期待するようになった。成長率、顧客の加入率、クリックスルー率、契約解除の割合、ランレート（直近の実績値の平均）など、ありとあらゆる数字だ。しかもVCには報告すべきボスがいる。VCにお金を拠出している個人や団体などのリミテッド・パートナーだ。VCは彼らに対して、自分たちが優れた経営陣の率いる企業に賢明かつ収益性の高い投資を実施していると証明しなければならない。

しかもひとたび投資を決めると、VCはあなたの会社にすぐに巨額の資金を注入し、あっという間に巨額のリターンをもたらすことを期待する。このような期待もスケジュール感も、大方のスタートアップには当てはまらない。

だから起業した途端に有力VCの気を引こうと躍起になる必要はない。選択肢はたくさんある。何百という会社に数千万ドルの資金を出す大手ＶＣもあれば、少数の会社に投資する、あるいは特定地域に限定して活動するニッチなＶＣもある。スタートアップがまず事業を立ち上げ、大きなＶＣに投資してもらえるよう準備するための少額の出資をするエンジェル投資家もいる。あなたの会社のプロダクトを狙っている、あるいはあなたの会社と取引したいともくろむ大企業の投資部門もある。このような選択肢はシリコンバレーだけでなく、アメリカ全土や世界中にある。今やどこにだってお金の出し手はいる。

ただどのような出資先を選ぶにせよ、最終的に重要なのは窓口となる個人だ。パロアルトに本拠を置く業界最大手のＶＣとの面談を取りつけたとしても、パートナー全員と会うわけではない。会議室に現れたたった一人の人物、そのパートナーに「これは」と思わせ、関係を築かなければならない。あなたの会社との取引条件を決め、あなたの会社の取締役となるのはそのパートナーだ。あなたの結婚相手である。

僕はあるとき、超有名ＶＣに売り込んでいた起業家と一緒に仕事をしたことがある。ミーティングは大成功に終わり、ＶＣ側は投資を約束した。すぐに契約条件書を送る、と。そして一週間が過ぎ、二週間が過ぎた。それからマネージング・パートナーは会社の評価額を減らそうと駆け引きを始めた。起業家を一週間無視したかと思えば、突然連絡してきてやまほど質問を浴びせる。そんな状態が四週間、五週間、六週間続いた。

そのあいだに起業家は、別のＶＣへの売り込みも始めた。そのうちの一社が、ミーティングの翌日に投資条件書を送ってきた。

起業家は難しい決断を迫られた。大手ＶＣが振り向いてくれるのを待つか、それとも知名度は低いが、はるかに積極的な投資家と手を組むか。どちらのほうが結婚相手としてふさわしいだろう。長期的に助けになるのはどちらか。

結局この起業家は超有名ＶＣに電話をかけ、別のＶＣから出資を受けることにしたと告げた。相手のパートナーは激怒し、一九八〇年代の映画に出てくる悪役しか口にしないようなセリフを叫びだした。「なんだと、このやろう。ふざけたマネしやがって！」。起業家は電話を叩き切り、ＶＣとの関係はそれっきりになった。誇張ではない。このパートナーはいまだにこの起業家と口もきかない。この会社が存在しないかのようにふるまい、パーティでは目を合わせないようにする。

だがこのろくでなしのブラックリストに乗るほうが、このＶＣから資金を受け取り、こいつにずっと首根っこを押さえられているよりはるかにましだ。起業家は危うく難を免れたのだ。パートナーが契約をなかなか進めなかったのは、起業家の自信を揺さぶり、悪い条件を受け入れさせようとする戦術だった。そしてくだらない戦術が失敗すると、シリコンバレーきっての大御所はたちまち駄々っ子のようになった。こんな相手とは結婚どころか、ベッドインするのもごめんだ。

ひとたび投資家からお金を受け取ったら、離れられないことを頭に入れておこう。力関係も変化する。ＶＣは創業者をクビにすることはできるが、創業者はＶＣをクビにすることはできない。埋めがたい溝があっても、離婚を申し渡すことはできない。

そして事業がうまくいかなくなると、別居中の夫婦のようになる。まだ法的関係は続いているが、口もきかなくなる。ＶＣは投資先に見切りをつけると、基本的に無視する。支援もしない。他のＶＣに紹介もしない。ＶＣ社内の会議であなたの会社のために発言することもない。あなたの会社が破産するのを、腕組みしながら横目で見ているだけだ。

だからＶＣが最もお行儀よくしているあいだに、つまり交渉がうまくいき、投資してもらえそうな状況になったら、そのふるまいにしっかり目を光らせるべきだ。その段階ですでに失礼なふるまいをしはじめたら、警告サインと受け止めよう。警戒すべき兆候は他にもいくつかある。

- 契約書にサインしてくれたら何でもしてあげる、というVC。たいてい約束は守らない。あなたをどれだけ特別に思っていて、どれだけ助けようとしているか、あんなこともこんなこともしてあげようと思っている、と繰り返し語るだけだ。そんなときは必ずこのVCから出資を受けている他のスタートアップと連絡をとり、求婚期が過ぎた後に実際に何をしてくれるのか確認しよう。
- 契約のタイミングを押しつけてくるVC。契約書を突きつけて今すぐサインしろと迫り、あなたをパニックに陥らせようとするVCには要注意だ。僕はVCとの面談を終えて会議室を出ようとするときに契約書を提示され、その場で契約を強く求められたことがある。僕は「ここは中古車ディーラーか？」と尋ね、契約書を読むまでサインはしないと突っぱねた。
- 強欲なVC。法外な出資比率を求め、応じなければ出資しないと言ってくるケースだ。一般的にVCのビジネスモデルを機能させるためには、出資比率を一八～二二パーセントにする必要がある。それ以上を求めてくるVCは要注意だ。他に選択肢がないわけではないことを覚えておこう。直感的に別のVCを探したほうがいいと思うなら、探しつづけよう。
- 経験不足のスタートアップを狙い、創業者やCEOに会社を経営させるのでなく、自分たちの言うなりにしようとするVCもある。メンタリングや助言をもらうのと、命令に服従しなければならないのはまったく違う。
- まだまっとうなVCから出資を受けていない、資金が逼迫している、瞬く間に大成功を収めたといった理由から、あなたの会社に興味を持った投資家がアプローチしてくることもある。驚くほど条件の良い取引を持ちかけてくるが、あなたの会社をここまで支えてくれた他の投資家を切り捨てるような内容だ。規模の大小にかかわらず、ズルい手口によって得をしようとするＶＣは多い。既存の投資家の持ち分を希薄化したり、新しい投資家を締め出すような条件を盛り込もうとする。

そして二〜三年後にあなたの会社がうまくいっていなかったら、躊躇なく切り捨てるだろう。だから常識的ではない、あるいはうますぎる話には注意しよう。それほど大きな持ち分を求めてくるわけではないが、直感的に何かおかしいと思うなら、相手が他の投資家を追い出すための足掛かりをつかもうとしているのかもしれない。遅かれ早かれ、相手はあなたの会社を牛耳ろうとするだろう。

多くの創業者が気にするものの、実際には警戒すべきサインではない事柄として、ＶＣが過去にＣＥＯや創業者を解任したか否かが挙げられる。ＶＣの過去の実績をよく調べてみよう。なかには出資した会社の存続しか考えず、創業者が一度でも失敗したらクビにするような有名ＶＣもあるが、ほとんどのＶＣは創業者を辞めさせるのは躊躇する。臆病すぎるといっても過言ではない。それでもクビを切るケースでは、たいてい正当な理由がある。

いずれにせよＶＣの会社全体をひとくくりに語るのは難しい。結局は（ＶＣに限った話ではないが）個人の問題だ。

だから投資家に売り込みをかける際には、相手を間違えないようにしよう。過去にそのＶＣと仕事をしたことのある創業者、困難な時期をともに乗り越えたことのある創業者と話してみよう。そして実務能力があり頼りになる優秀なパートナーは誰か、カネのことしか考えないのは誰かを突き止めよう。

別の会社の創業者から、あるいはメンターや友人の友人から、VCに取り次いでもらおう。弱いつながりかもしれないが、ゼロよりはましだ。いきなりVCを訪ねて行っても、まず面談には漕ぎつけられないだろう。そしてVCに電話をかける前に、メディアに記事を売り込んだりするなど、質の高いPR活動に取り組んでみよう。そうしておけばVCがあなたの会社について調べてみようと思ったとき、何かがヒットするはずだ。

投資家は売り込みの海を泳いでいるようなものだということを、常に頭に入れておこう。大手VCはみなそうだが、小規模なところも同じだ。なんとかリストの上位に浮上し、彼らの関心を引かなければならない。

最善の方法は、魅力的なストーリーを語ることだ。そして聞き手がどういう人なのか理解しておく必要がある。シリコンバレーにおいてさえ、VCの関係者は技術の専門家ではない。だからテクノロジーの話に終始せず、「なぜ」の部分にフォーカスしよう（第一〇章を参照）。

言いたいことすべてを一五枚のスライドにまとめるのは難しい。一貫性のあるスムーズな流れで、感情と理性に訴えかけ、しかも誰もが最も重要な点を理解できるように全体像を伝えつつ、細部をおろそかにしているような印象を与えないよう配慮する必要がある。これには技が要る。

そしてどんな技でもそうだが、上達するには練習するしかない。おそらく最初は苦戦するだろう。プレゼンは難しい。スライドは常に調整、修正、改善していかなければならない。

だから初めてのプレゼンの相手が地域トップのVC、というのは避けたほうがいい。関係者は互いに話をするので、一社にダメ出しをされたら、他のVCも出資を見送るかもしれない。できれば最初にプレゼンする相手は、フィードバックを返し、改善するのを助け、あわよくば二回目のチャンスを与えてくれるような「親切な」VCにしたい。

最初のミーティングに完璧に仕上げた状態で臨まなければならないわけではない。「興味を持っていただけるかもしれないので、一足先にお見せしたいと思いました。ぜひご意見をお聞かせくださ い」と言えばいい。相手のフィードバックに耳を傾け、そこから学ぼう。助言や批判を一語一句真に受ける必要はないが、その根拠を理解し、それに従って修正していく必要がある。

手持ちの駒をよく理解できたら、より良い戦略を立てられるようになる。面談する相手にふさわしいストーリーを準備できるようになる。準備が整っている気がしてくる。

もう一つ、忘れてはならない要素が時間だ。

資金を調達するには、あなたが思う以上に時間がかかる。三〜五カ月はかかると思ったほうがいい。創業者に有利な投資環境下などではもっと早く終わることもあるが、僕ならそんな危うい可能性に賭けようとは思わない。資金が底を突きそうになってから、そして破産寸前の緊急事態に陥ってからようやく、どんな資金でもいいから手に入れようと必死になる会社があまりに多い。投資家への売り込みのプロセスは、まだ資金を必要としていない時期に始めよう。プレッシャーにさらされて誤った選択をするのではなく、強い立場で交渉を進めたいからだ。八月、中国の旧正月、感謝祭から新年までといった休暇の時期にも注意が必要だ。ＶＣの人々も休暇を取る、という事実を忘れる人は多い。

あといくつか投資家に売り込むプロセスで覚えておくべきポイントを挙げておこう。

- 駆け引きはしない。駆け引きをするような投資家はごめんだとあなたが思うのと同じように、向こうもあなたが不正直で誠実ではないと思えば興味を失うだろう。
- プレゼンや事業計画に対するフィードバックに耳を傾け、理にかなっていると思えば修正しよう。ただし自分のビジョンと「なぜ」は死守すべきだ。面談する投資家に合わせて自分自身をそっくり変えてはならない。
- どれだけの資金を必要としているか、使途は何かを明確に投資家に伝えよう。投資家のために価値を創造し、事業の価値を高めるために重要な目標を確実に達成するのがあなたの仕事だ。そうすれば次に資金調達をする際に既存の投資家、従業員、自分自身の持ち分を希薄化することはない。
- 起業家は自分の会社の評価額は上がりつづけると思いがちだ。たとえ自分が設定した目標を達成できていないときでも。だが投資家も慈善事業ではない。あなたが成果を出さなければ、会社の価値は高まらないし、あなたの保有株の価値も目減りしていく。困難な時期に従業員をつなぎとめるためにさらにストックオプションを付与しなければならなくなることもあり、その場合あなたの持ち分はさらに希薄化する。
- 自分の会社に周囲と同じような評価額がつくと思い込むのは禁物だ。投資案件はそれぞれ独立している。
- 投資家は創業者や経営陣が「ストックオプションの権利が完全に確定した状態」になるのを嫌がる。創業者や経営陣には常にリスクを負ってゲームに参加してほしいと考える。新たな投資家にコミットメントを示すために、すでに権利の確定したストックオプションをふたたび「未確定」の状態に戻す必要があるかもしれない。
- 投資家は必ずレファレンス（照会先）を求めて来る。デューデリジェンスの一環として、顧客から話を聞くのだ。だから投資家の手間が省けるようにレファレンスの資料をそろえておこう。
- 二回目以降のミーティングでは、あなたの事業が抱えるリスクとそれを抑えるための方法、どんな人材を採用する必要があり、どのような重大な困難が待ち受けているかを率直に語ろう。

・同じぐらい影響力のある投資家を二社獲得し、互いの影響力が相殺しあうようにしよう。ＶＣはみな知り合いで、情報交換をしている。パートナーになりうる相手の機嫌を損ねたくはないはずだ。だから投資家の一方が駆け引きをはじめたら、もう一方が「くだらないマネはやめろ」と止めてくれるだろう。長い目で見るとあなたの会社は投資家にとってさほど重要な存在ではないかもしれないが、誰だって業界での評判を落としたくはないし、とりわけリミテッド・パートナーに嫌われたくはない。

最後に、投資家とのミーティングがどれほどうまくいっても、つまり誰もがプレゼンに魅了され、あなたも先方を気に入り、部屋中がエネルギーで満ちているように感じられても、面談の相手は案件を持ち帰って社内の投資委員会に出資を認めさせなければならないということを覚えておこう。社内プロセスはＶＣによって違うので、しつこく尋ねよう。「イエス」と言ってもらうには、次は何をすればいいのか？　次のステップは何か？　次は何か？

チェスをするときのように、常に二手先、二つ先の投資ラウンドのことを考える必要がある。あなたがまだＶＣに関心がなくても、まだエンジェル投資家を探している段階でもそうだ。エンジェル投資家の最大の魅力は、リミテッド・パートナーに縛られないことだ。あなたの可能性を信じ、助けようとする。背後に「すぐに利益を出せ」とせっついてくる人々がいない。エンジェル投資家は通常、ＶＣよりはるかにリスクテイクに前向きで、ＶＣよりも早い段階で出資してくれる可能性がある。またＶＣほど圧力をかけず、起業家に会社を成功させる方法を見つける時間と裁量を与えてくれる。

これはすばらしいことだ。だが制約がないことが仇となることもある（第一三章を参照）。あるいは罪悪感という別の苦しみをもたらすかもしれない。

僕は二〇歳のとき、叔父からお金を借りてＡＳＩＣエンタープライズというスタートアップを立ち上げた。「アップルⅡ」向けのプロセッサをつくる会社だ。だがアップルが「アップルⅡ」の生産を打ち切ったので、ＡＳＩＣは叔父のお金とともに消滅した。僕はめちゃめちゃ苦い思いを何年も引きずった。でも叔父は僕に対してとても正直だった。これは賭けだとわかっていて、おまえに賭けたんだ。そしておそらく賭けには負けるだろうということもわかっていたよ、と言ったのだ。

結婚の五〇パーセントは失敗すると言われるが、スタートアップの失敗率はその上をいく八〇パーセントだ。

スタートアップを立ち上げれば、失敗する確率のほうが高い。だから失敗すること、他人のカネをなくすことへの心理的葛藤を乗り越える必要がある。もしその時が来たら、正直に率直に伝えよう。どこで間違えたのか、そこから何を学んだかを相手に伝えるのだ。

伝えたところで、気持ちが楽になるわけではない。ＶＣの資金と、母親からもらう資金は別物だ。家族や友人からお金を借りたら、ＶＣから出資を受けたときと同じくらい、あるいはそれ以上に必死に働かなければならない。そして家族や知人にすっからかんになったという報告をしなければならないこともあると覚悟しておこう。

僕はネストを始めるときも、この重荷を背負うのが嫌だった。親しい友人で、フランスのインターネット・サービスプロバイダー、フリーの創業者として大成功を収めたグザビエ・ニールの出資の申し出も断った。僕はもう二〇歳の若造ではなかったし、グザビエも僕の叔父とは比較にならないほどのお金持ちだ。それでもグザビエに僕がお金目的で仲良くしていると思われたくなかった。若い日の失敗したときの気持ち、「あなたのお金をなくしました」と伝えるときの気持ちが忘れられなかった。

だからグザビエが何度も出資すると申し出てくれても、僕はノーと言い続けた。

ネストが立ち上がってまもなく、グザビエと僕はあるカンファレンスに一緒に登壇した。一万人の聴衆を前に、グザビエはこう言った。「コイツはね、僕に出資させてくれないんだ！」と。当時ネストはうまくいっていて、それほどリスクも高くなかったので、僕はようやくグザビエの出資を受け入れた。結局うまくいったが、初期段階では僕らの友情をダメにするようなリスクは負いたくなかったのだ。ネストを運営していくだけでストレスのタネとしては十分だった。

ＶＣかエンジェル投資家か、戦略的に他者と組むのか、あるいは他人の助けを借りずにいくのか。あなたがどの道を選ぶにせよ、会社を立ち上げるのは大変だ。資金を手に入れるのは大変だ。近道、安易な道、途方もないツキに恵まれることなどまずない。

でも正しい方法をとり、正しい相手を選択すれば、出資してくれた投資家と良い関係を結び、スタートアップにつきものの困難な時期を乗り越えるのを助けてもらえるだろう。病めるときも健やかなるときもそばにいて、最終的に幸せな結婚生活を送れるだろう。もしかしたら一度ならず何度でも。

こうなったら、あとは事業を育てていくだけだ。

第一八章　唯一無二の顧客は誰か

あなたのビジネスモデルが「B2B（企業間取引）」なのか、「B2C（企業対消費者間取引）」なのか、「B2B2C（企業対消費者間取引の仲介）」なのか、「C2B2C（消費者対企業対消費者取引）」なのか、はたまたこれから登場する新たなパターンなのかにかかわらず、あなたのボスは一人だけだ。顧客は一種類しかいない。関心を向けるべき相手、ブランディングの唯一の標的となるのは消費者か企業のいずれかであり、両方ではない。

顧客を理解すること、そのデモグラフィックス（人口構成）やサイコグラフィックス（行動、価値観、興味など）、願望、欲求、悩みを理解することが、会社の出発点となる。プロダクト、チーム、企業文化、営業、マーケティング、カスタマー・サポート、価格設定などあらゆる意思決定はこの理解に基づいて決まる。

自らの主要顧客を見失ったら、企業の命運は尽きたも同然だ。

⁂

リナックス・サーバーが登場する前、まだウィンドウズ・サーバーが市場を席捲していた頃、アップルは独自のサーバーを開発し、B2B市場に挑戦することにした。僕が入社する直前のことだ。アップルはなんとかコンピュータの売り上げを伸ばし、開発者を獲得しようとしていた。法人ユーザーはさまざまな業務用ソフトウェアをサーバー上で動かす必要がある。だから典型的な消費者向けブランドであったアップルも企業向けのサーバーをつくることにしたのだ。

試みは失敗に終わった。技術的に手に負えなかったわけではない。むしろ技術は一番簡単な部分だった。B2BがアップルのDNAには組み込まれていなかったということに尽きる。それにふさわしいマーケティングも営業もサポートも開発者もいなかった。一方、顧客である企業の最高情報責任者（CIO）たちはマイクロソフト（ウィンドウズ）が提供する数えきれないほどの法人向けサービスに慣れっこになっていた。アップルの提供するハードウェアはCIOが購入を決定する際のさまざまな検討事項のほんの一つに過ぎなかった。サーバー担当チームはリンゴの木にオレンジを実らせるという不自然な組み合わせを実現しようとして身動きが取れなくなった。結局iPodがヒットしてアップルの救世主となったことで、サーバープロジェクトは幕引きとなった。

スティーブ・ジョブズはここから学ぶべき教訓をしっかりと学び、社内にも周知させた。B2BとB2Cを両方やろうとする会社は必ず失敗する、と。

あなたの顧客はミレニアル世代の消費者だろうか。インスタグラムで広告を見て、妹へのクリスマスプレゼントとしてプロダクトを買うのだろうか。それともフォーチュン500企業のCIOだろうか。営業チームの売り込みのメールを見て、価格交渉をし、何カ月もかけてさまざまなプロダクトを吟味し、さらには五〇〇〇人の従業員に研修を施すためカスタマー・サポートチームの支援を求めてくるだろうか。両者を同時に相手にすることはできない。正反対の顧客のまったく異なるカスタマー・ジャーニーに、同一のプロダクトで対応することはできない。

テクノロジー企業、サービス業、小売業、あるいは食事を提供するレストランであっても同じことだ。

これは鉄則だ。

とはいえどんなルールにも例外はある。B2C企業として出発したからと言って、永遠に法人相手のビジネスができないわけではない。ごく限られた特定の業種では両方をうまくやっていくこともできる。ホテル、航空業のような旅行業、あるいはコストコやホームデポのような小売業（B2B向けのプロダクトをB2Cに開放したのが両社の最大のイノベーションだった）がそうだ。スモールビジネスのように家計を運営する消費者もいるため、銀行が同じ金融商品をB2BとB2Cの両方に使うこともある。

とはいえ、ここに挙げた企業は例外なく、確固たるB2Cブランドを擁している。これがもう一つの重要なルールだ。消費者と企業顧客の両方を相手にするとしても、マーケティングの主眼はB2Cでなければならない。一般人に消費者向けにつくられていないB2Bプロダクトを押しつけることは不可能だが、企業内の個人を説得できれば、企業にプロダクトを採用してもらうことはできるからだ。

アップルも最終的にこの方法によって企業向け市場に足場を築いた。

iPhoneが発売された後も、企業のCIOたちは社内での使用をなかなか認めなかった。ただ普段ならIT絡みのことはすべてCIOに丸投げするCEOたちが、このときばかりは立ち上がって変革を求めた。CEOたちはiPhoneに夢中になった。従業員たちも同じだ。みな職場でもiPhoneを使いたいと思った。

消費者向けプロダクトでの成功が、企業向け市場での成功につながった。誰もがiPhoneに夢中になった結果、なぜ職場でも同じようにスムーズにいかないのか、と考えるようになった。何日も、あるいは何週間も研修を受けなければ使いこなせないゴミみたいな企業向けツールにはうんざりしていたのだ。インターフェースがわかりやすく、高速で動作し、かっこいいハードウェアを求めていた。Ａｐｐストアをつくるという判断に大きな影響を与えたのは、法人ユーザーからの要請だった。社内でｉＰｈｏｎｅを使いはじめた企業は、社内業務のために、あるいはセールスに使えるようなアプリをもっと開発してほしいと求めてきた。多くの人に仕事にもｉＰｈｏｎｅを使ってほしいと思うなら、企業に独自アプリを開発する能力を与えなければならない。こうしてＡｐｐストアは誕生した。

今ではアップル社内にはＢ２Ｂ事業を担当する独立した部門がある。ただＢ２Ｂ顧客を満足させるためのプロダクト開発はしない。純粋なＢ２Ｃ会社であり続けることによって、アップルは優先事項やマーケティングを大幅に変更したり、中核事業をぶち壊しにしたりすることなくＢ２Ｂ事業を追加することができた。

スティーブがルールを決めて以来、アップルはそれを順守してきた。ゲームのルールを理解したのだ。

だがゲームそのものが変化したら、どうか。Ｂ２Ｂ、Ｂ２Ｃだけの世界ではなくなったら？　新しい市場、サービス、ビジネスモデル、新しいＢ２ナントカが登場したら、どう対処すべきか。

僕が支援する企業の一つ、ダイスは次世代のコンサートチケット販売プラットフォームだ。ビジネスモデルはＢ２Ｂ２Ｃになる。創業初期、ダイスは三種類の顧客によって三方向に引き裂かれそうになっていた。音楽ファン（消費者）、コンサート運営会社（企業）、ミュージシャンとそのマネジメント会社（企業）の三者だ。最大の収益源がコンサート運営会社であることを思えば、ツールは運営会社のニーズに対応すべきだ。ただ同時に音楽ファンには最高のカスタマー・エクスペリエンスを提供したいと考えていた。一方、アーティストの協力なくしては事業が成り立たないので、最優先すべきはアーティストかもしれない。

三種類の顧客はいずれも会社に必要な存在だ。三つすべてを満足させなければ、事業の成功はおぼつかない。だがダイスには開発部門もプロダクトも一つしかなかった。コンサート運営会社のニーズに対応すれば、ファンやアーティストがしわ寄せを食った。反対にアーティストを満足させようとすると、コンサート会社から苦情が来た。

僕のアドバイスはシンプルなものだった。ゲームのルールは変わっていない、それに従うんだ、と。三種類の顧客のうち、どれか一つを選ぶしかない。君たちがそもそも会社を興した理由はダフ屋を排除し、音楽ファンに最高の満足を届けるためだろう？　ビジネスモデルがＢ２Ｂ２Ｃだからと言って、ミッションを見失ったらダメだ。Ｂもたしかに重要だが、Ｃがなければ会社が存在する意味がない。

今では「私たちの唯一無二の顧客はファンだ」が会社の黄金律になった。それだけでなく、コンサート運営会社やアーティストにもこの黄金律を受け入れてもらっている。ダイスがファンのために正しいことをすれば、すべてがうまくいくと繰り返し伝えるのだ。つまるところアーティストもコンサート運営会社もダイスも「コンサートチケットを購入する人」という同じ主人に仕えているのだ。最高のライブを楽しみたい、という個人である。

Ｂ２Ｂ２Ｃを営む会社が覚えておくべき一番重要な点はこれだ。どれだけ多くの会社がかかわっていようと、最終的に事業の成否を決めるのは最終消費者だ。

でも、これを忘れてしまう会社は多い。特にＢ２ＣからＢ２Ｂ２Ｃに変化するタイミングでそれは起こる。創業当初はビジネスモデルも利益をあげる方法も確立されていない。ただたくさんの顧客がタダでプロダクトを使ってくれるだけだ。でもプロダクトは本当はタダじゃない。こうしたスタートアップの多くは最終的に、もっとも儲かる方法はユーザーデータを大企業に売ることだと気づく。つまりＢ２Ｂへの営業を強化し、同じ顧客データを何百回、何千回と販売できるようになればいい。フェイスブック、ツイッター、グーグル、インスタグラムをはじめ多くの会社がこの道をたどった。

だがそれが常にハッピーエンドを迎えるとは限らない。会社の関心や事業の主眼が消費者からお金を落としてくれる取引先に移ったら、前途は多難だ。

そして割を食うのは常に消費者だ。

だからフォーカスすべき顧客を見失ってはいけない。二人の主人に同時に仕えることはできない。どんなプロダクトをつくっているかにかかわらず、それが誰のためのプロダクトか決して忘れてはならない。あなたの唯一無二の顧客は誰か、正しく選択しよう。

第一九章　死ぬほど働く

ワークライフバランスには二種類ある。

一　**本物のワークライフバランス**。仕事、家庭、趣味、友達づきあい、運動、休暇など、やりたいことすべてにかける時間のある夢のような、ほぼありえない状態。仕事は人生の一部に過ぎず、他の領域を浸食しない。ただこの手のバランスは会社を立ち上げ、革新的なプロダクトやサービスをライバルに先んじて世に送り出そうとしているとき、あるいは厳しい局面に追い込まれているときにはまず手に入らない。

二　**仕事中のパーソナルバランス**。持てる時間のほぼすべてを仕事あるいは仕事について考えるのに費やすが、そのなかで、頭と体を休ませるための時間を確保すること。ある程度のパーソナルバランスを保つには、しっかり食事をとり（できれば家族や友人と）、運動やメディテーション（瞑想）、睡眠、そしてわずかな間でも職場の危機的状況以外のことを考える時間を持てるようにスケジュールを組む必要がある。

本物のワークライフバランスが完全に崩れた状態を乗り切るためには、明確な戦略が必要だ。まず優先課題をはっきりさせよう。検討すべき事柄をすべて書き出し、それぞれいつ、どのようにチームで検討するか計画を立てる。さもないとそれらを頭の中で延々考えつづけ、いっときも肩の荷を下ろすことができなくなる。

●

ひとつアドバイスがある。スティーブ・ジョブズの休暇の取り方はまねしないほうがいい。

スティーブはたいてい年二回、二週間の休みを取った。アップルの社員はみなこの休暇を心底恐れていた。最初の四八時間は静かだ。だがその後は嵐のように電話がかかってくる。

休暇のあいだは次々と会議に追われることもなく、日々の雑事から解放されて自由になる。それは日がな一日アップルの未来について思いを巡らせる自由であり、部下に電話をかけて思いついたばかりのとんでもないアイデアについて意見を聞く自由だ。動画用ｉＰｏｄから流れてくる動画を観るためのメガネをつくったらどうだろう。いけるか、ダメか。アイデアに磨きをかけるために、その場で僕らの意見を求めた。

ジョブズはオフィスにいるときより、休暇中のほうが熱心に働いていた。

こんなふうにノンストップで我を忘れて仕事に集中するというのは、いかにもアップルらしい武勇伝だと思うかもしれない。イカれた天才だけがすることだ、と。だが実はそうでもない。

スティーブは極端なケースだが、どうしても仕事が頭を離れないという人はたくさんいる。僕もそうだ。とりわけ重要な案件をやまほど抱えているときなど、ほとんどの人が同じだろう。ＣＥＯや経営幹部に限らない。誰にだって厳しい局面はある。抱えきれないほどの仕事があり、今後も増える一方だとわかっている。だから職場にいないときですら、仕事のことを考えてしまう。

ときにはそれでもかまわない。そうするしかないこともある。でも脳を酷使し、一晩中仕事のピンチについて考えつづけているのと、自由かつクリエイティブに仕事について思いを巡らせるのはまったく違う。後者は、おなじみの難題をおなじみの方法で解決しようとするのをやめ、まったく新しい方法を模索する自由を脳に与えることだ。

スティーブが休暇をとる理由はそこにあるのかもしれない、と僕は思っていた。リラックスするためでも会社のことを考えないためでもなく、家族とともに時間を過ごしながら、じっくり時間をかけて自由に思考を巡らせるためだ。自分にも他人にも本物のワークライフバランスを見つけることを許さず、スティーブは全力疾走した。家族以外のすべてを「どうでもいいこと」カテゴリーに追いやり、アップルにすべてを注いだ。

とんでもないプレッシャーにさらされる決定的場面では、多くの人がこのようなワークライフバランスの完全なる崩壊を経験する。でもスティーブにとってはこれが常態だった。あなたがスティーブ・ジョブズとは違うなら、つまりずっと仕事のことを考えなければならない立場にあるが、ずっと仕事のことばかり考えていたくはないと思うのなら、なんらかの仕組みをつくろう。

正気を保つ方法を見つけるのだ。片づけなければならない作業、会議、計画、質問、課題、進歩、不安にもみくちゃにされる状態をうまく管理する方法だ。そして脳がバーンアウトしたり、別人のように太りすぎたりしないようにスケジュールを組まなければいけない。こんなことを言うのは身に覚えがあるからだ。僕はゼネラルマジック時代に精神的にも肉体的にもボロボロになった。人はストレスとダイエットコーラだけでは生きてはいけない。

でもゼネラルマジック時代はまだましだった。当時の僕はまだ駆け出しで、会社の崩壊に巻き込まれはしたものの、自分でその原因をつくったわけではなかった。アップルは次元が違った。最初の数年のプレッシャーは筆舌に尽くしがたい。特に仕事を始めたばかりの頃、アップルから受注した仕事をこなしながら自分が創業したフューズという会社を救おうとしていた時期はきつかった。その後iＰｏｄにフルタイムでかかわるようになると、ストレスは一段と高まった。

当初iＰｏｄはアップル内の数あるプロジェクトのひとつに過ぎなかった。だが数カ月、数年経つうちにiＰｏｄはＭａｃと同じくらい、ときにはそれ以上に重要な存在になった。僕らが成功するか、会社全体が固唾をのんで見守っていた。このまったく新しいプロダクトをただつくるというだけでなく、信じられないスピードで、スティーブ・ジョブズの要求どおりの仕様で、しかも世界にアップルの底力を知らしめるような美しさ、楽しさを備えたモノに仕上げ、商業的にも大成功を収めなければいけなかった。

スティーブのゴーサインが出た後の二〇〇一年四月、僕はアップルの本社に出向いた。次のクリスマス商戦までにiＰｏｄをデザインし、完成させなければならない。ほんの七カ月先だ。このとんでもないスケジュールを設定したのはスティーブではなかった。僕自身だ。スティーブは一二～一六カ月かかると思っていた。誰もがそう思っていた。

クリスマスまでに顧客に届けられると考えていた人はひとりもいなかった。でも僕は四年間過ごしたフィリップスを辞めたばかりだった。プロジェクトの九〇パーセント以上が中止、あるいは廃止に追い込まれるような環境だ。早く結果を出さなければ、何か問題が起きたり、長引かされたりして、本社部門が介入してくる。「会社をとんでもない失敗から救うため」、あるいはプロジェクトを横取りするために（第七章を参照）。アップルでも同じようなことが起こるのかはわからなかったが、そんなリスクは冒したくなかった。

このクリスマス商戦にソニーが音楽プレーヤーを出してきて、アップルの出る幕をなくしてしまうリスクもあったし、アップルの社内政治に巻き込まれるリスクもあった。会社の主力部門は収益的に結果を出さなければならない猛烈なプレッシャーにさらされており、僕らはそこからリソースを奪うちっぽけなチームに過ぎなかった。他の部門にとって愉快な状況ではないし、僕らの存在自体が愉快なものではなかった。僕は彼らの視線やむき出しの敵意を感じていた。

だから成果を出す必要があった。僕らは猛烈に働いた。僕の仕事はメンバーを集めるところから始まって、ｉＰｏｄの開発チームを立ち上げ、率いていくことだった。日々の設計とエンジニアリング業務に目を光らせるだけでなく、経営陣に状況を報告し、フィリップス時代の間違いを繰り返さないために営業やマーケティング部門と打ち合わせをし、製造体制を確認するために台湾に飛び、チームメンバーがストレスに潰されないように目配りし、スティーブをはじめとする幹部と日常的に議論を重ね、その隙を縫って睡眠もとらなければならなかった。

すべてを頭のなかに入れておくことは不可能だった。常に新たな危機が勃発し、新たな懸念材料が生まれ、一秒前の悩みごとを上書きしていった。細々とした変動要素がありすぎて、それが他の要素と複雑に絡み合い、作りかけの鳩時計が常に頭のなかで鳴きつづけているような状態だった。

僕は冷静になる必要があった。なんとか時間を見つける必要があった。物事の優先順位を決める必要があった。

誰もが僕はイカれていると思っていた（今でもそう思っている人は多いが）。そこで僕が何をしたかと言えば、常に数枚の紙を持ち歩くようにした。それぞれの紙には、エンジニアリング、人事、財務、法務、マーケティング、設備など、各分野の最優先目標とそれを達成するためにやるべきことを書いておいた。

僕が考えるべき最優先課題は、すべてこの紙束に書いてあった。こうして会議に出るときや誰かと会うときには、さっと目を通せるようにしていた。僕の今の最優先課題は何だ？　顧客にとって一番の問題は何だ？　目の前の相手が今抱えている最大の問題は何だ？　次の重要なマイルストーンは何だ？　チームがコミット（約束）した次の重要な締め切りはいつだ？

何よりこの紙束は、アイデアを仮置きするのに役立った。誰かがプロダクトや組織の改善につながるすばらしいアイデアを出してくれたけれど、すぐには取りかかれないというとき、僕はこの紙束に書きつけた。その週の「やることリスト」のすぐ隣には、「一刻も早く取りかかりたいことリスト」があった。僕は両者を頻繁に読み返し、まだ妥当性を失っていないか確認した。そのおかげでモチベーションを維持し、未来に意識を集中することができた。これはチームにも良い影響を与えた。僕が彼らのアイデアに耳を傾け、ずっと考えつづけていることが伝わったからだ。

僕にとって優れたアイデア、優先事項、障害、チームが約束した期日、社内外の重要なリズムをすべて把握する唯一の方法は、あらゆる会議でメモをとることだ。手書きで。パソコンは使わない（第一三章、図17を参照）。

僕にとって手で書くという作業は重要だった。パソコン画面を見ていると、メールが届いて集中を削がれる。パソコンやスマホは、リーダーとチームを隔てる大きな壁となる。リーダーが会議に集中するのを妨げ、そのうえ画面に表示されていることのほうが周囲の人間よりも重要だというメッセージを送ってしまう。

パソコンを使ってメモをとるのも意味がない。キーボードで文字を打っていると、単に文字を打っているだけで内容が頭に入ってこない。そのうえタイピングに気をとられ、チームメンバーの発言を聞き漏らしてしまう。

ペンを使い、後からパソコンに打ち込んで編集するという作業を経ることで、情報を処理する方法が変わる。

僕は毎週日曜の晩、自分のとったメモを振り返り、やるべき仕事を再評価し、優先順位を見直した。優れたアイデアに目を通し、それから紙束の内容をパソコン上で修正し、その週の新しいバージョンを印刷した。繰り返し優先順位を見直すことで、一歩引いて、どの項目を統合できるか、削除すべきか見きわめられるようになった。自分たちが手に余るほどの仕事を引き受けてしまっているときには、そうと気づくことができるようになった。

日曜の晩は、チームがなぜこれほどクビがまわらない状況に陥っているのか理解するための時間だった。それはあまりに多くの要求に「イエス」と言い過ぎたためで、「ノー」と言うべきタイミングが来ていることを意味していた。それからどの項目を他の人々に任せ、どの項目を後回しにし、どの項目をやるべきリストから除外すべきかを判断する、という難しい作業と向き合った。思いつきで動くのではなく、本当に重要なことは何かを基準に優先順位を決めなければならなかった。この作業を通じて僕は目の前の危機の火消しや、その日思いついたすてきな機能に目を奪われたりするのではなく、大きな目標やマイルストーンに集中することができた。

それから日曜の夜のうちに仕上がったリストをチームのマネージャークラスにメールした。それぞれの項目には責任者の名前を明記した。リストの一番上には僕がその週に集中すること、チームメンバーがやるべきこと、次の重要なマイルストーンをはっきり書いておいた。

翌月曜日には、この紙をもとにミーティングを開いた。

まわりはこのやり方を心底嫌がっていた。僕が紙を取り出すと、みんながギクリとするのがはっきりわかった。僕は紙を見ながら、何週間も前から頼んでいたこと、リストから削除していないので忘れようにも忘れられないことを尋ねていった。六月三日に月末までに仕上げるって言ったよね？　いま七月だけど、このプロジェクトのステータスはどうなっている？

これはマイクロマネジメントではない。メンバーに責任を果たしてもらうため。と同時にすべてを僕の頭の中に入れておくため。覚えておかなければならないことの濁流にのみ込まれてしまわないための手段だった。

当初は一ページからスタートした。やがてそれは八ページになり、一〇ページになった。手間のかかる、複雑で、永遠に終わらないような作業だった。それでも効果は絶大だった。チームも徐々にこの方法を評価するようになった。このおかげで僕は（比較的）落ち着いていられたし、重要な問題に集中できた。僕が何に集中しているかは誰の目にも明らかだった。僕にとって何が重要かもみながわかっていた。優先事項が書面で示され、しかも毎週更新されていたから。

部下の多くがこの方法を自ら実践するようになり、彼らの部下もそれにならった。誰もが当初は僕流のリスト作成、メール連絡、会議運営を嫌がったが、自らも抱えきれないほどの案件を抱えるようになり、そんな状況を管理する方法を見つけなければならなくなると認識を改めた。

このやり方が万人向けだとは思わない。まったくそんなことはない。誰もが自分なりのやり方を確立すべきだ。いずれにせよ、必要なのは仕事の優先順位をつけ、自分の考えを整理し、定期的に部下にそれを周知することだ。

次に必要なのが、休憩をとることだ。

正真正銘の休憩だ。散歩をする、読書をする、子供と遊ぶ、ジムでトレーニングをする、音楽を聴く。あるいはただ床に寝そべってぼーっと天井を見上げるだけでもいい。頭の中でひたすらぐるぐると仕事のことを考えている状況から自らを引き離すのに役立つことなら何でもいい。仕事の優先順位をつける方法を見つけたら、次は自分の身体的、精神的健康に目を向ける番だ。それが言うほど容易ではないことはよくわかっている。立ち上げたばかりのスタートアップやプロジェクトは、あなたにとって赤ん坊と同じだ。階段から落っこちるかもしれないし、電気コードを口に入れてしまうかもしれない。目を離すことなどできない。

仕事も同じだ。たとえ休暇をとっても（重要なプロジェクトを立ち上げたら、当分休暇をとることさえ叶わないが）、初めて赤ちゃんをベビーシッターに預けて外出するときと同じような気持ちになる。多分大丈夫だろうと思いつつ、念のため状況確認の電話を入れてしまう。一時間後にもう一度。それから帰宅途中にもう一度。うちの子は眠くなるとくしゃみをするって、ベビーシッターに伝えたっけ？　念のためもう一度電話しておこう。

時間が経つうちに、ベビーシッターを信頼するようになる。自分がいなくても部下が万事きちんと対応してくれることがわかってくる。数世代のｉＰｏｄを世に送り出した後、僕はしっかり休暇をとるようになった。

僕はスティーブ・ジョブズとは違う、家族と過ごす時間に集中し、趣味を楽しみ、リラックスする時間を確保した、と言いたいところだが、実際はそうではなかった。ふだん会社にいるときほど集中してではなかったが、やはりずっと会社の将来について考えつづけていた。アイデアを模索しつづけた。

思いついたアイデアを誰かに伝えるために電話をかけたりメールを送ったりはしなかった。社員との連絡は深刻な緊急事態が発生した場合のみに限っていた。

休暇に出るたびに、僕は会社の舵取り役を部下の誰かに委ねた。「今からキミが指揮官だからな」と。僕の休暇は、マネージャークラスが代役として僕の役割を学ぶ機会だった。休暇は将来に備えてチームの能力を鍛える機会、そしてトップの後継者候補を見定める機会でもある。部下はみな、自分が経営者になったらもっとうまくやれるはずだと思っているが、実際に経験してみればそうでもないと気づく。だからあなたが経営者としてどれほどのストレスにさらされていても、休暇はとらなければならない。それが経営陣を育てるのに重要なことだからだ。

休暇はしっかり睡眠をとる良い機会でもある。僕は本当に長い間、何日か連続してしっかり睡眠をとることがほぼ不可能な状況にあった。

一九九二年以前はよく眠れていた。インターネットやツイッターはもちろん、国境を越えて電子メールが届くようになる前のことだ。それ以降は常に午前四時に世界のどこかにいる誰かから、僕と話したいという連絡が入る日々だった。

休もうと思ったら、強制的に自分に休暇をとらせるしかない。就寝前にしてはいけないとされるさまざまな事柄を避けるのも同じだ。就寝前にカフェインや砂糖を摂ってはいけない、室温を低く、室内を暗くし、とにかくスマホをベッドから遠ざけておかなければならない。僕らはみなスマホ中毒だから、誘惑にかられないように別室で充電しておこう。ベッドサイド・テーブルにウィスキーの瓶を置いておくような人間になってはいけない（僕はそんなことはしない、と言い切りたいところだが、そこはやはり人の子なので……）。

予定表にひと呼吸おく時間を入れるようにしよう。リーダーは一日中次から次へと会議をはしごして、ひとやすみするどころか食事やトイレの時間もない、という状況に陥りやすい。でも無理にでもひと呼吸おく時間をとらなければならない。絶対に。そうしないと身が持たない。あなたも新生児を抱えて、おかしくなりそうになったことがある、あるいはそんな親たちを見たことがあるだろう。リーダーも同じようなものだ。職場でキレて仲間に当たり散らさないようにすることもリーダーの仕事だ。

スティーブ・ジョブズが会議と会議の合間に、あるいは会議をしながらウォーキングをしていたことは有名だが、それにはまっとうな理由があった。歩くことがモノを考えたり、クリエイティビティを維持したり、アイデアを練ったりするのに役立ったためだけではない。ときにはただ歩くことが必要だったのだ。ほんの数分でも、会議室に座っている状態から解放されることが。

だからあなたも自分のカレンダーを見直してみよう。自ら手を加え、デザインしよう。

これからの三カ月、六カ月の予定を紙に書き出してみよう。

典型的な一日のスケジュールを書いてみよう。

典型的な一週間、あるいは二週間はどんなものになるだろうか。

次の一カ月はどうか。

次の半年はどうか。

それから「自分が生きていることを実感するための時間」を組み入れた一日、一週間、一カ月のスケジュールを立ててみよう。昼食後に一〇分だけ人気ブログサイトの「メディアム（Medium）」で興味を持った記事を読むというのもいいし、半年後にヤシの木の下で一週間の休暇をとる、というのでもいい。どんなかたちにせよ、こんな具合にスケジュールにひと呼吸入れる時間を組み込み、誰かがそこに何か予定を入れようとしたら抗わなければならない。

数日に一回、一週間か二週間に一回のペースで、ひと呼吸入れるために何をするか。

八週間から一二週間に一回のペースではどうか。

半年に一度、年に一度、どんなかたちで休むか。

長期的には、必ず休暇をとろう。短期的には、次のようなメニューをオススメする。

【週二〜三回】 出勤日のスケジュールに、モノを考えたり、瞑想したり、自分の仕事と直接関係のないテーマに関するニュースを読んだりするための時間を確保する。何をしてもいいし、仕事と多少関わりがあってもいいが、仕事と直接関係することはダメだ。脳に身のまわりで起きていることを吸収する時間を与えよう。次々と発生する目の前の火事を消し止めたり、会議をこなすことばかりに追われず、何かを学び、好奇心を持つようにしよう。

【週四〜六回】 運動する。体を動かそう。サイクリング、ランニング、筋トレ、クロストレーニング、あるいは散歩でもいい。僕はフィリップス時代にヨガを始め、以来二五年以上続けてきた。とても有益だったと思う。すべてをシャットアウトして、ヨガのポーズを正しく実践することに集中する。自分の身体に自覚的になるので、調子が悪いときにはすぐに気づく。あなたにとって同じような役割を果たす何かを見つけよう。肉体的あるいは精神的な限界に近づいたときにそうと気づき、手遅れになる前に軌道修正できるように。

【しっかり食べる】 経営者はトップアスリートのようなものだ。種目は仕事である。だから燃料が必要だ。自分の身体がゴミのかたまりのような気持ちにならないように、食べ過ぎを控え、深夜の食事を控え、白砂糖を控え、たばこやアルコールも控えよう。

ここに挙げたことが理屈の上では結構だが実践はどうにも不可能だ、スポーツジムに行く時間や一カ月単位の休暇はおろか、日々メールを開く時間すらない、という場合は、やることリストにもう一つ項目を追加する必要があるかもしれない。「アシスタントを見つけること」だ。

それなりに大きな会社でそれなりに高い地位（ディレクター以上）に就き、それなりに大きなチームを率いている人は、アシスタントを置くことを考えるべきだ。どんな会社であれＣＥＯを務めているのなら、絶対にアシスタントは必要だ。

アシスタントを採用することに抵抗のある若手リーダーは多い。僕もそうだった。アシスタントを置くのは自分の弱さを認めるような、部下と会うのを嫌がる偉そうな経営者になったサインのような気がしたのだ。他人に嫌なことをさせたくない、本来は自分がやるべき「雑務」をアシスタントに押しつけるのは嫌だ、とも思う。それにエンジニアリング部門のディレクターや、営業部門の人手不足を埋める前にアシスタントを雇うなどありえない、優先すべきことは他にある、と感じる。

だがリーダーとしてやるべき仕事もある。会議の調整やメールを読むのに勤務時間の大半を費やしたら、あるいはそういった作業をできなかったら、それこそ問題だ。みなさんもそんなリーダーに遭遇したことがあるかもしれないし、実際にそんなリーダーだったかもしれない。仕事の手が回らず二週間もメールを無視した挙句、三つの会議を同じ時間帯にブッキングして、結局どれにも顔を出さない、といったリーダーだ。スケジュール調整に追われて、仕事がまったく進まない。その結果、自分自身とチームの評判を落としてしまう。会社の印象を悪くする。

そういうリーダーになってはいけない。

周囲にどう思われるかが気になるなら、アシスタントを周囲と共有すればいい。有能なアシスタントは三〜四人、ときには五人の上司を同時にサポートすることができる。あるいはチーム全体のアシスタントを置いてもいい。メンバーの出張を手配したり、経費精算や特別なプロジェクトを手伝ってもらったりして、チーム全体を支えてもらうのだ。

一つだけ頭に入れておくべきことは、あなたの考えを瞬時に読み取るような完璧なアシスタントはいない、ということだ。求めるべきは、あなた自身や会社についての噂話に精を出すのではなく、チームの全員に気持ちよく接し、気がかりな噂を耳に挟んだらあなたに教えてくれるような人物だ。のみ込みがよく、何かを一度説明すればきちんと理解する。そして時間が経つうちにあなたの要望を予想し、問題があなたのところまで上がってくる前に手を打ってくれるようになる。アシスタントが能力を完全に発揮してくれるようになるまでには三〜六カ月かかることもあるが、ひとたびその状態に到達すると、新たに何かとんでもない力を手に入れたような気持ちになる。手足が一本増えたような、あるいは毎日に六時間が追加されたような感じだ。

アシスタントは単なる従業員ではない。あなたのパートナーだ。だから映画によく登場するような、アシスタントを召使いのようにこき使う上司になってはならない。僕のすばらしく優秀で万能で親切なアシスタントであるビッキーの元上司は、あるとき有機栽培のメロンを今すぐ食べたい、と言い出したという。しかも周囲に何もないド田舎で。ビッキーは何時間もメロンを探し回るはめになった。あなたのために何時間、何週間分もの余裕時間を生み出してくれる貴重なタイムマシーンを、こんなふうに扱うのは間違いだ。

でも、どれだけすばらしいアシスタントがいても、どうにもならないときはある。プレッシャー、ストレス、永遠に尽きない「やることリスト」や永遠に続くミーティングが限界を超えることもある。そんなときには、脱出しよう。散歩に出よう。

すべてがどうしようもなくうまくいかない日には、僕はオフィスを離れ、すべてのミーティングをリスケした。「こういう日もあるさ。悪あがきはやめようぜ」と。

リーダーにふさわしいふるまいどころか、人としてまっとうに機能できない日というのはあるものだ。それをきちんと把握し、距離を置く必要がある。ストレスと過労のために誤った判断を下すのは禁物だ。冷静さを取り戻し、翌日新たな気持ちで出社すればいい。

ここに書いてきたことは、別段目新しいことではない。誰もが小学校時代に学んだはずだ。やらなければいけないことのリストを作る。腹が立ったときには深呼吸して、しばらく時間を置く。野菜を食べ、運動して、睡眠をとる。それでも何かを忘れることはある。みんなそうだ。だからカレンダーを開いて計画を立てよう。しばらくは仕事漬けの日々が続くかもしれないが、大丈夫。永遠には続かない。でも課題との向き合い方がマンネリ化していないだろうか。ずっと同じハンマーで同じ場所を叩きつづけていないか。ハンマーをバールに持ちかえて、あるいはブルドーザーでも動員して、自由に発想を飛ばしてみよう。ときには心を休めよう。

そして寝る前にはスマホを遠ざけること。ヨガもオススメだ。

第二〇章　危　機

あなたも遅かれ早かれ危機に直面するだろう。誰もが通る道だ。危機に直面しないとすれば、何も意味のあることをしていないからか、限界に挑戦していないからだ。新しい破壊的な何かを生み出そうとすれば、いずれとんでもない大惨事が襲ってくる。

それは自分たちの力の及ばない外的危機、社内のトラブル、あるいはすべてのスタートアップが直面する成長の痛みかもしれない（第二二章を参照）。いずれにせよ、そうした事態が起こったときの基本的な対処法は以下のとおりだ。

一　誰を責めるかではなく、どうやって問題を解決するかに意識を集中する。責任追及は後でやればいい。危機発生初期には解決に集中する妨げになる。

二　リーダーは問題を細部まで把握すべきだ。マイクロマネジメントではないかと気に病む必要はない。危機のなかでリーダーが果たすべき役割は、何をどうすべきか、部下に具体的に指示を出すことだ。ただし誰もが冷静さを取り戻し、やるべき仕事に取りかかったら、いつまでもクビを突っ込んでいないで部下に任せよう。

三　周囲に助言を求める。メンター、投資家、取締役会など、同じような状況を経験したことのある人なら誰でもいい。自分ひとりで問題を解決しようとするのは禁物だ。

四　社内が最初のショックから立ち直ったら、リーダーの仕事はひたすらコミュニケーションをとることだ。とにかく話して話して話しまくろう（チームの仲間や他部門の同僚、取締役会、投資家、ときには報道関係者や顧客などと）。そして聞いて聞いて聞きまくろう（チームの仲間の不安に耳を傾け、発生しつつある問題を理解し、パニックに陥った従業員やストレスを抱えた広報担当者を落ち着かせる）。コミュニケーションをやりすぎる、ということはない。

五　危機の原因があなた自身の失敗なのか、チームの失敗か、あるいは偶発的事故なのかは問題ではない。それが顧客に何らかの影響を及ぼしたら、責任を引き受けて謝罪しよう。

：

煙と一酸化炭素報知器『ネスト・プロテクト』の最大の売りの一つが、「ウェイブ・トゥ・ハッシュ（手を振って黙らせる）」機能だった。たとえば朝食用のトーストを焦がしてしまい報知器が鳴ったとき、音を止めるために必死に報知器の前でタオルやほうきを振り回す必要はない。報知器の真下に立ち、ゆったりと手を大きく一〜二度振ればいい。

ウェイブ・トゥ・ハッシュは完璧に機能した。ユーザーからは大好評だった。何より重要なのは、ネスト・プロテクトが本当に人々の役に立っていたということだ。アラームの誤作動という厄介な問題を解決しただけではない。ネスト・プロテクトのおかげで火事を逃れることができた、一酸化炭素中毒にならずに済んだ、というすばらしい経験談が多くの家族から寄せられた。僕らはこのプロダクトを、そしてそれが多くの命や家屋を守っていることを心底誇りに思っていた。

だが発売から何カ月も経ったある日、実験室で通常のテストをしていたところ、それまで見たこともないような大きな炎が立ち上った。それは天井に向けて伸びていき、踊るように……揺らめいた。まるで手を振るかのように。すると警報音がぴたりと止まった。

「いいか、みんな、落ち着けよ」と口に出したかは覚えていないが、そう思ったのをはっきり覚えている。心がずっしりと重くなった。腹にズドンとパンチを食らったような気がした。危機対応マニュアルの出番だ。まず問題の重要度を把握する。これは再現性のある問題なのか。テストでたまたまおかしな結果が出ただけか。本当に起きたのか。そうだとしたら発生頻度はどれくらいか。一〇〇〇回に一度、それとも一〇億回に一度か。本当に発生しうる事態なら危険であり、次にとるべき手段は重大なものになる。製品をリコールし、顧客に注意を呼びかけ、当局に報告しなければならない。最悪の場合、この恐ろしい炎が実際の火事のさなかに発生し、報知器が最も必要とされる場面で止まってしまう恐れがある。

こうなったら全力であらゆる選択肢を追求しなければならない。

一　ネスト・プロテクトをひとつ残らずリコールする。そうなったらプロダクトもブランドの評判も、会社の売り上げも地に堕ちるだろう。

二　ソフトウェアのアップデートで問題を解決できるかもしれない。

三　単なるテスト上のエラーかもしれない。

こういう状況でリーダーが自ら関与せず、部下に解決を委ねるのは間違いだ。全員に何をすべきかを明確に理解させ、早急に解決策を見つけるためのツールを与えるのが僕の仕事だった。陣頭指揮をとらなければならない。

危機においては誰もが自らの任務を果たさなければならない。
• 一般社員は指示を受け、それを実行する。基本業務に取り組みつつ、問題を解決するためのより良い選択肢を探し、提案する。憶測や噂話は控える。懸念材料や疑問があれば、指揮命令系統に従って上に伝え、自分の仕事に戻る。
• 管理職は上層部からの情報を自分のチームに伝達しつつ、チームに過剰な負担をかけないように、そしてチームが業務に集中できるように目配りする。一日に何回かチームの状況を確認する。ただし余計な圧力はかけないこと（一時間おきに指示が来るというのは、それだけで誰にとっても不安な状況だ）。リーダーはチームのそばにとどまる。部下が与えられた任務を遂行するのを確認するためだけではなく、彼らが大丈夫か確認するためだ。チームを燃え尽き症候群から守るのは一義的にリーダーの務めだ。プレッシャーやストレス、睡眠不足、不規則な食事は健康を蝕む。たとえ危機のさなかであっても、全員にひと息いれる時間を与えるべきときもある。
　期待事項とリミット（限度）を必ず設定しよう。週末も働かなければならないこともあるだろう。それはそれで構わない。ただチームに予定をはっきり示そう。土曜日は頑張って働くが、夕方五時には全員必ず退社する。そして日曜の晩に改めて状況報告をする、といった具合に。
• 大企業あるいは大きな組織のなかでリーダーを務めている人なら、恐らくずっと「マイクロマネジメントの悪癖は捨てろ」と言われ続けてきただろう。だが危機が勃発したらマイクロマネージャーに逆戻りすべきだ。
　細部までとことんクビを突っ込む必要がある。ただし、自分だけですべての意思決定を下し、すべての問題解決をしようとしてはならない。各分野のエキスパートがいるのだから、仕事を任せる必要がある。とるべき対策を細部まで詰めたら、実行は委ねよう。朝一番と終業前に状況確認のためのミーティングを開き、チームからの毎週あるいは隔週の報告を待つのではなく日々の会議に出席しよう。あなたがその場にいること、議論に耳を傾け、問いを投げかけ、必要な情報をリアルタイムに収集することが重要だ。収集した情報を社内の他の部門、投資家、あるいは鵜の目鷹の目で状況を見守っている報道関係者に伝える役割を果たさなければならないこともある。彼らの質問にきちんと対応できるようにしなければならない。自分たちが状況を打開しつつあるのだと、信頼してもらう必要がある。

必須ではない会議の予定はすべてキャンセルする。問題を解決することだけに一〇〇パーセント集中するのだ。そして自分のバランスを失わないようにしよう。あなたも人間だ。冷静さを失い、正気を保つのに必要な事柄をおろそかにすれば、状況は悪くなるだけだ。それは運動、休息、家族との夕食、あるいは一〇分だけ机の下に横になり、静かにお気に入りの歌を口ずさむことかもしれない。あなたにとって必要不可欠な時間だ。そしてあなたの部下も人間であることを頭に入れておこう。誰だって家に帰る時間が必要だ。睡眠も食事も。そして事態は良くなっていると感じられることも必要だ。

だから、そもそも誰のせいでこんなひどい状況になったのかと責任追及に走るのではなく、問題を解決することに意識を集中しよう。誰もが頭のなかでさまざまな仮説を反芻《はんすう》している。自分たちの責任だったらどうしよう。自分たちが手抜きをしたのだろうか。さまざまな噂や非難が飛び交っているはずだ。だが失敗の根本原因を突き止めるのがあなたのチームの仕事ではない。リーダーであるあなた自身の仕事でもない。少なくとも危機の発生当初は。

最終的には根本原因を追求することになるが、まずは落っこちた穴から這い上がる必要がある。

まず何が起きたのか、それに対して何をするかと向き合い、原因に立ち戻るのはそれからだ。

当初の衝撃が和らぎ、誰もが落ち着きを取り戻して仕事に取りかかったとしても、まだ彼らがあなたと同じように不安を抱えているであろうことを忘れてはならない。いますぐこの危機を脱する方法を見つける責任を担っているならなおさらだ。苦闘している社員があなたや直属の上司にいつでも相談できる状況をつくっておこう。指揮統制というのは、単に指示を出して放置することではない。

あなたは数十機の戦闘機を同時に航空母艦に着陸させようとしているのだ。その傍らでときには記者会見を開いたり、部下のカウンセリングまでしながら。このうえなく不安だろう。だが髪をかきむしっている場合ではない（初めから坊主にしておくことを強くオススメする）。あなたにできることはただひとつ。冷静にこう言うだけだ。

「もちろん僕だって不安だ。君たちと同じだ。本当に恐ろしい。でも僕らはこの危機をきっと乗り越える。これまでだってともに試練に向き合い、乗り越えてきたじゃないか。そのためにやるべきことはこれだ」

僕はネストで何度もこの言葉を繰り返してきた。まるで念仏のように。「僕らはこの危機をきっと乗り越える。これまでだってともに試練に向き合い、乗り越えてきたじゃないか。そのためにやるべきことはこれだ」

ありがたいことに、あの奇妙に細長く立ち上る炎は実験室のみで起こり、現場では再現されなかった。予測することも、設計に組み込むことも不可能な偶発的事態であったことがわかった。誰の責任でもない。そして現実世界で起こる可能性はきわめて低かった。だがそれでも僕らの判断は変わらなかった。

僕らのとった対策は、原因究明が終わるまでネスト・プロテクトの販売を中止し、ソフトウェア・アップデートによって「ウェイブ・トゥ・ハッシュ」の機能を停止することだ。スマートフォンから警報音を止めることはできるが、手を振って止めることはできなくなった。僕らは何が起きたためにそのような措置をとったのか、顧客に伝えた。隠し立ては一切しなかった。私たちの責任です、ご希望があれば返金いたします、と。

このやり方は成功し、ネスト・プロテクトもネストというブランドも生き延びた。

曖昧な表現にしたり、複雑な法律用語で煙に巻いてしまいたい、という誘惑は常にある。「ミスがありました」とは言っても、それを自分たちの責任とは認めないのだ。だがこの方法はうまくいかない。真実はいずれ明らかになり、消費者は腹を立てるだろう。

失敗を犯したら、消費者にその内容を伝えよう。自分たちがそこから何を学んだかも。どのように再発を防ぐかも伝えよう。責任の回避、転嫁、言い訳は一切しない。責任を引き受け、大人らしくふるまおう。

すべての失敗は学びの機会だ。とんでもない大失敗はいわば博士課程と言ってもいいだろう。

きっと乗り越えられる。自分ひとりで乗り越えなくていい、ということはしっかり覚えておこう。危機に際しては、有益なアドバイスをしてくれる誰かに相談することがとても重要だ。あなたがどれだけ博識で、どれだけ優秀であっても、あなたが気づいていない解決策を見つける手助けをしてくれる人は必ずいる。すでに同じような事態を経験し、トンネルを抜ける方法を示してくれる人が。

あなたが今直面している予測も解決も不可能な恐ろしい危機は、実はほとんどの成長企業が直面するもので、あなたには見えていない当たり前の解決方法があるのかもしれない。単に成長スピードが速すぎ、企業文化を明文化したり、経営の階層を追加したり、会議の議事録の配布方法を変更したりしなければならないというだけの話かもしれない（第二二章を参照）。

だから危険が迫っていることに気づいたら、必ずメンターと話してみよう。取締役会、あるいは投資家でもいい。

リーダーは大惨事を自分ひとりで解決しようとしてはいけない。一人で部屋に籠り、問題を解決しようとあがいてはいけない。身を隠してはいけない。みなの前から姿を消してはならない。誰にも知らせず、自分ひとりが一週間寝食を忘れて働けば問題を解決できるなどとゆめゆめ思ってはならない。助言を求めよう。深呼吸をして、作戦を立てよう。

それからゴム長靴を履いて、嵐の中に出ていこう。

唯一の希望は危機が通りすぎたら（もちろん生き延びられたら、の話だが）、地獄をかいくぐったあなたのチームはその経験を通じて強くなっていることだ。原因究明の時間も持てるだろう。そもそもなぜ危機が起きたのか。二度と繰り返さないために何ができるだろうか。結果として解雇される者が出てきたり、組織再編や社内コミュニケーションの根本的変革につながることもあるだろう。時間のかかるつらいプロセスになるかもしれない。

だがそれが終わったら、祝杯をあげるべきだ。パーティを開こう。そして自分たちの経験を語り合おう。

あらゆる危機がもたらす最大の財産は、組織が崩壊寸前まで追い詰められながらも、力を合わせて危機を乗り切った物語だ。この物語を会社のＤＮＡに刻み込む必要がある。いつでもそこに立ち戻れるように。

これからも多くの深刻な危機が起きるだろう。すべてが崩れ落ちていくように感じられる瞬間もたくさん訪れるだろう。でもこの物語を語り継いでいけば、これから起こる危機は初めて乗り越えた危機ほど絶望的には感じられないだろう。それは何が起ころうとも、チームに向かってこう言えるからだ。「ほら、僕らがともに何を乗り越えたか、思い出してみよう。あれを切り抜けることができたなら、何だって切り抜けられるさ」

会社にとって物語は、どんな危機が起こり得るのか、そこから何を学んだか、将来的に同じような危機を防ぐ方法は何かを社員に周知させるのに役立つツールだ。経営管理や企業文化のモデルケースとして使える。だが何より重要なのは、それが実話であるということだ。チームはこれだけの危機を乗り越えた。だからもう、何が起きたって乗り越えられる。

第五部　チームをつくる

二〇一六年に僕が去る時点で、ネストはパロアルトに三棟、ヨーロッパに二棟のオフィスを構えるまでになっていた。社員は約一〇〇〇人に増え、複数のプロダクトラインを擁し、多くの国々で次々と販売パートナー契約を結び、数百万人の顧客を抱え、壁には会社の理念を書いた巨大なポスターを張り、クリスマスシーズンにはブラックタイ着用のフォーマルなパーティを催した。だが買収攻勢を受けたり急成長を遂げたりしても、ネストにはネストらしさがずっと残っていた。

その理由はただひとつ、人である。

ネストらしさの源泉、そしてネストの成功のカギは、僕らが採用した人たち、彼らが生み出した文化、彼らのモノの考え方、仕事の進め方、周囲との協力の仕方にあった。組織にとって何より重要なのはそこで働く人々、「チーム」だ。

どんなプロダクトを生み出すときでも、チームをつくり、さまざまな変化のなかを導いていくのは最も難しく、それでいて最も喜びに満ちた要素だ。ネストでは初めからそうだった。まだ顧客もいない、プロダクトさえ存在しない段階から、それは始まっていた。

いたのはリスだけだ。

ミーティングにはしょっちゅうリスが迷い込んできた。それからもちろん雨漏りという大問題もあった。床にバケツを並べなければならないこともよくあった。ガレージの扉は風が吹くたびに信じられないほどの音をたて、けばけばしいピンク色の大理石でできたたった一つのトイレをチーム全員で共有していた。なかでもひどかったのが八〇年代につくられた使い古しのオフィスチェアで、人工皮革の重役椅子は最悪だった。四本の脚がすべてまともに床についていた椅子は一つもなかったはずだ。

それこそが僕らの求めていた環境だった。

二〇一〇年の夏のことで、僕らがパロアルトに借りたガレージは大手テック企業や無数のキラキラしたスタートアップ企業の広々とした美しい本社のすぐそばにあった。いずれも豪華なオフィスや無料のビール、フレックスな勤務時間で優秀な社員を惹きつけようとしていた。

だが僕らはそんなことに興味はなかった。マットと僕は真剣で、やるべきことに集中していて、自分たちと同じ目的意識を共有し、きらびやかなオフィスやビリヤード台にぐらつかないような仲間を採用していた（第三一章を参照）。誰もが仕事を楽しんでいたが、時間をムダにする者はひとりもいなかった。

当時のチームは一〇〜一五人ほど。ネストの本当の始まりだった。

初期メンバーの多くはアップル出身だった。ゼネラルマジック時代からの僕の知り合いもいた。大学時代からの知り合いも一人。マーケティング担当バイスプレジデントはフィリップス時代の友人の友人だった。チームのほとんどはすでにキャリアでとほうもない成功を収めていた。

それでもみんな一様にぐらつく椅子に座り、なんとかバランスをとろうとしていた。家具や軽食、おしゃれな設備はお金がかかるし、それ以上に重要な問題として時間がかかる。ソファは茶色にすべきか青にすべきか、フルーツは何を買うか、チーズはどれか、ビールの銘柄は何にするかといったことを誰かが真剣に考えなければならなくなる。僕らは事業にとって重要なこと以外に一セント、一分たりともかけるつもりはなかった。自分たちは限られた資金で奇跡を起こす世界トップクラスのチームであることを、投資家に示すつもりだった。リスが会議に闖入《ちんにゅう》するたびに、そして雨漏りがするたびに、自分たちがプロダクトを世に送り出しもせずオフィスに贅沢にカネをかけるシリコンバレーのスタートアップの対極にあることを示していた。全員が事業のミッションだけに専念していた。

あのガレージでの日々と自分たちのビジョンを証明するのだという切実な思いを共有した人たちが、ネストの特徴であるハードワーキングでミッションに邁進する文化を形づくった。

このチームを正しい方法で拡大していくこと（どんな人材が必要か、どのように採用を進めるか、チームのプロセスやモノの考え方をどのように構築していくかを詰めていく作業）は、正しいプロダクトを生み出すのと同じくらい重要だった。

僕らは自分たちがいいなと思う会社や企業文化から組織構造や規範を取り入れ、それ以外の部分はゼロからつくりあげた。そしてすばらしいプロダクトを生み出せるようなチームと文化ができあがるまで、試行錯誤と調整を続けた。

第五部では、誰をどのように採用するか、悩みながらチームをつくろうとしているみなさんに、ほとんどのスタートアップで成功のカギを握るチームや機能について僕が学んできたことを伝えていく。大切な要素は五つある。

デザイン
マーケティング
プロダクトマネジメント
営業
法務

そしてチームが成長に次ぐ成長を続けていくなかで、僕が学んできたことも。

いこう。

第二一章　採　用

（ほぼ）完璧なチームとは、優秀で、情熱的で、完璧ではない人たちが互いの足りないところを補い合ってつくるものだ。チームが一〇人、二〇人、五〇人と増えていく過程で必要になることを挙げていこう。

・意欲のある新卒あるいはインターンを、経験豊富なベテラン社員の下で学ばせる。若者の教育・訓練に費やす時間は、会社が長期的に健やかであるための投資だ。
・採用プロセスを整え、応募者が入社後に一緒に仕事をすることになるさまざまな部署の人たちから必ず面接を受けるようにする。
・成長についてよく考え、企業文化が薄まるのを避ける。
・新入社員が入社した日から会社の文化に染まり、それに基づいて行動するようにプロセスを整える。
・経営トップとその下のマネジメントチームが、常に人事と採用を考えつづけるような仕組みをつくる。すべてのチームミーティングで人事と採用を最初の議題とする。

社員を解雇する必要も出てくるだろう。解雇することを恐れてはいけないが、非情になってはならない。まずは警告と軌道修正する機会を十分に与え、法令を順守し、それでも必要ならば苦渋の決断を下し、解雇される社員がより良い機会を見つけられるように支援しよう。

:

僕とマットに次いでいち早くネストに入社した者の一人がイザベル・グエネットだ。大学を出たての二二歳、聡明で思いやりがあり、とてつもなく親切で、世界を変えようという意欲にあふれていた。イザベルを採用したのは、際限なく続く「僕らが知らないことリスト」を一つひとつ調べていくのに人手が必要だったからだ。アメリカで使われている何百という暖房システムはどのようなものか。多くの住宅の壁のなかの配線はどうなっているのか。

イザベルがサーモスタットのつくり方を知らないことなど問題ではなかった。社内の誰ひとり知らなかったのだから。それが重要な点で、僕らはとにかく学習する必要があった。イザベルは全力で仕事にとりかかった。

ものすごいスピードでものすごい量の知識を獲得したイザベルは、サーモスタットのプロダクトマネージャーになり、五年間で三種類の製品の発売を成功させた（第二五章を参照）。

イザベルが成功したのは、聡明で好奇心があり有能だったからだ。ただ成功要因の一つは若かったことだ。若さゆえに目の前の課題がどれほど困難なものか、気づかなかったのかもしれない。イザベルはとにかく仕事に邁進した。しかも楽しみながら。

最高のチームにはさまざまな世代が含まれているものだ。ネストは二〇歳も七〇歳も採用した。ベテランには次世代に継承できる豊かな知恵があり、若者には長らく誰も疑わなかった前提に疑問を呈する力がある。ベテランの目には壁しか映らないときでも、若者はそれを乗り越えた先にあるチャンスを見る。

そして若者は会社とともに成長することができる。創業初期に参画した経験豊富な社員は、やがて会社を去る。最終的にはみないなくなる。ただいなくなる前にベテランには若手のメンターとなり、若手を鍛えてもらう必要がある。会社とはそうやって続いていくものであり、知識の蓄積はそのようにして生まれる。

会社が立ち上がって一〇年後、見渡してみたら三五歳以下の社員はひとりもいなかった、というような事態は避けたい。

ネストは常に複数の新卒を採用し、インターン・プログラムを実施する方針を掲げてきた。だが少なくとも当初、社内受けは良くなかった。採用を受け持つマネージャーはみな不満たらたらだった。経験豊富で、やまほど仕事を与えて放置しても自力でなんとかするような人材を採用したかったからだ。

実際そのような人材の居場所もある。チームにはその業務をやったことがあり、ノウハウを持ち込むことのできる経験者が必ず一人は（あるいは複数）必要だ。

だが前途有望な若者や、キャリアチェンジを目指す意欲的な転職者を目の前にして、「コイツを一人前にするのにどれくらい時間がかかるのだろう」「モノにならない可能性はどれだけあるのか」といった考えしか浮かばないとしたら、それは自らの可能性を切り拓こうとする野心的人材のパワーと馬力を知らないからだ。

今のあなたがあるのは、かつて誰かがあなたのためにリスクをとってくれたからだ。あなたが失敗を乗り越えるのを助け、あなたが成長するために貴重な時間を割いてくれた人がいるからだ。次の世代のために同じことをするのはあなたの義務であるだけでなく、会社の長期的成功に向けた良い投資である。

僕らが毎年採用した一〇人のインターンのうち、翌年の夏もまた働いてほしい、あるいはすぐにフルタイムの社員として入社してほしいというオファーを受けるのはおおよそ一〜三人だった。ただオファーを受けなかった者も全員、製品開発や機能リリースに携わり、自分が何をやりたいのか、より明確なイメージを持てるようになった。最初のキャリア選択が自らの将来にどれほど重要な意味を持つかを理解して、専攻を変えた者もいる。そして、そんな経験をしたことを友人に話した。ほんの数年のうちにネストには世界最高峰の大学からとびきり優秀な若者が続々と応募してくるようになった。

そうなった時点で、採用担当マネージャーらは文句を言うのをやめた。

すばらしく優秀な人材を獲得するのは至難の業だ。チームを成長させようとしているとき、人口のなかの特定の集団を無視するようなマネは許されない。老若男女、トランスジェンダーにノンバイナリー、黒人、ヒスパニック、アジア系、東南アジアや中東、ヨーロッパ系、先住民のコミュニティに、会社に重大な影響を及ぼしうる人材がいる。多様な人材はモノの考え方も多様で、新たな視点、バックグラウンド、経験が加わるたびに、会社は良くなっていく。顧客の理解が深まる。世界のなかでそれまで見えていなかった部分に光が当たるようになる。それによって新たな機会が生まれる。

多様で才能あふれるチームを採用することは会社の成功にきわめて重要なので、会社に入ってくる人材は一人残らずあなた自身が面接したいくらいだ。ただ、それは不可能だ。あなたには一日二四時間しかない。種結晶の効き目も永遠ではない（第一六章を参照）。最終的にはチームを信頼し、それぞれに選択を委ねるしかない。

だからといって好き勝手な採用をしていい、というわけではない。きちんとしたプロセスが必要だ。僕が見てきた企業のそれは、およそ基準に達していなかった。

企業の採用方法は、通常次の二つのパターンのどちらかだ。

一　旧型　採用担当マネージャーが候補者を探し、チームの何人かと面接をセッティングし、採用する。シンプルでわかりやすく、ばかげている。

二　新型　誰かを採用するか否かの判断は大勢の（たいていでたらめに選ばれた）社員と、今どきの採用ツールに委ねられる。候補者は何人もの社員と面談し、社員が結果を評価フォームに入力すると、採用ツールが結果を集計する。候補者がすべての基準を満たしていれば、採用担当マネージャーは合格とする。理想主義的で斬新で、ばかげている。

旧型ではあまりに多くの社内関係者が蚊帳の外に置かれる。新型は思慮深い決断を下すためのコンテキスト（背景情報）を十分持ち合わせていない社員を巻き込み、疲弊させる。会社が成長し、既存の社員からの紹介に頼るわけにはいかなくなったら、一つのポジションを埋めるために一五人の候補者を面接しなければならないかもしれない。それだけの候補者を面接するのに多くの社員を動員すれば、社員は不満を抱き、うんざりして、最低限の労力でさっさと評価フォームを埋めて仕事に戻ろうとする。

重要なのは候補者を正しい社員と引き合わせることだ。

誰も真空のなかで仕事をするわけではない。みな社内に顧客がいる。成果物を提出する相手だ。たとえばアプリのデザイナーは、エンジニアが実装するためのデザインをつくる。このケースではエンジニアがデザイナーの顧客だ。だからアプリデザイナーを採用するなら、エンジニアとの面接を設定すべきだ。

ネストはそのようなシステムをつくった。「三つの王冠」という名のシステムの仕組みはこうだ。

一　第一の王冠は採用マネージャーだ。採用するポストを承認し、候補者を見つける。
二　第二、第三の王冠は候補者の社内顧客となる部署のマネージャーだ。それぞれ自分のチームから一～二人選び、候補者を面接させる。
三　フィードバックを集め、共有し、議論したら、三つの王冠が集まって誰を採用するか決定する。
四　ごくまれに三つの王冠の意見が一致しないケースでは、マットと僕は監督者として最終判断を下す。たいてい僕らが呼ばれたときの答えは「ノーサンキュー」、不採用だった。

候補者を採用すると決めたときでも、完璧な人間は一人もいないという認識を持つようにしていた。誰にでも欠点や課題はある。候補者にとって問題になりそうなことを最初から把握し、リーダー層や候補者本人とじっくり話し合い、この新たなチームメンバーが課題を乗り越えていけるようコーチングするのは採用マネージャーの仕事だ。

隠し事やブラックボックスは一切なし。すべては記録に残し、どのような人物が入社してくるか全員にわかるようにした。

そのうえで僕らはコミットした。候補者を採用するのだ。どんな懸念材料、どのような改善の余地があったとしても、入社してくる人材は一〇〇パーセント信頼する。誰かを徹底的に評価し、紹介者に確認し、採用すると決めたら、相手を信頼するという決断を下さなければならない。信頼ゼロからスタートし、実力を証明してみろ、と期待するのは間違いだ。

新しい道に踏み出すとき（新しい従業員を採用する、新しい仕事に就く、新しいパートナーと契約するなど）には、きっとうまくいくと信じる必要がある。まわりの人たちが自分を正当に扱ってくれると信じるのだ。もちろんがっかりすることもあるだろう。相手への信頼が九〇パーセント、五〇パーセント、あるいはゼロに低下することもある。だがそのリスクを恐れて他者を信頼しなければ、どれほどのすばらしい出会いや機会を逸するかわからない。

採用の重要性を考えれば、そんな機会損失は許されない。有能な人材はどれだけいても足りない。だからこそとびきり優秀なリクルーター（企業のために人材を探し、斡旋する外部の専門職）が不可欠だ。あなたと同じくらい、会社とそのプロダクトに夢中なリクルーターが。

ネストが最初に契約したリクルーターはホセ・コンだった。なんとしてもホセを獲得しなければならない、と僕らは考えていた。ホセはｉＰｏｄ、ｉＰｈｏｎｅチームの人材獲得に絶大な力を発揮してくれた。ネストにだってそれが必要だ。ホセは二つの点で他のリクルーターとは違っていた。まず人材の目利き力。それに加えてとにかく一貫して強烈にアツい男だった。その熱意は周囲に伝播するだけでなく、なにより表裏がなかった。ホセはネストが世界を変えると一〇〇パーセント確信していて、「なぜ」、すなわち会社の物語を語ることができた。それも候補者の心を揺さぶり、ワクワクさせるような情熱と喜びを持って（第一〇章を参照）。

ホセが次々とすばらしい候補者を連れてきたら、後は僕らの仕事だ。候補者がチームにふさわしい人物か、見きわめなければならない。面接しなければならない。

そこで僕らはいくつかの基本ルールをつくった。社内の誰もが面接の目的と重視するものを理解し、おおよそ同じ事柄に照準を合わせられるようにするためだ。僕らはミッションに忠実でフットワークが軽く、企業文化にフィットし、顧客を第一に考える人材を求めていた。「クズ禁止」というルールもあった。自明ではあるが、とても有益なルールだ。経験豊富で、書類上はまさに僕らが必要とする人材であっても、鼻もちならない横柄で他人を見下すような人物、威圧的で計算高い人物と感じられたら、履歴書はさっさと捨てた。

当然ながら相手がクズか否かを見きわめるためには、面接のスキルが必要だ。

いまさら誰も驚かないと思うが、僕はおよそ気楽な面接相手ではない。候補者の内面を理解するため、とことん突っ込む。相手がストレスにどう対処するかを見るため、敢えて少しストレスをかけることもある。スタイルは人によって違うが、表面的な会話に終始し、相手が本当はどんな人物か理解するために踏み込むようなマネは一切しない、という控えめな態度は許されない。面接は気楽な雑談の場ではない。みな理由があってその場にいるのだ。

面接で僕が特に知りたいと思うことは基本的に三つある。相手が何者か、これまで何をしてきたか、それはなぜか、だ。たいていは一番重要な質問から切り出す。「あなたは何に興味があるんですか？何を学びたいと思っているんですか」と。

「直近の仕事を辞めたのはなぜですか」とも聞く。特に独創的な問いではないが、答えは重要だ。僕が望むのは簡潔で明快なストーリーだ。相手が上司への不満を語ったり、社内政治の犠牲になったと言った場合は、それにどう対処したか尋ねる。なぜもっと闘わなかったのか、と。そしてきちんと後始末をしたのか、円満に退社するために何をしたかを尋ねる（第八章を参照）。

なぜこの会社に入りたいのかも聞く。直近の仕事を辞めた理由とは完全に切り離されたものであるのが好ましい。新しいストーリー、自分がこの会社のどこに魅力を感じたのか、誰と仕事をしたいのか、どのように成長し、能力を高めていきたいのか、説得力のあるストーリーがなければならない。

もう一つ面接のテクニックとして有効なのは、業務をシミュレーションすることだ。どんなふうに仕事をするのかと尋ねる代わりに、実際に一緒に仕事をしてみるのだ。何か課題を挙げて、ともに解決を試みる。あなたと候補者の双方がよく知っているものの、専門家とは言えないようなトピックを選ぼう。相手の得意分野の問題を選べば、相手のほうが優秀に映るだろうし、あなたの得意分野の問題を選べば、あなたのほうがよくわかっていて当然だ。とはいえトピックそのものより、相手がどのようにモノを考えるか、そのプロセスのほうがはるかに重要だ。ホワイトボードを使ってみよう。相手はどんな質問をするか。どんなアプローチを提案するか。顧客について質問をするだろうか。顧客への思いやりが感じられるか、それとも無関心か。

面接の目的は、相手が今求められている仕事をできるか否かを判断することだけではない。今はまだ誰も予想していないような課題や仕事が発生したときに対処する能力を備えているか、将来的にどんな仕事を担えるようになるかを理解することが目的だ。スタートアップは常に変化していく。そこで働く人たちも同じだ。その事実を認識し、チームを信頼し、しっかりとした採用プロセスを構築した結果、ネストは一〇〇人、二〇〇人、七〇〇人へと拡大していくことができた。

ただ僕らは成長のペースが高まりすぎないように注意していた。創業チームのDNA、ガレージで粗末な椅子をガタガタいわせながら働いていた精鋭たちの切迫感と集中力を維持したかったからだ。それを実現する唯一の方法は、新しいメンバーが仕事をしながら、まわりを見ながら、チームと一緒に働きながら自然と文化を吸収できるように、ほどほどのペースで成長していくことだ。企業文化のDNAを共有し、埋め込んでいく最善の方法は、人から人へと伝えていくことだ。急成長しているときには、採用されたばかりのメンバーが新たなメンバーの採用に関与することも多い。だから一週間のオリエンテーションではおよそ不十分だ。

会社の文化を理解している人が五〇人しかいないところに、文化を理解していない人を一〇〇人追加したら、文化は失われる。単純に数の問題だ。

だから新しいメンバーを採用したら（特に経営幹部）、現場に放り込み、会社のロゴ入りのノートを与え、一件落着というわけにはいかない。最初の一、二カ月が肝心なので、ここは良い意味でのマイクロマネジメント期間と位置づけるべきだ。些末なことにまで口を出し、相手に十分な自由を与えていないのではないかと気に病む必要はない。最初のうちはそれでいい。新たな会社に加わったメンバーがしっかりと組織に溶け込むためには、できるだけ手厚い支援が必要だ。この会社での仕事の仕方を細かく説明し、新人が初めから社内で孤立するような失敗をしないようにする。うまくいっていること、いっていないこと、あなたが相手の立場ならどうするか、どのようなふるまいが奨励され、何がタブーなのか、助けを求める相手、取り扱い注意な相手は誰かを話し合う機会をつくろう。

それが新人をチームの文化、流儀、プロセスになじませる最善の方法だ。スタート地点に立ったまま、社内文書に目を通してなんとか追いつこうとする彼らを放置するのではなく、群れと一緒に走り出せるように後押ししよう。

新しいチームに加わる恐怖感を忘れないようにしよう。知り合いもいない。自分がうまくやっていけるかもわからない。成功できるかもわからない。

僕が「ＣＥＯとランチする会」を始めたのはこのためだ。マットも同じような会を開いていた。二週間に一度、あるいは四週間に一度、ランチの時間に新入社員や既存社員を一五～二五人集める。なるべく社内各所から人を集め、多様なグループの多様な人材が交流できるようにした。マネージャーも経営幹部も関係なく、基調講演もなし。社員にとっては噂でしか知らなかった経営トップを、僕にとっては彼らを知る機会だ。社員からはネストのプロダクト、経営方針、僕やマットがどんな人間で、アップルで何をしてきたかを聞かれた。なぜ社内マッサージサービスを許可しないのか、なぜ社内にこれほどコードネームが多いのかも聞かれた（第二一章を参照）。僕からは、社員が何に興味を持っているのか、今どんな仕事に取り組んでいるのか、なぜネストに加わったのかを尋ねた。

僕にとっては、なぜ彼らの職務が重要なのか、彼らのチームのゴールがどのように会社のゴールにつながっているのか、ネストの文化、プロダクト、新しいプロジェクトについて、そして会社でうまくいっていること、うまくいっていないことを伝える機会だった。新たに入社したメンバーにとっては、僕に直接質問を投げかけたり、ネストの文化にどっぷり染まり、困ったとき助けてくれたりロールモデルとなってくれたりするベテラン社員と知り合う機会だった。

社員は誰でも年五回、ランチ会に参加することができた。ランチ会はいわば企業文化というワクチン、無関心や無気力を予防するワクチン、自分の仕事に意味がない、経営トップは自分のことなんか知らないというネガティブな思考を防ぐワクチンの接種会だった。

こうして僕たちは成長を遂げた。チームは分化し、専門化していった。一般社員はマネージャーに、マネージャーはディレクターに成長していった。多くの社員が与えられた課題に立ち向かった。多くの社員が期待以上の働きをしたが、そうではない者もいた。創業初期に入社したものの、組織が成長するなかでチームに適さなくなった社員もいれば、採用自体が誤りだった社員もいた。凡庸な人材を採用してしまったケースもあれば、全般的に秀でているものの会社の文化に合わない人材を採ったケースもあった。

どんな会社でも成功できない人を採用してしまうこともある。

そういう場合は解雇する必要がある。

誰かと対立するのは気が滅入るものだが、それはほんの束の間であり、リーダーは対立そのものにこだわりすぎたり、いつまでも引きずったりしてはいけないと肝に銘じておくべきだ。「あなたはここではうまくいかない」と伝えたら、即座に「あなたに適した、好きだと思える仕事を見つけるために、私もできるかぎりの支援をする」というモードに移行する必要がある。直感に反するかもしれないが、仕事にまったく適性がなく、成果を出せていない人を解雇するのは、意外なほど前向きな結果につながることもある。僕がこれまで解雇した人で、最終的に当人にとっても会社にとってもよかったという結論にならなかったケースはない。

人生ではときとして、何かを切り捨てていくことが必要だ。解雇されることが本人にとってプラスのこともある。ただひとつ、絶対やってはいけないのはサプライズ解雇だ（当人が罪を犯した場合は別で、むしろこちらがサプライズを受けるほうになる。僕はこれまで何回もそんな経験をしてきた）。

通常の解雇の場合、当人にとって寝耳に水であったり、なぜそんなことになったのかと疑問を持つようなことがあってはならない。もちろん納得はできないかもしれないが。仕事がうまくいっていない社員は必ず毎週あるいは隔週で上司と面談し、問題を話し合うようにすべきだ。面談では率直に問題を議論し、解決策を実行に移し、うまくいったことといかなかったこと、次に何をすべきかをフォローアップ面接で確認する。

社員が入社というかたちで会社にコミットしてくれるのと同じように、あなたも社員にコミットしなければならない。あなたが大企業あるいは大きな組織のリーダーなら、部下が自らの改善すべき部分を理解するのを助ける、改善の機会やコーチングを与える、あるいは適性のありそうな部門に異動させる責任がある。

とはいえ、どれだけの善意や好意があっても、会社にとっても当人にとっても問題は解決不可能で、チームの信頼を回復できないことが自明なケースもある。世の中には魅力的な機会がごまんとあり、本人が今ほどつらい思いをしなくて済む仕事を見つけるのを手伝ってあげることは可能だ。そういう状況では、たいていの人は自らの意思で退職していく。

このプロセスには一カ月かかることもあれば、二カ月、三カ月かかることもある。それでもたいていは円満なかたちで決着し、誰にとっても良い結果になる。

そしてやはり、どうにもならない人間のクズを採用してしまったことに後から気づくケースもある。ちっぽけなスタートアップでは、そんなクズがたった一人いるだけで会社の命運が尽きることもある。ただ成長のどのステージにあるどんな規模の会社でも、クズはチームやプロダクトをぶち壊しにするリスクがある。大きなチームほどクズが忍び込み、井戸に毒をぶち込むのは容易になる。

相手が信用できないちっぽけな暴君なら、できるだけ速やかにその癌細胞を切り取ってしまいたい、という衝動に駆られるだろう。だがやはりそんなときでも時間をかけなければならない。相手に状況を説明し、挽回する機会を与えるのだ。解雇をめぐる規則は地域によって異なるため、それをしっかり理解して順守する必要がある。不当な解雇を受けたと思ったら、さっさと訴訟を起こす人は多い。大当たりと思って採った人が、組織全体の足を引っ張ることもある。

企業の成長にともなう最大の頭痛のタネのひとつがこれだ。創業当初はともに困難な山を登っていける確信のある最高のコア人材しかいない。だがそんな段階は永遠には続かない。早晩、次々とチームに人を加えていかなければならなくなる。ときにはしくじってクズを引いてしまったり、成果を出せない人、文化になじめない人を採ってしまうこともある。とはいえ、成長のもたらすそれ以上の衝撃は「ふつう」の人を採用するようになることだ。創業初期に採用した逸材と比べると、見劣りしてしまう。大きな難はなく、優れたチームプレーヤーで仕事はこなせる、というタイプ。

ただ、そうなったからといってこの世の終わりではない。会社が拡大すれば、さまざまな階層にさまざまなタイプの人間が必要になる。

空きポストができるたびに、「Aプラス」の人材が現れるのを待つわけにはいかない。誰かを採用する必要がある。超一流の人材のなかには大きなチームに所属するのを嫌う人もいるし、別の仕事を抜けられなかったり、報酬が折り合わなかったり、相手の望むような肩書や権限を与えられないこともある。

そしてときには、それほど期待していなかった人材、「B」あるいは「Bプラス」と思っていた人が、会社という世界を一変させるような活躍をすることもある。頼りがいがあり、柔軟で、最高のメンターやチームメイトとしてチームをまとめていく。謙虚で親切で、黙ってきっちりと仕事をする。紛れもないロックスターだ。

成長期の課題としてダントツに難しいのは、さまざまなタイプの最高の人材を見つけること、チームを信頼して採用を任せること、そして採用された人材が仕事を楽しみ、成功できるようにすることだ。

だからそこから逃げてはいけない。それを経営の最優先課題としよう。全員の優先事項としよう。

僕は多くの会社で、人事の議題がチームミーティングの最後に追いやられたり、人事・採用部門のミーティングでしか議論されないといった状況を見てきた。だが会社にとって何より優先すべきはチームであり、その健全性と成長だ。それを示す最善の方法は、人事を常に週次会議の最初の議題にすることだ。

ネストで毎週月曜日の朝に開く経営会議をそうやってスタートした。僕らが採用すべき最高の人材は誰か。採用や社員の定着率の目標は達成できているか。達成できていないとすれば、どこに問題があるのか。障害は何か。チームの様子はどうか。社員はどんな問題に悩んでいるのか。業績考課はどうなっているか。ボーナスを受け取る資格があるのは誰か。優れた成果を表彰し、社員に自分の仕事が正当に評価されていると感じてもらうためには、どんな方法がいいのか。一番重要な問いは、退職者が出ているのか、その理由は何か、だ。どうすればどこよりも有意義でやりがいがあり、ワクワクするような仕事を提供できるだろうか。社員の成長をどうやって支援すべきか。

人事という重要なテーマをしっかり議論し終えるまで、他の議題、たとえばプロダクト開発などには移らなかった。

その様子から社内のマネージャーは人事が僕にとって重要な問題であることを理解し、自分のチームの週次会議も同じように運営するようになった。どんなときも人材を第一に考える。それがネスト・ウェイになった。

何をつくるかより、誰とつくるかのほうがずっと重要だ。

第二二章　ブレークポイント

成長は会社を壊す。社員が増えるのにともなって組織のあり方やコミュニケーションの方法を変えていかなければ、社員は疎外された気持ちになり、企業文化が崩れていく。

マネジメントの新たな階層を追加しなければならないときは、常にブレークポイント（分断点）だ。そういうときは決まってコミュニケーションに問題が生じ、混乱が起き、成長ペースが遅くなる。創業初期はほとんどのメンバーが自分で自分を管理している。その段階では一人の管理職がきちんと管理できる人数はフルタイム社員八〜一五人だ。ただ企業が成長していくと、その数は七〜八人ほどに減っていく。会社がその段階に達したら、早めにマネジメントのレイヤーをつくる必要がある。社内の人材を昇格させるのが理想だ。それからコミュニケーションを効果的かつ効率的に行うための仕組みをつくる。

ブレークポイントで本当に会社が壊れてしまい、社員の大量退職が起こることのないように、マネジメント体制の変更は早めに実施し、チームには新たな方針を説明し、新たな役割に就く者のメンタリングをしよう。

あなたのチームのメンバーが六人なら、一年のうち六日は誰かの誕生日だ。ケーキを用意して、午後は休みにしてみんなでパーティを開く。すてきな職場だ。だがチームが三〇〇人の規模になったら、毎日が誰かの誕生日になる。それでもまだ一人ひとりの誕生日を祝うべきだろうか。会社全体が毎日午後に半休をとるわけにはいかない。ケーキもやはり調達すべきだろうか。ケーキを用意することは会社の文化に重要だろうか。チームのためにできることはすべてやりたいと思っても現実は厳しい。仕事には締め切りがある。予算もある。社員はケーキの食べ過ぎになる。

ケーキは成長という大きな問題の縮図だが、ケーキ自体も大きな問題になる。人はケーキに対して不思議なほど思い入れを持つ。一人ひとりの誕生日を全社員で祝うのを辞めようとすると、必ずちょっとした騒動が起こる。

そんな具合に、成長はこちらの不意を突いてくる。というのも、すべてがおかしくなりはじめるのは、だいたい絶好調だと思っているときだからだ。万事順調のとき、つまり事業が好調のとき、あるいは製品開発が順調に進んでいるときなどにブレークポイントは発生する。ようやく道が拓けて、順調に進み出したと思ったときに。

でも、これは子育てと通じるところがある。あなたがようやく状況に慣れてきたと思うと、子供は成長する（離乳食を食べた、ちゃんと眠るようになった、歩いた……するとあちこちぶつかるようになる、など）。慣れたと思ったら、その段階は過ぎている。歩いたというのは、もう昔の話。これまでうまくいっていた対処法が、たちまち効かなくなる。

これは避けられないことだ。どうしても。あなたにできるのは状況を受け入れることだけだ。

会社が成長して社員が一二〇人を超えるとろくなことがないので、自分のスタートアップは絶対に

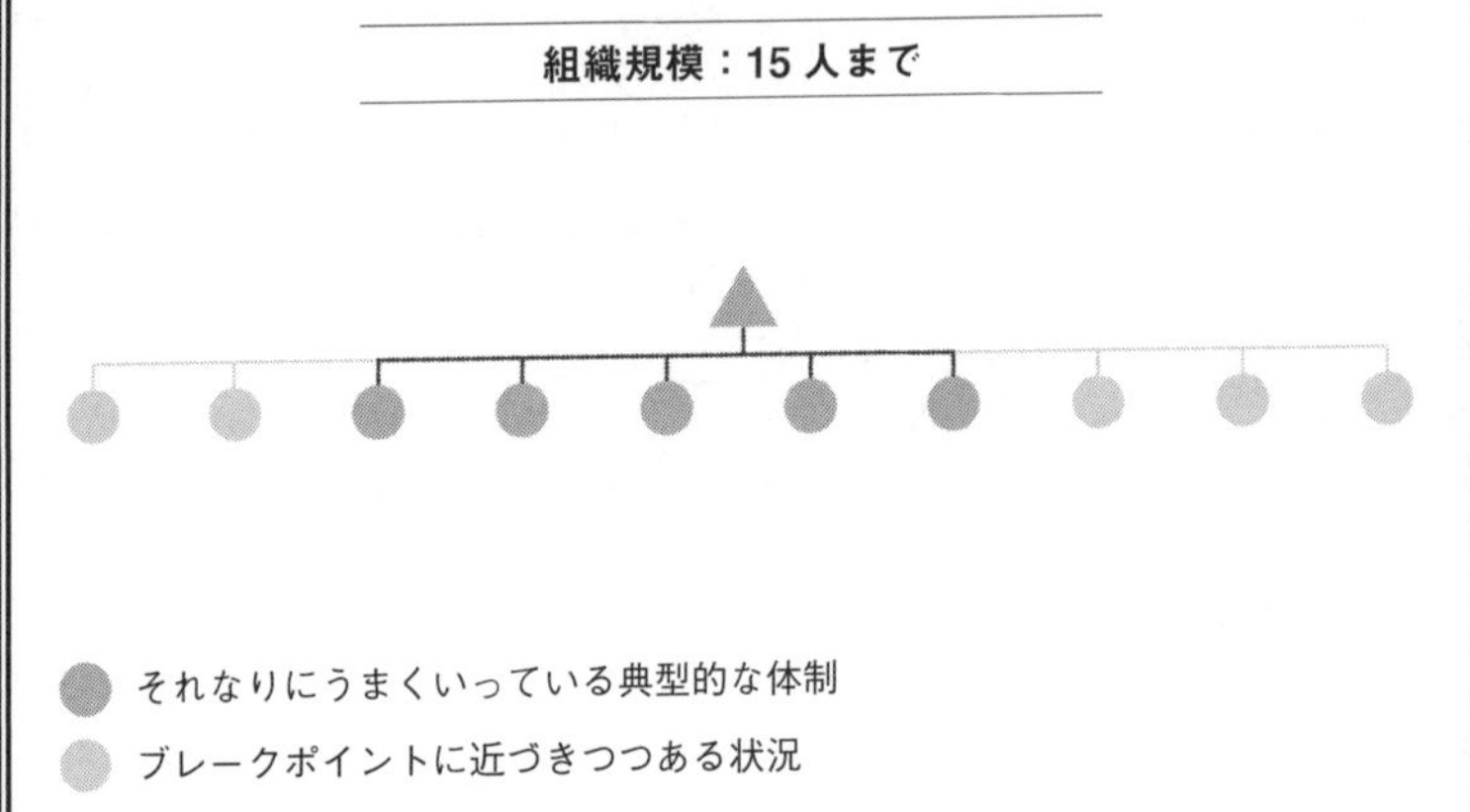

図24　15人前後までのチームは運営しやすい。自然と会話が生まれ、チームミーティングは絶対に必要なときしか開かれない。誰も組織図には関心がなく、情報は組織図とは関係なく流れる。創業初期にはできるだけ長く組織をフラットな状態に保つよう努力すべきだが、1人の管理職が管理する人数が8〜12人を超えたらマネジメントの階層を1つ追加する必要がある。

そこまで大きくしない、という起業家を僕はたくさん見てきた。だが、それがうまくいったのを見たことがない。それなくとも、それで成功した会社を僕は知らない。

成長しない会社は死ぬ。静止は停滞と同義だ。唯一の選択肢は変化することだ。

だが、そうとわかったところで、楽になるわけではない。

ブレークポイントはチームの規模が変化するときに起こる。独立した会社か、規模の大きい会社のなかのチームかにかかわらず、チームの規模を変えていくのは常に難しい。

一五人までの規模（図24）

組織　全員がさまざまな仕事を引き受け、大小にかかわらずほぼすべての意思決定を一緒に下す。チームリーダーがビジョンを示し、意思決定を主導するが、周囲とほぼ対等の関係にありマネジメントの必要はない。

コミュニケーション　コミュニケーションは自然に起こる。全員が同じ部屋（あるいはチャットルーム）にいて、だいたい同じ会話に参加しているので、情報のボトルネックは存在せず、定例会議の必要もない。

四〇～五〇人までの規模（図25）

組織　チームの規模が一五～一六人を超えると、七～一〇人規模のサブチームができてくる。創業当初のコアメンバーの一部は担当業務を絞り、部下を管理するようになる。ただまだチームの規模は比較的小さく、かなり柔軟でインフォーマルな運営が保たれる。

コミュニケーション　チーム全員が参加しない会議が開かれるようになり、メンバー間に情報格差が生まれる。会議の記録をとり、最新の状況を共有して、全員の理解度をすり合わせるなど、コミュニケーションの方法を多少形式化する必要がある。

一二〇～一四〇人までの規模（図26）

組織　チームの規模が五〇人を超えると、一部のマネージャーは他のマネージャーを管理するようになる。これは一般社員を管理するのとはまったく異なる職務だ。そしてこの段階になると、初めて本格的な人事部門が必要になる。昇進の決定プロセス、職務内容や組織階層、福利厚生を明確に定める必要が出てくる。肩書もよく考えなければならなくなる。

機能別チームが成長し、大規模なチームの中にサブチームができるようになる。それぞれのチームで、業務内容に応じた業務の進め方ができてくる。業務専門化の必要性が高まっていく。社員の多く

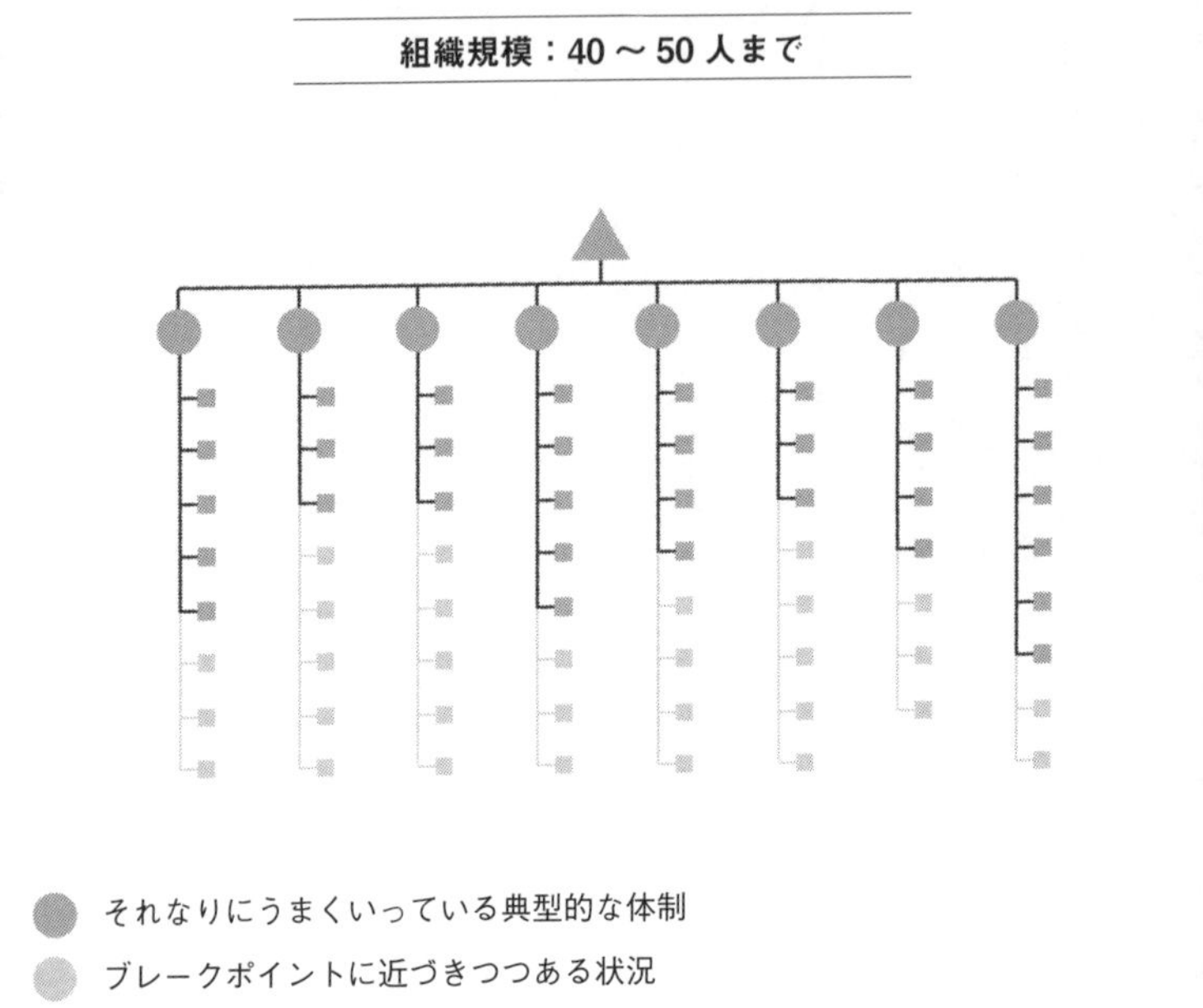

図25　チームの規模が15人を超えると、CEOあるいはリーダーとそれ以外のメンバーとの間にマネジメント階層が追加される。情報が均等に行き渡らなくなり、組織のタコツボ化が進んだり、コミュニケーションの断絶が起きたりするのはこのタイミングだ。一般社員にとどまることを選ぶ者もいれば、マネージャーになる者も出てくる。マネージャー候補をいきなり難しい状況に放り込むのではなく、きちんとリーダーになる準備をさせよう。フラットな組織を維持するため、マネージャーが長期間にわたって2～3人しか部下を持たないという状況は避ける。急成長期にはプレーイング・マネージャーも採用する必要が出てくる。彼らは会社の成長とともにマネージャーとして成長していく。

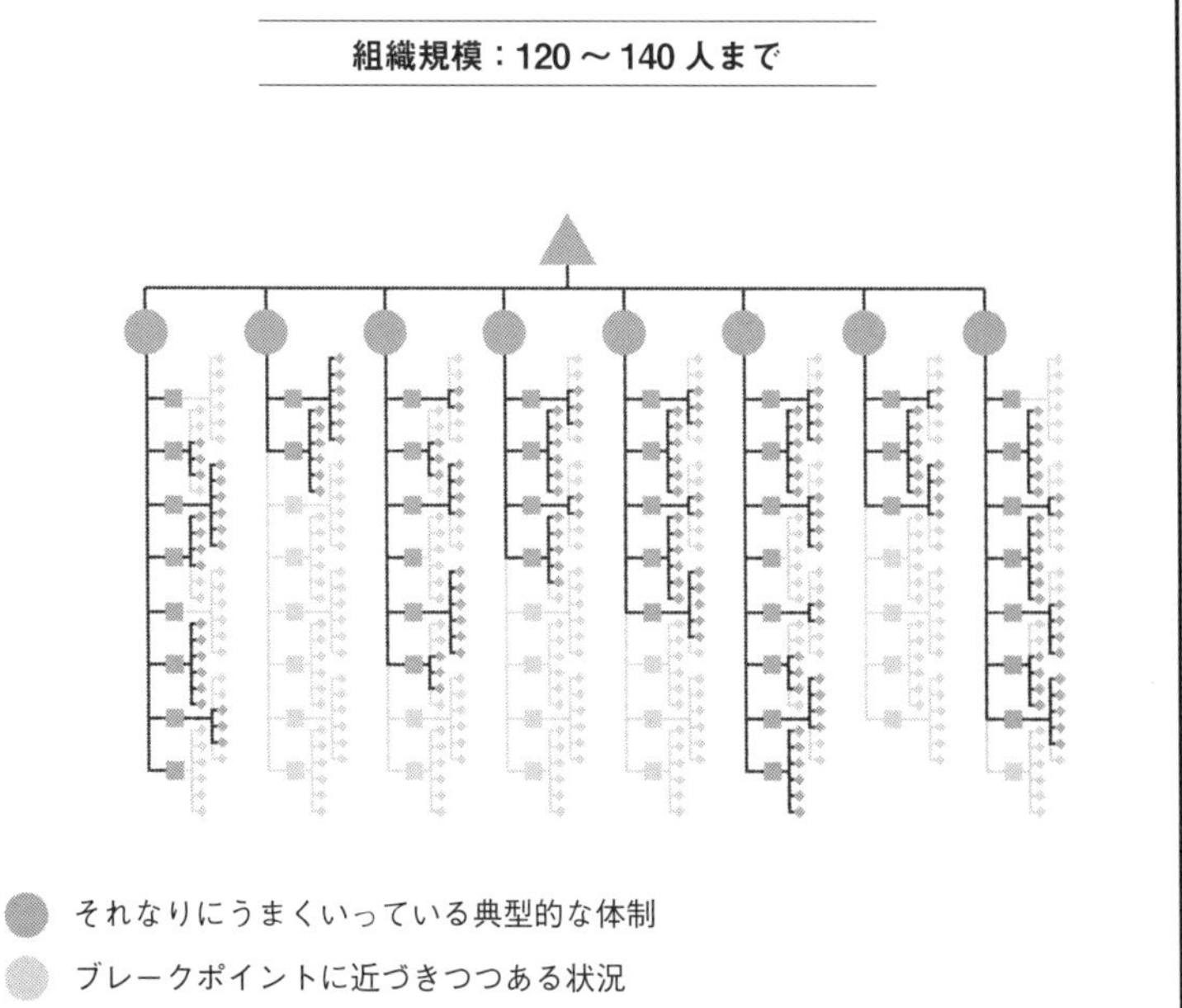

図26　CEOあるいはリーダーと、現場の業務を担うメンバーのあいだにマネジメント階層が2つ存在するようになるため、コミュニケーションの方法を再度見直す必要がある。マネージャーが他のマネージャーを管理するようになるので、マネジメントコーチの手を借りて、うまくやっている者、将来マネージャーになれる者、多少の支援が必要な者を見きわめる必要がある。トップは直属の部下と効果的にコミュニケーションをとる方法を見つけ、マネージャーが同じ情報を自分のチームにきちんと伝えているか確認し、組織全体から情報がきちんとトップに上がってくるようにする。下から上、上から下への情報の流れが不透明だと不信感が生まれる。情報に欠落があると、不信感がその欠落を埋めるようになる。

が「何でも屋」という贅沢な立場（これは両刃《もろは》の剣だ）ではなく、特定の分野に特化するようになる。

コミュニケーション　部門間のコミュニケーションと経営層とのミーティングを形式化する必要がある。廊下で出会ったときに雑談する程度では間に合わなくなる。各部門が情報を共有し、経営幹部が社内を団結させ、情報を共有し、士気を高める場として全社員ミーティングを定例化する。

　この段階に達したら、トップはコミュニケーションの方法を確立しなければならない。どのように経営陣との関係を維持し、優先事項を設定するか。ミーティングをどのように運営するか。全社員の前でどのようにふるまうか。経営陣は急増する人事関係の問題に対処するため、人事部門と毎週ミーティングを開くようにする。

三五〇〜四〇〇人までの規模

組織　この段階になると、複数のプロジェクトが限られたリソースを奪い合うようになる。経営陣は孤立し、現場のプロダクトとの距離は広がっていく。経営陣は組織体制の管理やチーム間の優先順位の調整にほとんどの時間を割くようになる。
コミュニケーション　ミーティングが無秩序に増加し、情報のボトルネックが発生する。ミーティングを再編し、コミュニケーションの方法を見直す必要が出てくる。全社員ミーティングの数は減り、細かな情報を共有するより会社全体のビジョンを浸透させることに特化するようになる。それはすなわち、社員が必要な情報を入手でき、社内に適切な情報を周知させるような新たな手段が必要になるということだ。
　リモート全盛の今日でも、それは変わらない。むしろコミュニケーションの重要性は高まったといえる。ウォーターサーバーの前で雑談する機会がなくなり、自然発生的な雑談が生まれなくなったら、コミュニケーション戦略についてこれまで以上によく考え、規律を保ち、意識的に実行する必要がある。社員同士の結びつきを強めるためのロードマップを示さなければならない。

もうひとつ常に頭に入れておくべきなのは、成長は階段関数ではないということだ。チームが一一九人までならうまくやれるが、一二〇人になった途端に崩壊するといった話ではない。ブレークポイントに到達するはるか以前に戦略を立てはじめる必要がある。少なくとも二〜三カ月前から準備して、さらにブレークポイントを過ぎたら何カ月かはフォローアップする。組織体制、コミュニケーション方法をしっかり考え、一般社員にマネージャーになるための教育をするか、あるいは新しい血を入れる必要があるか判断し、ミーティングを再編し、社員が規模拡大に対処できるか見きわめる。社員と対話する必要がある。それもたっぷりと。

重要なのはブレないことだ。大きな会社でプロジェクトを率いているのか、自分が興したスタートアップを経営しているかにかかわらず、あなたはリーダーとしてチーム全体をコーチングしながらこうした変化を乗り越えていかなければならない。会社は思春期にさしかかっている。ワキにいよいよ毛が生えてくる前に、多少気まずくても大事な話をしておく必要がある。かける言葉も同じようなものかもしれない。「これは成長し、成功しているすべての会社が通る道なんだ。自然なことだ、心配するな」と。

ただそれと同時に、こうした変化が彼らにとって、あなた自身にとって、会社にとって恐ろしいものであることをはっきり口にしよう。変化にともなって失われるものがあること、喪失がつらいものであることを認めよう。変化のプロセスにマネージャーや一般社員を巻き込み、彼らが唐突感、無力感を抱かないようにしよう。変化をうまく乗り切るには彼らの協力が必要なのだから、彼ら自身が変化の方向を定め、当事者としてそれを受け入れられるようにしよう。

訪れるとわかっている未来なら、自らデザインすることができる。
だがまずは恐れを乗り越えなければならない。ここからは多くの人がもっとも不安を感じることと、それを乗り越える方法を書いていく。

専門化

あらゆる生き物はたった一つの細胞から始まる。その一つの細胞が二個、四個、一六個と分裂していく。最初はどの細胞も同じだが、すぐに分化が始まる。ある細胞は神経になり、別の細胞は筋肉になり、という具合に。生き物が成長するにつれて細胞は一段と分化していき、個体は複雑化していく。それと同時に回復力も高まり、何年、何十年と存続できるようになっていく。

企業でも同じことが起きる。とはいえ人間は幹細胞ではない。特定の業務に特化することを喜ぶスペシャリストもいる一方で、ほとんどの人は業務を限定していくことにひっかかりを持ち、必要性を感じない。むしろ専門化に強い不安を抱く。とりわけ創業初期、誰もがさまざまな業務を引き受け、マネジメントの階層など存在せず、みんなで方向性を決めたら全力で走るという状況に慣れていると き、専門化というプロセスは強い恐怖感を引き起こす。もっと後の段階、たとえば大企業でも同じことが起こる。超のつく大企業でも。

みんながさまざまなおもしろい仕事をこなすのに慣れているのに、今になって取り上げるのか、というのが恐怖心の実体だ。

だから専門化がもたらす機会にみんなの目を向けさせよう。何を失うかではなく、これからどんなおもしろい仕事ができるようになるのか、興味をかきたてるのだ。マネージャーになりたいか。チームリーダーはどうか。事業の他の側面をもっと知りたくないか、あるいは本当に好きな側面をとことんん掘り下げてみないか。何を学びたいのか。

一人ひとりが仕事、会社、企業文化のどの部分を本当に好きなのかを理解させるのが第一歩だ。それが明らかになったら、マネージャーと相談しながら、好きな仕事を継続し、それほど好きではない仕事を手放していく。あるいはこの機会にまったく新しい業務に移ってもいい。

メンバー全員に、これはそれぞれが進むべき道を選ぶチャンスなのだと繰り返し伝えよう。自分のキャリアを自分で決められるのだ。こう言って聞かせよう。未来の自分をイメージして、自分がどんな人間になりたいのか、どんな仕事をしたいのか、考えてほしい、と。

組織体制

組織の成長にともなって個人が専門化していくのと同じように、チームも専門化していく。プロダクトが一つしかない段階では、機能別にチームをつくればいい。ハードウェア・エンジニアリングチームが一つ、ソフトウェア・エンジニアリングチームが一つ、といった具合に。だがプロダクトラインが増えると、この体制では追いつかなくなる。プロダクトが二つになった段階で問題が発生するか、それとも五つに増えた段階か。いずれにせよ、やがてうまくいかなくなる。

たいてい問題はトップにある。チームリーダーが同時に対処できるプロジェクトの数には限界がある。三つ、四つ、あるいは五つまでなら各プロジェクトに意識を集中できるが、それが六つ、七つになると脳がキャパオーバーになる。一日が長くなるわけではない。そこで一部のプロジェクトは後回しになるが、「後」はいつまで経っても来ない。

一つひとつのプロダクトにきちんと意識を向けるためには、組織をプロダクトごとに分ける必要がある。このチームはサーモスタット担当、このチームは煙報知器担当、といった具合に。しばらくしたら各チームをさらにサブチームに分割する必要が出てくるかもしれない。ネストでは最終的にアクセサリ担当のチームをつくった。そうしないと、いつまでたってもアクセサリが開発されないからだ。本体を担当するチームは「いずれ対処する」とは言うものの、アクセサリが彼らの最優先事項になることはあり得ない。必然的に他の仕事を優先する。

アマゾン、決済サービスのスクエアやストライプ、クラウドコミュニケーション・プラットフォームのトゥイリオなど、複数のプロダクトラインを擁するチームはほぼ例外なく、このようなかたちに組織を再編した。

各プロダクト・ファミリーに専従のエンジニアリングチーム、マーケティング担当者、デザイナーやライターが付く。さながら企業内の小さなスタートアップだ。チームはより小さく、速く、自律的になる。意思決定が迅速になり、メンバーは本業以外のプロジェクトのためのリソース確保に煩わされることなく、明確な目標を共有するようになる。

間違いなく、このやり方のほうがうまくいく。だからといって社員が納得するわけではない。集団も一般社員と同じで、活動領域を「ここまで」と限定されるのは嬉しくないのだ。

一般社員とそれぞれの進路について話し合うときと同じ対話が、グループの進路を狭める際にも役に立つ。業務をこのように細分化することで、組織はフラットになり、ムダなコストが大幅に抑えられ、成長の機会は増え、何かを深く追究し、圧倒的な成果をあげ、世間に認められる確率は高まる。

いずれにせよ、社員にはいつでもチームを移る自由がある。古いプロダクトの新しいバージョンを発売したら、まったく違う魅力的なプロダクトに鞍替えしたらいい。サーモスタットでもいいし、煙報知器でもいい。本人が夢中になり、やる気になっているのなら、どこだって受け入れる余地はある。

一般社員がマネージャーになるとき

発足したばかりの成長期にあるチームでは、成果を出しているメンバーがリーダーになることを求められるケースが多い（第五章を参照）。マネージャーになることをすんなり受け入れる者もいれば、恐怖で縮みあがる者もいる。原因は変化への恐れ、あるいは自信のなさかもしれない。今の仕事、今の会社のあり方がとても気に入っているからかもしれない。そんなときは、なぜマネジメントの階層を増やす必要があるのか、彼らが理解できるように説明しよう。チームが大きくなりすぎたので専門化する必要がある、さらなる成長に備える必要がある、と。それから選択肢を与えよう。

一　**一般社員にとどまり、今後は誰かの下で働く**　必ずしも悪い話ではない。新しいマネージャーは長年一緒に働いてきた友人かもしれない。あるいは外部からすばらしいリーダーが来て、多くを学べるかもしれない。ただこの選択肢を選ぶ場合は、これまでとは違う方法で仕事を管理されること、そして今後はチームの行方にこれまでほど影響力を持ちえないことを受け入れる必要がある。

二　**マネージャーとしてのトライアル（お試し）を受ける**　実際にマネージャーの役割を経験し、自分が向いているか確かめる機会を与える。あなたが休暇をとり、実際にチームの舵取りを任せてみよう。この人物が責任者だとチームに周知しよう。マネージャー会議に一緒に出るようにして、プレゼンを担当させてもいい。どんどん大きなプロジェクトを任せよう。あなたの仕事の一部を任せ、マネージャーの仕事がどのようなものか経験させる。人事関連の業務を手伝ってもらう。戦略会議にも連れていく。

続いてマネージャー候補に、さらに本格的なトライアルを希望するか尋ねよう。マネージャー研修に送るか、会社の規模が小さすぎて適切な研修が受けられない場合は経験豊富なマネージャーをコーチに付ける（コーチとなる人の四半期の「目標と主要な結果（ＯＫＲ）」に組み込み、正式な業務とする必要がある。「コイツを頼むよ」という気楽なお願いではなく、その人物の重要目標の一つにする）。

残りのチームメンバーとは個人面談の場で、「この人をマネージャーに昇格させようと思っているが、その前に全員に異存がないか確かめておきたいんだ」という話をしよう。「とりあえずやらせてみて、何か問題があったら私のところへ相談に来てほしい」と言っておく。周囲にこの人物がマネージャーになることへの心の準備をさせ、マネージャー候補が力を発揮できるようにしよう。マネージャー候補が自らの能力に自信を持つことができ、チームも仲間がマネージャーという新たな役割に就くことを受け入れたら、候補者に正式にマネージャーになるか選択させよう。

とにかくマネージャーの研修を早めに開始し、候補者が経験豊富なマネージャーに相談できるようにすることが肝心だ。候補者にマネージャーという職務に興味を持たせ、優れたマネジメントを体系的に理解させ、マネジメントの最も重要な役割の一つはチームが難しい問題に対してクリエイティブな解決策を生み出すよう支援することだと説明しよう。リーダー自身がこのすべてを行うわけではないが、マネージャー研修を成功させるうえでリーダーの役割はきわめて重要だ。

僕は与えられた機会を活かし、リーダーとしての才能を開花させていった人をたくさん見てきた。ただ基準に到達できない人も出てくることを覚悟しておこう。自滅する人もいれば、会社を辞める人、マネージャーという仕事が心底嫌だという人も出てくる。マネージャーとしては凡庸な人もいる。そうした人に対しては、社内あるいは社外で別の機会を見つけられるよう支援するのもあなたの責任だ。

何かに挑戦して失敗した彼らは、その過程で何かを学んだはずだ。それで構わない。人生とは不要な選択肢を消していく作業だ。また新しいことに挑戦したらいい。

一般社員のマネージャーからマネージャーのマネージャーへ

チームが一二〇人前後になると、ディレクターが必要になってくる。ディレクターとは、他のマネージャーを管理するマネージャーだ。ディレクターは一般社員とは異なり、ＣＥＯ的なモノの考え方をしなければならない。

ディレクターは自分が率いるチームをこれまで以上に信頼し、権限を委譲しなければならない。そしてコーチの役割を担う。チームとの距離は近いが、プロダクトとの距離は遠くなる。重要な戦略的判断に責任を負うが、好き勝手できるわけではない。最終的にはディレクターも期待される成果を出さなければならない。

当然、新たにディレクターになる人たちを何のサポートもなくいきなりその立場に放り込むわけにはいかない。きちんとした訓練を受けさせ、最初からコーチを付けるべきだ。それがあなた自身か他の誰かかにかかわらず、新任ディレクターとコーチの関係は正式なものにすべきだ。最初からすべてわかっていることなど期待されていないのだと、新任ディレクターにわからせてあげよう。

会　議

会社が急成長しているとき、多くの社員がまず不満を言い出すのは会議がやたらと増えているということだ（メールもショートメッセージも増えるが、不満のタネは主に会議だ）。チーム会議にマネージャー会議、全社員集会に人事会議。ある程度会議が増えるのは仕方がない。社員はお互いに話し合う必要があるし、グループチャットは参加者が増えすぎると非生産的になる。対面でやるかはともかく、会議は必要だ。

それでもときおり立ち止まり、会議やコミュニケーションのプロセスを再評価し、時間のムダになっていること、あるいは生産的ではなくなっていることが明らかになったら修正を加えるべきだ。一部の会議は状況確認レポートで代替したり、参加者を絞ったりすべきかもしれない。ただその場合は、レポートが増えすぎないように注意する必要が出てくる。各チームが誰も読まないような情報を発信するのに膨大な時間を割くことがないように。これは終わりのない戦いだ。マネージャーは常にメンバーがチーム内あるいはチーム間会議にどれくらいの時間を使っているか目を光らせ、増えすぎないようにコントロールすべきだ。

「オールハンズ・ミーティング」と呼ばれる全社員集会が良い例だ。社員が四〇～五〇人にも満たない創業初期には、週一あるいは隔週でこうしたミーティングを開く企業が多い。ざっくばらんで実務的な集まりだ。車座になって軽食をつまみながら一時間ほどかけて、全員が今週仕事をするうえで知っておくべきこと、次の短期目標、今会社が取り組んでいるおもしろいプロジェクト、競合企業の状況を共有していく。必要があれば、厳しいニュースもここで伝える。ただ基本的には前向きな話をする場だ。会社のミッションやそこへ向けた進捗を話し、最後に少し親睦を深めるようなチームビルディングの活動をする。

しかし社員が増えてくると、あらゆるトピックを網羅し、全社員集会を参加者全員にとって有意義なものにするのは難しくなる。そうなると全社員集会の頻度は下がっていき、内容も変化する。足元で今何が起きているかではなく、会社のビジョンや来《きた》るべき大きな変革などが話し合われる。毎週みんなでスナックのかけらの散らばった床に座り、好き勝手に発言できる楽しいオールハンズ・ミーティングは、会社の規模が大きくなると機能しなくなる。

これを理解しておかないと厄介なことになる。たとえばグーグルが良い例だ。最近まで一四万人のグーグル社員は毎週、二～三時間におよぶオールハンズ・ミーティングに出席していた。有名な（というか悪評の高い）ＴＧＩＦミーティングだ。もとは「Thank God it, s Friday（やった、今日は金曜日だ！）」の頭文字を集めた言葉だが、アジア圏の社員が参加できるように木曜日に開かれていた（これも会社の規模が大きくなると全社員集会が難しくなるのを示す例だ）。

経営幹部が少し雑談する以外は、社内のさまざまなチームが取り組んでいる仕事を紹介するプレゼンが続く。ごくまれにとてもおもしろいものもあるが、たいていはつまらない。有益な情報を効率的に伝えるというオールハンズの当初の目的はとっくの昔に失われていた。社員のほとんどは三時間ずっと「ミームジェン」と呼ばれる社内アプリを使ってひたすらミームを作っていた。グーグルの企業文化を守り、チームの絆を深めるのには役立ったかもしれないが、このオールハンズを効率的だとか、社員がより良い仕事をするのに役立つなどと言う人は地球上にひとりもいないはずだ。

しかもそこにはとんでもないコストがかかっていた。社員の大半が週に何時間もミーム作成に費やすことのコストを抜きにしても、オールハンズの準備にはおそろしく手間がかかった。グーグル社内にはＴＧＩＦ専従のチームがあったほどだ。このイベントを毎週開くために、数十人の社員が何百時間も費やしていた。

オールハンズ・ミーティングは本当に必要なときだけ開くようにしよう。特別な機会と位置づけるのだ。定期的に開催するのはいいが、頻度は低くする。代わりにもっと規模の小さい部門間会議を開き、有益な情報を共有することを奨励しよう。その規模ならみんなで床に座ってスナックを食べるのもいいだろう。ただ会議の目的は明確にして、社員が職場で過ごす時間は常に有益なものにすべきだ。

人事部門と人材

創業当初の会社に人事部門は必要ない。社員が五人、一〇人、あるいは五〇人くらいまでは採用には外部のリクルーターを活用し、問題が起これば当人との話し合いで解決し、医療保険、確定拠出型年金などの基本業務は外注すればいい。

だが社員が六〇～八〇人になったら人事部門は内製化する必要がある。というのも相手は六〇～八〇人ではなく、二四〇～三二〇人に増えるからだ。社員の多くには配偶者、パートナー、扶養家族がいる。その一人ひとりにさまざまなニーズが発生し、会社として対処しなければならなくなる。病気や妊娠、歯科矯正、休職、あるいは福利厚生についての問い合わせも出てくる。これをすべて外注するにはコストがかかり、経営者も膨大な時間をとられるようになる。

だから人事部門を内製化し、社内にはその目的が社員と企業文化を守ることだと説明しよう。社員に子供ができたときにサポートするため、給料日にきちんと給料が支払われるようにするため、安心して業務に打ち込めるようにするためだ、と。正式な人事部門ができるからといって社員が失うものは何もない。社員とその家族へのサポートが充実するだけだ。

コーチとメンター

ブレークポイントの前というのは、コーチングとメンタリングが特に重要になる時期だ。社員が三〇～四〇人に増えてマネージャーという役職ができる時期、そして社員が八〇～一二〇人に増えてディレクターに昇進する者が出てくる時期が特にそうだ。

ここで頭に入れておいてほしいのは、コーチとメンターの違いだ。

コーチは業務を支援する存在だ。この会社、この仕事、今この場面にどう対処すべきかという仕事絡みの話をする。

一方、メンターはもっとパーソナルな部分にかかわる。仕事面だけでなく、人生や家族との向き合い方も支援する。

コーチが助けになるのは、彼らが会社をよくわかっているからだ。一方メンターが助けになるのは、あなたという人物をよく知っているからだ。

一番良いのは両方の役割を兼ね備えた人物だ。両方の世界を知っていて、会社が必要としていることと、そして相談者個人が必要としていることを、広い視野で見つめ直せるように手助けしてくれるメンター兼コーチだ。

創業初期にはリーダーがメンターになる。大きな変化に向けて社員の準備を整え、変化を乗り切れるようにコーチングする。だがチームが成長するにつれて、自らの負担を軽くするために正式なメンターやコーチを採用する必要が出てくる。社員が一二〇人になったら、リーダー層が新たに求められる役割を果たせるように導くとともにコミュニケーションや組織戦略を指南する、エグゼクティブ・コーチを置く必要がある。

文化

文化は定義するのがきわめて難しく、維持するのもきわめて難しい。小さな会社でも、それぞれのチームが独自の文化をつくり上げていく。そして文化の重要な部分が失われると、それとともに大勢の従業員も失うことになりかねない。

だからあなたが大切に思う文化を守るために、チームが最も大切だと思うことを書き出し、それを守るための計画を立てよう。そして社員が会社に愛着を抱く理由は、実は見過ごされがちなささやかな習慣かもしれないことを頭に入れておこう。ネストがまだとても小さな会社だった頃、数人のメンバーが駐車場でバーベキューをするようになった。みんなでくつろぎ、美味しいものを食べながらおしゃべりをする楽しい時間だった。会社の成長にともなってバーベキューが自然消滅してもおかしくはなかった。一五人分のステーキを焼くのと、五〇人分、あるいは五〇〇人分のステーキを焼くのはまるで違う話だ。そこで僕らは会社としてバーベキューにお金をかけるようになった。バーベキューの規模はどんどん大きくなり、どんどん手の込んだお金のかかる行事になっていったが、それでも絶対にやめなかった。経営幹部も従業員も、デザイナーもエンジニアも、品質保証担当も情報システム担当もサポート担当も、みんなで一緒に楽しい時間を過ごすことがネストの文化に重要な意味を持っていた。たかがバーベキューだが、僕らにとっては大切だった。それにバーベキューのほうがオールハンズ・ミーティングより会社の成長に合わせて規模を拡大しやすかった。

文化は自然に生まれるものだが、維持するためには明文化する必要がある。だから会社の理念を書き出し、物理的な壁にもバーチャルな壁にも貼りだしておこう。新入社員と共有し、採用面接でも応募者に説明しよう。あなたの会社の重視する価値観は何か、会社の文化を特徴づける要素は何か、全員に知らせるべきだ。自分たちの価値観を明確に理解していなければ、それを継承し、維持し、進化させていくこと、そしてそれに適した人材を採用することは不可能だ。

さらにすべてのチームに業務の手順を文書化させよう。マーケティングプロセスはどのようなものか。エンジニアリングのプロセスはどのようなものか。プロダクト開発はどのような段階を踏むのか。他の部門とどう協力するのか。こうしたことを個人の頭の中だけにとどめておいてはならない。社員は退職する。新しい社員も入ってくる。会社があらゆる方向に一気に成長している局面では、その中心に強力で安定した核が必要だ。ベテラン社員が新入社員に仕事の進め方をきちんと説明できなければ、社内は大混乱に陥る。

僕は投資先企業がブレークポイントに差しかかっておかしくなるケースを何百と見てきたし、自分自身にも経験がある。三〇万人近い社員を抱えるフィリップスで新たなグループを立ち上げようと苦労したとき、そして、アップルが三〇〇〇人から八万人に急拡大したときだ。しかもブレークポイントというのは、決まって不意打ちでやってくる。事業が急成長していて、ビジョンや新しいプロダクトがうまくいっているとき、そこから少し距離を置き、足を止め、状況を見直し、組織を再構築しようと思う者はまずいない。

通常の業務をこなしながらブレークポイントに備えるのは大変だ。一筋縄ではいかないし、みんなの嫌がることばかりしなければならない。先送りしたい欲求は常にある。

だが「明日は明日の風が吹く」的アプローチは、ここでは通用しない。ブレークポイントへの備えを怠ると（社員に変化が必要であることを伝えない、個人中心から役職中心の組織への再編をしない、新たなマネージャーを配置しない、会議やコミュニケーションのあり方を見直さない、社員に研修やコーチングを受ける機会を与えない、企業文化を維持するために積極的な手を打たない、など）、明らかな弊害が生じる。

- 社員の機嫌を損ねたくないため、最適な組織構造を考えてから既存の社員を当てはめていくというアプローチではなく、既存の社員の働き方に合うような組織をつくっていくリーダーを僕はたくさん見てきた。
- すると役職や業務に重複が生じ、組織の上層部に膨大な無駄が生じる。どんな仕事をしているのか誰にもわからないような意味不明な新たな役職が設けられる。

- 業務のスピードが落ちる。
- 企業文化が劣化したという不満が社員から上がるようになる。
- 会社を辞める者が出てくる。
- 静かに動揺が広がり、それが本格的な危機に発展する。

こうした状況から回復するには、たいてい六〜九カ月かかる。大方の企業はブレークポイント以降に成長した部分をいったん削ぎ落とし、変化が起こる前の時点に立ち戻ってきちんとやり直さなければならない。いずれにせよ、正しく向き合わずにやり過ごすことはできない。ブレークポイントを無視しようとする会社は、潰れるか、規模を拡大できずに停滞するかのどちらかだ。

そしてすべてを完璧に準備しても、やはり去っていく従業員はいることを覚悟しなければならない。優秀な人材が会社を去るだろう。小さな会社がいいという者もいれば、変化の必要性を頭では理解していても受け入れられない者もいる。どれだけ事前に説明してもコーチングをしても、組織が階層化するのが気に食わない者もいる。信頼していたチームメイトや友人が去っていくのを見るのはつらい。だがこれは埋め合わせ可能な損失だ。大惨事にはならない。会社も文化も生き残る。

変化に対する社員の不安をやわらげ、マネージャーを教育し、社員の不安を解消するために数えきれないほどのワン・オン・ワン（個別面談）を重ね、会社の理念や業務プロセスを明文化し、企業文化を構築・強化するために定期的な（とはいえそれほど頻繁ではない）オールハンズ・ミーティングでスピーチをする。それらをすべてやり遂げたら、少し時間をとって自分自身を振り返る時間を持とう。

おそらくあなたも怖いはずだ。怖いと思うのが当然で、そう思わないのは変化を真剣にとらえていないからだ。

ブレークポイントは会社だけに起こるものではない。あなた自身にも起こる。ＣＥＯ、創業者、あるいは大企業のチームリーダーは、組織が大きくなるにつれて孤独になり、プロダクトからの距離も遠くなる。当初は全メンバーの採用に直接かかわるので、全員のことをよく知っているし、すべての会議に出席し、チームと一緒になってすべてをつくりあげていく。しかしチームの陣容が一二〇〜一五〇人を超えると状況は一変する。知らない顔が増えてくる。この人はうちの社員だろうか、パートナー企業の人か、それともランチを食べに来た社員の友達だろうか？　会社のどこで何が起きているか、すべてを把握することは不可能になる。そして会議にふらりと立ち寄ることもできなくなる。なぜＣＥＯが来ているんだ、何か問題が起きているのかと、まわりがいちいち不安になるからだ。

あなた自身がブレークポイントにさしかかったときには、どのように社員の不安をやわらげ、どんなアドバイスを与えたか思い出そう。変化が訪れることを予想し、備えるのだ。メンターに相談しよう。変化が起こる前に、次のステージで自分が果たすべき役割を理解し、計画的に備えよう。そして変化は成長であり、成長は新たな機会であることを心に刻もう。会社は生き物だ。細胞が増えていくには分裂する必要があり、新しい機能を果たすためには個別化していく必要がある。失うものを気に病むのはやめて、自らのなるべき姿に思いをはせよう。

第二三章　万人のためのデザイン

何かを生み出すためには、まずデザイン（設計）する必要がある。プロダクトやマーケティングだけではない。プロセス、カスタマー・エクスペリエンス、組織、文書、材料など、すべてそうだ。デザインの本質は、問題をじっくり考え、優れた解決策を見つけることだ。誰にでもできることであり、誰もがすべきことだ。

デザイナーの優劣を左右するのは、手先の器用さよりもモノの考え方だ。単に美しいものをつくればいいのではなく、機能的に優れたものをつくることが重要だ。プロのデザイナーの手を借りなければ非の打ちどころのないほど優美な試作品を仕上げることはできないかもしれないが、二つの基本ルールさえ押さえれば、誰でも相当なデザインワークができるはずだ。

一　**デザイン思考を実践する**　デザイン会社アイディオのデイヴィッド・ケリーが提唱した有名な思考法で、顧客とその悩みを特定し、解決すべき問題を深く理解し、体系的に解決方法を探っていく手法だ（参考文献『クリエイティブ・マインドセット』）。

たとえばテレビ用リモコンの数が多すぎる、と文句を言う人がいたとする。それなら、とばかりにすべてのリモコンを合体させた、おそろしく複雑な巨大リモコンをつくろうとするのではなく、まずはじっくり顧客を理解してみよう。ソファに腰を下ろしたら、何をするか。何を観るのか。いつ観るのか。誰と一緒に観るのか。それぞれのリモコンを何のために、どれくらいの頻度で使うのか。どこに置いているのか。間違ったリモコンをつかんでしまうとどうなるのか。

そのうちに顧客の本当の問題が見えてくる。夜遅く帰宅して、家族を起こさないために部屋の明かりを点けるかわりに暗闇のなかでテレビを点けようとするが、目当てのリモコンが見つかったためしがない。なるほど、その解決策を探せばよいわけだ。

二　「慣れ」に注意する

人はいろいろなことに慣れていく。人生はささやかな、それでいてとんでもなく不便なことで満ちあふれている。でも脳がそれを変わらない現実として受け入れ、遮断してしまっているために、もはや気づきもしない。

たとえばスーパーが果物に貼る小さなシールだ。リンゴにかぶりつく前に、まずシールを探して剝《は》がし、こびりついた糊《のり》を爪でこそぎとらないといけない。シールの貼られた果物を見て、最初の数回は面倒だと思うかもしれない。だが今ではその存在を気にも留めなくなっている。

しかしデザイナーのように思考するというのは、仕事やプライベートにおいて改善できるさまざまな事柄に意識を払い続けることを意味する。たいていの人がとっくの昔にこんなものだと諦めた不快な経験を改善する機会を見いだす。*

⁂

ときとして言葉は壁になる。

---

* このテーマに興味のある方は、僕が「慣れ」について語ったＴＥＤトークをぜひ観てほしい。オンラインで視聴できる。

「デザイン」は特定の職種を指す言葉ではない。

「顧客」は単に何かを買う人ではない。

「プロダクト」は企業が販売するモノやソフトウェアだけを指すのではない。

デザイン思考はあらゆる営みに実践できる。

あなたが採用面接を受けるために着ていく服を選んでいるとしよう。顧客は面接官、プロダクトはあなた自身、そしてあなたは今日の服装をデザインしている。ジーンズを着ていくべきか、シャツはボタンダウンにすべきか。企業文化はフォーマルか、それともインフォーマルか。相手にどんな印象を与えたいか。こうした意思決定はデザイン・プロセスだ。最高の結果を出すためには、たとえ無意識のものであってもデザイン思考が求められる。

さて、めでたく採用されたとしよう。ジーンズを選んで正解だった。とはいえ新しい会社は車で一六キロ先にあり、あなたは車を持っていない。ここでまた新しいデザイン・プロセスが始まる。今回の顧客はあなた自身だ。

とりあえずディーラーに行って適当な車を買う、ということはおそらくしないだろう。選択肢を吟味するはずだ。本当に車は必要だろうか。バスがあるかもしれないし、電動スクーターや自転車を買うという選択肢もあるかもしれない。車を買うとしたら、何に使うだろうか。予算は？　ハイブリッドカーかEVか。通勤ルートは渋滞するのか。車は道路に停めておくのか、それとも駐車場を借りるのか。家族や友人、同僚やペットを乗せることはあるのか。週末はドライブに行ったりするだろうか。

デザイン思考を実践すると、解決しようとしている問題とじっくり向き合うことになる。この例では、問題は「通勤用にどんな車を買うか」ではない。実は「自分はどんな移動手段を求めているのか」というもっと大きなものだ。デザインしているプロダクトは、あなたが生きていくうえでの移動戦略だ。

真に優れたプロダクトをつくる唯一の方法は深掘りすることだ。顧客のニーズを分析し、あらゆる選択肢を探求する（予想外のものも含めて）。完璧なデザインというものは存在しない。リモートワークを認められるかもしれないし、職場近くに引っ越せるかもしれない。常に制約はある。それでも美的に、機能的に、そして必要とされる価格帯で最適な選択肢を選ぶ。

それがデザイン・プロセスだ。僕はこの方法でｉＰｏｄをデザインしたし、他のすべても同じ方法でデザインしている。

それでもこれを「デザイナー以外の人」にはできない芸当だと思っている人もいる（第七章を参照）。

僕はこれまで、たくさんのデザイナーと仕事をしてきた。ずば抜けて優秀な人もいたが、「デザインはデザイナーがするもの」と頑なに信じて疑わないお高くとまったデザイン責任者とぶつかったこともある。難しい問題に直面したときには専門家におうかがいを立てるべきだ、と考えるタイプだ。洗練された美的センスと名門デザインスクールの学歴を持つ誰か（たぶん自分）に。この手のデザイナーが、デザイナー以外の人間に顧客ニーズを理解し、まともな解決策を出せるはずがないという先入観だけを理由に、技術部門や製造部門の出してきたアイデアを潰すのを僕は何度も見てきた。自分たちが発案するもの以外は解決策たりえない、と。

僕はそういう発想が許せない。

とりわけ問題なのは、このような発想に毒されている人が多いことだ。難しいデザイン上の問題に直面すると、すぐにそれを解決できる人材を雇おうとするスタートアップが多い。自分たちには知識や専門能力が足りないから、誰かに代わりにやってもらおう、と。

だが、自分たちで問題を解決しようとする前に、さっさと外注するのは禁物だ。その問題を解決することに会社の未来がかかっているならなおさらだ。それが製品の重要な機能に関する問題なら、まずは社内でプロセスを理解し、やってみるべきだ。

ネストを創業した当初、マーケティングが差別化のカギを握ることははっきりしていた。そこでマーケティングの責任者としてアントン・エニングを採用したとき、僕はパッケージに力を入れてほしいと頼んだ。アントンは直感と共感能力に優れ、ストーリーテリングがうまく、カスタマー・エクスペリエンスを大切にする優秀なマーケターだが、デザイナーではなく、コピーライターでもなかった。

そのときのことをアントンはこう述懐している。

「ネストに入社して二週間目、トニーからパッケージをデザインしてキャッチコピーをつくれ、と言われたんだ。『僕が？　そういうことなら、これまで一緒に働いたことのあるフリーランス・デザイナーやコピーライターに連絡をとってみるよ』と答えると、『ダメだ。社内でやってくれ、機密事項だから』と言う。『なるほど。じゃあやってみよう』となったわけだが、結果的に僕のキャリアであれほど自由な探求が許されたことはなかった」

アントンは試行錯誤しながら学習していった。失敗したら再び挑戦した。パッケージは一〇回以上も書き直し、それと同時に情報発信のプロセスや仕組みも構築していった（第二四章、図27を参照）。

アントンは自力でパッケージの基本とその制約を学び、情報発信のイロハを体得したうえで、社外のデザイナーやコピーライターと連携し、完璧に仕上げていった。まず自分でやってみるというプロセスを踏んでいなかったら、あれほどの出来栄えにはならなかったはずだ。アントンに必要だったのは、やってみろと背中を押してもらうことだけだった。優秀で有能な人材が真価を発揮するのに必要なのは、たいていそれだけだ。

優美な選択肢を考案するのに、プロの手を借りる必要さえないこともある。たとえばプロダクトのネーミング。あらゆる会社が直面する問題だ。有名なネーミングやブランディング会社に依頼する前に、まずは自らデザイナーのように問題と向き合ってみよう。

- あなたの会社の顧客は誰か。彼らはどこでこのプロダクト名を目にするのか。
- 顧客にはプロダクトに対してどのような認識や感情を抱いてほしいのか。
- プロダクト名を通じて一番伝えたいのはどのようなブランド特性やプロダクトの機能なのか。
- このプロダクトは大きなシリーズの一部なのか、それとも独立しているのか。
- 次のバージョンの名称はどうなるのか。
- プロダクト名は特定の感情やアイデアを想起させるべきか、それともわかりやすい説明的なものにすべきか。

候補リストができたら、プロダクト名をさまざまな文脈で使ってみよう。

- 文章に入れたらどうか。
- 文字にしたらどうか。
- グラフィック的にはどうか。

これだと思うネーミングは生まれないかもしれないが、自分たちでやってみることで少なくともネーミングの大切さやプロセスは理解できるだろう。代理店とうまく仕事をするのに必要な手段を身につけ、最終案にたどり着くノウハウを彼らから学べるかもしれない。

ときにはどうしてもプロを雇わなければならないこともある。抜群に優秀なデザイナーが、ドツボにはまったチームが這い上がってくるための梯子《はしご》をつくってくれることもある。だがその場合も、社内のチームが常にプロの仕事を見守り、問いを投げかけ、将来は自分たちで梯子をつくれるようにする必要がある。

こんな具合に、パッケージ、デバイス、ユーザーインターフェース、ウェブサイト、マーケティング、発注、音声、ビジュアル、触り心地、香りなど、すべての要素を担当するすべての階層の社員に日々の仕事のなかでデザイン思考を実践させよう。そうすれば誰もが社内プロセスから請求書の支払い方法、顧客がプロダクトを返品する方法まで、すべてを入念にデザインするようになるだろう。

社内のあらゆるチームが自分たちの抱えている問題に気づき、現状への慣れを払拭し、さまざまなモノを改善しはじめる。他の会社のやり方を踏襲したり（「これまではそうしてきた」）、模倣したりするのではなく、顧客の立場になって考えるようになる。「自分ならこういう方法で返品したい」といった具合に。そのあるべき姿に基づいて、ゼロからプロセスをデザインしていく。

- あらゆる段階で「なぜ」と問いかけてみる。なぜ現状はこうなっているのか。どうすれば改善できるか。
- このプロダクトを一度も使ったことのないユーザーの視点で考える。彼らのモノの考え方、抱えている悩みや問題、希望や願望を掘り下げてみる。
- プロダクトを細かなステップに分割し、すべての制約をまず挙げてみる（第一三章を参照）。
- プロダクトを理解し、ストーリーを語ろう（第一〇章を参照）。
- 常にプロトタイプをつくりつづけよう（第九章を参照）。

誰もがすばらしいデザイナーになれるわけではないが、デザイナーのようにモノを考えることは誰にでもできる。デザインの能力は生まれつきＤＮＡに刻まれているものではない。後天的に学習して身につけるものだ。コーチや講師を招聘し、講義や参考書を用意して、社内の誰もが正しい考え方を身につけられるようにしよう。チーム全員が一緒に取り組めばいい。

世界有数のデザイナーでさえ一人ですばらしいデザインを生み出せるわけではない。アップルのデザインを見て、これはスティーブ・ジョブズの作品だ、ジョナサン・アイブの作品だという人は多い。だがそれは真実とはほど遠い。一人か二人の天才がスケッチブックにすばらしい作品を描き、あとの細かい作業は下々に任せるという具合にプロダクトができることはまずない。アップルでは何千人もの人材がデザインに携わる。このチームの存在があってこそ、真に独創的ですばらしいプロダクトが生まれる。

一人で部屋に閉じこもっていては、すばらしいデザイナーにはなれない。社内の仲間、顧客や彼らをとりまく環境、そして斬新なアイデアを持っているかもしれない他のチームとかかわる必要がある。顧客のニーズと、それを満たすためのさまざまな選択肢を理解する必要がある。さまざまな角度から問題を見てみる必要がある。多少のクリエイティビティも必要だ。そしてそもそも問題が存在することに気づかなければ始まらない。

最後に挙げた点は大したことに思えないかもしれないが、実際にはとてつもなく重要だ。スタートアップ企業の一社員と創業者との違いはここにある。ほとんどの人は家庭や職場に存在する問題に慣れっこになっていて、それが問題であることにすら気づかない。ふつうに生活をして、ベッドに入って目を閉じてからキッチンの電気を消し忘れたことに気づく。そして舌打ちをしてキッチンまで降りていく。なぜ寝室に家中の電気を一気に消すためのスイッチがないのだ、と考えることさえしない。ワクワクするような問題が存在することにすら気づかなければ、それを解決することもできない。

ｉＰｏｄが成功した本当の理由は何か。僕はＣＤが重すぎたためだと思っている。僕は音楽が大好きで、昔はＣＤを何百枚も持っていた。一枚ずつプラスチックのケースに入ったＣＤを、僕は持ち運び用のケースにジャンル毎にまとめていた。週末には遊びでパーティのＤＪをすることもあったが、そのために準備するＣＤはスピーカーより重かった。

九〇年代にはほとんどの人が重いＣＤを持ち歩いていた。ほとんどの人の車には、くたびれた革のＣＤケースが置きっぱなしになっていた。かさばるのでとても鞄に入れて持ち歩くわけにはいかなかったからだ。でもそれを解決すべき問題だと思う人はまずいなかった。それは仕方のないことだと、みんなが思っていた。音楽を聴きたければＣＤを持ち歩かなければいけない、と。

身のまわりの問題に気づき、解決策を考えるのが発明家、スタートアップの創業者、あるいは若者だ。若者は世界を見て、疑問を抱く。何千回もバカバカしいことを繰り返した末に消耗してしまった大人たちとは違う。現状をそのまま受け入れるしかない、とは思わない。「なぜ？」と疑問を持つ。

脳の若さを保つことが大切だ。他の人々が軽く見てきた問題に目を向けてみるといい。デザイナーの語彙や思考法を使い、こうした問題の解決策を探ってみるのはとても示唆に富む経験だ。

スティーブ・ジョブズはそれを「素人《しろうと》であり続けること」と呼んだ。そして自分たちのプロダクトを新たな目で見直せ、と口を酸っぱくして語っていた。ｉＰｏｄは自分たちのためにつくっているのではない。デジタルミュージックを体験したことのない人たちのためにつくっているのだ。ラジカセやウォークマンに親しみ、車にボロボロの革のＣＤケースを置いていたような人々だ。僕らはこうした人々の音楽に対する考え方をガラリと変えようとしていた。そのためには細やかな配慮が必要だった。これほど新しいプロダクトを初めて手にした人は、ちょっとしたことでつまずき、イライラしてしまう。すべてがスムーズでなければならない。魔法のように。

ユーザーがこの小さな美しい機器を箱から取り出した途端に好きになり、理解できるようにしたい、スティーブはそう考えていた。

ただもちろん、そんなことは不可能だった。箱から出した途端に使えるものなどひとつもなかった。当時はハードドライブ付きのすべての家電は、使う前に充電する必要があった。新しいガジェットを手に入れ、箱から取り出したら一時間ばかり充電しなければ電源が入らない。それが当たり前だと思われていた。

だがスティーブはこう言った。「われわれのプロダクトではそんなことは許さない」

エレクトロニクス製品は出荷前に工場で三〇分ほど動かし、正常に機能するか確かめるのが常だった。僕らはｉＰｏｄを二時間以上動かした。工場の生産ペースは落ちる。それも大幅に。製造チームからは「コストが増える」と苦情が出た。だが長い時間動かしてみることでｉＰｏｄを完全にテストすることができたうえに、その間にバッテリーを完全に充電することも可能になった。

今ではそれが当たり前になった。あらゆるエレクトロニクス製品はフル充電の状態で出荷される。スティーブが箱を開けた途端に使えないことを問題と認識したことで、他の人々もそれに気づいた。

ささやかなことに思えるが、意味のある重要なことだった。箱を開ければ、ユーザーの人生を変える準備を万端に整えたｉＰｏｄが待っている。

まさに魔法だ。

しかも誰にでも起こせる魔法である。

問題に気づきさえすればいい。そして誰かが解決してくれるのを漫然と待つ姿勢を捨てるのだ。

第二四章　マーケティングの方法を確立する

マーケティングは必ずしも情緒的で曖昧なものではない。

優れたマーケティングは人と人とのつながりや共感を基盤としているが、マーケティング計画の策定や実施は厳密かつ分析的プロセスになりうるし、またそうすべきだ。

一　**マーケティングを最後の最後に考えるのは間違いだ**　プロダクトの開発において、プロダクトマネジメントとマーケティングは最初から協力体制を組むべきだ。開発を進める過程で、ストーリーを発展させたり、プロダクトの方向性を決める際には常にマーケティングの声を聞くべきだ。

二　**ナラティブ・プロトタイピングにマーケティングを活用する**　クリエイティブチームはプロダクト・ナラティブ（どのような状況でプロダクトが使われるか）を具体化するのに貢献できる。これは製品開発と並行して進めるべきで、両者は互いに参考になるはずだ。

三　**プロダクトがブランドをつくる**　どんな広告よりも、顧客が実際にプロダクトを使ったときのエクスペリエンスこそが顧客にとってのブランドイメージに大きな影響を与える。会社が認識しているか否かにかかわらず、顧客とのタッチポイントのすべてがマーケティングだ。

四　**すべてはつながっている**　マーケティングの仕事は広告を一本つくったら終わり、というわけではない。広告を見た顧客はウェブサイトを訪れ、そこからショップに行き、ショップで購入した製品のケースの中にはインストールガイドがあり、インストールを完了したら「ようこそ!」のメールが送られてくる。一連のエクスペリエンスは一体としてデザインする必要がある。それぞれのタッチポイントが顧客にメッセージを届けるうえで異なる役割を果たし、全体として一貫性と一体感のあるエクスペリエンスを創出する。

五　**最高のマーケティングとは真実をそのまま伝えること**　詰まるところマーケティングの役割とは、プロダクトの真実のストーリーを伝える最善の方法を見つけることだ。

⁝

マーケティングとは、何かを生み出すプロセスの最後にくっついたオマケのようなものだと考えている人は多い。製品開発には一切かかわりのない人々が、こじゃれた広告をつくる作業だろう、と。ご機嫌なシロクマが砂糖水を飲めと勧めてくるコカ・コーラの広告のイメージだ。

マーケティングを軽薄でムダな出費、あるいは必要悪とバカにするのはこういう人々だ。視聴者にたわごとを吹き込み、手段を選ばずカネを巻き上げる企てだと考えている。プロダクトをつくるのは高潔で正当な行為だが、それを売るためには少々汚いこともやらなければならない、と。

だが優れたマーケティングはたわごとではない。何かをでっちあげたり、創作したり、製品の利点を誇張しつつ欠点を隠蔽《いんぺい》するのがマーケティングではない。

スティーブ・ジョブズは「最高のマーケティングとは真実をそのまま伝えることだ」とよく語っていた。メッセージに真実味が感じられれば、マーケティングは成功だ。派手な鳴り物やアクション、踊るシロクマに頼る必要はない。あなたが何を、なぜつくっているのかを伝える最善の方法を見つければいいだけだ。

そしてストーリーを語ろう。聞き手の感情に訴えて物語に引き込むと同時に、理性に訴えてあなたの販売しているプロダクトを購入するのが賢い選択だと説得するのだ。顧客が聞きたいことと、顧客に知ってもらう必要のあることのバランスを取ろう（第一〇章を参照）。

ストーリーに具体性と真実味を持たせるためには、それを視覚的にとらえる必要がある。次ページのメッセージング・アーキテクチャを使って考えてみよう（図27）。

まずは顧客が抱えている問題、あるいは慣れっこになってしまった問題を分解していく。一つひとつの問題が「なぜ」、すなわちあなたのプロダクトの存在理由になる。治療薬は「どうやって」の部分、すなわち顧客の問題を解決するようなプロダクトの特徴だ。

「なぜそれが欲しいのか」の欄は、顧客の抱いている感情を説明している。

「なぜそれが必要なのか」の欄は、プロダクトを購入する合理的理由を説明している。

ここにプロダクト・ナラティブのすべての要素を書き込もう。問題、治療薬、合理的根拠、感情的動機、顧客に関する知識をすべて盛り込むのだ。なぜこうした情報をすべて網羅する必要があるのか。

一　製品開発に不可欠だから　プロダクトマネジメントとマーケティングのチームは、最初からこのメッセージング・アーキテクチャに沿って仕事をする。最高のプロダクトをつくるには、一つひとつの問題を徹底的に理解し、治療薬となる機能を持たせる必要がある。メッセージング・アーキテクチャは基本的なプロダクト・メッセージング（プロダクトの特徴と機能をリストアップしたもの）と対になる文書だ。それぞれ「なぜ」と「何を」を説明する文書として、両方そろっている必要がある。

なぜそれが欲しいのか	なぜそれが必要なのか			
	問題は何か		治療薬は何か	
マンネリに陥っていて**刺激**が欲しい。	**閉塞感**	まだ学生か新米社会人。あるいは転職や独立を考えている。でも次の一手がわからない。	本書は自分がワクワクするものを見つける手助けになる。誰もが自分にとってのワクワクを見つける必要があり、本書はその探し方を教える。	**ワクワク感**
どこから始めればいいのか、何を目指せばいいのか。**進むべき道**を示してほしい。	**無意味な競争**	いつも他人と同じようなことをしている。限られたパイを奪い合って満足している。	本書は未来を思い描き、そこに到達する最短ルートを描くのに役立つ。	**最短ルート**
ザッカーバーグやマスクのような創業者では参考にならない。自分と同じような立場を経験した人からの現実的な**アドバイス**が欲しい。	**現実味のなさ**	ハーバード大やスタンフォード大の中退者ではなく、自分を重ねられる人から学びたい。	著者のシリコンバレーへの道のりは共感できる。失敗を共有し、読者が同じ轍を踏まないようにしてくれる。	**実行可能**
自己啓発書にはもううんざりだ。実績ある**信頼できる人**の本音が聞きたい。	**代わり映えのなさ**	浮世離れした話、壮大な話ではなく、小さな積み重ねで長期的に大きな成果を出す方法を知りたい。	著者はゼロからキャリアを築いた。情熱と常識を支えにひるまず、一歩ずつ前進してきた人物だ。	**斬新さ**

図 27　これはネストで開発し、その後僕が数えきれないほどのスタートアップに教えてきたひな型だ。医療用診断機器からエビ養殖業者のセンサーまで、さまざまなプロダクトの開発に使われてきた。ここでは本書を題材にして説明しよう。

二　**文書そのものが進化するから**　プロダクトの開発が進み、また顧客に対する理解が深まるにつれて、メッセージング・アーキテクチャも進化していく。
三　**共有リソースだから**　マーケティングチームに限らず、あらゆる顧客とのタッチポイントを担当するチームがこの文書を参考にすべきだ。エンジニアリング、セールス、サポートもこの文書に沿って進めるべきだ。すべてのチームが「何を」や「なぜ」、そしてプロダクトのストーリーを常に念頭に置くべきだ。

とはいえメッセージング・アーキテクチャは最初の一歩に過ぎない。

ストーリーにはいくつものバージョンがあり、僕らはその一つひとつについて最も多く挙がりそうな反論を考え、答えを準備した。どんな統計を使い、ウェブサイトのどこに説明を載せ、どんなパートナー企業や利用者の声を紹介するか。広告に載せるストーリーから長年のお得意様に伝えるストーリーまで、さまざまなバージョンを吟味した。

顧客にあなたのプロダクトを買ってもらう、使ってもらうよう説得するプロセスは、相手を尊重し、相手がユーザー・エクスペリエンスのどの段階にいて、どのようなニーズを持っているかに配慮したものでなければならない。広告看板やウェブサイトやパッケージなど、どんな媒体でも一律に「この商品の魅力は次の一〇項目です」と並べ立てるのは意味がない。それは採用面接やランチやデートでいきなり履歴書を突き出すようなものだ。もちろん大切な情報を伝えようとするのはわかるが、時と場合に応じて異なるアプローチが必要だ。

あなたが発信するメッセージは、顧客の立場に合ったものでなければならない。状況に応じて伝えるべき内容は異なる。

ネストでどうやってサーモスタットを顧客に知ってもらうかを検討していたときには、まずブランドを知るきっかけをすべて挙げていった。広告、口コミ、ソーシャルメディア、レビュー、インタビュー、店頭陳列、発売イベントなどだ。それから次のステップを考えた。ネストを知った顧客は、どのようにしてプロダクトのことを知るのか。パンフレット、ネストのウェブサイト、パッケージなどがその手段となる。

そのうえで「メッセージング・アクティベーション・マトリクス」を作成した（図28）。

どこで何を伝えるかを決めるうえでは、どの場面でプロダクトストーリーのどの部分を顧客に見せるかがカギとなる。

- 最初の接点になりやすい広告看板では、これまでにないサーモスタットが出てきたという事実だけを伝える。
- パッケージでは最大の売りである六つの機能と、プロダクトをスマホと連動させられることをアピールする。
- ウェブサイトでは節電効果を強調し、ネストが日々の生活に役立つことを示す。
- パッケージに同梱するユーザーガイドでは、学習アルゴリズムをトレーニングし、節電効果を高めるコツを詳しく説明する。
- サポートサイトでは手順やすべての機能をさらに詳しく説明する。

この段階で「メッセージ」は「マーケティング」に変わる。僕らが顧客に理解してもらいたいと思っている事実を、広告や動画やツイートにするのだ。そしてこの段階で弁護士も介入する。

メッセージング・アクティベーション・マトリクス

	ウェブサイト	プレスリリース	セールス用プレゼン資料	プロダクトシート	パッケージ	ソーシャルメディア	バナー広告
ミッション／ビジョン	✓	✓					
特徴／メリット①	✓	✓	✓	✓	✓	✓	✓
特徴／メリット②	✓	✓	✓	✓	✓		
特徴／メリット③	✓	✓	✓	✓	✓		
特徴／メリット④	✓		✓	✓			
特徴／メリット⑤	✓		✓	✓			
技術	✓		✓				
用途	✓		✓			✓	
製品仕様	✓		✓	✓	✓		
ケーススタディ	✓	✓	✓				
利用者の声	✓	✓	✓		✓		
会社概要	✓	✓	✓				

図28　メッセージング・アクティベーション・マトリクスは顧客がプロダクトを購入してユーザーとなるまでのさまざまな段階で、常に適宜適量の情報を提供するため、いつ、どこで、どの情報を出すか決定する手段となる。

クリエイティブチームの目標はクリエイティビティを発揮すること、事実をできるだけ魅力的に、説得力をもって伝えること、すばらしいストーリーを語ることだ。とはいえクリエイティビティが行き過ぎると、訴訟を招くこともある。弁護士抜きにマーケティングを進めるのは危険だ。

このステップを省いてしまう小さなスタートアップは多い。事実を少しばかり誇張したって、誰も気づかないだろうと考えるのだ。だがビジネスが成功すれば、必ず気づく人が出てくる。特に集団訴訟を専門にする弁護士は目ざとい。

マーケティングの悪気のない無邪気なウソが明らかになると、それ以外のすべてもぶち壊しになる。顧客の信頼があっという間に失われる。

ネストが長らくマーケティングで節電効果をうたわなかったのはこのためだ。せいぜい自社のシミュレーションモデルを説明するレポートを作成し、ウェブサイトにリンクを貼ったくらいだ。徐々にこうしたシミュレーションが正しいこと、ネストのサーモスタットには節電効果があることを示す顧客データが蓄積されていった。

とはいえ事実だからといって、何でも書いていいというわけではない。

クリエイティブチームが「ネスト・ラーニング・サーモスタットは電気を節約します」と書いたとき、法務チームは「節約につながる可能性があります」に書き直した。クリエイティブチームが「利用者の電気料金は二〇～五〇パーセント安くなりました」と書いたときには「利用者の多くは二〇パーセントも電気料金が安くなりました」に書き換えた。それに納得できないクリエイティブチームが別の案を出す。そんな具合に押したり引いたりしながら、誰もが納得する表現に行き着いた（第二七章を参照）。

それを僕のところに持ってきた。

ネストとして世に出すものはすべて、僕の承認を得なければならなかった。とりわけ創業初期にはそれを徹底した。

マーケティングは僕の専門分野ではない。スティーブ・ジョブズのｉＰｏｄやｉＰａｄの売り方、マーケティングチームの使い方を間近に見てきたが、自分自身でやったことはなかった。だからマーケティングを習得するには、自ら経験するしかなかった。カスタマー・ジャーニーを自ら経験する、すべてのタッチポイントに自ら触れてみるのだ。だから僕に見せるマーケティング案には、すべてコンテキストを要求した。その前には何があり、その後には何が来るのか。どんなストーリーを、誰に伝えようとしているのか、その人物は顧客としてどの段階にあるのか。広告がどこに表示され、どこにリンクするのかを知らずに、その良し悪しを判断することはできない。ウェブページを承認するには、そこを訪れるのが誰か、何を知らせる必要があるのか、どのような行動にいざなおうとしているかを理解する必要がある。すべてが何かにつながっている。だからすべてをひとつとして理解する必要がある。

マイクロマネジメントではない。それだけ気にかけていたのだ。僕はカスタマー・ジャーニーの最初から最後まで、同じだけの熱量を注いだ。こういうやり方に慣れていない人にはやりすぎ、介入しすぎに思えるかもしれないが、それが僕の仕事だった（第二八章を参照）。プロダクトを説明する言葉や写真には、プロダクトそのものに匹敵する輝きが必要だ。僕はカスタマー・エクスペリエンス全体を非の打ちどころのないものにしたかった。マーケティングチームにもエンジニアリングや製造チームと同じ緻密さを求めた。僕の厳格さから学び、僕に言われる以上のものを自らに課してほしかった。

僕はマーケティングがネストの最大の強みのひとつになると確信していた。ネストを他のサーモスタットメーカーが逆立ちしてもかなわないような存在に押し上げる要因になる、と。だからマーケティングに時間と関心を注いだ。

資金もだ。

きちんとお金をかけるというのは重要なことだ。ネストはリソースの限られた小さな会社だったが、マーケティングには投資した。美しいマーケティング素材をつくるためにお金をかけた。投資した見返りは十分あることがわかっていたからだ。お金をかけた最高に美しい写真を、数えきれないほどの場所で見せた。あらゆる機会をとらえて最高品質の動画を流した。マーケティングチームは何年経っても繰り返し使えるような最高にインパクトのある要素を選び出し、それを最高に美しく見せるためにお金をかけた。

それから一〇年が経った今、まだ会社も立ち上がっていなかった頃に僕らがつくった写真や素材をグーグル・ネストが使い続けている。それは僕らが活動を開始すると同時にマーケティングに取り組み始めたからだ。マーケティングを軽く見たり、失念したりする者はひとりもいなかった。マーケティングの効果を理解し、それを活用したのだ。

マーケティングを非常に重視していたネストは、いささかユニークな取り組みをしていた。製品開発と並行して、マーケティングチームがプロダクト・ナラティブのプロトタイプをつくったのだ。

もっともわかりやすい例が、ウェブサイト（nest.com）の「なぜこの製品をつくったのか（Why we made it）」のページだ（図29）。

「なぜこの製品をつくったのか」という問いは、「なぜこの製品を買うべきか」という問いと直結している。顧客のためにも、ネストのためにも、この問いにはきっちり答えなければならない。

このページを仕上げるのに何週間もかけた。そして製品が変化するのにともなって、このページも

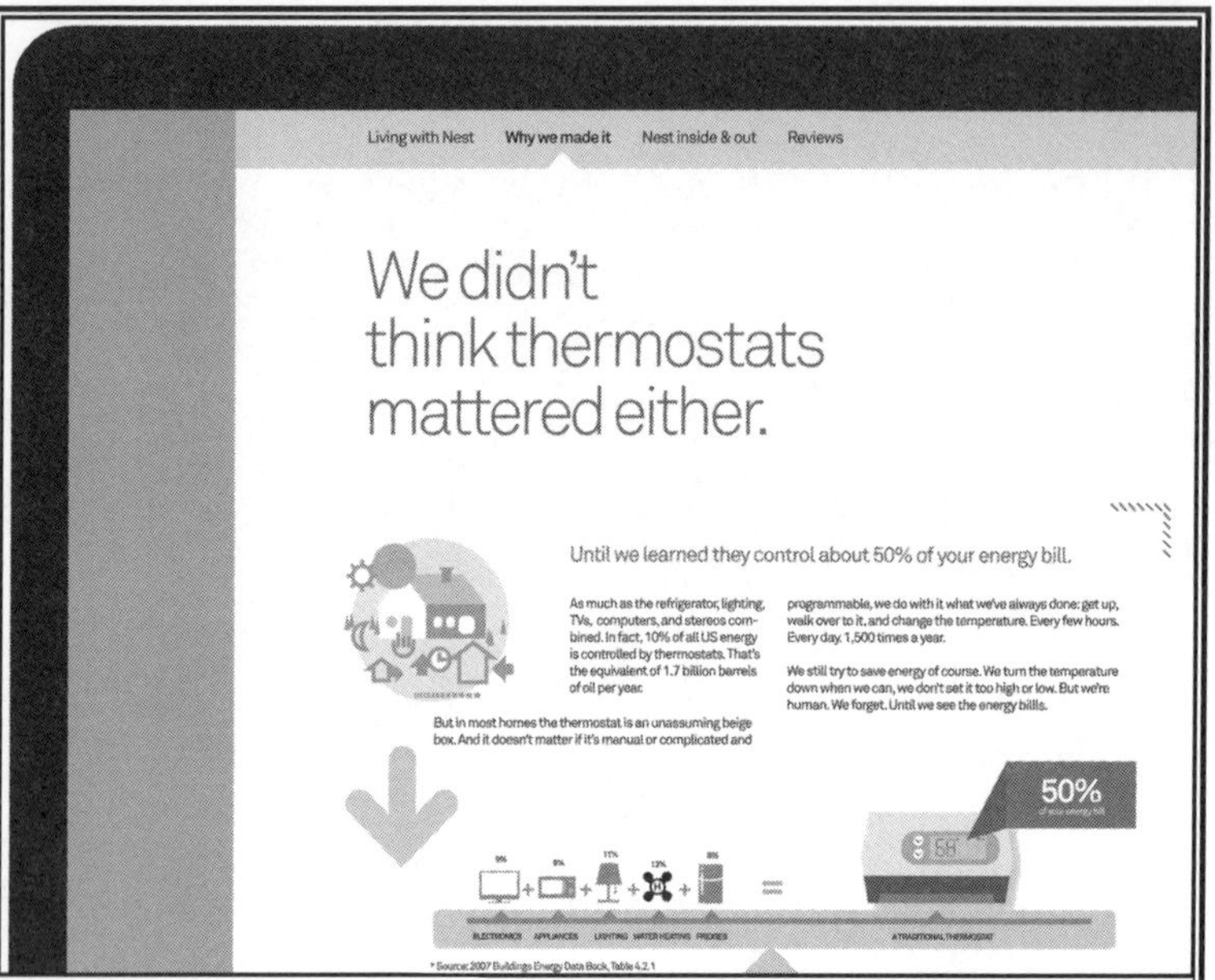

図 29　僕らは「なぜ」をサーモスタットの開発の中心に据え、それをウェブサイトのフロントページにも載せた。nest.com の最初のタブの一つは「なぜこの製品をつくったのか」で、これはまだ必要性に疑問を抱いている消費者とつながるためのページだった（第10章を参照）。なぜサーモスタットはどうでもいいと思われているのか、なぜ看過されがちなのかを説明したうえで、サーモスタットが家庭、電気代、自然環境にどれほど大きな影響をもたらしうるかを説明した。

変化していった。マーケティングは常にこの変化に関与し、エンジニアリングやプロダクトマネジメント部門がプロダクトに手を加えるたびに「なぜこの製品をつくったのか」という問いへの答えが妥当性を失っていないか確認していた。

こうしてマーケティングチームは製品開発の重要な一部となった。プロダクトに大きく手を加えようとすると、ストーリーに変化が生じる。その変化によって実際の製品と、パッケージやウェブサイトなどプロダクト・ナラティブのさまざまなプロトタイプの間に齟齬が生じていないか、確認するのはマーケティングの仕事だった。何か問題を見つけたら、声を上げるのもマーケティングの役割だ。プロダクトマネジメントやエンジニアリング部門と話し、折り合いをつける方法があるのか、それとも変化は容認しがたいものかを見きわめる。

「なぜこの製品をつくったのか」は、プロトタイプのほんの一部に過ぎなかった。ここではネスト・ラーニング・サーモスタットを買うべき合理的根拠を提示した。一般的なサーモスタットは電気を無駄遣いする、電気の無駄遣いは利用者にとっても地球にとっても良くないことだ、と。ただそれに加えてプロトタイプは感情的根拠も示す必要があった。そのためにクリエイティブチームが作成したのが動画と「ネストのある生活」と題したウェブページだ。ここではプロダクトの美しさやシンプルさをアピールし、顧客にこのサーモスタットを欲しい、美術品のように壁に掛けて、自宅をもっと居心地の良い、快適な場所にしたいと思わせるようにした。

ウェブサイトを構成する一つひとつのページは、プロダクトストーリーを異なる角度から伝えていた。顧客にストーリーをできるだけわかりやすく、誠実に伝えるためには、僕ら自身がストーリーを隅々まで理解し、夢中になる必要があった。

プロダクトやその特性をあますところなく、かつ誠実に伝える方法を見つけるのは難しい。だからこそ専門のチームが必要なのだ。プロダクトマネジメント部門にはメッセージをつくること、すなわちプロダクトの最も重要な特徴や解決しようとしている問題をまとめることはできる。だがそれをストーリーとして顧客に伝える最適な方法を見つけるには別の技術や理論が必要だ。それがマーケティングだ。

もちろん、ネストが常に成功したというつもりはない。

これまでずっとサーモスタットを使ってきて、その問題点など考えてみたこともない人々に、どうやってサーモスタットを売ればいいのか、参考になるモデルなどひとつもなかった。どんなメッセージなら共感してもらえるのか、してもらえないのか、サーモスタットに二五〇ドルも払い、しかも設置まで自分でする仕組みに消費者がそっぽを向くのか、それとも支持してくれるのか、見当もつかなかった。

だから僕らはいろいろな方法を試した。そしてやまほど失敗もした。僕自身もやまほど失敗した。まだネストのサーモスタットなど誰も見たことのない段階で、お金をかけてブランドネームだけを伝える広告キャンペーンをしてしまった。ウェブページに情報を詰め込みすぎた結果、誰にも読んでもらえなかった。僕らが想定していた顧客層は、実際に店頭にサーモスタットを買いに来た顧客層とはまるで違っていた。そのニーズも期待事項も僕らの想定とはまるで違っていた。僕らが心を砕いて作成した説明資料などには目もくれない一方、僕らが考えもしなかったような質問を浴びせてきた。

でも僕らは失敗を通じて成長した。学習した。ブランド広告は僕らの自尊心を満たしてくれたが、売り上げにはまるでつながらなかった（顧客がブランド名だけで製品を買ってくれるようになるのは、何年もすばらしい製品を世に送り出しつづけた結果である）。ウェブサイトは簡潔で楽しく、しかも製品が消費者の暮らしに役立つものであることを見せなければならない。サポートサイトはできるだけ検索しやすくすることが必要だ。顧客は僕らが想定したようなルートはまずたどらないからだ。

新しいマーケティングを試みるたびに、ネストのマーケティングは改善していった。僕自身の、そして会社全体のマーケティング能力も高まっていった。メッセージング・アーキテクチャやメッセージング・アクティベーション・マトリクスを使うことで、感覚的なノウハウだったものが誰もが理解できるしっかりした理論へと進化していった。そして誰もがマーケティングを理解できるということは、誰もがその重要性も理解できるということだ。

第二五章　ＰＭの存在意義

僕はこれまでたくさんの会社と仕事をしてきたが、プロダクトマネージャーの役割を誤解しているケースが非常に多い（そもそもプロダクトマネージャーという役割が存在していることを知っていればの話だが）。プロダクトマネージャーはマーケティングをするものだと思っている会社もあれば、プロジェクトマネジメント、ＰＲやコミュニケーション、デザイン、プロダクト・ファイナンス、あるいは創業者やＣＥＯがする仕事だと思っている会社もある。いずれも間違いだ。こうした混乱が生じる主な原因は、プロダクトマネジメントがいくつもの専門性の高い業務の交錯点に位置すること、そして会社によってかなりその実態が異なることだ。ただ混乱のもう一つの原因は「ＰＭ」というばかげた略称にある。ＰＭは次の意味で使われる。

プロダクトマネージャーあるいはプロダクト・マーケティングマネージャー　プロダクトマーケティングとプロダクトマネジメントは基本的に同じものだ（少なくとも同じであるべきだ）。プロダクトマネージャーの役割とは、プロダクトにどんな機能を持たせるかを決め、仕様（プロダクトがどのように機能するか）やメッセージ（顧客に伝えたい事実）を作成する。それから社内のほぼすべてのチーム（エンジニアリング、デザイン、カスタマー・サポート、財務、セールス、マーケティングなど）と協力しながらプロダクトの仕様を詰め、開発し、市場に送り込む。その過程でプロダクトが当初の意図を外れないように、骨抜きにならないように目を光らせる。だが何より重要なのは、プロダクトマネージャーは顧客の代弁者であることだ。各チームが顧客を喜ばせる、満足させるという究極の目標を見失っていないか、常に目配りしなければならない。

プロジェクトマネージャー　プロジェクトマネージャーは個々のプロジェクトが期限までに完了するように、作業、会議、スケジュール、資産を調整する。プロジェクトマネージャーと言えば聞こえはいいが、単なる議事録担当ではないかと思うのは間違いだ。プロダクトマネージャーの役割がプロダクトを守ることなら、プロジェクトマネージャーの役割はプロジェクトを守ることだ。プロジェクトを停滞あるいは頓挫させるような問題が起こりそうならチームに注意喚起をして、解決策を見つけるよう促すのが仕事だ。

プログラムマネージャー　プログラムマネージャーは複数のプロジェクトやプロジェクトマネージャーの監督者として、長期的な事業目的と短期的な成果の両方の達成に注力する。

さらに厄介なのは、企業によってプロダクトマネージャーの呼称が異なることだ。たとえばマイクロソフトはプロダクトマネージャーを「プログラムマネージャー」と呼ぶ。さらにはＩＴ以外の業界には、プロダクトマネジメントと似ているが、同一ではない役割もある。コルゲート・パーモリーブのような消費財メーカーには、ブランドマネージャーと呼ばれる人々がいる。プロダクトの仕様は作成しないが、顧客の代弁者としてプロダクトの方向性に責任を持つ。

プロダクトマネージャーが何をするものかわからない、と企業経営者から相談を持ちかけられるたびに、一九八〇年代のデザイナーをとりまく状況を思い出す。

八〇年代のテック企業には、デザイナーはまずいなかった。

当然ながら当時もプロダクトはデザインされており、デザインの重要性は今も昔も変わらない。だがユーザー・エクスペリエンスをデザインするためにわざわざデザイナーを雇う企業など存在しなかった。デザインとは見栄えのよいものをつくる作業であり、プロダクトを開発する過程でなんとなくできあがるものだった。機械エンジニアが設計図を描く、あるいはちょっとしゃれたものが欲しければ外部の代理店に外注すればいい。

デザインを専門的に学べる教育機関もなかった。デザイナーとして企業に採用されても、二級市民として扱われた。エンジニアが手間を省こうとして「デザイナーが望んだことはだいたいやったじゃないか。時間やコストがかかりすぎるから全部は無理だ。このまま出荷してくれ！」と主張すれば、押し戻す権限はなかった。

だが九〇年代になるとアップル、フロッグ、デイヴィッド・ケリー、アイディオが登場し、デザイン重視の発想が広がり、デザインの地位は向上した。デザイナーはエンジニアリング部門の一部ではなくなった。デザインスクールが次々と誕生した。デザイナーという職業そのものが専門領域として確立された。理解され、尊重されるようになった。

プロダクトマネジメントは今、同じ道をたどっている。だが残念ながら、まだデザインのような段階には至っていない。
・iPhoneやアプリ市場が登場し、プロダクトマネジメントをしっかり理解し、その価値を認識する会社が増えてきたのはここ五〜一〇年ほどのことだ。多くの会社はまだそこまで至っていない。
これは僕が多くのスタートアップや大企業のなかのプロジェクトチームで目にする問題だ。チームが立ち上がった当初は、創業者やチームリーダーがプロダクトマネージャーの役割を担っていることが多い。ビジョンを示し、社内のさまざまな部門と協力しながらそれを実現しようとする。だがチームの規模が四〇人、五〇人、一〇〇人と拡大していくなかで問題が生じる（第二二章を参照）。リーダーはプロダクト開発の現場から距離を置き、責任を誰かに引き継がなければならなくなる。

だがリーダーには大切な赤ん坊を誰かに引き継ぐことなど考えられない。自分のようにプロダクトを理解し、愛し、成長させられる者などいるのだろうか。プロダクトマネージャーという役割は本当に機能するのか。組織のどこに所属するんだ？　創業者がプロダクトマネージャーの役割を手放したら、いったいどうやってプロダクトへの影響力を保つことができるんだ。そうなったら創業者はいったい何をしたらいいんだ？（第二八章を参照）

同じ問題、困惑は大企業でも起こる。何をつくるかはエンジニアが決め、顧客が何を求めているかはセールスチームが知っている。プロダクトマネージャーの居場所はどこにあるのか。

僕が本書を執筆している二〇二一年時点で、グーグルは創設以降初めてプロダクトマネージャーの権限を拡大しようとしている。従来はテクノロジー主導、エンジニアリング主導の会社だったが、現在グーグル・サーチはエンジニアよりプロダクトマネージャーが大きな権限を持つような組織体制になっている。これは大きな決断であり、思い切った文化的変革だ。

理由は単純だ。チームには顧客の声を代弁する存在が必要だからだ。エンジニアはプロダクトに最先端のかっこいい技術を使おうとする。セールスはたくさん売れるプロダクトをつくろうとする。それに対してプロダクトマネージャーは顧客に最適なプロダクトをつくる責任を負い、それだけに集中する。

それがプロダクトマネージャーの仕事だ。

ややこしいのは、プロダクトマネージャーの責任は会社によってまったく異なることだ。プロダクトマネジメントは確立された職務というより、いくつかのスキルの組み合わせのようなものだ。さまざまな機能の隙間、顧客や企業のニーズ、関係者の能力の合間で形を変える空白として存在している。

優れたプロダクトマネージャーはさまざまな機能を少しずつ、そして次に挙げた任務の大部分を担う。

- プロダクトがどのような機能を持つかを定義し、長期的にどのように進化させていくかロードマップを作成する。
- メッセージング・アクティベーション・マトリクスを作成し、アップデートしていく。
- エンジニアリングチームと協力し、仕様通りにプロダクトをつくる。
- デザインチームと協力し、ターゲットとする顧客がプロダクトを直感的に使える魅力的なものに仕上げる。
- マーケティングチームが消費者にメッセージを伝えるための効果的なクリエイティブ素材をつくれるように技術的詳細を理解させる。
- プロダクトを経営層に見せ、幹部からフィードバックを受ける。
- セールスや財務チームと協力し、プロダクトの市場性を確かめ、最終的に収益化する道筋を確認する。

- カスタマー・サポートと協力し、必要な説明資料を作成し、問題に対応し、顧客からの要望や苦情を把握する。
- PRと協力し、世間の反応を確かめ、プレスリリースの草稿を書き、広報担当の役割を果たす。

それに加えて、もっと曖昧な業務もたくさんある。プロダクトマネージャーは顧客がどこに不満を感じているかを探る。仕事を進めるなかで問題を発見し、その根本原因を探り、チームと協力しながら解決していく。プロジェクトを前進させるために必要なことは何でもやる。会議で議事録をとるところから、バグの深刻度の判断、顧客からのフィードバックのまとめ、チームの文書の整理、あるいはデザイナーと一緒に何かの図面を引いたり、エンジニアとミーティングを開いてコードを確認したり。やるべき仕事はプロダクトごとに違ってくる。

プロダクトマネージャーに高度な専門知識が求められるケースもある。プロダクトのユーザーも高度な専門知識を持つB2Bのビジネスでは特にそうだ。自動車メーカーにブレーキシステムを売るのが仕事なら、ブレーキを徹底的に理解しておくべきだ。顧客と信頼関係を築き、顧客の関心がどこにあるかを理解するには、プロダクトマネージャー自身がブレーキを深く理解するしかない。

一方、一般消費者のために自動車をつくっているなら、ブレーキの仕組みについてそこまで詳しい知識は必要ない。ブレーキを担当する技術者の言っていることが理解できる程度の知識があれば十分だ。そして顧客に伝えるマーケティング・ストーリーにおいてブレーキが重要な要素になるか判断する必要もある。

テック企業の多くは、プロダクトマネジメントとプロダクトマーケティングの担当を分けている。

プロダクトマネジメントはプロダクトを定義し、開発を見届ける。一方、プロダクトマーケティングはメッセージ、すなわち顧客に伝えるべき事実をまとめ、プロダクトが売れるようにする。

僕の経験から言うと、これは本当に重大な過ちだ。両者は一体であり、ひとつの仕事であるべきだ。どんなプロダクトをつくるかと、それをどう説明するかを分けるべきではない。ストーリーはプロダクト開発の最初にまとめるべきものだ。

メッセージこそがプロダクトだ。ストーリーがプロダクトの方向性を決める（第一〇章を参照）。

僕はストーリーテリングをスティーブ・ジョブズに学んだ。

そしてプロダクトマネジメントをグレッグ・ジョズウィアックに学んだ。

僕と同じミシガン大学出身の、本当にすばらしい人物だ。一九八六年に大学を卒業してからはアップル一筋で、数十年にわたってプロダクトマーケティングの責任者を務めてきた。グレッグの最大の強み（真に偉大なプロダクトマネージャー全員に共通することだが）は共感能力だ。

グレッグは単に顧客を理解するのではない。自ら顧客になりきる。プロダクトを隅々まで知り尽くしているのに、そうした知識をすべて捨て去り、素人のように、一般人と同じ目線でプロダクトを使うことができる。顧客の話に耳を傾け、そこから洞察を引き出し、顧客のニーズに共感し、日常生活のなかで実際にプロダクトを使ってみるというきわめて重要なステップを省こうとするプロダクトマネージャーは驚くほど多い。だがグレッグはこれに勝る方法はないことを知っている。

グレッグはｉＰｏｄの新しい世代が登場するたびに、ｉＰｏｄに初めて触れる人のように使ってみた。技術的仕様にはほとんど目もくれないが、ただ一点、バッテリー寿命だけは別だった。フライトの途中、パーティでＤＪをしている途中、あるいはジョギングをしている最中にｉＰｏｄの電池が切れるのは最悪だ。だがｉＰｏｄがオリジナル版からｉＰｏｄ　ｎａｎｏへと変化していくなかで、これは常に社内で議論のタネになった。端末をより小さく、美しくしようと思えば、電池のためのスペースは減っていく。ポケットに一〇〇〇曲入っていたとしても、充電するためにしょっちゅうポケットから取り出さなければならないとしたら意味がない。

一回の充電で数時間ではなく、数日はもつようにしなければならない。

バッテリー寿命は顧客にとって重要だった。だからスティーブ・ジョブズにとっても重要だった。何の前置きもなく「次世代のｉＰｏｄの電池寿命は、従来の一五時間から一二時間になります」と報告することなど許されなかった。そんなことをしたらミーティングから叩き出されるのがオチだ。

だからグレッグと僕はスティーブに数字だけを見せることは絶対にしなかった。顧客の姿を見せるようにした。サラのような社会人は会社への行き帰りにしかｉＰｏｄを使わない、トムのような学生は一日に何度も使うが、授業と授業、あるいはバスケットボールの試合の合間など、一回あたりの使用時間は短い、といった具合に。

典型的な顧客のペルソナを作成し、彼らがジョギング中、パーティで、あるいは運転中など、日々の生活のどのような場面でどうｉＰｏｄを使うかを見ていった。それを通じてエンジニアリングチームから上がってきた数字は一二時間でも、実際にはほとんどのユーザーは一週間充電せずに使えることを示した。

顧客を抜きにした数字は空疎であり、コンテキストを抜きにした事実には意味がない。

グレッグは常にコンテキストを理解し、それを説得力のあるナラティブへと転換することができた。そのおかげでスティーブを説得することができた。スティーブだけではなく、記者も、顧客も。そのおかげでｉＰｏｄは売れたのだ。

プロダクトマネージャーをメッセージの責任者にする必要があるのはこのためだ。仕様を見ればプロダクトの特徴や、それがどのように機能するかはわかる。だがメッセージはユーザーの不安を予想し、それをやわらげる方法を見つけるのに役立つ。メッセージは「なぜ顧客はこのプロダクトに興味を持つのか」という問いへの答えだ。そしてこの答えは、プロダクトの開発を始める前に出しておく必要がある。

「なぜ」「何を」つくるかという問いの答えを見つけるのは、プロダクトをつくるうえで一番困難な作業だ。そしてこれは誰かが一人で見つけるべきものではない。プロダクトマネージャーが勝手に決めて、他のチームに押し付けるものではない。社内のあらゆるチームが関与すべきだ。プロダクトマネージャーは合意に基づいてプロダクトをつくれ、と言っているのではない。エンジニアリング、マーケティング、財務、セールス、カスタマー・サポート、法務にはそれぞれアイデアや有益な知見がある。それはプロダクトの開発にとりかかる前にナラティブをつくり上げ、さらにプロダクトの進化にともなってナラティブを改善していくのに役立つはずだ。

プロダクトの仕様やメッセージは不変ではない。新しいアイデアが登場したり、新たな現実に不意打ちを食らったりするたびに変化していくものだ。プロダクトをつくるのは、イケアの椅子を組み立てるのとはわけが違う。メンバーに指示書だけ渡してあとは放置というわけにはいかない。

プロダクトをつくるのは、曲をつくるのに似ている。

バンドメンバーはマーケティング、セールス、エンジニアリング、サポート、製造、ＰＲ、法務だ。プロダクトマネージャーはプロデューサーで、誰もがメロディを理解し、音を外している者がいないか、みながそれぞれの役割を果たしているか確認する。さまざまな要素が集まってどのような曲が完成しようとしているのか、全体像を把握しているのはプロデューサーだけだ。だからファゴットの音が大きすぎる、ドラムソロが長すぎる、さまざまな機能の整合性がとれなくなった、メンバーが担当業務に埋没して全体像を忘れているといったときには指摘できる立場にある。

とはいえプロデューサーがすべてを一人で決めるわけではない。プロダクトのCEOになることを期待されているわけではない。一部の企業は「プロダクト・オーナー」などという呼称を使っているが、そんなのはもってのほかだ。プロダクトにどんな要素を盛り込むか、あるいは削除するかはプロダクトマネージャーが一人で決めることではない。ときには最終決定を下すこともあれば、「ノー」と言わなければならないこと、指示を出さなければならないこともある。だが、そういう事態はまれなはずだ。プロダクトマネージャーの仕事はエンパワーメント（権限移譲）だ。メンバーに顧客ニーズのコンテキストを理解させ、ともに正しい選択を探る。すべてを一人で決めるプロダクトマネージャーは、プロダクトマネージャーとして優秀ではない。

最終的にメロディを決め、雑音を音楽へと変えていくためには、チーム全員が持ち味を発揮する必要がある。

ただもちろん、これが常にスムーズにいくとは限らない。

エンジニアは自分たちの発言力を強めようとして、プロダクトマネージャーには技術的知識が不足している、プロダクトを一番よく理解しているのは自分たちだと主張するかもしれない。マーケティング担当はルールに従うのが嫌いだ。少しばかり誇張したり、クリエイティビティを発揮したりして、意図せずに誤解を招くような言葉や画像を使ってしまうかもしれない。メンバー同士、常にそりが合うとも限らない。主観に基づく意思決定をめぐって、うんざりするほど議論が続くかもしれない。チームの足並みが乱れたり、腹を立てる者が出てきたり、プロダクトの進むべき方向をめぐって意見が分かれるかもしれない。

だからプロダクトマネージャーは交渉とコミュニケーションの達人でなければならない。メンバーに有無を言わせぬ管理をしたりせず、それでいて影響力を持たなければならない。メンバーにさまざまな問いを投げかけ、その話に耳を傾け、顧客やチームへの共感能力を駆使して、チームの進路に必要な橋をかけ、ロードマップを修復していく必要がある。誰かに悪役になってもらわなければならないときには問題を経営上層部に上申する必要があるが、そのカードは頻繁には使えないこともわきまえておかなければならない。絶対に譲れない戦いと先送りすべき戦いを見きわめなければならない。社内各所のミーティングに顔を出し、各チームがそれぞれの主張（スケジュール、ニーズ、問題）を通そうとするなか、孤立無援でも顧客の立場を主張しなければならない。

顧客のストーリーを語り、メンバーの共感を得る必要がある。そうすることで変化は生まれる。

先日ネストのとびきり優秀で共感力の高いプロダクトマネージャー、ソフィ・ルグエンと会ったとき、「ネスト・セキュア」という新しいセキュリティシステムの「なぜ」を議論するためにエンジニアリングチームと初めてミーティングをした際の話を聞いた。エンジニアのほとんどは男性で、彼らにとっての「なぜ」ははっきりしていた。「自分が留守のときに自宅を守るためのセキュリティシステムが欲しい」だ。

だがソフィは消費者のインタビューを重ねるなかで、男性の多くは留守宅を守ることに関心があるのに対し、女性は在宅中のセキュリティを気にしていることに気づいた。自分が一人で家にいるとき、あるいは自分と子供たちしかいないとき、セキュリティを強化したいと思っていた。特に夜間だ。

女性たちのストーリーを語り、独身で一人暮らしのエンジニアに子供を持つ親の視点を理解させるのがソフィの仕事だった。さらにその視点を、家族全員が使えるような特性に転換するのも彼女の仕事だった。安全に暮らしたい、在宅中もセキュリティシステムを稼働させたい、でも自宅で囚人のような気分は味わいたくない、という家族に寄り添うのだ。

こうして発売されたネスト・セキュアには、ボタン一つで起動する人感センサーが付いていた。住人（あるいはその子供）がボタンを押すだけで、わざわざセキュリティシステム全体を停止しなくても、家の内側からドアや窓を開けたときに警報が鳴り出さないようにすることができた。

顧客のストーリーはエンジニアが顧客の悩みを理解するのに役立った。エンジニアはこの悩みを解決するプロダクトをつくった。そしてマーケティングはこの悩みを経験したことのあるすべての人にプロダクトを購入する理由があることを伝えるナラティブをつくった。

さまざまな消費者の悩みや欲求と開発チームを結びつける糸がプロダクトマネジメントだ。成功するプロダクトや企業には、すべての構成要素を結びつける中心点となるプロダクトマネージャーがいる。

だからこそプロダクトマネージャーは採用するのも育てるのも一番難しい。優れたプロダクトマネージャーにはとてつもない価値があり、珍重されるのはこのためだ。プロダクトマネージャーはすべてを理解し、答えを見つけなければならない。しかもその役割を一人でこなす。プロダクトマネジメントは社内で最も重要な、それでいて最も人数の少ない部門の一つだ。

プロダクトによって、また会社によってプロダクトマネージャーに求められる仕事はまったく違うので、職務を説明するのは非常に難しく（ここまでの本章の内容を振り返ってほしい）、採用するのはそれ以上に難しい。定型化された職務記述書は存在しないし必要条件すら定まっていない。プロダクトマネージャーは技術に詳しくなければならないと思っている人は多いが、それは完全な誤りだ。Ｂ２Ｃ企業では特にそうだ。技術系ではなくても、エンジニアリングチームと信頼関係を築くことのできるすばらしいプロダクトマネージャーを僕はたくさん見てきた。プロダクトに使われる技術の基本的部分をしっかり理解し、学ぶ意欲さえあれば、技術系ではなくてもエンジニアと協力しながらプロダクトをつくり上げることはできる。

プロダクトマネジメントを専門的に学べる四年制大学はなく、プロダクトマネージャーの人材供給源として確立されたところはない。優秀なプロダクトマネージャーはたいてい他の分野の出身者だ。マーケティング、エンジニアリング、サポートといった本来の持ち場にかかわらず、顧客を大切にしようという意識が強いあまり、他人が作成した仕様やメッセージに疑問を持ち、自らプロダクトを修正したり定義を見直したりする。ただ顧客重視といっても最終的にはビジネスであることをわきまえており、セールスやオペレーションにも関心を持ち、コスト構造や価格設定を理解しようとする。

こうして優れたプロダクトマネージャーになるのに必要な経験を自ら進んで積んでいく。

このような人材を探すのは本当に難しい。彼らは一見矛盾するような資質を持ち合わせている。論理的思考能力とビジョナリーなリーダーシップ、強い情熱と粘り強さ、社交性と同時に技術への強い関心も持つ。エンジニアとコミュニケーションができ、マーケティングもわかり、ビジネスモデルや経済性、収益性、ＰＲにも目配りできる。押しは強いが笑顔を忘れず、譲ってはいけないときと譲るべきときをわきまえている。

そんなプロダクトマネージャーは希少で、かけがえのない存在だ。そして会社を向かうべき方向へと向かわせる戦力となるはずだ。

第二六章　セールス文化の終焉

セールスという仕事は伝統的に歩合制が多い。顧客との取引が成立するとセールス担当者が売り上げの一定割合、あるいは報奨金（ボーナス）を受け取る仕組みだ。取引の規模が大きいほど、あるいはたくさんの取引をまとめるほど、セールス担当の収入も増える。稼いだ金額（コミッション）は月末あるいは四半期末にまとめて振り込まれる。

これは一般的に会社とセールスチームの目指すところを一致させ、売上目標を達成し、投資家に事業がうまくいっていることを示す最善の方法だと考えられている。これが由緒正しいやり方であり、他に方法はない、まともなセールスチームを採用するにはこうするしかないという人は（とりわけセールス畑に）多い。彼らは間違っている。

一見うまくいっているようでも、伝統的な歩合制にはたくさんの弊害がある。最もわかりやすいのは、過剰な競争や利己主義を煽り、セールスパーソンに顧客や事業の長期的な利益よりも短期的利益を追求する動機づけを与えることだ。

顧客との長期的な関係をおろそかにせず、短期的な事業目的も達成するための別のモデルも存在する。段階的コミッションという考え方だ。

セールス担当に取引成立の直後に報酬を支払うのではなく、一定期間が経過した後に支払うことによって、新しい顧客を獲得するだけでなく既存の顧客の満足度を高めるよう努力するインセンティブを与えるのだ。契約を獲得することよりも顧客との関係構築を重視する文化を育む。

そのためのステップは以下のとおりだ。

一　これから新たにセールス組織を立ち上げるなら、毎月末に現金でコミッションを支払う従来方式は採用しない。報酬体系は社内で統一するのがベストだ。セールス担当には他社と遜色のない給料を払い、さらに追加の成果報酬として時間の経過とともに権利が確定していくストックオプションを提示する。ストックオプションには会社に一定期間とどまり、会社にとって魅力のある長期的顧客の獲得に力を入れるインセンティブが組み込まれている。

二　これから顧客との関係を重視する文化に転換しようとしている会社では、伝統的な歩合制をすぐに廃止することはできないかもしれない。その場合、コミッションとして株式や現金（株式のほうが好ましい）を渡すのに一定の時間をかけるべきだ。最初にコミッション全体の一〇～一五パーセントを支払い、数カ月後に第二段階、さらに数カ月後に第三段階の支払いをするといった具合に。顧客が解約してしまったら、セールス担当は残りのコミッションを受け取れない。

三　すべての売り上げは、チームの売り上げとみなすべきだ。たとえばカスタマー・サクセスチーム（顧客に販売したプロダクトの配送と設置、メンテナンスを担当するチーム）があるなら、すべての契約はこのチームの承認を受けさせるようにすべきだ。セールスとカスタマー・サクセスは一つのグループとして同じリーダーの指揮下に置き、報酬体系も共通にする。この体制ではセールスがプロダクトを売ったらおしまい、顧客は放置ということができなくなる。カスタマー・サクセスチームが存在しない場合、セールスはカスタマー・サポート、オペレーション、あるいは製造と緊密に連携させる。複数人から成る審査会を設置し、すべての販売契約はその承認を受けるようにする。

••

僕はこういったことをゼネラルマジックで学んだわけではない。フィリップスでもアップルでもネストでもない。

僕に最初にセールスを教えてくれたのは父だ。

父は一九七〇年代にリーバイスのセールスマンだった。リーバイスのジーンズが世界中で大人気になっていた時代だ。売れ行きの良くないデザインを小売店に売りつけてとんずらすれば、莫大なカネを稼げただろう。でも父は偉大なセールスマンだった。毎年のように表彰され、自宅にトロフィーや盾を持ち帰ってきた。そんな父は短期的利益を追求することは決してなかった。父が目指したのは信頼を得ることだ。

だから父は顧客にすべての商品ラインアップを見せ、どれがよく売れていて、どれがあまりよく売れていないかを説明した。誰も買わないモノを仕入れないようアドバイスし、人気のスタイルを勧めた。父が取り扱っていない商品を顧客が求めた場合は、それを扱っているライバルのセールスマンを紹介した。

こうして接した顧客は父を忘れなかった。次のシーズンもまた次のシーズンも、一〇年後も、彼らは父に連絡をしてきて注文を出した。そういう関係が毎シーズン続いた。

父は歩合制で働いていたが、個人的な人間関係を構築するために売り上げを犠牲にすることも少なくなかった。最高のセールス担当とは、その日売り上げが立たなくても、相手との関係を大切にしようとする人々だ。

あなたのセールスチームに必要なのはこういうセールスパーソンだ。彼らをきちんと処遇すれば、チームの一員になってくれる。傭兵のようにやってきて荒稼ぎをしたら、たくさんの問題だけを残してさっさと次の人気企業に移っていくような輩とは違う。

伝統的な歩合制のセールスモデルが危険なのは、社内に二つの異なる文化を生じさせるからだ。企業文化とセールス文化だ。それぞれの文化に属する社員は報酬体系も、モノの考え方も、関心も異なる。社員の大部分はミッションに関心を持っているのが理想だ。ともに何か偉大なことを成し遂げよう、壮大な共通の目的に向けて歯を食いしばって頑張ろう、と。セールス文化に属する者はミッションなど歯牙にもかけない。自分が月々いくら稼ぐかにしか関心がない。取引をまとめて報酬を受け取ることが大事で、売れさえすれば販売する商品はなんでもいいと思っている。

会社が大きくなるにつれて、二つの文化の乖離は広がっていく。莫大なコミッション、各種表彰、週末リゾートに集結して盛大に酒を飲むセールスカンファレンスなど、セールスチームは最高のひとときを過ごすかもしれない。だがそれはセールス以外の会社全体の士気を下げる。なぜ僕らはここでプロダクト開発にいそしんでいるのに、やつらはハワイで「最優秀セールス賞」のトロフィーを手に写真を撮ったりしているんだ？　と。

セールスの重要性を否定するつもりはない。会社が存続するのに欠かせない顧客やキャッシュをもたらす必要不可欠な存在だ。だがエンジニアリング、マーケティング、オペレーション、法務など他の部門よりも重要ということはない。偉大なプロダクトを世に送り出すために努力する、たくさんの重要なチームの一つに過ぎない。

セールスだけが特別扱いで、会社に溶け込まず勝手放題、それでいて毎月の目標は達成するという状況は孤立した売上至上主義の文化を助長する。この手の文化の下では、顧客が悲惨な目に遭うリスクがある。セールス担当が稼ぐためには顧客を大切にしなければならないことが明らかな場所でさえ、それは変わらない。

僕はこれまでに一度だけ歩合制で働いたことがある。一六歳のとき《マーシャルフィールド》という百貨店で高級食器を売ったのだ。僕はおばあちゃん受けが良く、抜群の成績をあげた。老婦人たちは僕のぽっちゃりした頬をつつき、「お母さんは元気?」「クリスマスカードを送るから住所を教えて」などとおしゃべりしながら、クリスタルガラスや食器、奇妙な陶器のオブジェなどを山のように買っていった。それに激怒したのが他のセールスマンだ。僕らはほぼ完全歩合制で、二週間ごとにコミッションが支払われた。この何の取り柄もないガキがオレたちの食い扶持を奪いやがって、と怒った彼らは、人の良さそうな老婦人が僕に近づいてくるのを見ると割り込んで僕の売り上げを奪おうとした。お客様の目の前で、誰が担当するかをめぐって本気でケンカするのだ。お客様がどんな人で、何を求めているかなど気にもしなかった。五ドル、一〇ドルのコミッションしか目に入っていなかった。

たかだか百貨店の食器売り場でこの始末だ。コミッションの金額やプレッシャーが大きくなるほど、雰囲気は倍々ペースで悪化していく。競争は一段と熾烈になり、目にあまるようになる。

身の毛のよだつようなセールス文化を題材にした映画は多い。『マネー・ゲーム　株価大暴落』『ウルフ・オブ・ウォールストリート』『摩天楼を夢見て』などが最たる例だ。センセーショナルに描かれてはいるが、それほど現実と乖離しているとも言えない。過剰な競争は自己中心的行動を助長し、過剰な飲酒、ロッカールームでの罵り合い、挙句の果てに全員でストリップバーに繰り出して杯を交わしながら足の引っ張り合いをする。まともな人間は身動きがとれなくなり、何とか体裁だけは保とうとする。一方、ろくでもない人間は手が付けられなくなる。ホテルのロビーでゲロを吐き、会社の忘年会から警察官に引きずり出される、といった具合に。

同じことがどこでも起こっている。シリコンバレー、ニューヨークからジャカルタまで、小さな会社から巨大企業まで。どの会社も最悪の事態は避けられると高をくくっている。多少の不品行は有能なセールスチームにはつきものだ。誰もがセールス目標を達成しているなら問題はない、と。

問題はある日突然起こる。製品に不具合が生じるかもしれない。何かトラブルが起き、売り上げが鈍る。そんなとき、まさに会社が一番セールス部隊を必要とするときに、彼らは会社を捨てるだろう。そのとき売れている会社に移る。今すぐカネを稼げない会社にとどまる意味がどこにあるのだ、とばかりに。

あるいはセールスの実態が、実はそれほどすばらしいものではなかったことが判明するかもしれない。顧客のニーズに合うように、チームの能力や製品の性能を少しばかり偽って伝えていたかもしれない。これまで獲得した顧客は、あなたの会社がとても提供できないプロダクトやサービスにおカネを払っていたかもしれない。事実が明らかになった今、顧客はカンカンだ。

事業を立ち上げるとき、最初の顧客はとにかく大切だ。誰よりもあなたの会社に夢中になり、リスクをとってくれる人々だからだ。会社の成否は彼らにかかっているといっても過言ではない。最初に口コミを広めてくれるのは彼らだ。創業当初はすべての顧客の名前、顔、ツイッターのハンドルネームを知っているような気がするだろう。だが事業が成長し、伝統的なセールス文化が蔓延すると、こうした最初の顧客は名前と顔を失っていく。単なる数字に、ドル紙幣に変わっていく。

だが事業が急成長モードに入ったからといって、彼らが生身の人間であることに変わりはない。彼らとの関係は会社にとって依然として重要で必要なものだ。本当に優秀で見識のあるセールス担当はこのような人間関係を大切にする。

だが大多数は違う。会社のセールス文化が売上至上主義なら、顧客が契約書にサインした瞬間にセールス担当と顧客との人間関係は消滅する。ＡＴＭと親しくなろうとする者はいない。さっさと近づいて、カネを引き出したら終わりだ。一度でもＡＴＭ扱いされたと感じた顧客を取り戻すのはほぼ不可能だ。もう一度信じてもらうためにはあらゆる手を尽くし、できぬ努力をしなければならない。カスタマー・サクセスやサポートチームは失言を撤回するために謝って謝り倒さなければならない。心のなかでひたすらセールスチームへの恨みを募らせながら。

それでもおそらく顧客は戻ってこない。

だからこそ人間関係重視のセールス文化は甘ちゃんでも浅慮でもない。会社に必要なものであり、有効性も証明されている。それがネストの育んだセールス文化だ。僕が何十というスタートアップに採用させてきた文化でもある。こちらのほうがずっとうまくいく。例外はない。顧客の満足度は高まる。企業文化も好ましいものになる。目標に向かっていくためのチームワークや集中が生まれ、前に進むことができる。

最初からこのようなかたちで事業をスタートするのが理想だ。セールス、カスタマー・サクセス、サポート、マーケティング、エンジニアリングなど、全員が同じように給料、自社株、成果連動型ボーナスを受け取る。全員が同じ金額を受け取るというわけではなく、報酬モデルが一律であり、全員が同じ基準で統一されているということだ。

そして絶対にセールスを一人で完結させない。セールスのプロセスで、セールス担当はカスタマー・サクセスやサポートなど、契約後に顧客と緊密に連絡をとりあう部署から支援を受ける。そして契約を最終的に承認するのはこうした部署の人間にする。サプライズは一切なし。新たな顧客を満足させるためにそれぞれが何をすべきか、全員が明確に理解している。そして契約が完了しても、セールス担当は姿を消さない。その顧客の窓口として、何か問題が発生したらすぐに対応する。

すでに売上至上主義のセールス組織が存在する場合、それを関係性重視に変えていくのはもっと厄介だ。退社する者が出てくるはずだ。バカなことを言うな、という意見もたくさん出るだろう。だが不可能ではない。

まずカスタマー・サポート、カスタマー・サクセス、オペレーションなど他のチームのメンバーから成る小規模な社内審査会を設置し、すべての販売契約を承認する権限を持たせる。これによって一匹狼的なセールス担当のマインドセットがチームの一員という意識へと変わりはじめる。それから歩合制の変更についての議論を始める。歩合制を廃止するとはいわず（相手を混乱させるだけなので）、これまでとはやり方を変えるとだけ伝える。コミッションの金額を増やしつつ、時間をかけて段階的に払うようにする。そしてセールスチームには、顧客が途中で解約したら残りのコミッションを失うことになると説明する。支払いに現金ではなく自社株を選んだ場合には、コミッションをさらに増やす。

コミッションを一定期間かけて払う仕組みに変えると、セールス文化の悪しき弊害の多くは消滅する。セールス担当はこれまで以上に顧客を大切にするようになり、過剰な競争や足の引っ張り合いは収まり、社内全チームの期待事項と目標が統一される。

このやり方のほうがうまくいく。誰にとっても。

従来型の歩合制は過去の遺物だ。時代遅れで最悪の行動を助長する。とはいえ、ひとつだけ使い道がある。クズをあぶりだすのだ。

優秀なセールス担当の多くも、段階的コミッションという概念を最初に聞いたときには眉をひそめる。ただそれから身を乗り出して、もっと詳しく聞きたいという。その一方で鼻で嗤ったりうんざりした顔をしたりして、そんなやり方では誰ひとり採用できないだろうと言う者もいるだろう。あなたが説明しても耳を貸さず、自分のほうがセールスをよくわかっている、バカなことをいいやがってという態度で部屋を出ていくだろう。

こういう輩を採用してはならない。

段階的コミッションという考え方に興味を示す人を探そう。この方法のほうが自分の収入も増えることを理解できる人を探そう。セールスの腕が優れているだけでなく、人間的にも優れている人を探そう。会社のミッションに共感し、それを実現するために重要な役割を担えることに胸を躍らせる人を探そう。

簡単ではないかもしれない。優秀な人材の奪い合いが起きているような状況ならなおさらだ。新しいセールス文化や組織をつくることがどうにも不可能な状況や産業もある。そんなときには、たった一人でいい。顧客との関係の重要性を理解し、大切にするセールスリーダーを一人確保しよう。利己主義や熾烈な競争を良しとせず、クズや傭兵を採用しないような人物だ。そんなリーダーなら、より人間関係を重視した組織文化をつくってくれる。そうしているうちに世界があなたの思想に追いつき、段階的コミッションを導入できる日が来るはずだ。

このような人材は存在する。彼らも売上至上主義にはうんざりしている。顧客のために正しいことをしたいと願っている。本当にチームの一員であると実感したがっている。そういう人材を採用しよう。

第二七章　社内弁護士を雇う

会社はさまざまな弁護士を必要とする。契約を結ぶため、訴訟から会社を守るため、そして分野を問わず会社がバカバカしい失敗をしないように、予想もしなかったワナに陥らないようにするために。創業初期は外部の弁護士事務所で間に合うが、最終的にはそれではお金がかかりすぎるようになり（お金のかかり方に度肝を抜かれるはずだ）、おそらく社内弁護士を採用する必要が生じるだろう。

ただひとつ頭に入れておくべきなのは、事業を経営している以上、法務にかかわるすべての意思決定は経営主導で行うべきだということだ。純粋に法律を中心に決定が下されるのは法廷だけだ。社内に法務チームが存在するのは、経営者が決断するうえで必要な情報を提供するためであって、経営者に代わって決断を下すためではない。法務チームが「ノー」と言えば話し合いが終わるのではなく、むしろ話はそこからだ。優秀な弁護士は経営者がこれから直面する障害を把握し、それを回避し、解決策を見つけるのを助けてくれる。

⁝

大方の弁護士には二つの特技がある。「ノー」（あるいは「たぶん」）と言うこと、そして請求書を書くことだ。

だからといって必ずしも悪徳弁護士というわけではない。システムがそうなっているのだ。一般論として、弁護士事務所が重視するのは請求可能な時間数だ。相談を始めて最初の一五分は無料かもしれないが、それ以降は一五分単位、場合によっては五分単位で報酬を請求される。シャワーを浴びながらあなたの会社のことを考えていた時間まで請求される。コピー代、交通費、郵送費（追加の手数料がかかる場合はそれも）を請求される。特別な法律知識のある専門家を同席させる必要がある場合は、そのたびに追加料金がかかる。だから弁護士が別の弁護士とのカンファレンスコールをセッティングした場合は、顎のはずれそうな額の請求書が来ると覚悟したほうがいい。

僕がかつて依頼した弁護士は、毎回雑談から始めた。家族の様子はどう？　最近の天候は……という具合に。失礼があるといけない、と思った僕は毎回数分は雑談に応じていた。だがそのきわめて儀礼的な、なんということのない雑談のおかげで、一五分で済んだ話が三〇分、あるいは四五分にもなった。しかもその弁護士の一時間あたりの報酬は八〇〇～一〇〇〇ドルだった。子供の音楽会の話をするために数百ドルも支払っていたわけだ。三～四回会って、相手の手口を知ったところでクビにした。電話の相手が僕ではないときには、どれだけ請求時間を膨らませていたのだろう。

外部の弁護士事務所を使うときには、早口で、あなたの子供には一切関心のない（少なくとも時間をカウントしている間は）弁護士に担当してもらおう。

ありがたいことに、あらかじめ両者が合意した固定価格で契約する、あるいは一定の価格を超えない契約を結ぶという新しいモデルに転換している弁護士事務所もある。少額の手数料あるいは株と引き換えに、会社設立の手続きや定型的な法務を引き受ける事務所も出てきた。さまざまな重要な法務文書を「オープンソース化」し、ほとんどの会社に使えるような汎用版をつくろうとする新たな動きもある。

ただオープンソースの汎用文書を使う場合でも、やはり細部を任せられる弁護士は必要だ。そしてその弁護士もおそらくシャワー中の業務時間を請求するだろう。

だから弁護士を最大限使いこなすためには、彼らの働き方、仕事のやり方を理解する必要がある。弁護士はライバル企業の視点、政府の視点、あるいは怒り狂った顧客やパートナー企業、サプライヤー、従業員や投資家の視点からモノを考えるように訓練されている。それからあなたがやろうとしていることを聞いて、「そういうやり方をすると、まず確実にトラブルになりますね」と言う。運が良ければ「こういうやり方をすると訴訟になるかもしれないが、おそらくわれわれのほうでなんとかできるでしょう」という答えが返ってくる。

純粋な、まじりっけのない「大丈夫、このままいきましょう。危険な要素はありません」という回答が得られることは絶対ない。完璧に訴訟を防ぐ方法は存在しないからだ。誰がどんな理由で訴えてくるかわからない（少なくともアメリカでは）。顧客が気に入っていた機能を変更されたと言って訴えてくる。ライバル企業があなたを潰すために戦術的な訴訟を仕掛けてくる。意味があるかどうかなど関係ない。ただ迷惑な訴訟を仕掛けて、あなたの資金や意欲を削ごうとしているだけだ。

破壊的なイノベーションで多少なりとも成功を収めれば、おそらく訴訟の標的になるだろう。大成功を収めれば、確実に標的になる。

だから訴訟の可能性は常にリスクとして考えておくべきだ。とはいえ訴訟を起こされたからといってこの世の終わりではない。そして弁護士の「たぶん」あるいは「ノー」という言葉は、必ずしも取り組んでいる仕事を即座に中止する理由にはならない。弁護士の見解は事業のニーズ、そしてイノベーションを起こし、成功するためにはリスクをとる必要があるという事実と比較考量する必要がある。法律家のアドバイスに従うべきではない、と言っているのではない。法務だけを判断材料にすべきではない、ということだ。

もちろん、これは違法行為には当てはまらない。虚偽の説明や広告も同じだ。契約や人事、権利保護やプライバシーに関するアプリの利用条件のような基本的事柄についても同じだ。ここに挙げたようなことに余計な時間を使うべきではない。弁護士の言うことを聞き、そのアドバイスをしっかり実行する。社内弁護士がいなければ、外部の事務所を使って対価を支払う。雇用契約やアプリの利用条件でヘマをするなどというくだらない過ちで会社がつまずくのは避けたい。

一方、グレーな領域、ややこしい問題、会社の方向性を決定づける何百という明確な解のない、主観に左右される判断を下す際には、弁護士は白黒はっきりした世界に生きていることを思い出そう。合法か違法か。弁護できるかできないか。弁護士の仕事は法律とリスクを説明することだ。

経営者であるあなたの仕事は判断を下すことだ。

僕が初めて訴訟を経験したのはアップル時代だ。ヘッドライトに照らされた鹿のように怯えていたのを今も覚えている。iPodの次に人気のある音楽プレーヤーをつくっていたクリエイティブという会社が、iTunesから楽曲をiPodに移すためのインターフェースとそのためのテクノロジーをめぐって訴訟を起こしてきたのだ。アップルが相手の権利を侵害したのか否か、勝てるかどうかははっきりせず、スティーブ・ジョブズは心配していた。僕らはようやくアップルのためにすばらしい新製品をつくったのに、そのために会社が訴訟を起こされてしまった。

アップルで知的財産関連法務のリーダーを務めていたチップ・ラットンが、僕とiTunes担当バイスプレジデントであるジェフ・ロビンと組んで問題への対応策を見つけることになった。僕らはさまざまなプロダクトの修正を提案したが、最終的にスティーブは和解するという経営判断を下した。スティーブは一億ドルで和解した。これはクリエイティブが求めていた金額を数千万ドルも上回る。

クリエイティブが金輪際こちらにかかわってこないようにしたいと思ったからだ。

僕はここから勝利とは何かについて、興味深い教訓を学んだ。法律的には勝ったわけではない。アップルは抗弁することもなく、裁判にもならなかった。だがスティーブにとっては勝利だった。スティーブにとっては出費を抑えたり体面を保ったりすること以上に、訴訟についてこれ以上一秒たりとも煩《わずら》わされないことのほうが重要だったのだ。

ネスト・ラーニング・サーモスタットを発売して間もなく、ネストはハネウェルから訴えられた。今回の訴訟はアップル時代のそれとはまるで違っていた。相手は完全にネストを潰すつもりで訴えてきていた。ちっぽけな挑戦者をひねりつぶし、二束三文でその技術を盗んでやろうという魂胆だった。ネストの法務チームは勝てるという自信を持っていた。訴訟はばかげていて根拠のない、急成長するライバルの足をひっぱるためのありふれた戦術だった。だが僕はアップル時代の経験から学んでいた。何をすべきかという判断を法務部門に丸投げしてはいけない、と。

弁護士は勝つことが大好きだ。戦いを途中で投げ出すことは絶対しない。死ぬまで戦い抜こうとする。だが、これはビジネスだ。死ぬという選択肢はあり得ない。死んでしまったら、すばらしいROI（投資リターン）を叩き出すこともできない。

何か法務の絡む交渉をする際には必ず、何にいくら支払うのか、いくらまでなら支払う用意があるか、契約期間はいつまでにすべきか、独占権はどうすべきかといった基本的な交渉条件をまとめてから弁護士を関与させるべきだ。条件をおおよそ確定したうえで、法律的部分だけを弁護士に議論させる。そうしないと交渉は果てしなく続き、弁護士同士が戦いつづける間その費用を負担することになる。

そんな状況を望む者はいない。

だからネストはハネウェルとの訴訟で勝利目前であったにもかかわらず、法廷外で和解した。その時点でネストはすでにグーグルに買収されており、ハネウェルはグーグルの重要な顧客だった。ネストが正しく、ハネウェルが間違っていたことなど関係なかった。経営判断だった。グーグルはハネウェルにカネを渡し、良好な関係を維持するほうが裁判で争うより好ましいと判断した。和解の費用を出すのがグーグルではなく、ネストならなおさらだ。

僕らは怒り狂った。ネストは訴訟に勝てたはずなのに、結局ハネウェルにカネを払うはめになった。噴飯ものだった。だがそれはグーグルにとっては正しい判断だった。

一流の弁護士にはそれがわかる。弁護士的発想にこだわらない。弁護士としての訓練や知識は生かしつつ、経営目標も考慮する。経営者がリスクを理解するのを助けるだけでなく、メリットもしっかり理解する。

経営者にしてよいことと悪いことを申し渡すだけでなく、理にかなったアドバイスも与える。自分の声はコーラスの一部でしかないことも理解している。そしてともに仕事をするなかでお互いへの理解が深まり、また弁護士自身の業界の競争環境、顧客やパートナーへの理解が深まると、優秀な弁護士は少しガードを緩める。弁護士が本気で懸念すべきリスクと無視してよいリスクを見きわめられるようになるまでには、たいていその企業と何カ月、ときには何年も一緒に仕事をする必要がある。経験豊富でビジネス実務に精通し、リスクをきちんと伝えることのできる弁護士には、その目方《めかた》分の黄金ぐらいの価値がある。

このような弁護士が欲しければ、一般的に会社として採用する必要がある。たいてい社内弁護士を雇うタイミングというのは、法務にかかる費用が増えすぎることで自然とわかる。同じような契約や問い合わせに何時間分も弁護士報酬を請求されたり、やり取りの数が増えすぎたり、特殊な分野のスペシャリストを探すのに弁護士を使わなければならない回数が増えたり。社内弁護士を採用したからと言って、税務、人事、資金調達、企業の買収・合併、知的財産権（IP）や特許、政府の規則など、専門性の高い法務のスペシャリストを雇う必要がなくなるわけではない。ただ社内弁護士はスペシャリストに支払う対価を交渉するのに役立つ。交渉の余地は常にある。とりわけ相手が弁護士の場合はそうだ。弁護士事務所のビジネスモデルや手の内をよくわかっている経験豊富な弁護士なら、請求書を見ながら「この作業になぜこれほどの時間がかかったのか」「なぜこの話し合いにこのような名目で請求が出されているのか」といった問いを投げかけることができる。

初めて社内弁護士を採用するときには、ゼネラリストを選びたくなるものだ。どんな分野も多少は対応できる「何でも屋」だ。そうすれば外部の専門家を雇うコストが抑えられるだろうと思うからだが、それはあべこべだ。

この段階で求めるべきは間口の広さではない。あなたの会社の中核は何か、最終的にこの事業にとって一番大切なものは何かを理解したうえで、その分野のスペシャリストを採用すべきだ。

ＩＰが最大の武器である会社が、法務の責任者として一般的な契約を得意とする弁護士を雇ってしまうようなケースを僕は腐るほど見てきた。このようなミスは高くつく。この社内弁護士は結局、ＩＰ絡みの案件はすべて外注することになるので費用節約効果は帳消しになり、しかも外部の弁護士にプロとして助言することさえできない。

最初に会社にとって重要な分野の経験や専門知識のない弁護士を採用してしまうと、最終的に法務チームは弱くなってしまう。リスクを避けることばかり考え、柔軟性に欠け、他の部署と協力しながらクリエイティブに問題を解決したり、会社を強くするような長期的な法務戦略を立案したりといった能力が低くなる。

ネストを立ち上げたときには、会社の命運はＩＰにかかっていることがはじめからわかっていた。会社の成功の決め手は一貫して技術的イノベーションになる、と。こうしたイノベーションをライバル企業の手の届かないものにするためには積極的に特許を取得する必要がある。

こうして最初に採用されたのが、僕がｉＰｏｄ訴訟をともに戦ったチップ・ラットンだ。

ネストに必要なのは、事業の根幹となる問題を深く理解し、最初からそれに沿ったモノの考え方をして、そのような視点を持って法務チームを構築できる人物だった。しかも倫理的支柱となり、経営陣、技術陣、マーケティングチームと足並みをそろえていける人物。

正真正銘のリーダー。

周囲から信頼され、思慮深く、プロダクト開発で重要な役割を担える人。

チップ率いる法務チームは決して裏方ではなかった。常に僕らとともに最前線に立ち、プロダクトの特徴を検討し、特許を確実に取得できるようにし、広告の文言に目を光らせ、訴訟に立ち向かった。そして僕と戦うことを厭わなかった。

たとえば赤ん坊をめぐる問題だ。

二〇一五年六月、僕らはネストカムを発売した。セキュリティカメラ、ペット見守り用カメラ、あるいはベビーモニターとして使えるビデオカメラだ。アメリカでは赤ん坊の部屋で使用することを前提とするすべての電子機器に、次ページの写真のような警告表示を付けることが義務づけられている（図30）。

それに対して「ありえない。首に電気コードの巻き付いた赤ん坊のイラストを僕らの新製品に付けるなんて」というのが僕の意見だった。

子供の首にコードが巻き付いてしまう危険性については、アプリ、設置手順書、マニュアル、組み

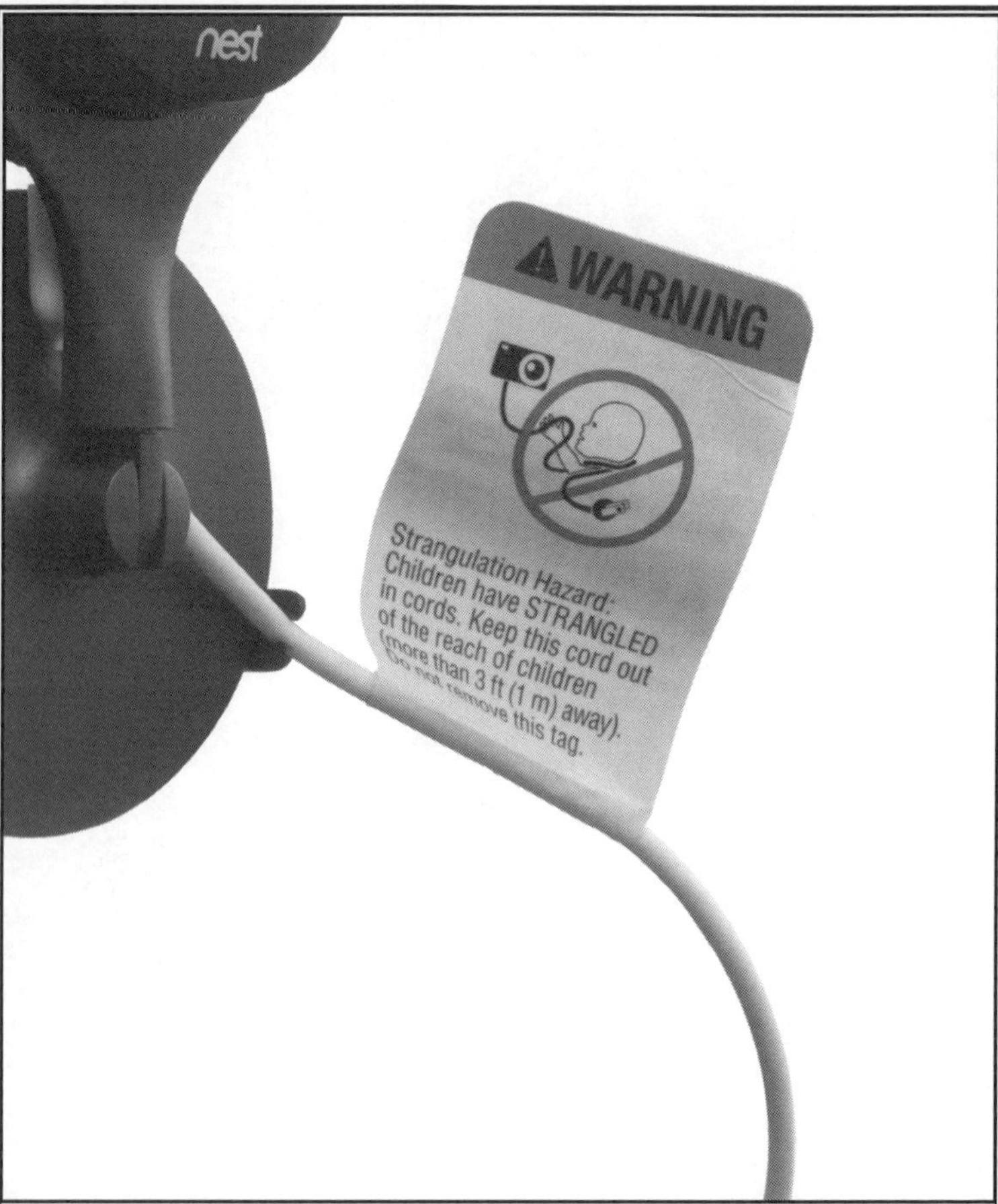

図 30　これが 2015 年 6 月に発売した最初のネストカムと警告文だ。ときには新製品の真横に命の危険に迫られた赤ん坊のイラストを配置しなければならないこともある。

立てを通じて訴えている。無視することなどできないようにした。ライバル企業の製品で、僕らほどしっかり対応しているものはひとつもない。みんな僕らと同じケーブルを使っているのに！

僕は納得できず怒っていた。部屋のなかをイライラと歩き回り、ダメだ、絶対に認めないと言い張った。

そんな僕に、チップは起こりうる事態を冷静に説明した。運が良ければ莫大な罰金を科されたうえで製品を回収することになる、最悪の場合は連邦政府に法的措置をとられる、と。警告表示を小さくしてはいけない。変更してもいけない。色さえ変えてはいけない、と。

このケースには曖昧な部分、グレーな領域、議論の余地は一切なかった。法律には何をすべきか明確に書かれていた。これは、法務の見解を参考にするだけで僕が直感的に決めていい主観に基づく判断ではなかった。ここでチップの助言を無視することは、戦略的な経営判断とは呼べない愚かな過ちになる。リスクに見合うだけのメリットはなかった。

ときには新製品の真横に命の危険に迫られた赤ん坊のイラストを配置しなければならないこともある。ネストカムをベビーモニターとして販売したければ、警告表示は絶対に付けなければならない。

だがそういう状況でも、チップは僕と一緒に解決策を見つけようとしてくれた。「ノー」とだけ伝えて、後は知らないという態度はとらなかった。常に僕らが妥協策、新たな機会、新たな方向性を見いだせるように手を貸してくれた。

ネストは最終的に警告表示を必要以上に大きく、見栄えの悪いものにし、さらに顧客が絶対に見落とさないように製品本体のすぐ隣に付けた。そして購入した顧客はみなすぐにそれを破り捨ててしまうことがわかっていたので、とことん簡単に破れるようにして、べたべたした糊の跡が一切残らないようにした。表示が想定どおりきちんと剝《は》がれるか確認するための実験もしたほどだ（新しいマットレスのラベルもそうだったらいいなと思わないだろうか)。

僕らのやり方に問題がないか、チップはしっかり確認した。

チップは優秀な弁護士で、そのうえすばらしいパートナーでもある。あなたが探すべき弁護士はこういう人物だ。会社が足をとられるかもしれない落とし穴を指摘し、その前に立ちふさがることだけが自分の仕事だと考えるような弁護士は要らない。ともに新しい道を探してくれる人。橋をかけてくれそうな人。弁護士的な発想に縛られない人。そんな弁護士を採用しよう。

第六部　ＣＥＯの心得

煙と一酸化炭素報知器『ネスト・プロテクト』によって、スマートホームはいよいよ現実になるはずだった。

ネスト・プロテクトは、ネスト・ラーニング・サーモスタットのための室温と湿度センサーの役割を果たし、部屋ごとに室内環境を制御できるようにする。人感センサーで部屋に誰もいないことを察知したら、暖房やエアコンをすぐに消し、電気を節約するようサーモスタットに指示を出す。またネスト・プロテクトの音声は、単に危険を知らせるためだけにあるのではない。最高のスピーカーになることもネスト・プロテクトのビジョンに含まれていた。家庭内のすべての部屋に煙報知器は設置されるので、音楽を流したり、内線電話のように使えるようにするつもりだった。キッチンでネスト・プロテクトに「ごはんができたよ」と語りかければ、子供部屋の煙報知器からその声が聞こえる、といった具合に。

そこにビデオカメラやスマートロック機能を追加すれば、家中のすべての部屋にセンサー付きのビルトイン・セキュリティシステムと報知器が整うことになる。自宅に新しいネスト製品を追加するたびに、すでに設置していたネスト製品の性能は高まる。より多くのことができるようになる。新たな利便性や可能性が生まれる。しかもユーザーはほとんど何もしなくていい。放っておいてもすべてがうまく機能する。

スマートホームで最も重要なのは、手間がかからないことだ。ユーザーが家のために何かをするのではなく、家がユーザーのために働く。

ネストのサーモスタットが可能性を示したことによって、スマートホーム関連のプロダクトが何十と登場したことにも、僕らはすぐに反応した。そしてそれらを倒すべき競合とみなすのではなく、「スレッド」という名の低電力のネットワーク技術を使ってネストを中心とするエコシステムをつくり上げた。優れたスマートデバイスを開発した企業は、ネストのシステムにつなぎ、ネスト製品と連携させることができる。たとえばスマート・シーリングファンを開発した会社がそれをネストのサーモスタットにつないだり、あるいはスマート照明に対してネストから「住人は旅行に出かけているが、泥棒に留守だとわからないよう、在宅中であるかのように点灯せよ」と指示を出すこともできる。

ネストはプラットフォームをつくろうとしていた。自社製品とサードパーティのプロダクトがすべて単一のアプリケーションで動くエコシステムだ。それによってスマートホームは本当に魔法の家のようになる。家というもののあり方を根本から変える、テクノロジーのタペストリーを織り上げるつもりだった。

少なくとも、それが僕らのビジョンだった。

グーグルが二〇一四年に三二億ドルで買ったのもこのビジョンだ。

グーグルとはネストの創業当初から緊密な関係にあった。僕はサーゲイ・ブリンに発売前のプロトタイプを見せ、グーグルは二〇一二年にもネスト買収の意向を示してきた。ネストがもっと早くビジョンを実現できるように支援したい、と。僕らが断ると、代わりに出資を申し出てくれた。

二〇一三年にネストが新たな投資ラウンドを順調に進めているさなかに、グーグルは再び買収を打診してきた。

ネストを真剣に買収しようとしているのは、グーグルがスマートホーム関連機器の開発を真剣に検討しているサインだと僕は思った。グーグルが真剣に検討しているなら、アップル、マイクロソフト、アマゾン、フェイスブックなど他の大手テック企業も参入を検討していると見て間違いない。ネストが雪玉を転がしたことによって、いまや雪崩が起きようとしていた。

慎重にやらないと、ネストなどたちまち埋没してしまうだろう。

ネストの事業はきわめて順調だった。製品はつくるそばから売れていった。サーモスタットをつくることだけに集中するという選択肢もあった。反響は僕らの予想を大幅に上回り、消費者はサーモスタットをクリスマスプレゼント（！）に贈るようになっていた。売り切れの商品を手に入れたいと、コメディアンのデイヴィッド・レターマンや歌手のカニエ・ウエストが連絡をよこしたほどだ。

だが僕らは何としてもプラットフォームをつくるつもりだった。何十年も持続するような大規模で有益なプラットフォームだ。それには莫大なリソースが必要になる。

収益力の高い他の収入源やたくさんのプロダクトを擁するグーグルやアップルのような巨大企業が独自のプラットフォームをつくれば、ネストなど簡単に駆逐されてしまうだろう。スマートホーム分野に参入すると表明するだけでいい。彼らのプラットフォームが優れているかどうかは関係ない。巨大企業が意欲を見せるだけで、彼らに有利にことが運ぶ。ネストと組もうとしていたパートナー企業やデベロッパーは巨大企業のほうに流れたり、あるいはネストとがっちり組まずに「様子見」の姿勢を保ったりする。

小さなスタートアップのプロダクトやプラットフォームが成功を収めていたところに、規模の大きなプレーヤーが入ってきて部屋中の酸素を吸い上げ、潰してしまう例を僕はうんざりするほど見てきた。

グーグルの傘下に入れば、ネストは身を守れるだけではない。ミッションの実現を加速できる。経営陣はその可能性に胸を躍らせた。成長の可能性に。

こうしてさんざん議論を重ね、大きな不安はあったものの、僕らはチームとして、これはネストを売却すべきタイミングだと判断した。交渉を進めるのに有利な立場にあった。資金はたっぷりあり、ネストに興味を持つ投資家も多く、プロダクトの収益性も高かった。リーン（ムダのない）組織を構築し、サーモスタットは利益をあげており、もう一つのプロダクトは出荷が始まり、他にも開発を進めているものがいくつかあった。

さらにグーグルはネストのスマートホーム・プラットフォームに五年間で四〇億ドルを投資し、サーバー、AIアルゴリズム、デベロッパー対応など必要なリソースも提供すると約束した。スマートホーム関連ハードウェアについてはグーグルがすでに開発したものは脇に置き、完全にネストに集中することで合意した。ネストが統合する必要のあるグーグルのテクノロジーの担当チームとは、二週間ごとにミーティングを開くことで合意した。

僕らは文化の衝突をかなり懸念していたが、グーグル側はネストのミッションに邁進する文化は新たな模範となり、グーグルの文化的進歩を後押しするはずだ、と請け合った。売り上げの成長も一気に加速し、ネスト単体で進めるより何年も早くプラットフォームを誕生させられるはずだ、とも言った。

これは最高の結婚になる、とも。

三～四カ月にわたって真剣な議論を重ねた末に、両者は二〇一四年一月にめでたく結ばれた。この関係は生涯続くものだ、きっとうまくいく、うまくいかせてみせると信じていた。両社ともに善意しかなかった。

とはいえ、地獄への道は善意でできているというのは常識だ。

買収直後からネガティブな報道が相次ぎ、ネストの文化やシステムはグーグルと完全に独立していることを改めて発表しなければならなかった。それに続いて〝臓器移植〟への拒否反応が出てきた。グーグル社内の自然抗体が新たな異物を認識し、全力でそれを拒絶し、無視しようとしはじめたのだ。表面的には笑みを絶やさず、それでいて約束されていたミーティング、グーグル経営陣による監督、計画されていた両社の統合はまるで実現しなかった。

基本的な、簡単なことですらまったく進まなかった。グーグルストアでネストのプロダクトを販売できないか？　無理です、少なくとも一年はかかります。アマゾン・ウェブサービスを解約し、グーグルクラウドに乗り換えられないか？　無理です、相当な数の変更が必要で、かえって費用が高くなります、といった具合に。

とはいえ、それも意外な話ではなかった。グーグルではあらゆることにネストよりおカネがかかっていたからだ。

グーグルに買収される直前の二〇一四年、ネストの社員一人あたりの支出は年間約二五万ドルだった。そこにはきちんとしたオフィススペースの家賃、医療保険、ときどき提供する無料の昼食や特別手当も含まれていた。

それがグーグルに買収されると、四七万五〇〇〇ドルに跳ね上がった。一部は社内手続き、給与、福利厚生に関するものだったが、大部分は無料バス、無料の朝食、昼食、夕食に山のようなジャンクフード、オーディオ・ビジュアル機器完備の豪華な会議室、真新しいオフィスビルの費用だった。IT機器までもが割高だった。コンピュータをグーグル・ネットワークに接続するための費用は社員一人あたり一万ドル、それもノートパソコンの費用を含まずに、だ。

もちろんネストだって完璧だったわけではない。あまりに多くのプロジェクトを同時進行で進めていたため、消化不良を起こしていた。第二世代の『ネスト・プロテクト』、第三世代のサーモスタットを発売するために、セキュリティシステム『ネスト・セキュア』の開発は遅れに遅れた。ドロップカムという会社を買収してネストカムをつくり、ネストアプリに追加していたが、それをグーグルに統合したり、メールアドレスをどうするか、どのサーバーにどのデータを入れるか、プライバシーポリシーはどうするかといったコーポレート・セキュリティの問題に膨大な時間を割いた。

そのうえグーグルの一部となったにもかかわらず、僕らは「グーグリー（グーグル的）」を身につけて文化を統合しようとしなかった。ネストにはグーグルを宿敵としてきたアップル出身者の一群もいて、彼らを説得するのにも手間取った。なによりネスト社員の多くは、ネスト流の仕事の仕方を気に入っていた。グーグリーになろうともしなかった。僕もグーグルの新入社員がかぶるプロペラ付きの野球帽をかぶる気など毛頭なかった。グーグル内で僕らが腫れ物のように扱われ、歓迎されなかった理由はよくわかる。

ただ、こういった問題はあったにせよ、グーグルによる買収は完全な失敗ではなかった。両社の関係は発展途上にあった。

ネストのブランドや収益力は強かった。急成長も続いていた。グーグルの買収によってネストを信用できると考えた多くの小売店が、ネストのプロダクトの販売を始めたのも事実だ。ネストのエコシステムに加わるデベロッパーの数も大幅に増えていた。また僕らが当初期待したほどではなかったが、グーグル内の一部のチームとは良好な関係ができつつあった。時間はまだあった。本物のスマートホーム・プラットフォームの構築に向けて、五年かけて準備していく計画だったのだから。グーグルには最高の人材が豊富にいて、最高のテクノロジーをつくっている最高のチームがたくさんあり、彼らと協力すれば最高にクールで意味のある何かを生み出せるはずだった。とにかく努力する。そうすればゴールにたどりつけるはずだ。

そんななか、買収手続き完了から一年と少し経った二〇一五年八月、僕はグーグル共同創業者のラリー・ペイジのオフィスに呼ばれた。「僕らはエキサイティングな新しい全社戦略をつくったんだ。名前はアルファベット。ネストにはそれをきちんと実行するためのモデルになってほしい」

グーグルを再編するというのだ。アルファベットという持ち株会社をつくり、傘下にグーグルや「その他の挑戦」を置くという。こうすることでウォール街のアナリストにはグーグルの検索や広告事業の財務の健全性がはっきりわかる。その他の挑戦にはグーグル・ファイバー、カリコ、ベリリー、キャピタルＧ、グーグルベンチャーズ、たくさんの「ムーンショット（月を目指すような壮大な）」プロジェクトの集合体であるグーグルＸ、そしてもちろんネストも含まれており、いずれももはやグーグルの一部ではなく、独立した関連会社になるという。一夜にしてネストは関連会社のなかで最も規模が大きく、知名度が高く、そしてコストのかかる会社になった。

僕らは一六カ月にわたってグーグルとの統合にわき目もふらず取り組んできた。母艦と一体化し、ネストのビジョン実現に必要なさまざまなメリットを取り込もうとしてきた。グーグルとの統合、グーグルのテクノロジーへのアクセスは、ネストがそもそも買収に合意した最大の理由だった。だがそれは終わりだ、とラリーは僕に告げた。新たな方向性、新たな戦略ができたのだ、と。

「いつから考えていた？」と僕は尋ねた。

「何年も前から」とラリーは答えた。

「グーグル社内でこのことを知っていた人はどれくらいいる？」

「ここ一～二カ月は三、四人といったところだ。君はこの件を最初に話した人の一人だ」

「そりゃどうも、ありがとう」と心のなかで思いつつ、僕はこう言った。「わかった。間違いのないように進めていくためには細部を理解しなくては。詳細を詰めて具体的計画を立てる時間はどれくらいもらえるのかな。二～三カ月？」

きちんとした反論も考えずに「ノー」と言うべきではないことぐらいわかっていた。でもこの決定を覆す方法を探るため、ネストのチームがこんな目に遭わないようにする方法を考えるためには、時間が必要だ。

「そんな時間はないよ」とラリー。

「八週間？」

「いや」

「一カ月？」

「来週には発表する。グーグルは公開企業なんだ。メディアに漏れたら大変なことになる。これは単なる財務会計上の変更だ。心配しないでくれ、きっとうまくいくよ」

僕はショックを受けた。言葉もなかった。遅い思考はどこへ行った。「撃て、構え、狙え」とはこのことだな、と僕は思った。

計画など何もなかった。ゼロだ。僕も「行動し、失敗し、学ぶ」という考え方には大賛成だが、会社のあり方を根本から変えようというときには少なくとも多少の戦略は立てるべきだ。グーグルはデータに基づいて行うべき意思決定を、主観に基づいて行おうとしていた。

ウォーレン・バフェットがこの方法で会社を運営するのを見てきた、とラリーは僕に言った。ラリーはわざわざネブラスカ州まで行って、バフェットとこの件について話し合ったという。投資会社であるバークシャー・ハサウェイは何の関連性もないさまざまな会社を買収し、独立した会社として経営させている。そのやり方は非常にうまくいっている。「僕らだって同じやり方ができるはずだ」とラリーは言った。

バークシャー・ハサウェイが買収するのは、創業から一〇年、一五年、五〇年経った会社だ。安定し、売上規模も大きい。いわば成長しきった健康な大人である。それに対してアルファベットの「その他の挑戦」はいずれも乳幼児、あるいは自我を確立しようとしている思春期の子供である。イノベーションを生み出そうともがき、収益化への道筋を探っている段階だ。基本条件がまったく異なっている。

だが、そんなことは問題ではなかった。機関車はすでに動き出していた。

アルファベット体制が発表されて二四時間も経たないうちに、設備管理を担当するグーグル・ファシリティから「あなた方はもはやグーグルの一部ではないので」と請求書が送られてきた。ちょうど改築を終えたばかりのネストの新しい本社ビルの費用、数百万ドルである。

泣きっ面に蜂だったのは、ネストの社員一人あたりの費用は二倍以上（正確には二・五倍）になっていて、実態は何も変わらなかったのに（ネストの社員はみな同じ場所で同じ仕事をしていた）、突如として僕らはこの費用をすべて自分たちでまかなわなければならなくなったことだ。そこにはグーグルが提供するさまざまなサービスへの対価として、アルファベットに支払う上納金も含まれていた。こうしてＩＴ、法務、財務、人事といった必要不可欠な基本的サービスの費用が一気に増えた。とんでもないほど増えたものもある。「申し訳ないけど、財務会計基準でこうしなければならないと決まっているんだ。上場企業だから従うしかない」という言葉を何度も聞いた。

同じタイミングで、ネストがようやく協力関係を築くことに成功したグーグルのさまざまなテクノロジー・チームが手のひらを返してきた。「キミたちはグーグルの一部ではないから」と。抗体は全力で異物を排除しはじめた。

彼らの優先事項がこうもあっさり変わってしまうのを目の当たりにするのはショックだった。

だが何より最悪だったのは、屁理屈だ。

僕は「熟慮の末」という言葉を聞くとアレルギー反応が出るようになった。グーグルの経営幹部は僕らに何か新しい戦略を受け入れさせようとするとき、決まって「一見するとそうは思えないかもしれないが、これは熟慮の結果である」という言い方をした。「ネストのグーグルへの統合について熟慮した」「ネストのアルファベットへの移行について熟慮してきた」「マット、トニー、心配しないでほしい。僕らはこの件について熟慮してきた」といった具合に。

それを聞くたびに、僕は「やめてくれ‼　またかよ」と思った。彼らは熟慮した屁理屈を僕に押し付け、それを部下に伝えろと求めてきた。

一年以上もグーグルとの統合を社内で訴えてきたマットと僕は、一八〇度方向転換し、今度はアルファベット体制への対応を求めなければならなくなった。僕はネストの社員に万事順調だと伝えていたが、実際にはアルファベット体制への移行が動き出すなか、グーグル経営陣が「熟慮の末に」その場しのぎの対応を打ち出し、二～三カ月も経たないうちにころころ変更していく様子を目の当たりにしていた。

財務、法務、ＩＴ、セールス、マーケティング、ＰＲ、設備、人事が出席する毎週のアルファベット実務会議はめちゃくちゃだった。通勤用バス、設備、法務サービスの新たな請求方法について説明を受けた二週間後には、それを見直すことが決まったりした。

ネストの費用がアルファベット仕様に変更されると、今度は財務部門が介入してきた。アルファベット経営会議では、ネストは費用を合理化し、収益化の予定を前倒しする必要があると言われた。ネストが売上目標を達成していないことも指摘された。僕は売上目標はグーグル側がでっち上げたものだと反論した。グーグルはネストのプロダクトをグーグルストアで販売することで、ネストの売り上げが三〇～五〇パーセント増加すると想定していた。だがグーグルストアとの交渉は行き詰まり、迷走した。グーグルのプライバシーポリシーに懸念を抱く顧客がネストと距離を置いたことで売り上げも明らかに減少した。

僕に一切譲る気がないのを見たラリーは、ネストを収益化する必要がある、と言った。「君には大胆かつクリエイティブになって、すべてを五〇パーセント削減する方法を考えてもらいたい」。ここでいう「すべて」には人員、経費、そしてビジョン実現へのロードマップが含まれていた。

「はぁ？」と僕は言った。何も変わっていない。グーグルとネストの合意はそのまま、事業計画もそのままだ。それなのにネストの社員を半分に減らせというのか。その多くはここ数カ月で採用されたばかりだというのに。

ラリーは大勢の社員を解雇するからといって心配する必要はない、と言った。グーグルには空席がたくさんあるので、そこに移ってもらえばいい、と。それを聞いて「コイツはこれまでの人生で、自ら誰かをクビにするという経験をしたことがあるのか？」と僕は思った。他人の人生をそんなふうに適当に扱っていいわけがない。

だがグーグルはウォール街に対し、検索と広告以外にも収益事業があることを示したかった。スマートフォンやクロームブックなど、グーグルが手がけたハードウェアはことごとく赤字だった。収益化できる可能性が多少でもあるのはネストだけだったので、ネストに照準を合わせたのだ。

だが僕にはネストの規模を半分にする気は一切なかった。僕らは一〇～一五パーセントの削減を申し出たが、ロードマップの変更はきっぱり断った。ミッションは絶対に譲れない。

当然ながら、緊張は高まった。

四カ月後、新たな爆弾が投下された。

ラリー・ペイジから離婚を切り出されたのだ。

ネストを売却する、と。

とはいえ、ラリーがそれを直接口にしたわけではない。クリスマス休暇を数日後に控えたある日、僕とラリーそれぞれのメンターだったビル・キャンベルから取締役会の後に残ってほしい、と声をかけられた。全員が会議室を退出すると、ビルとラリーだけが残った。ビルは僕を見て、こう言った。「要点だけを言おう。ラリーから言うのは難しいし、私はキミに屁理屈を言うつもりはない。ラリーはネストを売却したいと思っている。私には理解できないが、それがラリーの希望だ」

ラリーはショックを受けた顔でビルを見た。「ちょっと！　そんな言い方をしなくてもいいじゃないか」

でもビルはこの言い方を選んだ。僕をよく知っていたからだ。ラリーは知らなかった。まったく。恐らくビルを呼んだのは、僕が取り乱すと思ったからだろう。誰かに立ち会ってもらい、別れ話がヒートアップしたら割って入ってもらいたかったのだ。

だが僕は黙ったまま、状況を説明しようとするラリーの一語一句に耳を傾け、二人をじっと見つめていた。どんなわずかな表情の変化も見逃さないように。

それから僕は言った。「ラリー、ネストを買ったのはキミだ。売りたければ売ればいい。でも僕はそれに付き合うつもりは一切ない」

もううんざりだ。

ビルはラリーを見た。「こうなることはわかっていたよ。トニーはこう言うと言っただろう」

グーグルがなぜネストを売却することにしたのか、今でもよくわからない。結局のところ、文化的衝突が原因だったのかもしれない。ラリーはグーグルとネストがあまりに違いすぎ、共存できないと思ったのかもしれない。僕が尋ねたときに返ってきた理由はありきたりのものだった。ネストは戦略事業ではなくなった、コストがかかりすぎると判断した、と。だがグーグルが変わったとしても、グ

ーグルとネストの合意内容は変わっていなかった。ネストは最初から将来の計画であるロードマップ

を包み隠さず伝えていた。合意したときから、ネストにカネがかかることはわかっていた。それでも

ネストのビジョンに喜んで投資すると言った。むしろ、させてくれ、と。それからまだ二年も経って

いない。

「新たな財務戦略をつくった」とグーグルは言った。それで終わりだった。

話し合いを終えたとき、ビルは憤懣《ふんまん》やるかたない様子だった。「ネストのプロダクトは人気があっ

て、収益力も成長力もあり、すばらしい可能性を秘めた次の製品群の開発も進んでいる。グループ内

のほとんどのプロジェクトより活気がある。まったくわけがわからない。まだ始まったばかりなの

に」。そう言って頭を抱えた。

ビルの反対もむなしく、グーグルは銀行を呼んできて、僕は「資産価値を維持する」ため彼らに協

力することになった。すでに会社を去る意向を伝えた僕にできるのは、ダメージをできるかぎり抑え、

ネストにとって移行をできるだけスムーズなものにすることだけだった。僕は従順な兵隊になった。

言われたことをやり、銀行が売却のための書類を準備する作業を手伝った。二〇一六年二月、ネスト

は売りに出された。

銀行は買収候補のリストを作成し、そのうち数社が交渉に乗ってきた。筆頭がアマゾンだ。

銀行からアマゾンに売却する気はあるかと尋ねられたラリーは「構わない」と答えた。僕は再びシ

ョックを受けた。最大のライバルのひとつにネストを売るのも構わないって？　またしても頬をひっ

ぱたかれたような気がした。

交渉が進展するなか、僕は宣言どおりネストを去った。結婚生活に終止符を打ったのだ。相手が離

婚したいと言うので、応じたまでだ。

それから数カ月後、グーグルはまたしても心変わりした。ネストの売却を取りやめたのだ。

しかも「その他の挑戦」と一緒にアルファベットの傘下に置くより、グーグルの一部にしたほうがよい、と判断した。こうしてネストは再びグーグルに吸収された。

当世流行りの出戻り戦略というやつだ。グーグルに入り、出ていき、また戻る、と。その間ずっと、ネスト経営陣は社員と向き合い、すべてうまくいくはずだと言い聞かせてきた。だがこの二転三転が顧客にとって、ネストチームにとって、その家族にとってつらいものであったことは否定できない。アルファベットのトップはネストで働く人々と彼らが成し遂げようとしている仕事に何の関心もないようだった。

結局二〇一八年にネストを再び吸収したとき、グーグルは二〇一五年末に僕が提案したとおり一〇～一五パーセントの人員を削減した。再び母艦の一部になったことでアルファベットに支払っていた間接費の負担がなくなった。一人あたり一五万ドルの追加費用やさまざまな税金、割高な手数料だ。突如として、ネストは再びすばらしく魅力的な投資先に返り咲いたようだった。

僕にはどうにも説明できない。なぜネストを売却するのかという問いに対して本当の答えを得られなかったのと同じように、売却を取りやめた理由も聞いていない。アマゾンが興味を持っていると聞いて、ラリーはネストの価値を再認識したのかもしれない。もしかすると僕に言うことを聞かせ、コスト削減を実施させるための手の込んだチキンレースだったのかもしれない。もしかすると、最初からまともな計画など何もなくて、経営層の誰かの気まぐれで始まったことなのかもしれない。そうした理由で大改革を始める企業がどれほど多いかを知ったら、みなさんも驚くだろう。

企業の幹部やＣＥＯ、あるいは大きなビジネスユニットのリーダーに対しては、一定のイメージがある。このレベルになると、少なくとも確信を持って仕事を進めているようにふるまうだけの経験や知恵を持ち合わせているだろう、と誰もが思っている。思慮深く、まっとうな戦略があり、長期的思考を実践し、理にかなった契約を固い握手とともに交わすのだろう、と。

だがときには彼らも高校生レベルのふるまいをする。幼稚園児レベルのこともある。

僕がフィリップスで初めて経営層に加わったときもそうだったし、アップルでバイスプレジデントだったとき、ネストのＣＥＯだったとき、そしてグーグルの幹部になったときも同じだった。どの仕事も一見するとまったく違うが、根幹の部分、背負っている責任はみな同じだ。何をつくっているかより、誰とつくっているかが仕事の大半を占めるようになる。

ＣＥＯは仕事時間のほぼすべてを、人に関する問題やコミュニケーションに費やす。複雑に絡み合った仕事上の人間関係や揉めごとにうまく対処したり、取締役会の助言に耳を傾けたり聞き流したり、企業文化を維持したり、身売りしたり。そして社員から尊敬される存在でありつづける一方で、忙しすぎてもう自分たちがつくっているプロダクトについて考える時間さえない状態になっても自分とチームを追い込み、偉大な何かをつくりあげていかなければならない。

本当におかしな仕事だ。

だからもしあなたが企業という山のてっぺんに登りつめ、今まさに寒さに凍え、酸欠になりそうになりながらシェルパの到着を待っている状態なら、僕が学んだことを役立ててほしい。

第二八章　ＣＥＯになる

ＣＥＯというのは特異な仕事で、ＣＥＯになる備えとしてできることは何もない。大企業のなかの大きなチームのリーダーや部門長でも、たとえＣＦＯ（最高財務責任者）やＣＯＯ（最高執行責任者）など「Ｃ」の付く立場でさえ、ＣＥＯになる準備にはならない。なぜなら、どのポジションも上に誰かがいるからだ。だがＣＥＯの上は誰もいない。ＣＥＯが会社の気質を決める。取締役会、パートナー企業、投資家、従業員など、誰もが最終的に指針とするのはＣＥＯだ。

ＣＥＯが関心を持つこと、大切に思うことが会社の重要事項になる。一流のＣＥＯは偉大な目標に向かってチームを駆り立て、チームが目標を達成できるように心を砕く。三流のＣＥＯは現状維持にしか関心がない。

世の中には大きく分けて三タイプのＣＥＯがいる。

一　**ベビーシッタータイプ**　会社を安全で予測可能な状態に保つことにしか関心がない管理人タイプ。自分が引き継いだ既存のプロダクトを成長させることに集中し、幹部陣や投資家を不安にさせるようなリスクはとらない。こうした姿勢は当然のごとく会社の停滞や劣化につながる。公開企業のＣＥＯの多くはこのタイプだ。

二　**親タイプ**　成長と進化に向けて会社を引っ張っていく。大きなリスクをとり、さらに大きなリターンを獲得しようとする。イーロン・マスクやジェフ・ベゾスといったイノベーティブな創業者はいずれも親タイプだ。だが創業者ではなくても親タイプにはなれる。ＪＰモルガン・チェースのジェイミー・ダイモン、マイクロソフトのサティア・ナデラなどが好例だ。インテルのパット・ゲルシンガーはアンディ・グローブ以来の親タイプのようだ。

三　**無能**　単に経験不足、あるいは創業者で、一定の規模を超えた会社を率いる能力がない。ベビーシッターにも親にもなれず会社は不振に陥る。

•

ＣＥＯの仕事はこだわること、気にかけることだ。それもありとあらゆる事柄について。

僕はアストン・マーティンのＣＥＯと会うために、工場に足を運んだときのことが忘れられない。午前九時、僕らが駐車場に着いたときは土砂降りの雨だった。車を停める場所を探していたとき、目の覚めるような黄色いレインコートにゴム長靴を履いた男性が急ぎ足で歩いていった。会議室で待っていると、そのゴム長の男性が入ってきた。ＣＥＯだったのだ。アンディ・パーマーは製造ラインから送り出されてきた新車を一台一台、自分の目で確かめるために大雨の中、駐車場を歩いていた。

会社の気質はＣＥＯが決める。最も重要なことは何か、何に注意を払えばよいのか確かめるために、社内のすべてのチームは常にＣＥＯと経営陣を見ながら仕事をする。だからアンディは身をもって示した。雨のなかに出て行って、エンジン、内張り、ダッシュボード、排気管などすべてを確認した。完璧ではないと思った車両にはダメ出しをした。

リーダーが顧客から目をそらし、株主向けの事業目標や数字の詰まったエクセルシートのほうが顧客のための目標よりも優先されるようになると、組織全体が一番大切なものは何かをあっさり忘れてしまう。

だからアンディはすべての社員に、自分たちが最優先すべきものは何かをはっきり示した。完璧なものをつくりあげるためならどれほどコストがかかろうが構わない、一台の車をつくるために何度工場設備を見直しても、何度やり直しても構わない、と。重要なのは、顧客の期待どおりのものを提供すること、期待を上回るものを提供することだ。

偉大な会社をつくりたいなら、あらゆるチームに最高の成果を求めなければならない。すべてのチームの働きがカスタマー・エクスペリエンスの良し悪しを握る。だからすべてが優先事項であるべきだ（第九章を参照）。

重要度が低いという理由で軽く見ても良い分野、重要ではないから凡庸な仕上がりでも許容して良い分野などひとつもない。

すべてが重要だ。

そして大切なのは、あなたの仕事への姿勢だけではない。あなたが社員全員に最高の成果を期待し、カスタマー・サポートが会社のウェブサイトに載せる記事をエンジニアリングやデザインと同じぐらい批判的な目で確認すれば、こうした記事を書くテクニカルライターはプレッシャーを感じる。そして不満を言い、うめき、ストレスにのたうちまわりながら、これまで書いたことのないようなすばらしいカスタマー・サポート用記事を書くだろう。

これは架空の例ではない。僕はネスト時代、すべてのプロダクトの重要なカスタマー・サポート記事のほぼすべてを読んでいた。こうした記事は何かトラブルに直面した顧客が最初に読むものだ。きっと焦って、イライラして、ブチ切れる直前だろう。だがカスタマー・サポートですばらしい経験をすれば、イライラは喜びに変わる。そしてこの顧客は永遠にネストの得意客になるはずだ。だから僕は「たかが」サポートじゃないか、などと軽く見ることなどできなかった。だから記事に目を通し、批判した。またそのプロセスを通じてプロダクトにかかわるエクスペリエンスについて新たな気づきを得て、プロダクトも修正した。

しかも僕はこうした記事をサポートやエンジニアリングチームのメンバーと一緒に読んだ。記事の内容に疑問を投げかけ、サポートサイトがマーケティングや営業の資料と同じぐらい明快でわかりやすい内容になっているか、全員に確認してほしかったからだ。僕は自らの行動を通じてカスタマー・サポートの仕事が重要であることを示した。彼らが書き直した記事を持ってくると、それにも目を通した。一本の記事がストーリーを伝えるようになるまで、複雑な手順を一方的にがなり立てるのではなく、顧客が理解できるようにやさしく導くような文章になるまで何度でも破り捨てた。

本当にこだわり、気にかけていることは、自分が納得するまで手放さない。最高の状態になるまで、どこまでも突っ込んでいく。

社員は何週間も辛抱強く取り組んできた成果、とことん考え抜き、誇りに思っている成果、九割方すばらしいと思えるような成果を出してくるだろう。それに対して、やり直せ、もっと改善しろ、と言わなければならない。チームは衝撃を受け、呆然とし、意気消沈するかもしれない。今のままで十分なのに、僕らがこれほど懸命にやったのに、と反論するだろう。

それに対してあなたは「十分」では不十分だ、と言わなければならない。チームは憤然と会議室から出ていき、もう一度やり直す。必要とあれば、さらにもう一度。プロダクトはあまりに複雑になり、ゼロから作り直したほうが簡単ではないかと思えるかもしれない。だがチームはプロダクトを作り直すたびに、新たなバージョンが誕生するたびに、やり直し、考え直すたびに、何か新しいものを発見する。すばらしい何か、これまでより優れた何かを。

たいていの人は九割方良くできていれば満足する。たいていのリーダーはチームの努力を無にするのは忍びないと思い、妥協する。だが九〇パーセントの出来栄えを九五パーセントにしたところで、まだ完璧ではない。最後の五パーセントをきちんとやることが目標に到達する唯一の道だ。

だから、あなたがそれを求めなければならない。自分自身に、そしてチームに。自分たちにどれほどすばらしいことができるか、社員に気づかせてやらなければならない。社員が押し戻してくるまで、押して、押して、押しまくらなければならない。やりすぎと思うくらいがちょうどいい。自分が求めているものが本当に実現不可能なのか、それとも単に途方もなく手間がかかるというだけなのか、わかるまで押しつづけよう。痛みを感じはじめるまで押しつづけ、痛みが耐え難いものになるのはどこかを見きわめよう。そこでようやく押すのをやめ、新たな落としどころを探ればいい。

容易なことではない。だがこのように注意を向け、気にかけ、完璧を目指すことによって、チームの基準は高くなる。社員の自分自身への要求基準が高くなる。しばらくするとチームは驚くほど真剣に働くようになる。それは単にあなたを満足させるためではなく、世界トップクラスの仕事をしたときに自分がどれほど誇らしさを感じるか知っているためだ。お互いに最高の成果を期待するように、組織全体の文化が進化していく。

だからこそ、経営者であるあなたの仕事は気にかけることなのだ。

あなたは関心の的であり、ピラミッドのトップだ。あなたの関心や情熱が組織の末端まで伝わっていく。あなたがマーケティングにこだわらなければ、ゴミのようなマーケティング素材ができる。あなたがデザインをどうでもいいと思えば、デザイナーもどうでもいいと思うようになる。

だから、これは戦うべき場面だろうかと思い悩む必要はない。会社のどの部分に注意を払うべきか、どの部分は気にしなくてよいか、選択する必要はない。すべての部分に注意を払う必要がある。優先順位は付けるべきだが、リストから除外してよいものなどひとつもない。どんな部分であれ、避けたり無視したりしていると、遅かれ早かれ災いとしてふりかかってくる。

ネスト時代、僕はすべてのプロダクトチーム、そしてマーケティングチームと二週間に一度、カスタマー・サポートとは毎月ミーティングを持った。そして社内のすべてのチームと少なくとも年二回はミーティングをした。人事あるいはオペレーション部門向けの社内ソフトウェアツールをつくっている社員も、どこかのタイミングでミーティングに呼ばれ、戦略を説明しなければならなかった。僕はプレゼンを真剣に見て、突っ込んだ質問をした。これを実現するのに必要なバックエンドのＩＴシステムはあるのか。この問題にはどう対処するつもりか。社内の他のチームに何かできることはあるのか。僕にできることはあるのか。

顧客の目には触れない、社内向けツールをつくっているからといって、そのチームが重要であることに変わりはない。会社にとって不可欠なツールであり、社内の顧客も社外の顧客と同じように大切に扱うべきだ。

だから僕は彼らの話に熱心に耳を傾け、集中し（会議中にスマホやパソコンをチェックしたりしなかった）、それぞれが抱えていた問題を乗り越えられるよう後押しした。たいていはそれで十分だ。

あなた自身が社内向けソフトウェアツール、ＰＲ、アナリティクス、成長戦略など、その日の会議で意見を述べなければならないテーマに精通していなくても構わない。最高の成果と凡庸な成果の違いがわからなかったら、質問しよう。僕はつまらない問い、誰もが当たり前と思っているような問い、あるいは顧客目線からの問いを投げかけるのが大好きだ。たいてい「なぜこれはこうなのか」「なぜこのやり方にしたのか」といった質問を三～四回繰り返せば、問題の核心に行き着く。そこからさらに突っ込んでいく。それでも足りなければ、改めて専門家を呼べばいい。社内から（ときには社外から）経験豊富な人材をつれてきて、あなたが十分な知識を蓄え、自分の直感を信じられるようになるまで、うすうす感じている疑問を確認してもらったり、正しい方向を示してもらったりする。

あなた自身があらゆることに精通している必要はない。だがとにかく気にかける必要がある。あなたのリーダーシップのスタイルがどのようなものであろうと、どのような性格であろうと、偉大なリーダーになりたければ、このたった一つの、大切なルールを守らなければならない。

成功するリーダーに共通する他の資質も、同じようにわかりやすいものばかりだ。

- 周囲に（そして自分に）責任を負わせ、とことん成果を求める。
- 現場主義だが、ある時点で線を引く。どのタイミングで手を引き、部下に権限を委ねるべきか心得ている。
- 長期的ビジョンを常に視野に入れつつ、細部をじっくり見る。
- 常に学び続ける。新たな機会、技術、トレンド、人に興味を持っている。金儲けにつながりそうだと思うからではなく、好奇心が旺盛だからだ。
- 失敗したら、率直にそれを認め、責任をとる。
- 周囲を動揺させ、怒らせるとわかっていても、困難な決断を下すことを恐れない。
- 自分のことを（だいたい）よくわかっている。自分の強みも弱みも、はっきり認識している。
- 主観に基づいて決定すべきこととデータに基づいて決定すべきことの違いを理解し、そのとおりに行動する（第六章を参照）。
- たとえ自分が初めからかかわっていることでも、自分の手柄にしてよいことはひとつもないとわきまえている。すべてはチームの、会社の手柄だ。リーダーの仕事は仲間の成功を心から喜び、彼らの成果として認められるように心を配り、自分自身への見返りを求めないことだと理解している。

- 他者の話に耳を傾ける。チームに、顧客に、取締役会に、そしてメンターの声に。周囲の意見や考えに注意を払い、信頼できる情報源から新たな情報を得たら自らの意見を修正する。

偉大なリーダーは優れたアイデアに気づく。たとえそれが自分のものではなくても。優れたアイデアはどこにでも転がっていること、誰もが持っていることも理解している。それを忘れる人は少なくない。自分が思いついたものでなければ、一顧だにする価値はないと考える。この手の身びいきは個人に限ったものではない。自分の会社にとらわれ、競合企業を軽く見る。わが社で生まれたのではないのなら、たいしたものであるはずがない、と考えるＣＥＯはあまりに多い。

このような思考が会社を潰す。ノキアが崩壊し、コダックが破綻した原因はここにある。アンディ・ルービンとの面談を拒否したときのスティーブ・ジョブズの思考も、おそらくこのようなものだったのだろう。

アンドロイドの創業者であるアンディと僕は、ゼネラルマジックでともに働いていたときからの知り合いだ。だから二〇〇五年の春、アップルがスマートフォンを開発しているという噂を聞きつけたアンディは、僕に電話してきた。自分の創業したアンドロイドというスマホ向けオープンソース・ソフトウェアを開発する会社に、アップルは投資する気があるか、あるいは買収に興味があるか知りたいという。

僕はすぐにスティーブのところに行った。アンドロイドには有能な人材がそろっており、すばらしいテクノロジーがある。アンドロイドのテクノロジーを使えばｉＰｈｏｎｅの開発は一気に前進するし、将来の強力なライバル候補を消すことができる。一石二鳥だ、と僕は主張した。

それに対してスティーブはいかにも彼らしい口ぶりでこう言った。「くだらないな。われわれは自分たちでスマホをやっている。他人の助けなどいらない」

スティーブがこういう反応をした一因は明らかに企業秘密を守るためだが、「ここで発明したものではない」症候群もあったのは間違いない。

だが僕はアンディをよく知っており、アンドロイドが脅威になりうることもわかっていたので、二週間後、アップル経営陣とｉＰｈｏｎｅ開発にかかわるリーダー陣のいる場で再びこの話題を持ち出した。スティーブはそんな話は聞きたくもないという態度だった。一週間後、僕はアンディにメールを送ったが、返事はなかった。一カ月後、僕らはグーグルがアンドロイドを買収したという発表を見ることになる。

スティーブがアンドロイドを買収していたら、せめてアンディの話だけでも聞いていたらどうなっていたか、想像するのは難しい。世界は今とどう違っていただろう。アップルはどう変わっていただろう。

すばらしいアイデアは自分たちからしか生まれてこないという思想は有害だ。自分たちだけがそれを一カ所に囲い込めると思うのはバカげているし、破滅的だ。

ＣＥＯにはその出所にかかわらず、すばらしいアイデアを見抜く力が必要だ。だがアップルはスティーブ・ジョブズの赤ん坊であり、それと比べればどんな赤ん坊だってバカでブサイクだ。

僕が最近読んだある研究は、起業家の自分が興した会社に対する思考パターンは、親の子供に対する思考パターンと非常に似通っていることを指摘していた。起業家は文字どおり会社の親であり、自分の実の子供のように、まるでそれが自分の一部であるかのように愛する。

ときには愛するがあまりその欠点が見えなくなってしまったり、他のやり方や考え方のすばらしさが目に入らなくなってしまうこともある。

一方で、この全身全霊をかけた愛は会社を前進させる支えとなる。

親というものは、いつまでも子供を心配し、子供のために計画を立て、もっと成果を出せ、もっと良い子であれと子供の尻を叩くものだ。親の仕事は子供の友達であることではない。いつの日か親の手を借りなくても社会に出ていき成功できるような、自立した思慮深い人間になるように育てることだ。

だから子供が嫌がることも言わなければならない。テレビを消しなさい、宿題をやりなさい、仕事に就きなさいなどと言うたびに、子供は泣いたり、わざと大きな音を立ててドアを閉めたり、泣き言を言ったりする。でも子供にキレられることを恐れていたら、まっとうな親にはなれない。

ときには子供に嫌われることもある。

同じように、ときには社員に嫌われることもあるだろう。あなたのガッツが疎まれることもあるだろう。

僕がミーティングに入っていくと、出席者が一斉にうんざりした表情を見せ、ため息をついたものだ。「ちきしょう、またかよ」と顔に書いてあった。彼らがもう聞きたくない、うんざりしたと思っていることを、僕がしつこく言い続けることがわかっていたからだ。もう九割方完成していて、これから変更するのは大変な手間がかかる（かかりすぎる）のに、僕が直感的に顧客のためにやるべきだと思っていることについて、また言われることが。

二〇人もの出席者にそんな態度をとられるのは、さすがに気持ちの良いものではない。自分が異常で理不尽な人間のような気がしてくる。不可能な要求をしているような気になる。

初代ｉＰｈｏｎｅを出荷する五カ月前に、スティーブ・ジョブズが前面カバーをプラスチックからガラスに変更しなければならないと言ったとき、僕らもスティーブに対して同じような態度をとった。あらゆるハードウェアにおいて、顧客が常に触れる前面は最も重要な部分だ。

スティーブはプラスチックではダメだと気づいた。ｉＰｈｏｎｅを偉大な製品にするためには、前面はガラスでなければならない。たとえそれを実現する方法がまるで思い当たらなくても。最適解が見つかるまで、全員が家族と過ごす時間やさまざまな予定や休暇の計画を返上し、不眠不休で働かなければならないことがわかっていても。

スティーブは親タイプのＣＥＯだった。それもとびきり押しの強い親、「タイガーマザー」だった。僕らが一丸となって努力しつづければ、解決策は見つかると確信していた。それだけの犠牲を払う価値はある、と。

実際スティーブは正しかった。少なくともこのケースでは。ただ常に正しかったわけでもない。スティーブはたくさんのリスクをとり、判断を誤ったこと、発売したプロダクトが売れなかったこともたくさんあった。初代「アップルⅢ」、ｉＴｕｎｅｓフォン「モトローラロッカー」、「パワーＭａｃＧ４キューブ」など、挙げていけばきりがない。だが失敗しないのは、たいした挑戦をしていない証拠だ。スティーブは失敗から学び、常に向上していた。その結果生まれた優れたアイデアや成功によって失敗は帳消しになった。そしてアップルが新しい何かを学び、挑戦することを要求しつづけた。

こうしてスティーブはチームの尊敬を勝ち得た。プロダクトの方針が変更され、全員が新たにとんでもない量の仕事をしなければならなくなり、それでもスティーブが一ミリ秒だって発売予定を変更してくれないことがわかっているときでも。チームは腹を立てることはあっても、完璧なモノをつくることへのスティーブの揺るぎない姿勢を尊敬していた。

ＣＥＯという仕事においては、好かれることより尊敬されることのほうが重要だ。

ＣＥＯは万人を喜ばせることはできない。喜ばせようとすれば、破滅的な結果を招くことにもなりかねない。

ＣＥＯは社員を解雇する、プロジェクトを打ち切る、組織を再編するなど、おそろしく不人気な決断も下さなければならない。断固とした措置をとったり、会社を救うために人を傷つけたり、社内の癌細胞を切除したりしなければならないことも多い。腫瘍のようなチームを怒らせたくないからといって手術を避けることなど許されない。

困難な決断を先送りすること、問題が自然と解決するのを待つこと、あるいは人柄は良いが無能な社員を雇用しつづけることで、あなたの気分は良いかもしれない。人格者のような幻想を味わえるかもしれない。だがそれは会社を少しずつ蝕み、チームのあなたへの信頼を浸食していくだろう。

その結果、あなたはベビーシッタータイプになる。子供は最初はベビーシッターを好きになるかもしれない。一緒に近所の公園に遊びに行ったり、映画を観たり、ピザを食べたりするのは楽しい。でもそれもほんの束の間だ。しばらくすると子供はもっと遠くへ行きたい、もっといろいろなことをしたいと思うようになる。スケートボードをしたい。冒険がしたい。そこでどこまで許されるか、限界を試そうとする。ベビーシッターに何かをやりなさいと言われると、うんざりした顔をする。なぜならベビーシッターは親ではないからだ。子供はみな自分を本当にわかってくれる、尊敬できる大人を必要としている。適切なタイミングで背中を押し、成長を助けてくれるような人を。

そして「こんな人になりたい」という希望や野心を投影できる誰かを必要としている。

その昔、まだあらゆる人のあらゆる情報をグーグルで検索できるようになる以前、リーダーはそういう存在だった。それはリーダーが成功できた理由の一つでもあった。人々はリンカーン、チャーチル、エジソンやカーネギーの理想像をつくりあげ、信頼し、従った。

誰もがＣＥＯとしてだけでなく、人間としてのあなたについてありとあらゆる情報を得られるようになると、部下はあなたの判断、モチベーション、考え方を理解するために、あなた自身を分析するようになる。それは仕事に集中する妨げとなり、ムダであるだけでなく非生産的だ。あなたが何かをしなければならないというとき、それはあなた自身のためではなく顧客のためだからだ。

だから距離を置くべきだ。職場の人間と親しくなりすぎないことだ。昔のように気楽にチームの仲間と飲みにいきたい気持ちがあったとしても。

「トップは孤独だ」というのは言い古された表現だが、真実だ。たいていの人はＣＥＯというのが大変な仕事だと理解している。ストレスが多く、多忙で、プレッシャーもかかる仕事だ、と。だがストレスと孤独はまた違う。共同創業者はいても構わないが、共同ＣＥＯにはなるべきではない。ＣＥＯは一人で担うべき仕事であり、とても孤独だ。

またトップであるからといって、すべてが思いどおりになるわけではない。一日のスケジュールを立て、今日こそは社員と話をしたり、プロダクトを見たり、エンジニアリングチームとミーティングを持てそうだと思っていても、気づくと一日は終わっている。常に新たな危機、人間関係のトラブル、退社を申し出る者、不満を申し出る者、精神的に限界に達する者が出てくる。

そしてＣＥＯには自分が務めをきちんと果たせているのかいないのか、決してわからない。一般社員の頃はその週の仕事を振り返り、よくやったという満足感に浸ることもできる。マネージャーになると、チーム全体の成果を振り返り、達成感や誇りを覚えることができる。それがＣＥＯになると、もしかすると一〇年後に誰かが自分の仕事を認めてくれるかもしれない、と夢想することしかできない。今自分がＣＥＯとしてきちんとやれているかは絶対にわからない。ひと息ついて、この仕事はうまくいったと思えるようなときは訪れない。

放っておくと、すべてを吸い取られてカラカラに干からびてしまう。

それと同時に、人生でこれほどの自由を味わえる仕事もなかなかない。

僕は若い頃から、周囲に自分の突飛な思いつきを支持してもらうのに苦心してきた。周囲にこれまでとは違うやり方を受け入れてもらおうと、膨大な時間とエネルギーと情熱を注いできた。アイデアが突飛なものであるほど抵抗は大きく、闘いは長く激しいものになっていった。

それでも最終的な答えはノーであることが多かった。ダメだ、タイミングは今じゃない、と。アップルが参入するはるか昔、僕は初期のｉＰｏｄに似たＭＰ３プレーヤーのコンセプトをリアルネットワークス、スウォッチ、パームに売り込んだ。そしてことごとく却下された。ダメだ、次の四半期なら、来年なら検討できるかもしれないが、と。

だがＣＥＯになれば自分で決められる。もちろん資金や人手や取締役会といった制約はあるが、ようやくアイデアへの制約はなくなる。他の人々に「できっこない」と言われたことを、ようやく試すことができる。ようやく口で言うだけでなく、行動で証明するチャンスが手に入る。

興奮でゾクゾクして、力が湧いてきて、それと同時にものすごく恐ろしい、そんな自由だ。ずっと望んでいたものがようやく手に入る、でも結果がどうであれ責任を負わなければならない、という状況ほど恐ろしいものはない。そしてあなたの立場もこれまでと逆転する。ＣＥＯになれば、何でもかんでも「イエス」というわけにはいかない。今度はあなたが「ノー」を言わなければならない。自由は両刃の剣だ。

それでも剣であることに変わりはない。この剣を使えば、周囲の屁理屈、優柔不断、お役所的な手続き、慣れや惰性を叩き切っていくことができる。あなたの望みどおりのモノをつくることができる。正しいやり方、あなたの思い描くやり方を世に示すことができる。

自ら変化を起こすことができる。

起業する理由、ＣＥＯを目指す理由はここにある。

第二九章　取締役会

あらゆる人にはボス（上司）とコーチが必要だ。前者は説明責任を果たすべき相手、後者は困難な時期を乗り越える支えとなってくれる人だ。それはＣＥＯも同じ、というよりＣＥＯこそが誰よりもボスとコーチを必要としている。企業に取締役をメンバーとする「取締役会」があるのはこのためだ。

取締役会の最も重要な仕事は、ＣＥＯの採用と解任だ。それは取締役会が会社を守るための重要な手段であり、取締役会の仕事で本当に重要なのはそれだけと言っても過言ではない。他の仕事はすべて、ＣＥＯに賢明なアドバイスや正しい方向を示すようなまっとうなフィードバックを与えるという範疇に収まる。

つまるところ会社を経営する責任はＣＥＯにある。だがＣＥＯは取締役会に対して自分がきちんと職務を果たしていることを示さなければならない。さもなければクビになるリスクがある。だから取締役会は非常に重要であり、議題をしっかりと理解し、入念な準備作業をしておくことが欠かせない。一流のＣＥＯは会議室に足を踏み入れる段階で、すでに会議の結果をわかっている。

⁂

無能なＣＥＯは取締役たちに意思決定を手伝ってもらうつもりで取締役会にやってくる。

有能なＣＥＯは、会社の過去と現在の状況、そして今四半期と将来の見通しをまとめたプレゼンテーションを準備してやってくる。うまくいっていることを報告するだけでなく、うまくいっていないこと、それにどう対処しているかも説明する。しっかり練られた計画を提示し、取締役が質問したり、異議を唱えたり、修正したりできるようにする。ときには議論が白熱したり、多少紛糾したりすることもあるが、会議が終わるまでには全員がＣＥＯのビジョンと会社の今後の方向性を理解し、承認している。

そして最後が偉大なＣＥＯだ。偉大なＣＥＯの会社の取締役会はバターのように滑らかだ。

アップルの取締役会でのスティーブ・ジョブズは、さながらオーケストラを指揮する偉大なマエストロのようだった。混乱も、対立もなし。取締役はみな、おおよそスティーブが何を言うかわかっており、笑みを浮かべてうなずくだけだった。ごくまれに「もしこうだったら?」という仮定の議論を始めるメンバーがいると、スティーブは数分間穏やかに耳を傾け、それから「この件については別の場で議論しよう。話し合うべき問題がまだたくさんあるから」と発言し、穏やかに決着する。それからいかにもスティーブらしく、おもしろくてワクワクするようなサプライズを披露する。新たなプロトタイプや初お目見えのデモなどだ。こうして誰もが満足し、スティーブはアップルを正しい方向に導いているという自信とともに会議室を後にする。

僕に取締役会の運営方法を手ほどきしてくれたのはビル・キャンベルだ。取締役会を驚かせるような、あるいは議論になりそうなトピックがあるなら、ＣＥＯは事前にメンバーを一人ひとり訪ねて問題をしっかり説明すべきだとビルはいつも言っていた。取締役はその場で質問をしたり新たな視点を提供したりすることができるし、ＣＥＯはそれを持ち帰って社内に伝え、考え方やプレゼン方法、計画を見直す時間を確保できる。

取締役会で許されるのは好ましいサプライズだけだ。事前計画を上回った、予定を上回るペースで進捗している、このクールなデモをご覧あれ！　といった具合に。それ以外はすべて既知の話であるべきだ。取締役会で新しいテーマを議論するのは避けたほうがいい。細部まで詳細に議論し、決議を採択するような時間はまずないからだ。結局うやむやで終わる。

とりわけ公開企業の取締役会はそうだ。主な要因はその規模だ。メンバーが一五人を超えることもあり、有意義な議論はほぼ不可能になる。それに加えてお役所的手続きや法律も障害となる。公開企業の取締役会は非公開企業のそれと比較してメンバーにとっても経営陣にとってもはるかに負担が大きく、また比較にならないほど込み入っている。取締役会を開くたびに、さらに一〇前後の委員会が開かれることもあり、全体として何日もかかることもある。

（銀行から、株式公開などたいしたことではない、経営者としての時間の使い方が劇的に変わるわけではないなどと言われても無視していい。ここに挙げた負担増は氷山の一角だ）

非公開企業の取締役会は一般的にもっと短く、静かで、実務やアドバイスに集中する傾向がある。所要時間は一般的に二～四時間、まれに五時間かかることもある。儀礼的、形式的な要素は少ない。スタートアップの創業初期は委員会はないほうがよく、成長期に入っても一つか二つ（たとえば財務諸表をチェックする監査委員会など）にとどめるべきだ。

非公開企業の取締役会の最大の魅力は、小規模にとどめられることだ。メンバーは三～五人が最適だ。投資家、社内の誰か、そして会社が最も必要とする専門知識を持った社外取締役が一人ずついればいい。

ただ取締役の人数が少なくても、取締役会の規模はそれほど小さくならないことを頭に入れておこう。会議室にはあなたの予想の倍の人数が集まるだろう。ＣＥＯと取締役に加えて、弁護士、会社に出資している企業から派遣される正式なオブザーバー、そして経営陣など社内からの非公式な出席者がいるはずだ。

会社が最初のプロダクトを出荷するまで（つまり通常は売り上げがゼロの段階）、取締役会の内容はきわめてシンプルだ。早急に取締役会の承認を必要とする事柄をひととおり話し合ったら、プロダクト開発の最新の進捗状況に集中する。工程表のどの段階にいるのか、支出は予算内か。要するに社内で何が起きているのか、目標達成に向けて順調に進捗しているかを議論する。

プロダクトが発売され、なんとか売り上げが入ってくるようになると、取締役会の関心はデータと社外で何が起きているかにシフトしていく。競合の動きはどうか、顧客は何を求めているのか、そして集客と顧客の維持はうまくいっているのか、どのようなパートナーシップ契約を結ぼうとしているのか、といったことだ。取締役に数字を説明するときには、物語を伝えることが一層重要になる。ストーリーを語らなければならない（第一〇章を参照）。取締役は日々あなたの会社の業務にかかわっているわけではない。コンテキストを説明しなければ細かなニュアンスや数字の本当に意味するところを理解してもらうことはできない。

取締役に会社の現状を理解してもらう作業は、ＣＥＯにとっても有益だ。何かをきちんと説明できるようになると、自分の理解も深まる。他人に教えるのは、自分の知識を確認する最善の方法だ。自分が何をなぜつくろうとしているのか説明するのに苦労したり、自分がよく理解していない報告書を提示したり、取締役からの質問に答えられなかったりするのは、会社で起きていることをあなたがよくわかっていない証拠だ。

そうなると深刻な事態に陥るかもしれない。

頻繁に起こることではないが、取締役会が自らに与えられた最も重要な、最も不愉快な任務を果たすこともある。ＣＥＯを解任するのだ。通常、問題はＣＥＯにある。実力や能力がなかったり、会社の破滅につながるような戦略を推進したりする。あるいは初めて会社をつくった創業者がそれまではなんとかうまくやっていたものの、会社が新たなステージに移行するためには違う専門知識や能力を持った誰かが必要になった、というケースもある。

ただ、ときには問題はＣＥＯではなく、取締役会の側にあることもある。

「幸福な家庭はどれも似たものだが、不幸な家庭はいずれもそれぞれに不幸なものである」（『アンナ・カレーニナ』中村融訳、岩波文庫）というトルストイの有名な言葉は、取締役会にも当てはまる。幸福で機能的で実効性の高い取締役会はいずれも比較的規模が小さく、起業したことがあり、自らの役割がメンターやコーチであることを理解した経験豊富な実務家がそろっていて、やるべき仕事を遂行する。採用や資金調達を支援したり、会社の専門知識を豊かにし、事業やプロダクトの戦略を研ぎ澄まし、会社の行方に埋まったさまざまな地雷に目を光らせ、あなたがどれかを踏んでしまいそうなときにはすぐに教えてくれる。

一方、質《たち》の悪い取締役会は姿かたちがさまざまで、つまずき方も千差万別だ。ただ、その失敗は大きく三つに分類できる。

一　無関心　取締役の大半が、会社への関心を失っているケース。投資家のなかには、たくさんの会社の取締役を同時に務めている人もいる。「うまくいくものもあれば、ダメになるものもある」というスタンスで、あなたの会社をすでにダメカテゴリーに入れてしまっている、あるいは動機づけが歪んでいる取締役もいる。投資を回収することにしか関心がなく、あなたの会社やミッションのことなどどうでもいいと思っている。ＣＥＯに問題があるのは明らかなのに、取締役会が解任という行動に出ないこともある。相当な手間がかかるからだ。書類手続きや感情的なぶつかり合いの末、新たなＣＥＯを探し、面談し、悩み、決定し、社内に発表し、メディアに発表し、企業文化の危機に対処しなければならない。だから「まあ、今のCEOだってそこまで悪くないじゃないか」と様子見を決め込む。その結果、誰も問題解決に立ち上がろうとせず、誰もが何も変わらない状況に苦しみつづける。

二　**専横的**　無関心な取締役会とは対照的に、会社経営にのめり込み過ぎ、口を出し過ぎなケースだ。手綱を強く握り、CEOが自らの意思で会社を率いていく自由を与えない。このタイプの取締役会にはたいていかつての創業者（場合によっては複数）が含まれていて、会社を自らの意のままにコントロールしようとする。その結果、CEOはCOOのようにふるまうようになる。取締役会からの指示や要求に従い、列車を粛々と運行するものの、行く先についてはほとんど口出しできない。

三　**経験不足**　会社の事業を理解せず、優れた取締役会やCEOがどのようなものか知らず、CEOを解任するどころか厳しい質問を投げかけることすらできない取締役会がこれにあたる。このタイプの取締役会は自信がなさすぎて断固とした行動をとることができない。投資会社出身の取締役は、CEOに盾突いたら次の投資ラウンドで出資させてもらえなくなるのではないか、創業者を解任するという噂が立ったらスタートアップから敬遠されるのではないか、といった不安から動けない。

経験不足の取締役会を持つ会社の多くは慢性的に資金不足だ。四半期目標は未達が続き、原因はCEOや取締役会ではなく、常に「市場」にあるとされる。取締役会は新しい人材、新たな専門知識を会社にもたらすこともできず、CEOの話にただニコニコと相槌を打ちながら、崩壊への道をまっしぐらに進んでいく。

ただ、たとえ完璧ではなくても（押しが強すぎるまたは弱すぎる、判断を誤る）、取締役会は会社のインフラとして不可欠だ。なくてはならない存在だ。

ネストがグーグルに買収されたとき、最もつらかったのが取締役会を失ったことだ。ネストの取締役会は本当にすばらしかった。規律があり、会社のことをよくわかっており、実務的で活動的だった。戦略や計画を取締役会に諮《はか》り、明確な合意を交わすことができた。「われわれは確かにこれを実行します、次のステップについては一週間以内に報告します」と。

グーグルに買収されると、ネストの大切な取締役会は解散した。それに代わるものは……何もなかった。複数のグーグル幹部から成るガバナンス委員会が設置されるはずだったが、会議は何度も延期され、開催されたとしても出席者はわずかだった。僕らが事業計画を提案すると、誰もが口々に「なるほど、もう少し時間をかけて検討しようじゃないか」と言う。議論は次の会議に先送りされるが、その会議には誰も出てこず、僕らは何もできない。

何が問題なんだ？　取締役会がアドバイスをくれないなら、自分でさっさと事を進めればいいじゃないか。ＣＥＯなのだから、と思うかもしれない。

だがそれでは解決策にならない。どれほど優秀なＣＥＯにもやはり取締役会は必要だ。会議を開く必要はないかもしれないが、賢明で熱意があり、経験豊富な人々からのアドバイスは間違いなく必要だ。企業内部の大型プロジェクトも、プロジェクトを導き、問題が起きたら介入してくれるような経営幹部から成るミニ取締役会を置くべきだ。

僕が知っていたあるアーリーステージのスタートアップでは、取締役会のメンバー五人のうち四人をＣＥＯが掌握していた。社員や親しい外部の人材を取締役に据え、採決の際に自分の思うように票を投じない者はクビにした。残る一人の取締役は問題に気づいていたが、何もできなかった。

ＣＥＯはどこまでも自由に自らのビジョンを追いかけ、事業を運営し、思い描いていたとおりのプロダクトをつくった。やがてチームをバカにしたり、顧客を怒鳴りつけたりするようになり、結局会社は潰れた。

何百万ドルという資金が失われ、多くの人材が会社を去ったが、何より残念なのは時間とリソースを無為に浪費したことだ。どこまでもムダな骨折りだった。

どれほど優秀なＣＥＯでも唯我独尊、誰も近寄れない、異議を唱えられない、誰にも説明責任を持たないような状態にしてはいけない。たとえ数カ月に一時間だけ顔を合わせる二人きりの取締役会でもいい、ＣＥＯが必ず誰かに状況報告をするようにしなければならない。

空気抜きバルブは誰にだって必要だ。ＣＥＯに対して「ノー」と言い、批判する人が必要だ。そしてＣＥＯがやるべきことをやれば、取締役会の犠牲者になることはない。自ら取締役会のあり方を決めていく。取締役会というものはＣＥＯによって変化する。スティーブ・ジョブズ時代のアップル取締役会はティム・クック時代のそれとは異なる。取締役会はＣＥＯと互いの強みを補完しあうもので、二人として同じＣＥＯはいないからだ。

だからあなたが自社の取締役を選ぶときには、次のような人材を検討しよう。

一　**種結晶**　チームを成長させていくために社内に種結晶が必要であるのと同じように、取締役会にも顔が広く、過去にも同じ仕事をしたことがあり、取締役や社員の候補としてたくさんの優秀な人材を紹介できる人が必要だ（第一六章を参照）。あなたの会社の取締役会に足りない要素を指摘し、誰に連絡をとるべきか教えてくれるか、自ら連絡をとってくれるような人だ。ネスト取締役会の種結晶は、ランディ・コミサーだった。ビル・キャンベルを取締役にすることを最初に提案したのはランディだ。僕らは人材が必要になったり、完璧な候補者を口説き落としたりする必要が生じるたびに、ランディに助けを求めた。

二　会長

絶対に必要なわけではないが、いると役に立つのが取締役会長だ。取締役会の議題を決め、議長を務め、メンバーをまとめていく。ＣＥＯが会長を務めることもあれば、取締役のうちの一人が務めることもあるし、正式な会長を置かないケースもある。僕はこの三パターンの成功例をそれぞれ知っている。ただネスト取締役会では、ランディ・コミサーが非公式な会長を務めてくれたのが非常にうまくいった。ランディは僕に代わって取締役を一人ひとり訪ね、取締役会の前に議論を尽くし、取締役会としての意見をまとめてくれた。ランディはネストのために経営幹部候補を面談し、幹部陣をそろえるのにも一役買ってくれた。会長は取締役会でＣＥＯと最も緊密に連携する。メンターであり、パートナーだ。ＣＥＯと他の取締役とのあいだに問題が生じたらとりなし、事業が困難な状況に陥って社内に不安が広がったら介入する。社内の会議に顔を出し、会社の現状についての取締役会の考えを伝える。「ＣＥＯはよくやっている、どこにも行かない」「取締役会は最近の売上状況を憂慮していないので、みなさんも心配する必要はない。次の投資ラウンドでも必ず出資する」「確かにこの人物は退職したが、会社にとって問題はない。取締役会が支持している事業計画を説明しよう」といった具合に。

三　まっとうな投資家

投資してくれる会社を選ぶのは、取締役会のメンバー数人を選ぶ作業でもある。だから数字やおカネのことしか頭になく、創造の苦しみを理解しないような投資家は選ぶべきではない（第一七章を参照）。あなたがやろうとしていることを自ら経験したことがあり、正解にたどり着くのがどれほど困難かわかってくれる人を見つけよう。夕食をともにしたいと思えるような相手を選ぼう。あなたの会社に十分な魅力があれば、あらかじめ投資会社と話し合い、取締役として送り込まれる人物を一緒に選ぶこともできる。好ましい取締役を獲得するために、金銭的に最も割の良い出資話を断る起業家もいる。

四　実務家　あなたと同じＣＥＯの立場を経験したことがあり、会社をつくり上げていくジェットコースターのようなプロセスをよく理解している。投資会社出身の取締役があなたが数値目標を達成していないことを批判しはじめたら、実務家タイプが割って入り、スタートアップ経営の現実を説明してくれるはずだ。何事も計画どおりにはいかないことを説明し、それから新たなノウハウやツールを使って新たに計画を練り直すのを手伝ってくれる。

五　専門家　あなたの会社が特許、Ｂ２Ｂセールス、アルミニウム製造など、きわめて専門性の高い分野のプロを必要としているとする。だが入社してもらうには候補者の経験値が高すぎる、あるいは別のプロジェクトにとりかかっていて抜けられないという場合は、取締役として入ってもらうことが唯一の選択肢となる。アップルが初めて小売店を出そうと決めたとき、スティーブ・ジョブズにも他の取締役にもまったくノウハウがなかった。そこでＧＡＰのＣＥＯ、ミッキー・ドレクスラーを招聘した。アップルに飛行機の格納庫を用意し、そこにアップルストアのプロトタイプをいくつか作り、実際の顧客のように店内を歩いてみてから最終的に世の中に出すものを選ぶよう勧めたのはミッキーだ（第九章を参照）。

一流の取締役は、何よりもまず優れたメンターだ。プロダクトのライフサイクル、あるいはあなた自身のライフサイクルの重要な局面で質の高い有益な助言を与えてくれる。そしてギブアンドテイクを実践する。あなたの会社の取締役を務めながら、そこから新たな学びを得ることに喜びを感じる。ただ取締役がこうして得た知識を使って、あなたの会社に不利益をもたらすことがないようにしなければならない。

ある会社の取締役に就任すると、その会社の利益のために行動する法的義務を負う。これは注意義務、忠実義務と呼ばれる。たいていの人はこの誓約を真摯に受け止める。ただ全員がそうというわけではない。

たまに自らの立場を悪用しようとする人もいる。その場合、取締役を辞めてもらう必要があり、大《おお》事《ごと》になることもある。

ただ、そうしたケースは稀だ。取締役の入れ替えは一般的に気まずく、やりにくいことではあるが、不可能というほどではない。たとえばあなたが既存の会社で新たにＣＥＯとなり、前任者の選んだ取締役会を引き継いだとき、あるいは会社に新たな専門知識を持った取締役を迎える必要があるが空席がないときなどだ。重要なのは段階的に実行すること、そしてタイムリミットを決めることだ。まず辞めてもらおうとしている取締役をオブザーバーに変更する。１～２四半期経ったところで退任してもらい、新たな取締役を就任させる。円満にことを進めるには時間と忍耐が必要だ。

そしてこれまでも述べてきたように、どれほどプレッシャーにさらされ、どれほどたくさんの会議や個別面談、計画づくりに追われていても、チームのことを忘れてはならない。取締役会の時期は全社的にストレスが高まり、誰もが何が起きているのか知りたがり、結果を気にするようになる。

だから社員をやきもきさせたり、噂話や不安が蔓延するような状況を招いてはいけない。ネストでは経営幹部の多くは僕と一緒に取締役会に参加していたので、何が起きているかをよく理解していた。また取締役会の終了後は、できるだけ速やかに取締役会でのプレゼンテーション資料を編集したうえで全社に公表した。何を議論したのか、僕はどんな懸念を伝えたのか、取締役からどんな質問が出たのか、それに対して僕らはどんな対応をするのか、といったことをすべて公開した。

そうすることで社内の足並みが揃い、おかしな噂が広まることもなかった。何かを修正することが取締役会で決まれば、担当者はすぐに取りかかることができた。

あなたが尊敬できる最高の取締役がそろえば、取締役会は実りあるものになり、会社がやるべきことに集中するための外的リズムとなり、あなたにとっては自らの考え方、スケジュール、ストーリーを見直す機会となる（第一三章の図17を参照）。

労力をかけるだけの価値はある。だからといって楽になるわけではない。取締役会の負担は誰にとっても大きい。

ジェフ・ベゾスがかつて僕に、他人の会社の取締役には絶対なるなとアドバイスしたのはそのためだ。「時間のムダだ。僕が取締役になるのは自分の会社と慈善団体だけ、以上！」とベゾスは言った。

僕は取締役就任の打診を断るたびにベゾスのことを思い浮かべる。

とはいえ、すべてを断るわけでもない。打診を受けると毎回反射的に「ノー」と思うが、ときどき、ごくまれに絶対的な「ノー」が「ノーだけど、こういう条件ならば……」に変わることもある。

あなたが最高のメンバーを集めて取締役会をつくろうとしているなら、それが互恵的な関係であることを頭に入れておこう。候補者の多くは経験豊富で、多忙で、多くの企業から声をかけられる人だろう。だからあなたの会社に加わるインセンティブを与えなければならない。自社株だけではない。

前途有望な会社の取締役になる最大の魅力の一つは、新たな消費者行動、トレンド、破壊的変化にいち早く触れられることだ。たとえば二〇〇〇年代初頭のアップル取締役のメンバーは、いち早くｉＰｈｏｎｅを目にして、それが自らの本業にもたらすであろう変化に備えることができた。

このような知識を得られることは取締役候補にとって非常に魅力が大きく、是非ともアップルの取締役になりたいという人が常にたくさんいる大きな理由となっている。もう一つの理由が、アップルの大ファンであることだ。アップルの成功に貢献したいと心から願う人は多い。アップルが自分にとって大切な会社だから、時間と労力を進んで注ごうとする。

公開企業と非公開企業の取締役はまったく違うことを覚えておこう。公開企業の取締役になるほうがリスクも負担もはるかに多いので、本当に獲得したいと思う候補者がいたら、より大きな見返りを提示する必要がある。アーリーステージの頃の取締役の大部分は株式公開のときに退任する。公開企業の取締役は株主から訴訟を起こされることもある。監査委員会、報酬委員会、ガバナンス委員会など、数えきれないほどの委員会にも出席しなければならない。会社の経営が傾いたらメディアから叩かれる可能性もある。

こうした理由から、アーリーステージの非公開企業の取締役に就任するのと、公開企業の取締役に就任するのとでは要求されるものがまるで違うのだ。

またどのような企業であれ、取締役になるのは名誉なことだ。自尊心を満たしてくれる。懐も豊かになる。だが、それを最大の目当てにするような取締役は困る。一ダース以上の企業の取締役に名を連ねている人、あるいは自らの経歴書に箔をつけたいだけの人など「セレブ取締役」は避けよう。こういうタイプはあなたの会社にすぐに興味を失うだろう。退屈し、無関心になる。あるいはあなたの会社の利益より自分の利益を優先する。

求めるべきは、あなたがつくろうとしているモノに心から夢中になってくれる取締役だ。あなたが何をしようとしているのか知りたくてしかたがないという人。取締役会のときだけ来社するのではなく、年がら年中あなたと一緒にいて、あなたを助け、成功できるようにさまざまな機会を見つけてくれる人だ。求めるべきは会社のことを心から愛してくれる取締役会、そして会社も心から愛することのできる取締役会である。

第三〇章　企業買収　する側とされる側

二つの成熟した企業同士の合併では、互いの文化が共存可能なものか否かがカギを握る。人間関係と同じように結局は相性で、互いの目標や優先事項は一致しているか、どうしても許せないことは何かが決め手になる。企業合併の五〇～八五パーセントは文化的相性の悪さが原因で失敗する。

大企業がちっぽけな会社（チームの規模は一ダースかそれ以下）を買収する場合、文化的相性はそこまで問題にはならない。ただそれでも小さな会社のほうは、自分たちが大きな組織にどのように吸収されるのか慎重に見きわめ、時間をとってこれから加わろうとしている会社の文化を理解するよう努めるべきだ。

：

僕はネストをグーグルに売却したことを後悔はしていない。ネストの経営陣も同じだ。かつてのチームで集まるときには、常にこの話題になる。僕らが唯一後悔しているのは、やろうと思ったことを最後までやりきれなかったことだ。それでもあのときは売却するというのが僕らの総意だったし、今もそれが正しかったと思っている。

あのときと同じデータを示されたら、今でもやはり売却するだろう。

最大の理由は、僕らの見立てが正しかったからだ。僕らの予想どおり、ネストがスマートホームという概念を形にしてみせたら、アップル、アマゾン、サムスンといった大手テック企業がこぞって乗り出してきた。グーグルとネストに対抗するための社内チームを立ち上げ、独自のホームプロダクト、プラットフォーム、エコシステムをつくった。ネストはグーグルと一緒になることで難を逃れたのだ。

そして当時も今も、グーグルはすばらしい会社だ。あらゆる階層がとびきり優秀な人材であふれている。グーグルのおかげで世界は変わった。それも一度や二度ではない。それを可能にしているのがグーグルの文化だ。何があってもグーグルを辞めない人がたくさんいるのは、それだけの魅力があるからだ。

ただグーグルの文化を支えているのは、検索と広告というドル箱事業だ。グーグル社内でも「カネのなる木」と呼ばれている。うなるほどの財力を手に入れたおかげで、誰もが何をやっても許される（あるいは何もしなくても許される）ようになった。あまりにも長きにわたって高収益を謳歌し、存続を脅かすようなライバルも存在しない状態が続いてきたために、節約やスリム化とは無縁で、何かに対してムキになる必要もなかった。ここ数十年、何かのために本気で戦わなければならない状況もなかった。なんて恵まれた会社だろう。

一方、ネストはファイターだった。ネストの文化はアップルのそれを土台としていた。四〇余年の歴史のなかで、何度も倒産の危機を潜り抜けるなかで培われた文化だ。ネストは自分たちのミッション、居場所、文化、流儀を守るためにいつでも戦う準備があった。

買収発表から数時間後には、ネストは顧客のために戦わなければならない状況に陥った。グーグルがネストを買収すると知った顧客は、サーモスタットに広告を流されるのではないかとパニックを起こした。新聞は、データ収集に貪欲なグーグルのことだから、ネストユーザーの家族やペットの行動やスケジュールを追跡するだろうと書き立てた。グーグルとネストは即座に共同声明を発表した。

「ネストには独自の経営陣、ブランド、文化があり、経営はグーグルから独立しています。たとえばネストの有料ビジネスモデルは、グーグルの広告に支えられた無料ビジネスモデルとは異なります。ネストは広告を否定するつもりはなく、実際に広告も出しています。ただネストのユーザー・エクスペリエンスに広告はふさわしくないと考えているだけです」

ネストの顧客対応としては正しい声明だった。だがグーグルとの関係にとっては最悪の声明だった。このツイート程度の短い（とはいえ非常に人目を引いた）文章によって、ネストは何の悪意も悪気もなく、仲間入りしたその日にグーグル全体を敵に回してしまった。多くのグーグラーは、早くも独立を宣言し、グーグルの中核事業を否定したネストを、自分たちと事を構える気満々の戦闘集団とみなした。なんだ、こいつら。グーグルらしさの欠片もないな、と。

ネストと一体となってテクノロジーやプロダクトを開発していくはずだったグーグルの各チームは協力を渋った。自分たちのプロジェクトを犠牲にしてまで本当にネストを手伝わなければならないのかと、グーグル幹部に何度も説明を求めたりした。なぜ、どうして、グーグルの一部でもないチームに手を貸さなければならないのかと。それからの数カ月、ネストが顧客に対して自分たちはグーグルから独立していると念押しするたびに、グループ内でのネストの評判は悪くなっていった。

アップルでｉＰｏｄの開発が始まった当初の数カ月がどんな状況だったか、僕は思い出すべきだったのだ。でもそんなことは考えもしなかった。ちっぽけなｉＰｏｄチームと異なり、ネストははるかに規模が大きくしっかりとした組織だったので、状況はまったく違うと思っていた。

だが実際にはまったく同じだった。当時アップル社内の抗体はｉＰｏｄチームを自分たちの時間とリソースを奪う異物ととらえ、なんとか行く手を阻もうとし、僕らの要求を無視した。

それを見たスティーブ・ジョブズが上空援護に乗り出した。ｉＰｏｄチームを妨害しようとするチームに爆弾を落とし、会社の決定を受け入れさせ、ときに怒鳴りつけながらｉＰｏｄチームが必要とするものを入手できるようにした。最終的に僕らが成功できたのは、スティーブ・ジョブズが僕らのために戦ってくれたからだ。

だがグーグルにスティーブ・ジョブズはいなかった。ラリー・ペイジとサーゲイ・ブリンはいずれも優秀で有能な起業家だが、ビジネスマンとして何度も死にかけたスティーブのような闘争心は持ち合わせていなかった。

グーグル側の担当者がミーティングに一切出てこなくなり、僕らのメールに返信もしなくなるなど、両社が計画していた統合が完全に行き詰まったとき、グーグルＣＥＯのスンダー・ピチャイは僕にこう言った。ネストが協力しようとしているグーグルのチームはどこもとても忙しくて、ネストにかかりきりになる余裕はない。そしてグーグルには各チームに仕事の進め方を一方的に指示できる者はいないんだ、時間の使い方はチームの裁量に任されているから、と。

僕は目を見開いて、スンダーをまじまじと見つめた。目の前で星がチカチカした。自動車事故に遭ったみたいだった。スローモーションのように時間の流れがゆっくりになった。頭に浮かんだのはただひと言。

「やっちまったー！」

グーグルはアップルではないこと、この規模の合併が一筋縄ではいかないことはわかっていた。グーグルとネストの文化、哲学、リーダーシップスタイルが異なることもわかっていた。でもこのとき初めて僕は、グーグルとネストがずっと、まったく異なる言語で話していたことに気づいた。

ラリーが買収交渉の場で「グーグルはこのチームに責任を持ち、ネストの目標を共有していく」と言ったのは、一〇〇パーセント本気だったと思う。でもそれをグーグル流に実行すると、チームに計画の概要だけを伝え、詳細は走りながら詰めてくれ、ということになる。あとはときどきミーティングを開いて「うまくいっているか」と尋ねるだけだ。

でも僕はラリーの言葉をアップルのフィルターを通じて解釈した。スティーブが「チームに責任を持つ」と言ったら、それは自らすべてのステップに立ち会うということ、毎週、ときには毎日現場に顔を出すということだ。全員を招集し、目指すべき場所を伝え、全員の足並みが揃っているかを確認し、落伍する者が出てきたら有無を言わせず、引きずってでも隊列に戻す。

全面協力するという約束だったのに、グーグルにはネストの上空を援護し、敵に爆弾を落としてくれる人が誰もいなかった。全面協力の意味すら伝わっていなかった。

それを理解したとき、僕はグーグルとネストは最初から食い違っていたのだと気づいた。ネストはこんな事態を予想もしていなかった。経営層が上空支援をしてくれない事態など想定外だ。拒絶反応が起きることも。

それ以外のことについては、とことん緻密に検討してきたというのに。

通常の企業買収では、必要な条件を文書化し、合意に至るまでの期間は二～八週間だ。

ネストは四カ月もかけた。

しかも売却価格については交渉が始まって一〇週間経つまで話題にすらしなかった。

投資を担当するグーグルベンチャーズ（ＧＶ）はネストの財務状況を把握しており、常にとても親身に接してくれたので、僕は金銭面については何も心配していなかった。むしろどのチームと協力することになるのか、どのテクノロジーを共有するのか、どんなプロダクトを開発するのかを心配していた。ネストはお金のためにグーグルと一緒になるのではなかった。ビジョンの実現を加速するためだ。だから常にミッションが第一、カネの問題は二の次だった。

グーグルとネストはマーケティング、ＰＲ、人事、セールスなど、社内のありとあらゆる機能を議論した。どこでシナジーを生み出せるか、生み出せないか。どのマネージャーがネストの担当になるのか。採用はどうするのか、どんな福利厚生を提供し、どの程度の給料を支払うのか、ネストはどのチームと緊密に連携するのか、そうした関係をどのように構築していくのか。

話し合いには長い時間がかかった。しまいには呆れ顔をされることも多くなった。「トニー、本気で言っているのか？　今の時点でそんな細かいことまで話し合おうっていうのか」と。もちろん、本気だ。大切なことだから。

実際、非常に重要だが見過ごされることも多い。

企業買収のほとんどは投資銀行が仕切る。そして投資銀行は買収が成立した場合のみ莫大な報酬を手にするので、とにかく早く話をまとめ、カネを受け取ろうとする動機づけが働く。社員がどんな処遇を受けるのか、細部まできちんとしておくことなど関心がない。文化の相性にもあまり関心がない。少なくとも本気で考えようとはしない。

通常は買収する側とされる側の双方が銀行を雇う。取引の細部を確認し、双方が比較可能な案件と見比べながら買収価格に納得できるようにするためだ。さらに投資銀行は市場、顧客、そして経営上のシナジーを確認していく。

ただ合併合意書で企業文化について取り決めることはできない。文化を明文化し、全員が署名するというわけにはいかない。とらえどころのない微妙な問題であり、得も言われぬ人間関係にかかわることだからだ。そして投資銀行にとって何より重要なのは取引であり、人間関係ではない。

だから大方の投資銀行は、二つの会社がじっくりとお互いの印象を確かめ、人となりを確認し、結婚前にデートを重ねることなど望まない。出会ったその日に婚約させようとする。エルヴィス・プレスリーをフィーチャーしたドライブスルー式チャペルで、ほろ酔い気分で細かいことなど気にせずに式を挙げてほしいと思っている。誰かの気が変わらないように、三六時間以内に合意をまとめ、ブルーのフリル飾りのついたタキシードに身を包んだ新郎が「次はどうするんだっけ」とぼんやりしている間に「お疲れさま」と肩を叩いて立ち去ろうとする。たとえ結婚が長続きしなくても、自分たちはきちんと仕事をしたのだからいいだろうということになる。

ネストがグーグルとの買収交渉で投資銀行を雇わなかった理由の一つはここにある。彼らが僕らほどネストのことを真剣に考えてくれないのはわかっていた。ネストのチームや出資者が長年注いできた血と汗と涙とは比較にならないほどささやかな仕事をして、見返りとして莫大な手数料を稼ぐことが目的だからだ。

それでも買収が発表された翌朝には、ネストの本社ロビーに銀行関係者がやってきた。

「昨日の発表には、ネストの代理人の銀行の名前がなかったのですが」と。

「そうですね。敢えてそういうかたちにしました」と僕は答えた。

「それで株主から訴えられるリスクがあるってこと、わかってます？」

僕は交渉はすでに決着しており、ネストには代理人の銀行は必要ないと説明した。

「なるほど。今回の案件では銀行を使っていないということなら、ウチの名前を書いておいてもらえませんか」とその銀行関係者は言った。

僕は眉をひそめ、相手の顔をまじまじと見てから立ち去った。

相手はご立腹だった。その程度の計らいすらしてくれないなんて、信じられない、と。

M＆Aを仲介する投資銀行の人々を友人と思ってはいけない。僕は小さなスタートアップ企業が資金調達あるいは事業売却のために金融業の知り合いに連絡をとり、支援を求めるケースをたくさん見てきた（特にヨーロッパで）。投資銀行はどんな願い事も叶えてくれるようなことを言うが、約束が果たされるケースはほとんどない。

さまざまな理由で銀行の助けを借りなければならないケースは確かにあるし、もちろんごくまれに善良な銀行もある。だが合併を仕切らせたり、スケジュールを決めさせたりするべきではない。

買う側か買われる側かにかかわらず、経営者であるあなたの仕事は合併する二つの会社の目標が一致しているか、両社のミッションは矛盾しないか、両社の文化に一貫性はあるかを確認することだ。両社の規模を考えなければならない。一方が他方に容易に吸収される規模だろうか。吸収される側は立ち上がったばかりの小さなチームなのか、それともセールス、マーケティング、人事といったさまざまな機能を備え、独自の仕事の進め方を確立した一人前の会社だろうか。後者であれば、機能が重複するチームはどうなるのか、社員の待遇はどう変わるのか、既存のプロジェクトやプロセスはどうなるのか。こうした確認作業には時間がかかる。

ネストのケースでは時間が足りなかったわけではないが、それでもいくつか大きな失敗を犯してしまった。

一　グーグル内での関係構築にどのような影響があるかをよく考慮せずに、顧客向けの声明を発表した。

二　買収の規模がきわめて大きかったため（総額七〇億ドル超）、成功させるためにある程度の注意義務、受託者責任は守られるだろうと思い込んだ。

三　グーグルの文化を変えるというラリーとビルの言葉を鵜呑みにして、実際にグーグル社員と話をし、グーグルの文化がどれほど根強いものか、グーグルらしさへの期待がどれほど強いかを確認することを怠った。

四　ネスト以前にグーグルが買収した企業と話をしなかった。

五　おもしろそうなプロジェクトがあればすぐに飛びつくグーグルの社員に、ネストの門戸を開放してしまった。ネストのミッションにさほど関心もなく、状況が厳しくなったらとどまるつもりはさらさらない連中で、たちまちネストの文化を損ない、ネストはグーグルらしくないと文句を言っては次から次へと問題を起こした（第二一章を参照）。

僕がグーグル内のバイスプレジデントやディレクターと事前に話をしていたら、ネストが買収された直後から一緒にやりたいと手を挙げてきたグーグラーを採用するのにもっと慎重になっていただろう。でも僕がグーグル内の友人から不文律を聞いたのは、合併から六カ月後のことだった。グーグル内でどこかのチームから優秀な人材を引っ張ろうと思えば、戦って勝ち取るしかない。ふらふら寄ってくるのは興味本位の連中だけだ。しかもグーグルは解雇を嫌うので、社内にはチームからチームへと際限なく移動しつづけるおよそ優秀ではない人材がうなるほどいる、と。

僕がモトローラ・モビリティやウェイズといったグーグルが過去に買収した会社のリーダーともっと話をしていたら、グーグルが買収した会社をどのように消化していくのか、もっとはっきりと理解できていたはずだ。ユーチューブを除けば、これまでのグーグルの大型買収の大半はおよそ成功とはいえない。買収からほどなくして僕が気づいたように、グーグルは魅力的な獲物が見つかるとすぐに目移りする。ネストに何十億ドルもの大枚をはたいたことなど関係ない。ネストを飲み込んでしまうとすぐにまた空腹になり、次の食事を探しはじめた。腹のなかにうまく収まっているか確認する時間も興味もなかった。ネストはすでに前日のディナーに過ぎなかった。

ネストが一緒にやっていきたいと思っていたグーグル内のチームの一般社員と僕が話をしていたら、彼らにとって大切なものは何か、ネストと協力することに多少なりとも興味があるのか、把握できたはずだ。グーグルらしさとはどのようなものか、そこにネストが入り込む余地はあるのか、グーグルらしさを変えられる可能性などあるのか、もっとよくわかっていただろう。

文化というのはおそろしくしぶといものだ。僕はそれを忘れるべきではなかったのだ。ビル・キャンベルの勧めもあり、ラリーはネストにグーグルの考え方そのものを変え、スタートアップの気風をもたらすことを期待した。だが文化というのは、そんなものではない。古い工場のペンキを塗り替え、従業員に研修用ビデオを見せただけで何かが変わるわけもない。工場そのものを取り壊し、新たに作り直すしかない。

死に瀕するような経験をしなければ、人も企業も本当には変われない。

企業を買収すれば、必ず文化変容が起こるわけではない。アップルが規模の大きい会社をほとんど買わないのはそのためだ。買収するのはたいてい誕生したばかりの、まだ売り上げも立たないような個別のチームやテクノロジーだけだ。容易に吸収することができ、アップルが文化の問題に悩まされることもない。財務、法務、セールスといった既存のチームが重複するのも、大規模なチーム同士を統合するという困難なプロセスも避けられる。ヘッドフォンメーカーのビーツという明らかな例外を除けば、アップルは新規事業をそっくり手に入れるのではなく、自らのプロダクトを進化させていくうえでの具体的な技術的欠落を埋めるための小規模な買収に特化してきた。

あらゆる企業買収は煎じ詰めると、その企業を買うことによって何をしたいかという問いに行き着く。人材が欲しいのか、技術か、特許か、プロダクトか、顧客基盤か、事業（つまり売り上げ）か。

それともブランドか、戦略的に重要な資産か。

　会社を売却するときも、同じ質問が当てはまる。何を求めて会社を売るのか。ビジョンの実現に向けて加速するために大きな会社のリソースを使いたいからか。金銭的利益を求めてというケースもあれば、会社として問題を抱えているため事業の価値を認めてくれる誰かに売り渡したいというケースもあるだろう。ビル・キャンベルはよく「偉大な会社というのは買われるものであって、売られるものではない」と言っていた。買収される側になるのは、自分がなんとか会社を売りたいときではなく、買い手がどうしても買いたいときにすべきだ。反対に買収を検討しているなら、進んで身を投げ出そうとする相手、必死に売り込んでくる相手には用心したほうがいい。

　とはいえ、良い企業買収にマニュアルなどない。注意を払うべき点はやまほどあるが、それは会社ごと、案件ごとに変わる。ただひとつ、難しいことを難しいからという理由で無視しないことだ。文化について何をどう議論すべきか、誰にもわからないからといって文化について議論するのを怠ってはならない。

　残念ながら、実際に組織のなかに入ってみなければ、その文化を本当に知ることはできない。男女の交際のようでもある。二人の人間が互いに興味を抱くと、まずは自分の一番良い部分を見せようとし、身だしなみに気を配る。それが同棲したり、結婚したりすると、事態は現実味を帯びてくる。妻には使った食器を数日間台所のシンクに「つけておく」習慣があるとか、夫は足の爪を切った後きちんと後始末ができたためしがないとか、この段階になって初めて気づく。

　だから買収を検討しているときには交際期間が非常に重要になる。シンクに汚い食器がたまっていないか、ダイニングテーブルの上に足の爪の欠片が散らばっていないか確認しなければならない。組織の報告体制がどうなっているのか、社員の採用と解雇はどのように行われているのか。全社員にどのような福利厚生が与えられているのか。経営理念について議論し、事業売却後に具体的に何をするのか計画を立てよう。両社を統合するのか、それとも互いの文化を切り離しておくのか。重複する機能はどうするのか。このチームはどこに移動させるべきか。このプロダクトの担当は誰になるのか。

ただ未来は予測できないものであることも常に頭に入れておこう。状況は変化する。あなたに有利な方向に変わることもあれば、逆のこともある。最終的には腹をくくらなくてはならない。契約書に署名しなければならない。すべてうまくいくと信じるしかない。

僕のアドバイスは、常に慎重な楽観主義者であれ、ということだ。信頼しつつ、裏を取るのだ。相手の善意を信じつつ、言ったことを実行しているか確認しよう。そしてリスクを取ろう。思い切って、会社を買収する。あるいは売却する。あるいはどちらもしない。怯えるのはやめて、とにかく自分の直感を信じよう（というより、怯えつつ決断しよう）。

僕らがネストを売却していなかったらどうなっていたかは誰にもわからない。自力で成功していたかもしれないし、最終的に市場に参入してきた巨大企業に潰されていたかもしれない。あるいは他の主要プレーヤーがスマートホーム・プロダクトに関心を示さず、エコシステムそのものが崩壊していたかもしれない。答えは知りえない。実験をもう一度繰り返すことはできないのだから。

そしてネストは死んだわけではない。むしろ元気いっぱいに生きている。今はグーグル・ネストとなり、かつて僕らが計画していたように完全にグーグルに統合された。今でも新たなプロダクトを開発し、新たなエクスペリエンスを生み出し、かつての僕らのビジョンを土台にした自分たちのビジョンを実現させている。僕らが望んだとおりの結末ではなかったが、あの経験から本当に多くを学んだし、悔しいが目標達成まで七割のところまで行ったのだ。ネストは今も前進し、プロダクトを生み出しつづけており、僕はそれを純粋に嬉しく思っている。

二年ほど前、とあるパーティでスンダー・ピチャイと顔を合わせた。今ではアルファベットとグーグルのCEOとなったスンダーはこう言った。「トニー、僕らがネストのブランドと名前を残そうと努力してきたことを君に知ってもらいたいんだ。ネストは間違いなく僕らの将来戦略の一部だよ」。僕はにっこり笑ってスンダーに礼を言った。わざわざ僕にそれを言いに来てくれたことに感動した。スンダーは一流の経営者で、彼がチームをしっかり見てくれていることに僕は感謝している。

僕はたくさんのことに感謝している。

サーゲイ・ブリンがネストの創業初期にグーグルに働きかけて投資してくれたこと。ラリーとサーゲイがネストを買収するためにグーグルという組織を動かしてくれたこと。業界の他の有力企業がスマートホーム・テクノロジーに注力するようになったこと。そして多くの小さなスタートアップが大手企業に負けじと頑張っていること。それによって最終的には巡り巡って、誰かが僕らのビジョンを実現してくれるはずだ。

もうひとつわかっているのは、買収後に起きたすべては個人の問題ではないということだ。そうではない、単なるビジネスの問題だ。生きていれば嫌な目にも遭う。恨みはない。拘泥するには人生は短すぎる。

僕は彼らの成功を心から願っている。

第三一章　マッサージなんてクソくらえ

社員に特典を与えすぎるのは考えものだ。社員のケアをきちんとするのは一〇〇パーセント経営者の責任だ。だが仕事への集中を妨げたり甘やかしたりするのは違う。豪華な特典をめぐるスタートアップと大手テック企業の冷戦はエスカレートする一方で、多くの会社が一日三食のごちそうや散髪を無料で提供しなければ人材は集まらないと思い込んでいる。そんなものを提供する必要はないし、提供すべきでもない。

まず福利厚生と特典は異なることを頭に入れておこう。

福利厚生　確定拠出年金（４０１Ｋ）、医療保険、歯科保険、従業員貯蓄制度、産休や育休など、従業員の生活に大きな影響を及ぼしうる本当に重要な諸制度。

特典　時折提供される特別な、そして斬新でワクワクするような楽しいサプライズ。衣類、食事、パーティ、プレゼントなど。無料のこともあれば会社が補助を出すこともある。

福利厚生をきちんと整備することは社員とその家族にとって非常に重要だ。経営者はともに働く人々を支え、その暮らしをより良いものにするよう努めるべきだ。福利厚生は社員とその家族の健康と幸せを守り、資産形成を支援する手段であり、ここには会社としてお金をかけるべきだ。

一方、特典はまったく異なる。それ自体は本来、悪いものではない。チームを驚かせたり喜ばせたりするのはすばらしいことで、ときにはそれも必要だ。ただ特典が恒常的に無料で提供され、福利厚生のようにとられると会社に悪影響を及ぼす。特典の大盤振る舞いは利益を蝕むだけでなく、通説に反して従業員の士気も下げる。特典を特別な恩恵ではなく当然の権利ととらえ、自分が会社のために何をできるかではなく、会社に何をしてもらえるかばかりを考える者が出てくる。業績が悪化したり、企業の成長にともなって特典の継続が難しくなったりすると「権利」を奪われたと腹を立てる。

そして特典を最大の売りにして人材を集めるような会社の業績は、間違いなく悪化していく。

：

あるとき友人から得意げにこう言われたことがある。「僕は妻に毎週、花束を買って帰るんだ」

おそらく感心してもらいたかったのだろう。ロマンチックだな、太っ腹だな、と。

だが僕はこう答えた。「マジで？　僕は絶対にそんなことはしないね」

僕もときどき妻に花を買って帰るが、常にサプライズ・プレゼントにしている。

毎週花束を贈っていたら数週間もすれば特別感はなくなる。数カ月もすれば、何も感じなくなるだろう。週を追うごとに相手の関心は薄れていく。

あなたが花を贈るのをやめるまで。

経営者として、社員を喜ばせるようなことは是非やるべきだ。社員の頑張りにはもちろん報いるべきだ。でも人間の脳の仕組みを理解する必要がある。特権が社員の心に及ぼす影響を考えなければならない。

社員に特典を与えるときには、覚えておくべきことが二つある。

一　人は自分がお金を払ったモノに価値を感じる。無料のモノには価値がない。だから社員が常に利用できる特典は無料ではなく、会社が一部を補助するかたちにすべきだ。

二　たまにしか起こらないことには特別感がある。同じことが日常化すれば、特別感は消失する。だからたまにしか提供しない特典は無料でも構わない。ただ期間限定であることを明確にして、サプライズ感が失われないように内容を変えるべきだ。

社員に常に無料で食事を提供するのと、時々無料にするのと、食事に補助を出すのには大きな違いがある。アップルが無料で食事を提供せず、補助を出すかたちにしているのには理由がある。社員がアップル製品を無料ではなく、割引で購入できるようにしているのにも理由がある。スティーブ・ジョブズがアップル製品を無料のギフトとして提供することはほぼなかった。社員に自分たちが手塩にかけてつくったモノの価値を低く見てほしくなかったからだ。価値のある重要なモノならば、そのように扱うべきだと考えていた。

グーグルではかつて全社員が毎年クリスマスシーズンにプレゼントとしてグーグル製品を無料で受け取っていた。スマホ、ノートパソコンやクロームキャストなど、かなり値の張るものを。そして毎年、社員はぶつぶつ文句を言った。これは私が欲しかったモノじゃない、なんだか安っぽい、去年のほうがよかった、など。だがある年プレゼントが廃止されると、みな怒り狂った。プレゼントもくれないなんてどういうつもりだ！　毎年もらっていたのに！

無料は人々の認識を歪める。すばらしいものをお得な値段で手に入れられるというのと、タダ同然で手に入れられるというのでは、受け取る側の心持ちはまるで変わってくる。

特典を無料で配るより補助を出すほうが会社の財務にもはるかに良い。社員をやまほどの無料特典で幻惑する会社はたいてい近視眼的で、特典を維持するための長期戦略を持たない。あるいは本業に本質的欠陥があり、その目くらましとして特典を使っている。フェイスブックが社員を手厚く遇するのは有名だが、その利益はすべて顧客データを広告主に売ることで得ている。フェイスブックがビジネスモデルを変更したら、収益力は大幅に低下し、さまざまな特典も姿を消すだろう。

社員が欲しがる、あるいは必要とするモノを何でも与えようとする風潮は、もともとヤフーとグーグルが始めたものだ。当初の目的は社員を大切にしたい、会社を温かく楽しい場所にしたいという善良で高潔で立派なものだった。オフィスを大学のような、むしろ大学よりも楽しい場所にしたい、肩ひじはらない心地よく落ち着ける場所にしたいという目的で生まれた。そしてグーグルが長期間にわたって莫大な利益をあげてきたため（いうまでもなく、顧客を広告主に売ることで）、世の中はこのような文化が成功の一因だと思い込んだ。こうして文化は広がっていった。今ではシリコンバレーのスタートアップの大多数が無料で豪華な食事、飲み放題のビール、ヨガのレッスンやマッサージを提供するようになった。

だがグーグル並みの利益率や売上成長率がない会社が、グーグル並みの特典を提供すべきではない。

グーグルでさえやるべきではないのだ。

グーグルは何年も前からコストを抑えようとしてきた。社員食堂の皿のサイズを小さくして、料理の取りすぎを防ぎ、ムダを抑えるという策まで講じている。だがひとたび何かが慣例となり、人々の期待値を上げてしまうと、それを引き下げるのはほぼ不可能だ。

ネストも創業初期にキッチンに無料の軽食と飲み物を置いていた。主にフルーツで、パック入りのジャンクフードは一切置かなかった。優秀な人材に毒を盛る必要がどこにある？　それに加えて週に一度か二度はタコス、サンドイッチ、ときにはもう少し豪華なランチをチームのために注文した。時折誰かが駐車場でバーベキューグリルに火を入れ、社員にディナーを提供することもあった。

だがグーグルに買収されると同時にグーグル流の食事提供が始まった。ネストは巨大な美しいカフェを新設し、毎日無料で朝食、昼食、夕食を提供するようになった。五〜六カ所のコーナーではそれぞれ異なるジャンルのメニューを出し、毎朝焼き立てパンも並べた。クッキーや菓子が社内のあちこちに置かれた。全員大喜びだった。だがそれには莫大な費用がかかった。

アルファベット体制に変更されたことでネストのコストが跳ね上がったため、僕らはカフェでの選択肢を絞ろうとした。相変わらず美味しそうな料理がたっぷり並んでいたが、ベトナム風フォーのコーナーはなくなった。一口サイズのマフィンも置かなくなった。すぐに猛烈な抗議が起きた。「これは何のマネだ？　一口サイズのマフィンをなくすなんて、ありえない！」とみんな口々に不平を言った。

カフェテリアに持ち帰り用容器を置くのを禁止したときも同じような大騒ぎになった。これは料理を持ち帰る社員の多くが、実際には残業をしていないことが明らかになったための措置だった。彼らは夕食の時間まで会社に居残り、家族全員分の食事をごっそり容器に入れるとさっさと帰宅していた。

もともと会社が夕食を提供していたのは、遅くまで猛烈に働く社員たちに報いるためだ。だがそれが無料であったために悪用する者が出てきた。タダなんだし、もともと社員のための食事だ。持ち帰って何が悪い？

ほんの二年前には、無料のタコスが提供される火曜日を誰もが特別な日だと思っていた。フルーツを詰めた箱が届くと、みな大喜びした。だが今や新たな慣例ができてしまった。

そして新たな権利意識も。

僕はグーグルのＴＧＩＦ（毎週開かれる全社員会議で、本当に何万人もの社員が出席する）で、ある社員が立ち上がって「みんなが気に入っていたヨーグルトがミニキッチンからなくなってしまった」と不満を言う場面を目にした。ミニキッチンとは、社員が誰ひとり食べ物を手にするために六〇メートル以上歩かなくてすむように、グーグルが社内各所に設置を義務づけているスナックコーナーのことだ。この社員は全社員の前で直接ＣＥＯに文句を言うことが自分の権利である、というより責任であると思ったのだ。たかがヨーグルトについて。それも無料のヨーグルトについて。なぜお気に入りのブランドがすぐ手に入る場所にないのか。いつ補充されるのか、と。

善良で気前のよい人が利用されたり、つけ込まれたりすることがあるように、会社の善意も踏みにじられることがある。社員のなかには会社から取れるモノはすべて取ろうとし、それを自分の権利だと考える者もいる。時間が経つうちに会社の文化も変化し、それを許容し、ときには助長するようになる。

僕が「マッサージなんてクソくらえ」と言ったのはこのためだ。

ネストがグーグルに買収されたとき、僕は「常に」無料で食事やバスを提供することは渋々了承した。それはグーグルの労働環境の一部であり、誰もがそれを当たり前だと考え、実際にネストの従業員にも役立つことだった。それによってネストの文化が変わってしまうのはわかっていた。みんなに質実剛健なルーツを忘れないでほしいと願うばかりだった。グーグルに買収されたことを社内に発表するときには、「変わらない」とだけ書かれたスライドを見せたほどだ。僕らはここに到達するまでやってきたことを、これからも続けていかなければならない。出資者が変わるからといって自分たちの文化や成功要因を変える必要はない、と伝えたかった。

買収が完了した後、グーグルはネストに新しい豪華で贅沢なオフィススペースを与えてくれた。僕はラリー・ペイジにお礼を言った。本当にすばらしいオフィスだ、と。そのうえでラリーだけでなくネストのみんなにこう言った。僕らには分不相応だ、と。

何かが間違っている気がした。僕らはまだこのオフィスにふさわしい成果を挙げていない。この建物はすでに実力を証明した収益力のある会社が入居すべき場所だ。しばし肩の力を抜いて、窓際や一番見晴らしのよい席に座るのは誰か言い争うヒマのある人々のための場所だ。だがネストはそういう会社ではない。ミッションに集中し、毎晩遅くまでオフィスに残って問題を解決したり、行く手を阻むさまざまな障害を克服する方法を見つけ出すのに必死な会社だ。

僕は社員を自分たちがつくろうとしているモノ、実現しようとしているビジョンに集中させたかった。特典や過剰なサービスに目を奪われずに。

だから会社の資金を使って社員に無料マッサージを提供するなんてありえなかった。

それは事業を構築していくために使うべき資金だ。営業黒字化するために。もっと優れたプロダクトをつくるために。強靭で健全な財務体質を保ち、社員の雇用を維持するために。そして社員に職場外での生活を充実させてもらうために使うべき資金でもあった。社員が離れがたくなるようにオフィスを贅沢にするのではなく、僕らは社員とその家族にとって価値のある福利厚生を整えることにお金をかけた。より充実した医療保険、不妊治療など社員の生活に大きな恩恵をもたらすような保障だ。

特典を与えるときにも、福利厚生と同じように有意義な目的に使われるように心を配った。社員をオフィスにつなぎとめようとはしなかった。代わりに家族との食事、週末の旅行に補助を出した。また社員のネストでのエクスペリエンスを本当の意味で改善する機会や、社員がともに新しいアイデアや文化を経験し、同僚から友人へと絆を深められるような機会には惜しみなくおカネを使った。ネスト社員なら誰でもクラブに加入し、楽しいイベントを開くための補助を申請することができた。全社員向けのバーベキューを企画したり、駐車場の半分を使ってヒンドゥー教の色の祭「ホーリー祭」を開いたり、毎週のようにレベルアップしていく紙飛行機大会を主催したり。

だが組織内にグーグラーが増え、ネストの社員がグーグルではどのような特典が日常的に提供されているかを知るにつれて、社内では特典を巡って激しい議論が起こるようになった。なぜグーグラーは無料でマッサージを受けられるのか。なぜグーグラー向けの通勤バスは便数が多く、遅い時間に出社したり、昼食後すぐに退社したりできるのか。なぜ彼らは勤務時間の二〇パーセントを自由に使えるのか（社員は勤務時間の五分の一を本来の業務以外の興味のある社内プロジェクトに使える、というグーグルの有名なルール）。自分たちにも二〇パーセントルールを適用してほしい！

それはできない、と僕は言った。ネストでは全員が一二〇パーセントの力で仕事をする必要がある。僕らはまだプラットフォームを構築し、収益化を目指している段階にある。そこまで到達して初めてネストから給料を貰いながらグーグルのプロジェクトに参加したり、無料のマッサージを導入したり、午後二時半に退社したりといった話ができる。当然ながら僕の立場は新たにネストに加わった社員には不評だった。

でもネストとしてまだやるべきことがやまほど残っている段階で、グーグル的な権利意識が浸透してくるのを認めるわけにはいかなかった。グーグル社員が当然と思っているからというだけの理由で、ネストの特典を増やすつもりはなかった。

グーグル社員のエクスペリエンスはふつうではない。現実ではないのだ。贅をつくした本社グーグルプレックスの建築家として知られるクライブ・ウィルキンソンでさえそれを認めている。自らの代表作であるグーグルプレックスを、今では「基本的に不健全だ」と評する。「持てる時間のすべてを職場で過ごしながらワークライフバランスを実現することなど不可能だ。それは本物ではない。一般の人とは世界とのかかわり方が違ってくる」

これは超富裕層が直面するのと同じ問題だ。少しずつ感覚が上にずれていき、ふつうの人が抱えるふつうの問題から遠ざかっていく。公共交通機関を使う、食事を自分で買いに行く、街を歩き、自宅のＩＴシステムを自ら設定し、一ドルの価値がニューヨークとウィスコンシン州とインドネシアではどう違うのか*を確かめてみる。そんな具合に地に足のついた生活を心がけなければ、顧客の困りごとを解決しようにも、そもそも日常的に何に困っているかが理解できなくなる（第一五章を参照）。

見失ってしまうのは顧客だけではない。提供される特典が増えるほど、社員が会社にとどまる理由もぼやけていく。仕事を心から愛し、何かを生み出すことにやりがいと喜びを見いだし、猛烈に働くことに何の不満も持っていなかった人々が、グーグルやフェイスブックのような大企業に入ったことで自分を見失ってしまうケースを僕はたくさん見てきた。まわりの人間がタダでたくさんの恩恵を受けているのを見ると、自分も欲しくなる。でも特典を受け取ることで得られる満足感は長続きしない。ありがたみは徐々に薄れていく。だからさらに多くを手に入れようとする。それが最大の関心事になる。モノをつくること、仕事へのこだわり、意味のある何かを生み出すこと、仕事を心から愛することはどうでもよくなっていく。

その元凶がいまいましいマッサージなのだ。

誤解のないように言っておくと、マッサージそのものを否定するつもりはない。僕自身マッサージは大好きだし、しょっちゅう利用している。みなさんにも是非オススメしたい。だがマッサージを提供するのは会社の責任だという発想を、会社の文化として受け入れてはならない。未来永劫無料でマッサージを受けられるという約束を従業員にしてはならない。特典を会社の売りにしたり、特典が会社の足を引っ張るのを許してはならない。

特典はケーキの表面を飾るフロスティング（砂糖衣）のようなものだ。異性化糖のかたまりだ。多少の摂取に目くじらを立てる必要はない。誰だってときには少し甘いものを食べたくなる。だが朝から晩までそれを食べつづけたところで、幸せにはなれない。ディナーより先にデザートを食べるべきではないのと同じように、会社が実現すべきミッションより特典が先に来るのはおかしい。社員の心を満たし、会社のエネルギー源となるべきはミッションだ。特典は表面にパラパラとまかれる粉砂糖にとどめるべきだ。

＊　このウェブサイト（www.gapminder.org/dollar-street）で、世界各地の月収や暮らしぶりを見てみよう。人々の暮らしがどれほど違っているか、また類似しているか学ぶことのできるすばらしい資料だ。

第三二章　ＣＥＯを辞める

ＣＥＯは国王や女王ではない。終生その座にとどまるわけではなく、いずれ退任しなければならない。次のような状況になったら身を引くことを考えよう。

一　**会社あるいは市場が大きく変わった**　スタートアップの創業者のなかには、大企業のＣＥＯには向いていない者もいる。特定の問題には対処できても、それ以外には対応する能力のないＣＥＯもいる。すべてが大きく変わってしまい、会社をどうやって経営すべきかわからない、実行すべき解決策は自分の得意分野から大きく外れているというなら、おそらく辞め時だろう。

二　**ベビーシッターＣＥＯになってしまった**　常に新しいことに挑戦し、会社を成長させようとするのではなく、現状維持モードに落ち着いてしまった。

三　**ベビーシッターＣＥＯにされてしまった**　取締役会から大きなリスクをとるな、ただ粛々と列車を運行せよと要求される。

四　**明確な後継者育成計画があり、会社の業績が堅調**　すべてが順調で、幹部のなかに一人か二人、さらに上のポジションに就く準備が整った者がいるならば、彼らのために場所を空けるべきタイミングかもしれない。前向きなムードのなかで、信頼できる相手にバトンを渡すかたちで退任するよう心がけよう。

五　限界が来た　ＣＥＯは誰にでも務まる仕事ではない。もう我慢できないと感じるのは、別にあなたが失敗したということではない。他にもっと有益なことができると気づいただけであり、それをもとに大好きになれる仕事を探せばいい。

•

ＣＥＯの母親に電話をかけなければならなかったことが一度だけある。

僕の投資会社フューチャー・シェイプは、このＣＥＯの会社に投資していた。会社のビジョンはすばらしく、大きな可能性を秘めていた。ただこのＣＥＯにとっては初めて立ち上げた会社で、とてもその役割を果たせる器ではなかった。僕らのフィードバックを聞き、自らの非を認め、二度と同じ失敗をしないと誓うものの、当然のように繰り返した。まともに話を聞くことも学習することもなかった。一八カ月以上にわたって個人として、また職業人としてコーチングに励んだが、状況は悪くなる一方だった。ミーティングで社員をこき下ろし、廊下で言い争いをし、顧客にまでケンカを吹っかける始末だった。我慢にも限度がある。そこで取締役会はＣＥＯをクビにした。

だがＣＥＯは頑として辞めなかった。

僕らはアメとムチの両面から説得を試みたが、耳を貸さず、譲らなかった。そして僕らに脅しをかけてきた。弁護士を雇い、取締役会、会社、そして自分に投資してくれた人々を訴える準備を始めたのだ。

そこで僕らは彼の母親に電話をかけた。説得できるとすれば母親だけだろうと踏んだのだ。訴訟を起こしたらどうなるか、母親に説明した。取締役会も本気で逆提訴するので、ＣＥＯが投資家を欺いていたことが明るみに出て二度と起業資金を集められなくなるだろう。再就職先を見つけることすら難しくなるかもしれない。

ほぼ一年にわたるすったもんだの末に、ＣＥＯの首に鈴をつけたのは母親だった。

だがあまりにもつらい経験だったので、僕らはこのＣＥＯを出禁にし、会社に金輪際かかわらせないようにした。ミッションを実現するためのすばらしい可能性を秘めた優秀なチームを守るには、そうするしかなかった。

同じ手続きが、別の会社では二分で終わった。僕らがＣＥＯに退任を求めると、相手はため息をついて微笑んだ。「ありがとう。肩の荷が下りたよ」

ごく少数の創業者ＣＥＯが信じられないような富と名声を手に入れたことから、起業家から大企業経営者へ、さまざまな段階を経て（うまくやれるかどうかは別として）進化していくのは自然なことだと思われがちだ。それは必然である、と。スタートアップを創業したら、きちんとした会社に育て、最終的に大企業になるまでずっととどまるのが当たり前だ、それが目的で会社をつくるんじゃないのか、と。

しかし友達五人で集まって起業するのと、一〇〇人規模、そして一〇〇〇人規模の会社をつくるのはまったく違う。誕生したばかりの会社の創業者の仕事と責任は、それから何年も経って大きくなった会社のＣＥＯとは真逆である。

あらゆる創業者に、あらゆる段階の会社のＣＥＯが務まるわけではない。

大企業はもちろん中規模の会社をどう経営すればいいか、わからない創業者もいる。周囲にまっとうなメンターがいない、チームを構築したり、顧客を集めたりする方法もわからない。だからそうした仕事が降りかかってくると、たいていは自分がヒラ社員の頃に得意としていた仕事に没頭し、ＣＥ

Oの本当の責任を放棄し、取締役の警告に耳を傾けず、もがき苦しみ、やがて自爆する。つらいが貴重な経験だ。多くの起業家がそこから学び、再び挑戦し、たいていはもっとうまくやれる。僕もそうだった。

ただ、こうした経験は避けられるものだ。自分が破滅に向かってまっしぐらなときは、そうとわかる。周囲を見渡し、自分の置かれた状況を把握すればいい。そして対処すればいい。何が起きているかを認め、身を引くのだ。

だが破滅寸前のCEOの多くは、ぎゅっと目をつぶり、墜落の瞬間を待つ。CEOであることへのプライド、それまで注ぎ込んできた時間や努力が邪魔をする。会社のトップになるために人生を賭けてきた人も多い。それが自尊心やアイデンティティの軸になっていて、それを手放すこと、身を引くことを考えただけで恐怖を覚える。

それは初めて会社を興した創業者でも、何十年もトップを務めてきた経営者でも変わらない。自尊心というのはとんでもない麻薬だ。

一部のCEOが（ときには創業者でさえ）フジツボ化していくのはこのためだ。長年CEOを務めてきて、仕事への情熱などとっくに失ってしまったのに、いつまでもその座にしがみつこうとする。そんな人を僕はどれだけ見てきたかわからない。親タイプのCEOが、それまで自らが築き上げてきたものを守ること、自分の立場や現状を維持することしか念頭にない、ベビーシッタータイプに変わってしまう（第二八章を参照）。

こうしたCEOは自らを欺く。以前のような熱意を感じなくたって構わない、最初のころあれだけ働いたんだから、今は少し肩の力を抜いて恩恵に浴したっていいじゃないか、と。

だがCEOの仕事というのは、そういうものではない。

会社を常に先へ先へと引っ張っていくことや、会社を若々しく活力のある状態に保つために新しいアイデアやプロジェクトを考えることがＣＥＯの仕事だ。それから創業当初に解決しようとした問題に取り組むのと同じくらいの熱量で、こうした新たなプロジェクトに打ち込む。周囲はその姿を見ながら中核事業に集中し、これまで会社が生み出してきた要素を最適化していく。

それに心が躍らないなら、自ら新しいアイデアを生み出したりチームが出してきた大胆なアイデアを受け入れることができないのなら、それはあなたがベビーシッターになったことを示す明確なサインだ。辞め時である。

ベビーシッターＣＥＯでいるのは平穏だが、そこには何の喜びもない。それ以上にまずいのは、チームにとって、会社にとって有害であることだ。

ただそうした実態は、必ずしも誰の目にも明らかなわけではない。ときには取締役会がＣＥＯにＣＯＯのようなふるまいを強要する。すべてを安定させておけ、すべてうまくいっているのだから、なぜリスクをとるのか、と。株主を怯えさせるな、われわれが一番よくわかっているのだから、言うことを聞いていればいい、と。

それこそまさに僕がグーグルで直面した事態だ。だから辞めたのだ。グーグルがネストを売却しようとしたから、あるいは親タイプのＣＥＯとしてふるまうのを止めようとしたからだけではなく、ネストチームへの警告として辞めた。箝口令《かんこうれい》が敷かれていたので、非常にまずい事態が起きていることをみんなに話すわけにはいかなかった。だが自らの行動を通じて示すことはできた。

「船長は船と命運をともにすべきだ」と言われる。僕に言わせれば寝言もいいところだ。船が明らかに沈もうとしているなら、乗客はおそらく気づくだろう。その時点では全員が安全に救命ボートに乗り移るまで船にとどまるのが船長の仕事だ。しかしあなたがＣＥＯあるいは経営幹部の一員として誰よりも早く水位上昇に気づくことのできる立場にあるのなら、チームにはっきりとしたシグナルを送り、危険を知らせる責任がある。そしてＣＥＯが辞める以上に、何か大変なことが起きていることをはっきりと知らせるシグナルはない。

警告のサインとして使える手段が、退任の手紙しかないときもある。

もっとはるかに深刻な事態もある。あなた個人の問題でも、チームや会社だけの問題でもない。市場そのものが変わってしまうこともある。地球という惑星のルールが変わってしまい、ＣＥＯとして自分が経営してきた会社そのものが、新たな世界では意味のない存在になってしまうこともある。石油やガス会社の経営者は、いままさにそんな状況にある。自動車メーカーも然りだ。新たなモデルが必要とされるときだ。

そこでは新たな血が必要とされる。

優れたＣＥＯは遅かれ早かれ迫りくる変化に気づく。それは自分個人の変化のこともあれば、会社や世界の変化であることもある。そして後継者育成計画を策定する。

足元の絨毯《じゅうたん》がいつ何時引っこ抜かれるかはわからない。産業そのものが変化することもあれば、あなた自身がＣＥＯの仕事に倦《う》んだり、あるいはバスにひかれたりすることもある。だから遺言を作り、将来的に安心して会社を引き継ぐことのできそうな経営幹部やＣＯＯを採用する必要がある。

たとえ非常事態下であっても、新たなＣＥＯへの代替わりはできるだけスムーズで、自信に満ちたものにしたい。

とはいえ非常事態が発生するまで退任を先送りすべきではない。自らの成功を、永遠にＣＥＯの座にとどまる許可証のようにとらえてはならない。周囲を見渡し、自分の築き上げたすばらしいチームや会社を眺め、「そうだ、これこそ自分の求めていた成功だ、絶対にこの場を動かないぞ」などと思ってはならない。

ＣＥＯの仕事とは、そういうものでもないのだ。あなたが築き上げてきたチームは、さらに上を目指そうとしている。そんな組織の頂点に今いるのがあなただ。これ以上キャリアアップする余地がないと思えば、優秀なメンバーは会社を去り、別の機会を探すだろう。

そして良い時期というのは長く続かない。上げ潮はいずれ必ず下げ潮に変わる。そして退任するのは物事がうまくいっていて、後任ＣＥＯに胸を張って会社を引き渡せるタイミングにしたい。取締役会からクビを切られて、パニックに陥っているときに放り投げるようなことは避けたい。

本書執筆中にバイトダンスの創業者兼ＣＥＯであり、動画投稿サイト「ＴｉｋＴｏｋ」をつくった張一鳴《チャン・イーミン》が退任を発表した。ＴｉｋＴｏｋの人気がかつてないほど高まっているさなかに。張がＣＥＯとして誰もがうらやむような絶頂期にあるさなかに。だが張は変化が訪れようとしているのを察知した。今回は社内の変化だ。張はもうＣＥＯの仕事を続けたくないと思った。自分には合わない、と。「正直に言って、僕には理想の経営者に必要な資質がいくつか欠けているんだ。僕は組織や市場のルールを分析するほうに興味がある」

このような自己認識や合理性こそが、偉大なリーダーの条件だ。張は自らのエゴではなく直感に従って、正しい道を選んだように見える。

そしてこういう状況で退任した張には選択肢がある。完全に会社と縁を切って新たな会社を立ち上げてもいいし、取締役に転じて取締役会の一員として会社の今後に影響力を持ち続けることもできる。あるいは会社内にとどまり、別の役割を担うこともできる。創業者ＣＥＯにまつわるよくある誤解のひとつに、ひとたびＣＥＯを務めたらもうＣＥＯ以外はできない、というものがある。ＣＥＯになった人は、その座を絶対に手放さないという意味だ。でも実際にはＣＥＯをいったん辞めて戻ってくることも可能だ。

とはいえ創業者がＣＥＯを退任した後も会社に残っていると、厄介な状況になることもある。創業者がかなり慎重にふるまわないと、新たなＣＥＯとその他の経営幹部に迷惑がかかる。同じことが共同創業者にもいえる。自分たちが意見を述べるだけで社内対立を引き起こす可能性があることをよく認識しておくべきだ。自分たちがどう見られているか、どの会議に出席し、どんな言葉を使い、どんな提案をするか、それがあくまでも提案であって指示ではないことがきちんと伝わっているか、注意しなければならない。自分たちの役割をとことん明確にしておくべきだ。そうしなければ知らず知らずのうちに（あるいは意図的に）社内に派閥をつくってしまう。創業者を支持する集団とＣＥＯを支持する集団と。誰もが動揺し、混乱し、腹を立てることになる。

僕はある会社でそんな事態を目の当たりにした。創業者が退任し、後継者選びにも手を貸した。だがその後も頻繁に会社に顔を出し、廊下で誰彼となくつかまえては思いつくままにフィードバックを与えた。それが指示なのか単なる提案なのか、すぐに対処したほうがいいのか単なる親切心からのアドバイスなのか、誰にもわからなかった。「ＣＥＯはいつでもすげ変えられるが、創業者は違う。だから創業者の言うことを聞くべきなんだろうな？」

ＣＥＯは不満を募らせ、社内は激しく混乱した。そこで新たな合意が取り交わされた。ＣＥＯが会社を経営し、創業者は身を引き、社内とのコミュニケーションはＣＥＯを通じてのみ行う、と。それでうまくいった。誰もが安堵の吐息をもらし、状況は改善しつつあった。

だがそれは二週間しか続かなかった。

創業者がまたしても社内の会議に顔を出しはじめたのだ。誰もががっくりした。「またかよ」と。

意気消沈もいいところだった。

輝かしい二週間のあいだは、社員はみな自分が何をすべきか、誰に相談すべきか、会社の方針はどうなっているのか、明確にわかっていた。だがまたしても未来は不透明になってしまった。退職する社員が出はじめた。創業者に面と向かって「会社にかかわらないでください。あなたも、あなたのアイデアも大好きですが、あなたのせいですべてが悪い方向に向かっている」と言える者は一人もいなかった。

創業者は自分がＣＥＯや中核チームの仕事を簡単にぶち壊してしまえることを認識しておく必要がある。単なる一取締役になると決めても、やはり慎重にふるまうべきだ。もうチームのリーダーではない。コーチ、メンター、あるいはアドバイザーになる。その発言は、あまたある意見のひとつになる。

誰にとってもつらいことだ。だが会社とのあらゆるつながりを断たなければならなくなるよりずっといい。あなたの大切な赤ん坊がオオカミの群れに放り込まれるというのに、立ち去ることしかできなくなったら、それこそ耐え難い苦しみだ。

僕はネストを去るとき、全社員を対象とするオールハンズ・ミーティングを招集した。すばらしいチーム、リスが走りまわり雨漏りのするガレージで、何もないところから、ゼロからともに会社をつくりあげてきた何百人という情熱的で優秀な仲間たちが集まり、じっと僕を見ていた。その姿を見ていると涙があふれてきた。僕は辞める、とその場で伝えた。

あとはグーグルのやりたいようにやらせるしかない。

会社を去るとき、本当にナイフで胸をえぐられるような思いがするのは、後任が「やりたいようにやる」のをなすすべもなく見ていなければならないときだ。対立の結果退任することになった場合は特に。新たな経営陣は自分たちの色を出すため、そして前任者の痕跡が何ひとつ残らないように、あなたの育ててきたプロジェクトを粉々に打ち砕くだろう。壁に掛けられた創業者や創業チームの写真まで取り去るだろう。そうなることをわかっていても、出て行かなければならない。

そして一人で身もだえして苦しむのだ。

創業者にとって自分のつくった会社を出ていくのは死ぬようなものだ。時間、エネルギー、自分の持てるすべてを注ぎ込んできたのに、何もかもが突然消えてしまうのだ。体の一部を切り取られたような。ともに成長してきた心から愛する幼馴染を永遠に失うような。

新たな生活はどうにも空疎だ。しんとしている。それまでは昼も夜もやることがやまほどあったのに、今は……何もない。

最悪の気分だ。絶望的だ。だが気を紛らわすために、すぐに新しい仕事に取りかかるのはやめよう。仕事をしないまま一日が過ぎるごとに、自分の市場価値が落ちていくのではないかという不安に負けてはいけない。この気持ちは通常、雇用市場の実態とは関係なく、自己疑念から生じている。多少の休みをとったからといって、それで社会のあなたを見る目が変わるわけではない。優秀な人材の不足は深刻だ。ＣＥＯ職を経験した、優秀で献身的な人材ならなおさらだ。だから再びＣＥＯを目指したいなら、それが不可能だなどと思うことはない。

ただ経験したこととときちんと向き合い、回復し、そこから何かを学習するのに必要な時間と内省を省いてはいけない。あらゆるものには半減期がある。

僕の経験では、たいていの人は何か新しいことを考えられるようになるまで、一年半ほどかかる。近親者が亡くなった後、一二カ月間は喪に服す文化があるが、とても理にかなっている。そのような喪失を受け入れるには、それだけの時間がかかるのだ。

初めの三～六カ月は、最初の衝撃、否認、ときには怒りを乗り越え、あなたの大切な赤ん坊への新たな経営陣の仕打ちに歯ぎしりしたり髪をかきむしったりしているうちにじりじりと過ぎていく。多忙を理由にずっと無視していた雑事をこなすのにも相当な時間がかかる。それをやり尽くしたところで、ようやく過去に煩わされず、退屈を感じはじめる。これは必要なステップだ。新たに夢中になれることを見つけるには、まず退屈を感じることが絶対に必要だ。

再び世界とかかわりを持ちはじめるまでには、そこからさらに六カ月はかかる。以前ほど「どこを間違ったのだろう」と思い悩まなくなり、新しいことを学んだり、さまざまなことに再び好奇心をかきたてられたりするようになる。

それからの六カ月で、自分の人生を新たな目で見つめ直すことを始めたらいい。いろいろなことに興味を持ち、ワクワクしよう。次に何をするか、考えはじめよう。一年前に飛び出した競技場にそのまま戻る必要はない。一度ＣＥＯを務めたからといって、またＣＥＯにならなければならないわけではない。自分のために新たな機会を見つけること、生み出すことはいつだってできる。人はいつだって学び、成長し、変わることができる。

時間をかけて、自分がこうなりたいと思う人間になっていこう。社会人として最初の一歩を踏み出したときと同じように。キャリアの岐路において、いつもそうしてきたように。

おわりに　自分を超える

突き詰めると、重要なものは二つしかない。プロダクトと人だ。

「何を」つくるか、そして「誰と」つくるかだ。

あなたがつくるもの、あなたが追い求め、そしてあなたをとらえて離さないアイデアこそが、最終的にあなたのキャリアを形づくっていく。そしてそうしたアイデアをともに追いかける人々が、あなたの人生を形づくっていく。

チーム一丸となって何かをつくるのは、本当に特別な経験だ。何もないところから、混沌としたところから、誰かの頭のなかのたったひとつのひらめきから、プロダクトが、事業が、文化が生まれる。すべての条件がうまく整い、タイミングが良く、そして大きな幸運に恵まれれば、あなたは自分の信じるプロダクト、自分とチームのすべてを注ぎ込んだプロダクトを生み出すために戦うことができる。プロダクトはよく売れ、広く普及していく。それは顧客の抱える問題を解決するだけでなく、大いなる力を与える。本当に破壊的でインパクトのある何かを生み出せれば、それ自体に新たな生命が宿る。そこから新たな経済、新たな交流の手段、生き方が生まれる。

あなたのプロダクトが世界を変えるようなものではなくても、影響範囲や利用者が限られていても、一つの産業を変えることはある。何か他人とは違うことをしよう。顧客の期待を変えてしまおう。業界の基準を引き上げよう。それによって市場が、エコシステム全体が良くなっていくかもしれない。

あなたのプロダクト、あなたがチームとともに生み出したモノが、予想をはるかに超える結果をもたらすかもしれない。

あるいは、もたらさないかもしれない。

失敗に終わるかもしれない。

ゼネラルマジックの二の舞を演じるかもしれない。すばらしいビジョンと惚れ惚れするようなアイデアが、タイミングを誤り、テクノロジーが未熟で、顧客の理解も根本的に誤っていたために潰《つい》えてしまう。

あるいはあなたのつくったプロダクトは成功しても、会社はダメになってしまうかもしれない。自分の会社を興すために猛烈に働き、次々と起こる人間関係や組織設計の問題に対処し、果てしないミーティングをこなすことに持てる時間のすべてを費やす。そして手塩にかけて磨き上げたこの宝石を、慈しみ、さらに磨き、輝かせると約束してくれる人々に譲り渡す。それを彼らは手を滑らせ、土の中に落としてしまう。

そういうこともある。

成功は保証されてなどいない。どれほどすばらしいチームがそろっていても。どれほど真摯に取り組んでも。どれほどプロダクトがすばらしくても。すべてが崩壊してしまうときはある。

だがあなたのプロダクトが死んでも、あるいは会社が死んでも、あなたがつくったものの重要性が変わるわけではない。それが大切であることに変わりはない。あなたは自分が誇れる何かをつくったうえで会社を去る。挑戦したうえで、何かを学び、成長したうえで。自分のアイデアをまだ実現されていないポテンシャルごと抱えている。そしてもう一度挑戦する機会を手放さないでいる。

仲間も手放さないでいる。

僕は今でもゼネラルマジックで出会った友人たちと仕事をしている。フィリップスで出会った友人、アップルで出会った友人、ネストで出会った友人とも。

プロダクトは変わり、会社も変わったが、友人との関係は変わっていない。

そして今では人との関係が僕の人生で一番大切なものになった。今の僕のプロダクトは人だ。

ネストを去った後、僕は投資会社フューチャー・シェイプを立ち上げた。「資金付きのメンター」を標榜《ひょうぼう》している。社会、自然環境、人間の健康を劇的に改善すると見込んだ会社に、自己資金を投資する。そしてすべてのベンチャーキャピタルが約束はするが、実際に提供することはまずないものを提供する。経営者個人と向き合うのだ。彼らが本当に助けを必要としているときに、ときには彼らがそうと気づく前に助ける。

とはいえ僕はメンターをしている人々から、自分が教えるよりはるかに多くを学んできた。多種多様な産業や事業について、農業、水産養殖、材料科学、マッシュルームレザー、自転車、マイクロプラスチックについて。新たなチームや創業者と出会うたびに、新たな世界が開けていく。

この仕事には僕がこれまで生み出してきた何よりも、世に送り出してきたどんな製品よりも意義がある。すばらしい人々との出会いがある。ありとあらゆるイノベーションの中心にはすばらしい人材がいる。彼らは世界を変える。世界の問題を解決する。彼らを助け、投資し、メンターを務めるのは、僕が経験してきた仕事のなかでおそらく最も重要なもののひとつだろう。

振り返ると、それが常に僕の仕事のなかで一番重要な部分だったのだと気づかされる。

アップルの幹部あるいはネストのCEOという仕事の最大の魅力は、多くの人の役に立てることだ。そこには深い喜びがある。社員とその家族の暮らしを支える。社員自身、あるいはその子供や親が病気になったときに支える。そして社員とともにコミュニティをつくる。高い品質、強い意志、イノベーションを重んじる文化をつくりあげる。たくさんの人が生き生きと働き、才能ある人々が何かを生み出し、失敗し、学び、ともに成長していける場だ。

ネストに入社したときはできることが一つしかなかったが、退社するときには自分には何でもできるという自信を得ていたという人は多い。

彼らに必要だったのは、背中をひと押ししてもらうことだ。

ほとんどの人の場合、一歩踏み出すのを阻んでいるのは自分自身だ。自分に何ができるのか、自分はどんな人間なのかはよくわかっていると思い込み、その枠を超えて冒険しようとしない。

自らのなかに潜んでいることすら気づかなかったクリエイティビティや意思の力、すばらしい才能を発見できるように、誰かが本人の意思や感情などお構いなしに、もっと先へ行けと背中を押してくれるまで。

これはプロダクトの第一世代（V1）を送り出した後、さらに先へ進んでいこうとするのに似ている。持てる時間も脳細胞もすべて注ぎ込んでV1をつくる。へとへとになりながら、なんとかゴールラインの先へ送り出した。でもたとえ全力を尽くしたとしても、V1が完璧ということはあり得ない。あなたにはその大きな可能性が見えている。もっとはるかにすばらしいものにできることがわかっている。だからゴールラインでは止まらない。V2、V3、V4、V18へと、ゴリゴリ前進しつづける。プロダクトを一段とすばらしいものにする方法を、次から次へと発見していく。

人間も同じだ。それなのにV1で足を止めてしまう人があまりに多い。今の自分に落ち着いてしまうと、自分にどんな可能性があるかが見えなくなってしまう。でもプロダクトと同じように、人間も完成することは決してない。僕らは常に変化している。常に進化している。

だから、あなたがプッシュする。リーダーとして、CEOとして、メンターとして、たとえ相手に嫌がられても要求する。やりすぎかもしれない、と不安になっても、さらに上を求めつづける。

だが最後には必ず報われる。

良い仕事をすること、最高の結果を追い求めること、チームを助けること、他の人々を助けること。そこにはすばらしい価値がある。

そしていつか、かつて一緒に働いていた誰かからメールが届くだろう。二年、三年、あるいは一〇年前に一緒に働いた誰かから、あなたへの感謝を伝えるメールだ。あのときプッシュしてくれてありがとう。自分にどれだけの力があるか、気づかせてくれてありがとう。あのときは恨んだし、腹を立てたし、あんな無理をさせて、ゼロからやり直しさせて、絶対に妥協してくれなくて、ありえないと思っていた。

でもようやく気づいた。あれが自分のターニングポイントであり、出発点だった。その後のキャリアはそれまでとまったく違うものになった。あなたと一緒につくったモノによって、自分の人生は変わった。そんなメールだ。

こうしてあなたは自分が意義ある仕事を成し遂げたことを知る。つくる価値のある何かをつくったのだ、と。

謝辞

本書を書くのは、思った以上に簡単だった。それと同時に、ずっとずっと難しかった。iPodをつくるより。iPhoneをつくるより。ネスト・ラーニング・サーモスタットをつくるよりも難しかった。

簡単だったのは、何について書くかを決めるところだ。僕は毎日のように起業家から質問を受ける。ストーリーテリングについて、ブレークポイントについて、チームを成長させる方法、取締役会の運営方法について。それについて話し合い、アドバイスを与えてから、その内容を本書に書いた。

トピックの多くはシンプルなもので、常識と思えるものも多かった。だからこの本は本当に必要なのか迷うこともあった。だがその次の日には別の人から同じ質問をされる。一週間後にはまた同じことが起こる。何度も、何度も。正直言って、何度も、毎週毎週、毎月毎月、同じ話をするのにうんざりしてきた。

なぜそうなるのか、徐々にわかってきた。常識は均等には行き渡っていないのだ。チームを作ったことがなければ、そのための当たり前の方法すらわからない。ずっとエンジニアとしてキャリアを積んできた人には、直感的にマーケティングを理解することはできない。新しいことに取り組むとき、初めて何かに挑戦するときには、自らの力で常識を身につけていく必要がある。容易には得られない知恵であり、試行錯誤を通じて、挑戦と失敗を繰り返すなかでなんとか獲得しなければならない。だが運が良ければ経験者との対話を通じて学ぶこともできる。誰かに自分の直感が正しいと認めてもらい、それに従う自信をもらうだけでいいことも多い。

僕が本書を書いたのはそのためだ。

そしてビル・キャンベルが一度も本を書かなかった理由もここにある。

僕はコーチとして、またメンターとして、ビルの足元にも及ばない。多くの人がビルにアドバイスをまとめた本を出させようとしたが、ビルはいつも断っていた。

それはメンターあるいはコーチを務めるうえで最も重要なのは信頼、すなわち二人の人間のあいだの関係だからではないかと僕は思う。ビルは優れたアドバイスを与えるためには相手の人生、家族、会社、不安や野心を深く知る必要があると考えていた。そして一人の人間が最も助けを必要としているときに手を差し伸べることに専念し、そのとき相手が経験している状況に即したアドバイスを与えていた。

本ではそんなことはできない。

僕が本書を書く上で一番苦労したのはそこだ。読者のことを知らない。一人ひとりの読者が、今どんな状況にあるかはわからない。書くべきことはやまほどある。ありすぎる。本書の第一稿は七〇〇ページもあった。それでもあまりに表面的すぎるように感じた。自分が望むほど深い議論はできなかった。大雑把な原則を語り、自分のときはこれでうまくいったというエピソードを書くことはできるが、それが万人に有効なわけではない。ときには完全に間違っていることもあるだろう。

それでも僕は自分が知っていることを書くことにした。自分がこれまでやってきたこと、過去三〇余年で学んできたすべてを振り返り、カーテンを開けた。見苦しいところも隠さず見せた。つらい経験ではあったが、カタルシス効果もあった。キャリアで起きたさまざまな出来事を、自分のなかで消化するのに役立った。

間違ったことを書いてしまうかもしれないが、それは受け入れることにした。誰かを怒らせてしまうかもしれないことも。誰も怒らせないようなものなら、書く値打ちもないだろう。何も間違いを犯さなければ、何も学習しないだろう。

やってみて、失敗して、初めて何かを学ぶことができる。

本書を書こうと思ってからの一〇年のあいだに十分な失敗と学習を重ね、伝える価値のあることにたどり着いたと信じたい。

そして感謝すべき相手にも。

最初に、これまでに出会ったすべてのクズ、ひどい上司、最悪のチームメイト、胸糞悪い企業文化、ダメダメCEO、無能な取締役、そして学生時代に悩まされ続けたいじめっ子連中に心から感謝している（本心だ）。あなたたちがいなければ、自分がどういう人間にはなりたくないか明確に認識することはできなかっただろう。学習プロセスが筆舌に尽くしがたいほどつらいものであったとはいえ、ありがとう。

あなたたちのおかげで、自分はもっとマシな人間になりたいという意欲が生まれた。この本を書ける人間になれた。そして以下の方々の大きな力添えと信頼がなければ、本書を書くことはできなかった。

まず妻と子供たち。いつもそばにいてくれて、僕のインスピレーションの源、心の支え、メンターであり続けてくれて（そしていつも大声の電話を我慢してくれて）ありがとうと言いたい。

共同執筆者であるディーナ・ラビンスキー。本書をまとめあげるのは前向きな感情とそれほど前向きではない感情やライフイベント満載の、ジェットコースターに乗るような経験だったと思う。でもゾッとするところがなければ、ゾクゾクもしないよね？

本書を支えてくれた熱心なチーム。アルフレド・ボッティ、ローレン・エリオット、マーク・フォーティア、エリーゼ・オーレン、ジョー・カルチェフスキ、ジェイソン・ケリー、ヴィッキー・ルウ、ジョナサン・リオンズ、アントン・エニング、マイク・キリナン、アンナ・ソーキナ、ブリジット・ヴィントン、マッテオ・ヴィアネロ、ヘンリー・ヴァインズ、そしてペンギンのチーム。さまざまな、数えきれないほどのバカバカしい要求や質問に耐え忍んでくれた。

編集者のホリス・ハイムバウチと彼女の率いるハーパー・コリンズのチーム。初心者マークを付けたとんでもない共著者たちが、（素人目には）完璧と思える原稿を仕上げるために何度も締め切りを先延ばしするのを我慢してくれた。

エージェントのマックス・ブロックマンとブロックマン社のチーム、とりわけジョン・ブロックマン（僕に一〇年以上も本を書けと言い続けてくれた）に感謝している。

以下の友人、読者からの激励、支援、すばらしいアイデアに感謝している。キャメロン・アダムス、デイヴィッド・アジャイ、クリスティアーノ・エイモン、フレデリック・アルノー、ヒューゴ・バラ、ジュリエット・デボビニー、イブ・ベア、スコット・ベルスキー、トレイシー・バイアーズ、ケイト・ブリンクス、ウィルソン・クアカ、マルセロ・クラウレ、ベン・クライマー、トニー・コンラッド、スコット・クック、ダニエル・エク、ジャック・フォレスター、ケース・ファデル、パスカル・ゴテイエ、マルコム・グラッドウェル、アダム・グラント、ハーマン・ハウザー、トーマス・ヘザーウィック、ジョアンナ・ホフマン、ベン・ホロウィッツ、フィル・ハッチオン、ウォルター・アイザックソン、アンドレ・ケイベル、スーザン・ケア（有名な「歩くレモン」など数々の名作を生み出したデザイナー）、スコット・キオ、ランディ・コミサー、スワミ・コタギリ、トビー・クラウス、ヘネケ

・クレケルス、ジャン・ドラロシュブロシャー、ジム・ランゾーネ、ソフィー・ルゲン、ジェニー・リリー、ジョン・リビー、ノーム・ラビンスキー、チップ・ラットン、ミッキー・マルカ、ジョン・マーコフ、アレキサンダー・マーズ、メアリー・ミーカー、ザビエ・ニール、ベン・パーカー、カール・ペイ、イアン・ロジャース、アイビー・ロス、スティーブ・セラチーノ、ナレン・シャーム、クナル・シャー、ヴィネット・シャハニ、サイモン・シネック、デイヴィッド・スロー、アレイナ・スロー、ホイットニー・スティール、リゼット・スワート、アンソニー・タン、ミン・リャン・タン、セバスティアン・スラン、マリエル・ヴァン・ターテンホフ、スティーブ・ヴァサロ、マキシム・ヴェロン、ゲイブ・ウェイリー、ニクラス・ゼンストルーム、アンドリュー・ザッカーマン。みなさんの率直な意見やアドバイスは本書をまとめるうえで大きな助けとなり、共著者に困難な日々を乗り超える自信を与えてくれた。

ゼネラルマジックのチーム、アップルのｉＰｏｄとｉＰｈｏｎｅのチーム、ネストのチーム、そしてフューチャー・シェイプとかかわりのある起業家のみなさんがいなければ、本書は誕生していなかった。僕はみなさんから多くを学んだし、本書を誠実に執筆することができたのはみなさんのおかげだ。

すでに亡くなった友人やチームメイト。シウ・アトキンソン、ザーコ・ドラガニック、フィル・ゴールドマン、アレン・〝スキップ〟・ホグヘイ、ブレイク・クリコリアン、レランド・リュウ、スティーブ、ビル。今でもよくみなさんのことを考えるし、もっと一緒に過ごしたかった。

そして読者のみなさん。僕を信じて本書を買ってくださってありがとう。単に頑張って書いたから、というわけではない。本書はもっと大きな目標を支えているからだ。本書は地球への影響を最小限に抑えるために環境に配慮した方法で制作したが、本書の収益はうんと大きな影響を与えるために使わせていただくつもりだ。僕が本書から得る収益はすべて、僕の投資会社フューチャー・シェイプの運用する気候問題ファンドに投資する。

詳しくはこちらのウェブサイトを参照していただきたい（tonyfadell.com）。

改めて、みなさんにお礼を申し上げる。本書が多少なりともみなさんの役に立てれば幸いだ。

さあ、進もう！

トニー

追伸：もう一度本を書くことがあるかは正直わからない。ただ本書の内容をもっと掘り下げるべきだ、新しいテーマで書くべきだ、あるいはまったく違うアドバイスがあるという方は、ぜひご意見をお寄せいただきたい。

build@tonyfadell.com

参考文献

僕や僕の友人、メンターが大いに助けられてきた本や資料を紹介しよう（順不同）。

・『ＧＩＶＥ＆ＴＡＫＥ　「与える人」こそ成功する時代』アダム・グラント著、楠木建監訳、三笠書房、二〇一四年
・『陰翳礼讃』谷崎潤一郎、中公文庫ほか
・『ランディ・コミサー――あるバーチャルＣＥＯからの手紙』ランディ・コミサー著、石川学訳、ダイヤモンド社、二〇〇一年
・『睡眠こそ最強の解決策である』マシュー・ウォーカー著、桜田直美訳、ＳＢクリエイティブ、二〇一八年
・『ｉＰｏｄは何を変えたのか？』スティーブン・レヴィ著、上浦倫人訳、ＳＢクリエイティブ、二〇〇七年
・『クリエイティブ・マインドセット――想像力・好奇心・勇気が目覚める驚異の思考法』トム・ケリー、デイヴィッド・ケリー著、千葉敏生訳、日経ＢＰ社、二〇一四年
・『1兆ドルコーチ――シリコンバレーのレジェンド　ビル・キャンベルの成功の教え』エリック・シュミット、ジョナサン・ローゼンバーグ、アラン・イーグル著、櫻井祐子訳、ダイヤモンド社、二〇一九年
・『ＨＡＲＤ　ＴＨＩＮＧＳ――答えがない難問と困難にきみはどう立ち向かうか』ベン・ホロウィッツ著、滑川海彦、高橋信夫訳、日経ＢＰ社、二〇一五年

・『スーパーファウンダーズ――優れた起業家の条件』アリ・タマセブ著、渡会圭子訳、すばる舎、二〇二一年
・『ファスト&スロー――あなたの意思はどのように決まるか？（上・下）』ダニエル・カーネマン著、村井章子訳、ハヤカワNF文庫、二〇一四年
・『NOISE――組織はなぜ判断を誤るのか？（上・下）』ダニエル・カーネマン、オリヴィエ・シボニー、キャス・R・サンスティーン著、村井章子訳、早川書房、二〇二一年
・『初心にかえる入門書――年齢や経験で何事も面倒になった人へ』トム・ヴァンダービルト著、井上大剛訳、パンローリング、二〇二二年
・『RANGE――知識の「幅」が最強の武器になる』デイビッド・エプスタイン著、東方雅美訳、日経BP社、二〇二〇年
・『誰もが学べる決断の技法』アニー・デューク著、片桐恵理子訳、サンマーク出版、二〇二一年
・『チーム内の低劣人間をデリートせよ――クソ野郎撲滅法』ロバート・I・サットン著、片桐恵理子訳、パンローリング、二〇一八年
・『好奇心のチカラ――大ヒット映画・ドラマの製作者に学ぶ成功の秘訣』ブライアン・グレイザー、チャールズ・フィッシュマン著、府川由美恵訳、KADOKAWA、二〇一七年
・『人生は20代で決まる――仕事・恋愛・将来設計』メグ・ジェイ著、小西敦子訳、ハヤカワNF文庫、二〇一六年
・『キャズム――新商品をブレイクさせる「超」マーケティング理論』ジェフリー・ムーア著、川又政治訳、翔泳社、二〇一四年
・『菌類が世界を救う――キノコ・カビ・酵母たちの驚異の能力』マーリン・シェルドレイク著、鍛原多惠子訳、河出書房新社、二〇二二年

・『サボタージュ・マニュアル——諜報活動が照らす組織経営の本質』米国戦略諜報局編、国重浩一訳、北大路書房、二〇一五年

編集注：邦訳のない書籍や記事、学術論文は以下。

・*The Messy Middle: Finding Your Way Through the Hardest and Most Crucial Part of Any Bold Venture*, Scott Belsky
・*Work: A Deep History, from the Stone Age to the Age of Robots*, James Suzman
・*Crisis Tales: Five Rules for Coping with Crises in Business, Politics, and Life*, Lanny J. Davis
・*Read the Face: Face Reading for Success in Your Career, Relationships, and Health*, Eric Standop
・〝Architect behind Googleplex now says it､s ˋdangerous､ to work at such a posh office,〟 Bobby Allyn, NPR, https://www.npr.org/2022/01/22/1073975824/architect-behind-googleplex-now-says-its-dangerous-to-work-at-such-a-posh-office
・〝Why and how do founding entrepreneurs bond with their ventures? Neural correlates of entrepreneurial and parental bonding,〟 Tom Lahti, Marja-Liisa Halko, Necmi Karagozoglu, and Joakim Wincent. *Journal of Business Venturing* 34, no.2 (2019): 368–88.

解説

一橋大学特任教授
楠木建

人々の生活を変える破壊的なプロダクトをつくるとはどういうことか――アップル社でｉＰｏｄやｉＰｈｏｎｅの開発チームを率いた著者がものづくりとマネジメントの極意を伝授する。タイトルはストレートに『ＢＵＩＬＤ』（つくる）。ありがちな武勇伝的自伝ではないというところに本書の魅力がある。少数の大成功の陰には、数多くの失敗がある。著者が言うように「一夜にして成功を収めるには二〇年かかる」。著者は長いキャリアの中で経験した失敗についても、本書の中であけすけに開陳している。実際に、成功よりも失敗の経験から引き出された教訓の方に本書の価値があると言ってもよい。

顧客の「なぜ」に答える

コンピュータ関連のいくつかのスタートアップを経て、著者は一九九一年にゼネラルマジック社に参画する。今ではこの会社の名前すら知らない読者が多いだろう。当時のゼネラルマジックはシリコンバレーの中でも最もミステリアスな技術者集団として注目されていた。革新的で先駆的なパーソナルコミュニケーション＆エンターテインメントデバイス（後のｉＰｈｏｎｅのようなもの）を開発するも、あえなく失敗。スタートアップに懲りた著者は、大企業のフィリップスに入社し、ＣＴＯのポストを得る。外出先で使える携帯PCを開発し市場化するが、これもさっぱり売れない。

失敗を重ねた著者は決定的に重要となる原理原則を獲得する。ゼネラルマジックのプロダクトはなぜ売れなかったのか。確かに素晴らしいテクノロジーを盛り込んではいた。しかし、現実を生きる人々の問題を解決しなかった。プロダクトは顧客の「なぜ」に答えるものでなくてはならない。ゼネラルマジックは社内の天才をうならせるものは何かということばかり考えていた。プロダクトは顧客の「なぜ」に答えるものでなくてはならない。なぜ顧客がそれに注目する必要があるのか。なぜ買う必要があるのか。なぜ使う必要があるのか。なぜ使い続ける必要があるのか。なぜ後継品に買い替える必要があるのか――こうした問いに対して、それまで聞いたことがないような、しかし聞いた途端に「なるほど」と思うような回答を与えるものでなければならない。

一九九九年、音楽コンテンツに注目した著者は、当時この分野で勢いがあったリアルネットワークスに「デジタルジュークボックス」を提案する。単なる「MP3プレイヤー」ではない。1000枚のCDを自宅のホームシアターで楽しめるというアイデアで、「1000曲をポケットに」というコンセプトで登場した後《のち》のiPodに通じるものがあった。しかし、リアルネットワークスは事前の期待とはかけ離れた世界だった。わずか六週間で退社し、自分の会社（フューズ・システムズ）を立ち上げる。ところが、翌年にドットコムバブルが崩壊。資金調達は困難を極める。

ここでアップルから声がかかる。これがすべての始まりだった。当時のアップルは崩壊の瀬戸際にあった。主力事業のPC（マッキントッシュ）のシェアはわずか二パーセントと低迷していた。時価総額は四〇億ドル。王者マイクロソフトの時価総額は二五〇〇億ドルだった。初めはアップルに対するコンサルティングでフューズの従業員の給料稼ぎができればいいという程度の考えだった。ところが、「顧客にとってどうしても必要で、世界を変える力があるプロダクト以外は存在すべきではない」というスティーブ・ジョブズの理念に共鳴した著者は、二〇〇一年にアップルに入社する。初代

iPodが発売されたのはその一〇か月後だった。

最高のアイデアはビタミン剤ではなく鎮痛剤でなくてはならない。ビタミン剤は不可欠ではない。ひっきりなしに続く日常的な不快な体験を除去する——ここにプロダクトの価値がある。人生はささやかな、それでいてとんでもない不便に満ち溢れている。しかし、世の中の人々はそれに慣れている。だから誰も問題の存在自体に気づいていない。

ジョブズは人が気に留めていないことに意識を向ける天才だった。素人であり続けろ。プロダクトを新たな目で見直せ——「1000曲をポケットに」を標榜するiPodの成功は、それまでウォークマンに親しみ、デジタルミュージックを体験したことがない「普通の人々」の日常的な問題を解決したことにあった。

プロダクトの正体

「見えないもの」を「見えるもの」にする。ここにプロダクトの正体がある。プロダクトはつくって売っておしまいではない。ユーザーがそれを手に入れる前に始まり、手に入れた後もずっと続くカスタマージャーニーのすべてをプロダクトに落とし込む。ブランドをはじめて知った時から返品するか捨てるか中身をリセットして友人に売るまでの一連のプロセスを丸ごと相手にする。プロダクト、マーケティング、サポートすべてをつなげ、一貫性と必然性のあるプロセスをスムーズに通過していく感覚を顧客に与える。ものづくりとは顧客の経験を総体として設計することにある——これまでも繰り返し言われてきたことだ。しかし、著者の実体験に基づく考察と洞察は、それが本当のところ何であって何ではないかを鮮明に教えてくれる。

プロダクトは破壊的なものでなければならない。しかし一度にすべてを破壊しようとするのは禁物だ。なぜか。いかにプロダクトが破壊的で非連続なものであっても、顧客の経験は常に連続しているからだ。こちらの都合で顧客の頭と心をリセットすることはできない。急がば回れ。一発勝負ではなく、カスタマージャーニーに寄り添って、バージョン1、2、3……と重ねていく中で、じっくりと顧客に経験を蓄積してもらうことが肝要となる。

著者がアマゾン創業者のジェフ・ベゾスから「ファイアフォン」のアイデアを聞いたときの話が面白い。ベゾスいわく、ファイアフォンは恐ろしく破壊的なデバイスになる。すべての商品が3Dで見え、どんなメディアもスキャンできて商品をアマゾンで買うことができる――スマホでのネットショッピングを変えるのに何も新しいデバイスは必要ない。最高のアプリをつくればいいだけ、というのが著者の反応だった。ファイアフォンは確かに新機能満載だったが満足に動いたものはひとつもなかった。「グーグルグラス」もいちどきにあまりにも多くを変えようとしたがゆえに消費者が理解できなかったという例だ。

著者が大切にしている問いかけに「君が解決しようとしている問題を、これを使わずに解決するにはどうしたらいい？」がある。モノづくりに夢中になるとモノしか見えなくなる。世の中にもっとシンプルで簡単なソリューションがあることを見落としてしまう。

アップルは初代ｉＰｏｄとともにｉＴｕｎｅｓをオープンしなかった。ターゲットとしていた普通の顧客はＣＤをリッピングして聴いていたからだ。多くのことを拙速に変えると、ユーザーがカスタマージャーニーの入り口を見失ってしまう。まずはＣＤからＭＰ３の音源にジャンプしてもらう必要がある。バランスよく着地できなければ次のジャンプはない。

本書の白眉は第三部にあるサーモスタットの事例だ。二〇一〇年にアップルを退社した著者はネスト社を創業する。きっかけは著者自身の体験にあった。どこに旅行に行っても部屋のサーモスタットの性能や使い勝手が悪い。いつも暑すぎるか寒すぎる。しかもエネルギーが無駄になっている。誰かが何とかすべきだ――この問題の発見がネストの最初のプロダクト「ラーニング・サーモスタット」

として結実する。

ネストのビジョンはスマートホームのプラットフォームを構築することにあった。このアイデアは新奇なものではなかった。ゼネラルマジックも九〇年代にスマートホーム構想を掲げていた。ネストの試みが画期的だったのは、包括的な家庭用機器を盛り込んだプラットフォームを売るのではなく、まずはサーモスタットに集中したことにあった。サーモスタットを突破口にして、その先にそれとつながるプロダクトを次々に展開することによって、結果的にスマートホームのプラットフォームとなるという戦略だ。

ネストのサーモスタットは節電という基本価値をユーザーに明確に理解させると同時に、シンプルで美しく使いやすいものでなければならなかった。しかも、普通の人はわざわざサーモスタットなど買いに行かない。ホームセンターで売ってはいたが、顧客が自分で設置できないようにあえて複雑に作られていた。自宅のサーモスタットが故障したら設置業者に電話をして付け替えてもらうのが普通だった。従来のサーモスタット・メーカーは顧客接点にあるエアコン設置業者を囲い込んでいた。ハネウェルのサーモスタットを売れば設置業者に報奨金が入る。これが参入障壁になっていた。

既存のエアコン設置業者に入り込むのは不可能だった。ネストのサーモスタットは顧客が自らの意思で購入し、自分で簡単に設置できるものでなければならなかった。サーモスタットを買う習慣がないエンドユーザーに買ってもらわなければならない。そもそもどの店にも「サーモスタットコーナー」などというものはない。そこで著者はベストバイのような小売店と交渉して「スマートホームコーナー」をつくり、そこにネストのサーモスタットを置くという手を打った。

まったく新しいコンセプトだっただけに、ネストはサーモスタットのパッケージング――カスタマージャーニーの起点――に集中した。製品名、キャッチフレーズ、機能、優先順位をすべて製品の入った箱に印字した。表面積には物理的制約がある。微調整を繰り返し、顧客に理解してもらいたいポイントを絞り込む必要がある。これがプロダクトのコンセプトにさらに磨きをかけた。パッケージはネストのマーケティング戦略の詰まった小宇宙になった。

プロトタイプは正常に作動した。しかし、モニターを使ってテストしてみると設置に一時間かかることが分かった。これでは長すぎる。二四九ドルするサーモスタットだ。箱を開け、説明書を読み、壁に設置し、最初に暖房のスイッチを入れるまでのすべてが自然で気持ちよく楽しい経験でなくてはならない。最初にネガティブな経験を与えてしまうと、カスタマージャーニーがそこで止まってしまう。

ここからが著者の真骨頂だ。なぜ時間がかかるのかを調べると、設置作業そのものではなく、顧客が工具を探すのに手間取っていることが分かった。ドライバーはマイナスかプラスか。どこにしまってあるのか。キッチンの棚を開けて次にガレージに行って工具箱を開けて……これに三〇分を要していた。工具さえそろえば二〇~三〇分で設置できる。

そこで著者はパッケージに小さなドライバーを一本追加することを決める。おしゃれでかわいいデザインで、交換可能なヘッドが四種類ついている。設置作業に役立つだけではない。ネストのサーモスタットのデザインは美しいものだったが、日常の生活の中でサーモスタットの存在を意識する人はあまりいない。ドライバーを気に入ってもらえれば、キッチンの引き出しを開けるたびに、ネストの小さなドライバーが顧客の目に入る。子供のミニカーの電池を変えるたびにドライバーを手に取る。

ドライバーは購買後の顧客との関係をつくるツールになる。ドライバーのコストは一・五ドル。原価はその分増える。しかし、それは製造原価ではない。カスタマージャーニーを創造するマーケティング投資だというのが著者の考えだった。一本のドライバーというテクノロジーも何もないありふれた付属物――そこに破壊的イノベーションの真髄を見る。

マネジメントの王道

アップルのｉＰｏｄやｉＰｈｏｎｅ、ネストのサーモスタットはいずれも破壊的なイノベーションをもたらし、人々の生活を変えた偉大なプロダクトだった。しかし、著者が自分自身でこれらのプロダクトをつくったわけではない。本書の中で強調しているように、著者の一義的な役割はプロダクトを開発する部門なりチームを統率するマネジメントにあった。

シリコンバレーでは再発明と破壊がすべてであるとされる。それは一面では正しいのだが、組織とマネジメントの本質は変わらない。結局のところ生身の人間の集団がやることだからだ。本書が伝授するマネジメントについてのアドバイスは、いずれも古典的なものだ。やろうとしていることは破壊的であっても、それを実行する組織とマネジメントはオーセンティック（正統的）――このコントラストが面白い。マネジメントには古今東西不変の原理原則があるということを再確認した。

マネジャーとプレイヤーの仕事ははっきりと異なる。マネジャーになったら、それまでのプレイヤーとしての仕事の成果は関係ない。自分でやるのではなく、部下に仕事をさせ、部下を成長させるのがマネジャーの仕事だ。マネジメントは才能ではない、と著者は断言する。仕事の経験のなかで修行を重ねるしかない。個性は二の次。誠実さがものを言う。

目標設定、採用、評価、会議、進捗確認、もめごとの解決……ようするに「何か困っていることない？」と聞いてまわるのがマネジャーだ。一にも二にも部下とのコミュニケーションが大切になる。このときもＷＨＹを伝えることが肝心だ。ＷＨＡＴやＨＯＷを指示する前に、なぜその仕事に意味があるのかを部下が理解していなければならない。

部下が活躍して自分の存在が霞んでしまうようになる。これこそがマネジャーとしての成功だ。決してプレイヤーの部下と競争してはならない。部下と張り合うマネジャーはマイクロマネジメントに走る。これが組織をダメにする。

よく知られているように、スティーブ・ジョブズはアップルの絶対権力者として君臨し、独裁者として振舞った。チームが開発しているプロダクトのクオリティにとことんこだわった。ジョブズが宝石商のごとくルーペを取り出し、ディスプレイ上の一つ一つのピクセルにまで目を光らせ、ユーザーインターフェイスのグラフィクスがきちんと描かれているか確認する姿を著者は目撃している。ハードウェアからパッケージに書かれた文言の一字一句に至るまで、同じレベルの注意力で目を光らせた。それでも、プロダクトに直接手は出さなかった。部下が文句なしに最高のプロダクトをつくっているかに意識を集中し、成果を確実なものにする。プロセスではなく結果にコミットする。成果をどうやって生み出すかは部下の仕事だ。任せることができなければマネジャーではない。

グーグルの実像

二〇一四年に著者は革新的なサーモスタットで成功したネストをグーグルに売却する。おそらくこれが著者のキャリアを通じて最大の失敗だろう。著者はこの失敗の成り行きを微に入り細に入り具体的に記述している。当事者でなければ書けない迫真のディテールに重みがある。

グーグルといえばシリコンバレーの象徴にしてイノベーションの総本山のような印象がある。そこには創造性にあふれ、機敏で柔軟でオープンで自由闊達な経営があるかのように見える。しかし、著者の見たグーグルは正反対だった。社内のルールと手続きに縛られた硬直的な組織。内向きで場当たり的な意思決定。検索・広告事業から生まれる莫大な収益ゆえの弛緩した管理体制。何よりも、異質なものを受け入れようとしない排他的体質。ネストの買収後の統合は遅々として進まず、グーグルの中でのネストの位置づけは二転三転。結局、著者はグーグルを離れるのだが、実態は放り出されたのに近い。

ネストの創業当初からグーグルはネストに関心を寄せていた。早くも二〇一二年には買収の意向を表明している。ネスト側がこれを断ると、出資を申し出る。ネストにはスタートアップの活気があった。サーモスタットはよく売れていた。先述したように、ネストはサーモスタットを皮切りにスマートホームのプラットフォーム構築を目指して、次々に関連機器を市場化しようとしていた。この戦略の実行には莫大な資金が必要になる。ここに至って著者はグーグルへの売却を決断する。買収金額は三二億ドル。スマートホーム事業に五年間でさらに四〇億ドルを投資する約束をグーグルから取りつけた。資金だけではない。グーグルには最高の人材や技術、強力な販路もある。誰が見ても最高の結婚だった。

しかし、「地獄への道は善意でできている」。すぐに著者は大きな困難に直面する。グーグルの文化はスタートアップのネストのそれとまるで違っていた。グーグルの社員の間には、宿敵のアップル出身者である著者への複雑な感情もあった。著者にしても「グーグルの新入社員がかぶるプロペラ付きの野球帽をかぶる気など毛頭なかった」。文化の衝突がここそこで発生し、頼りにしていたグーグルのリソースが使えない。グーグルストアでネスト製品を売ろうとすると、「無理です、少なくとも一年かかります」。それまで使っていたＡＷＳ（アマゾン・ウェブ・サービス）を解約しグーグルクラウドに乗り換えようとすると、「無理です、かえって費用が高くなります」。

財務状況に直接的なダメージも生じた。検索や動画による広告事業で高収益を続けてきたグーグルは異様に高コスト体質で、重い間接費がネストにのしかかってきた。買収前に二五万ドルだったネストの社員一人当たりの支出は四七万五〇〇〇ドルに跳ね上がった。グーグルの管理会計上、真新しいオフィスビルや豪華な会議室のコストはもちろん、社員にふんだんに供与される無料のバスや食事やスナックの経費も負担しなければならなかったからだ。ＰＣをグーグルのネットワークに接続する費用は、驚くべきことに一人当たり一万ドル（ＰＣの費用を含まず）だった。

買収から一年後、著者はグーグル創業者のラリー・ペイジのオフィスに呼ばれ、「エキサイティングな全社戦略」を知らされる。アルファベットという持ち株会社の下にグーグルの事業をぶら下げる。つまりは、上場企業としてウォール街のアナリストに説明しやすい経営体制への移行だ。ネストはグーグル事業の一部ではなく、「その他の挑戦」カテゴリーに位置づけられた。

グーグルのリソースへのアクセスは完全に断たれた。グーグルの優秀な社員はネストのプロダクトに興味を持つことはあっても、創業以来のミッションに関心はなかった。状況が厳しくなったらとどまるつもりはさらさらない。「きみたちはグーグルの一部ではない」とテクノロジーチームは手のひらを返した。

アルファベット体制が発表されて二四時間後には、設備管理を担当するグーグル・ファシリティーから数百万ドルの本社ビルの請求書が届いた。ついに一人当たりの費用は二・五倍にまでなった。アルファベットへの上納金を軽減してもらおうと交渉しても、「財務会計基準でこうせざるを得ない、上場企業だから仕方がない」というそっけない回答がくるだけだった。

アルファベットはハードウェアでも収益事業があることを投資家に示したかった。当時、スマートフォンやクロームブックなどのグーグルのハードウェア事業はことごとく赤字だった。アルファベットの経営会議は「売り上げ目標を達成していない」とネストの収益化の前倒しを要求してきた。著者に言わせれば、売り上げ目標はグーグルのでっちあげだった。そもそもグーグルストアでの販売で三〇～五〇パーセントの売り上げ増を見込んでいたのに、それは頓挫していた。さらに悪いことに、グーグルと一緒になったことで、一部の顧客はネストから離れていった。グーグルのプライバシーポリシーに懸念を抱いたからだ。ネストが顧客に対してグーグルから独立していることを表明すればするほど、グループ内でのネストの評判が悪化する悪循環に陥った。

交渉が行き詰まると、「戦略事業ではなくなった」「コストがかかりすぎる」という理由でアルファベットはネスト事業をあっさりと売りに出した。事ここに至って、著者は退社を決断する。その後、アルファベットはネストの売却を取りやめ、「グーグル・ネスト」として完全にグーグルの中に取り込まれた。アマゾンがネストの買収に興味を示したので、アルファベットの経営陣がその価値を再認識したのではないか、というのが著者の推測だ。

この解説を書いている現在、グーグルは依然としてネスト事業を展開している。著者が開発をリードしたサーモスタットや一酸化炭素報知器「ネスト・プロテクト」だけでなく、防犯モニターカメラやドアロック、警報システム、それらをコントロールする「グーグル・ネスト・ハブ」など幅広いプロダクトがラインナップされている。しかし、数多くのプロダクトやサービスを手がける巨大企業のなかにあって、グーグル・ネストは周辺的な事業にとどまっているように見える。

著者がネストを売却せず、独立した企業として資金や人材を集め、サーモスタットを橋頭堡としてスマートホームのプラットフォームを目指したロードマップを推し進めていったらどうなっていただろうか。もちろん鳴かず飛ばずに終わってしまった可能性もあるが、現在のグーグル・ネストとは相当に異なった企業になっていたのは間違いないだろう。

経営における「分母問題」

本書が描くグーグルとの統合の蹉跌は、言うまでもなく著者の視点に立ったものだ。グーグル（アルファベット）にも言い分はあるだろう。グーグルの立場に立てば、このような成り行きになるのは自然だ。「合理的」と言ってもよい。

シリコンバレー発のビッグテック、メガプラットフォーマー、情報技術の聖地……グーグルを形容する言葉は華々しい。しかし、今となってはグーグルも「普通の巨大企業」だ。できることとできないことがある。グーグルの実像についての著者の率直な述懐は、確立した巨大企業の宿命的な限界——経営における分母問題——を浮き彫りにしている。

グーグルはとてつもなく大きな広告事業を収益基盤としている。規模が大きいだけでなく、広告業は収益性もずば抜けて高い。これが経営判断の「分母」となる。ネスト事業のような新しい投資分野は「分子」に相当する。分母の大きさが分子についての意思決定基準に大きな影響を与える――これが僕の言う分母問題だ。

グーグルのような巨大企業は、あらゆる戦略的意思決定において分母の大きさと豊かさから逃れられない。人間がやる以上、事業機会の評価や投資の意思決定の基準はどこまで行っても相対的なものだ。広告事業から上がってくるカネはあり余るほどある。「カネ持ち喧嘩せず」ならぬ「カネ持ち投資する」で、有望そうな事業を持つスタートアップを高値でバンバン買収する。ところが、超絶規模の分母の上に置いてみると、まるで面白くない。取るに足らないハナクソみたいな商売に見える。しかも(今のところは)たいして儲からない。だからヤル気にならない。

「ユーチューブを除けば、これまでのグーグルの大型買収の大半はおよそ成功とはいえない。買収からほどなくして僕が気づいたように、グーグルは魅力的な獲物が見つかるとすぐに目移りする。ネストに何十億ドルもの大枚をはたいたことなど関係ない。ネストを飲み込んでしまうとすぐにまた空腹になり、次の食事を探し始めた。腹のなかにうまく収まっているか確認する時間も興味もなかった。ネストはすでに前日のディナーに過ぎなかった」――著者は嘆くのだが、これはグーグルに悪気があってのことではない。構造的問題だ。その分母の大きさゆえに、巨大企業はよほどのことでないと「腹のなかにうまく収まっているか確認する」気になれない。ビッグテックというのはそもそも「そういうもの」なのだ。

大きな分母を抱える企業にしてみれば、とにかく分子が大きくないと話にならない。しかし、そんなビッグ・イベントはそうそうない。グーグルやメタにとっての広告事業、アップルにとってのスマートフォン事業に匹敵するような規模の商売はまずない。ある分野で支配的な地位を確立した巨大企業の多くが、うなるほどキャッシュを持っているにもかかわらず、なかなか事業構成を変えられないままズルズル行き、そのうちに頭打ちになり成熟へと向かっていく――そのひとつの要因は経営の分母問題に端を発するメカニズムにある。ものづくりのマネジメントという主題を超えて、本書は企業という生き物の本性についても興味深い洞察を含んでいる。

本書もまた著者のプロダクトのひとつであるだけに、さすがによくできている。「なぜ読者がこの本を必要とするのか」に対する答えがはっきりしているだけでなく、読み手の立場に立った構成が秀逸だ。単純に時間軸に沿った回想ではなく、テーマごとに章を立てたアドバイス集になっている。辞典を引くように、興味ある章から読んでもよい。すべてを読み終わった後も、そのときの読者の問題意識に関連する部分をすぐに読み返せるようになっている。どの章をとっても著者のメッセージは深い。読者はその都度新しい気づきや学びを見つけるだろう。カスタマーである読者の「ジャーニー」を見通している。繰り返し読む価値がある傑作だ。

二〇二三年四月

BUILD
——真《しん》に価値《かち》あるものをつくる型破《かたやぶ》りなガイドブック
2023年5月25日　初版発行
2024年5月15日　3版発行
＊
著　者　トニー・ファデル
訳　者　土方奈美《ひじかたなみ》
発行者　早　川　浩
＊
印刷所　中央精版印刷株式会社
製本所　中央精版印刷株式会社
＊
発行所　株式会社　早川書房
東京都千代田区神田多町2-2
電話　03-3252-3111
振替　00160-3-47799
https://www.hayakawa-online.co.jp
定価はカバーに表示してあります
ISBN978-4-15-210241-6　C0030
Printed and bound in Japan
乱丁・落丁本は小社制作部宛お送り下さい。
送料小社負担にてお取りかえいたします。